La collection
ROMANICHELS
est dirigée par
André Vanasse

# Errances

La publication de cet ouvrage a été rendue possible grâce à l'aide
financière du ministère des Communications du Canada,
du Conseil des Arts du Canada et du ministère
de la Culture et des Communications du Québec.

XYZ éditeur
1781, rue Saint-Hubert
Montréal (Québec)
H2L 3Z1
Téléphone: 514.525.21.70
Télécopieur: 514.525.75.37

et

Sergio Kokis


Dépôt légal: 4ᵉ trimestre 1996
Bibliothèque nationale du Canada
Bibliothèque nationale du Québec
ISBN 2-89261-173-3


Distribution en librairie:
Dimedia inc.
539, boulevard Lebeau
Ville Saint-Laurent (Québec)
H4N 1S2
Téléphone: 514.336.39.41
Télécopieur: 514.331.39.16


Conception typographique et montage: Édiscript enr.
Maquette de la couverture: Zirval Design
Photographies: Nicolas Kokis
Tableau de la couverture: Sergio Kokis, *Dans le bar*
Dessins des pages de garde: Sergio Kokis

# Sergio Kokis

# Errances

*roman*

éditeur
Romanichels

L'auteur désire remercier le Conseil des Arts du Canada qui a encouragé la création de ce roman.

*À Ginette Beaulieu,*
*Gaëtan Lévesque*
*et André Vanasse,*
*passionnés du langage*
*et ivres d'encre d'imprimerie.*

L'homme est un animal fabulateur
par nature.

UMBERTO ECO
*Apostille au Nom de la rose*

Toujours, dans mon sein la même griffe
Toujours, dans l'ennui le même appel
Toujours, en dormant la même guerre
[...]
Toujours, dans mes sauts le même échec
[...]
Et toujours,
dans mes toujours la même absence.

CARLOS DRUMMOND DE ANDRADE
*L'enterré vivant*

# 1

Une fois que le consul brésilien eut annoncé la nouvelle de l'amnistie, son visage resta figé en un sourire béat, les yeux grands ouverts, à contempler l'effet de ses paroles sur les autres invités. Comme la réaction se faisait attendre car la plupart ne savaient rien ou se fichaient de ce pays latino-américain éloigné, il se mit à expliquer que oui, le gouvernement avait bel et bien changé, que les militaires retournaient dans leurs casernes, que des élections libres allaient avoir lieu, que le passé était pour ainsi dire complètement oublié.

— Pardon sur toute la ligne, à gauche et à droite, aux pauvres, aux riches, aux policiers et aux étudiants, aux civils et aux militaires. Tout sera effacé de notre histoire. On recommence à zéro.

Devant le silence incrédule de plus en plus lourd, il ajouta :

— C'est dans notre plus pure tradition pacifiste, chrétienne et tropicale. Pas de rancune ni de vengeance.

Le passé, c'est du passé. Notre pays se prépare maintenant à la reconstruction démocratique. L'Uruguay et le Chili suivront l'exemple dans peu de temps.

Puis, l'air un peu paternel, il conclut en se tournant vers le coin d'où Boris écoutait discrètement :

— Il était temps, n'est-ce pas ? Vingt ans de luttes fratricides, avec tant de souffrances et de misère, sans compter la perte de quelques-uns de nos meilleurs penseurs, émigrés à l'étranger…

Boris ne s'attendait à rien d'autre qu'à l'ennui habituel lorsqu'il avait accepté l'invitation à cette soirée à la maison des écrivains de Berlin-Est. Même la nouvelle de la présence du consul brésilien à Prague ne l'avait pas intéressé. Il connaissait depuis longtemps l'atmosphère fade et bureaucratique de ces rencontres auxquelles on assistait par devoir, où ceux qui étaient honorés n'étaient pas dupes. Cela faisait partie de ses fonctions de poète exilé ; et ce depuis si longtemps qu'il avait pris le parti de ne plus y penser.

La soirée continua comme prévu, avec les éternels bavardages, les salutations pour la forme, chacun surveillant les autres à l'affût d'un piston ou d'un racontar au milieu de jalousies et d'angoisses parfois épaisses comme le brouillard.

Boris se réjouissait intimement de sa capacité à s'esquiver pour ne pas rencontrer le consul seul à seul. Il avait bien observé les manœuvres et les sourires de ce dernier, ses tentatives d'approche pour préciser les détails de la fameuse amnistie. Mais en vain. Boris ne voulait pas de ce cadeau ; il trouvait immorale cette histoire de pardon généralisé. Après tout, les civils n'avaient torturé aucun militaire, et il ne connaissait pas de policier qui avait dû émigrer.

Dans son élégance grassouillette et bien rasée, sentant la lotion à barbe, le consul réussit tout de même, vers la fin de la soirée, déjà à la sortie, à lui glisser un mot en portugais :

— J'aimerais pouvoir vous en dire plus, personnellement. Notre consulat à Prague est autorisé à délivrer les documents nécessaires, le passeport tout neuf. Il suffira de nous écrire. Voici ma carte, mon cher professeur ; et bon retour au pays.

Une fois dans la rue, réveillé par le froid et la neige mouillée, Boris décida de ne pas prendre le tramway mais plutôt de marcher jusqu'à l'hôtel. Il faisait bon d'être de nouveau seul pour laisser la tête divaguer. Les rues d'un aspect sinistre étaient vides et la lumière blafarde des poteaux dessinait de longues diagonales sur le pavé humide. Les rares autos passaient avec un bruit de glissement de pneus, leurs phares nerveux illuminant les façades délabrées. Son ombre s'allongeait vers l'avant et vers l'arrière entre les poteaux, et ce mouvement de pendule lui ramena des souvenirs qu'il avait pendant longtemps réussi à enfouir sous sa carapace d'étranger.

La nouvelle de l'amnistie lui tombait dessus comme une sentence. Vingt ans déjà que Boris attendait cette annonce, autour de laquelle il avait construit tant de rêves. Sa seule excuse, sa seule identité. Elle avait été si ancrée dans son existence qu'il avait fini par l'oublier. Maintenant elle était là ; mais il n'était plus prêt.

Comment donc ce petit consul avait-il entendu parler de lui ? Peut-être qu'on tenait des dossiers sur les émigrants, ou que ses livres avaient déclenché une quelconque curiosité là-bas… Des pensées peu organisées se succédaient dans son esprit à la recherche d'une forme.

Boris existait toujours pour les gens de là-bas, après tant d'années. L'histoire qu'il se racontait à lui-même n'était donc pas de la fiction ; ou, en tout cas, pas complètement inventée. Une partie de ce passé avait vraiment eu lieu. Mais laquelle au juste ? Depuis le temps qu'il vivait seul avec ses souvenirs, les arrangeant à sa façon pour donner une certaine cohérence à sa vie, il n'était plus certain de rien.

La soirée des écrivains, les comités de soutien au tiers monde, la ville de Berlin, la traductrice angolaise avec qui il avait flirté, son travail au laboratoire de statistiques sociales, même Olga, tout disparaissait dans la brume de cet hiver humide. Soudain, le présent n'avait plus d'importance devant l'avalanche de souvenirs qu'il ne cherchait plus à stopper. D'ailleurs, cette vie artificielle d'exilé lui avait toujours paru fade devant ses rêves et ses chimères. Et voilà que toute son existence basculait à cause du sourire idiot d'un consul et que le passé redevenait présent.

Boris marcha au hasard, sa tête chaude coupant l'air froid, oubliant les cigarettes qui se consommaient toutes seules entre ses doigts, suivant le trottoir et laissant son corps se perdre dans la ville.

Clarissa... si jeune, si timide. Qu'était-elle devenue après tant d'années ?

Parmi les images du passé, celle de Clarissa était la plus chère ; elle paraissait donner un sens aux autres tout en restant la plus secrète. Clarissa apparaissait rarement isolée ; le plus souvent elle était au milieu de rassemblements politiques, de manifestations de rue et de groupes clandestins dans un pays plein de couleurs, où les rares drapeaux rouges éclataient parmi une multitude de verts et jaunes. Boris n'osait plus l'affronter dans l'intimité. Autrefois, Clarissa l'avait fait souffrir comme une blessure ; la senteur de sa peau et le noir de ses yeux l'avaient déchiré de désir et de tendresse. Puis le temps avait passé ; si vite que ce joli sourire s'était perdu quelque part dans son identité rapiécée de bavardages sur les combats de la gauche et d'hypothétiques révolutions prolétariennes, de poésie engagée et de voyages. Il le fallait, pour qu'il pût se sentir à l'aise dans ses nouveaux déguisements. Mais elle n'avait pas disparu. Même s'il n'aimait pas se l'avouer, sa seule patrie s'appelait Clarissa. Une Clarissa devenue figée dans les scènes de la mémoire, se confondant tantôt avec la femme gigantesque qui symbolise la Russie à Stalingrad, tantôt avec le visage juvénile de quelques étudiantes ; parfois même avec la face d'Olga endormie lorsque celle-ci soupirait comme une enfant. Clarissa n'apparaissait plus qu'à la dérobée, aux moments d'émotion où il baissait la garde. Mais elle blessait toujours ; c'était une blessure triste et discrète, dont il savait qu'elle mettait sa conscience en jeu. Clarissa était devenue le rappel de sa mauvaise foi ; elle ne devait donc plus circuler librement dans sa mémoire. Les amours de jeunesse sont ainsi faits, surtout lorsqu'on les perd : ils ne vieillissent jamais. Ils nous secouent dans nos habitudes et dans nos compromis pour réveiller l'adolescent fougueux que nous avons été.

La tête pleine d'images, Boris s'éloigna alors sans s'apercevoir du centre-ville, bifurquant parmi les longues allées uniformes d'immeubles aux allures de bunkers. Il ne sentait plus la fatigue et ne filtrait plus les souvenirs. Perdu dans ses pensées, il lui arrivait parfois de sourire ou de marmonner des commentaires ; il cherchait aussi à retracer le nom de tel ou tel compagnon oublié dont seul le visage faisait surface, de telle rue ou de tel bar.

La lumière d'un restaurant isolé, dans une cave, attira son attention. Il descendit les marches automatiquement, content à l'idée de boire un verre de bière pour accompagner l'air salé de ses souvenirs.

C'était un vieux restaurant mal éclairé ; les marches donnaient directement sur un plancher de bois mouillé, saupoudré de sciure. Des visages silencieux se tournèrent froidement dans sa direction comme s'ils regardaient un meuble, sans sentiment. Cette présence d'hommes à l'apparence étrangère entra en collision avec les images que Boris avait dans la tête pour le ramener à une réalité palpable. Leurs habits, leurs allures, tout en eux lui paraissait exotique, même le comptoir poli derrière lequel une grosse femme remplissait des bocks. Boris ressentit de nouveau le sentiment de malaise qu'il avait éprouvé autrefois, il y a vingt ans, lorsqu'il était arrivé en Europe.

Tout cela à cause d'un petit consul, pensa-t-il en saluant à la ronde d'un signe de tête avant de prendre place à une table vide.

Les autres retournèrent à leurs propres pensées sans remarquer que ce client tardif était un étranger. Boris n'avait d'ailleurs pas l'apparence d'un étranger ; il était passé presque complètement inaperçu durant toutes ces années. Mais ses propres souvenirs rendaient les autres singulièrement étrangers, comme des morts épinglés dans un musée macabre.

C'était bien curieux de voir ce Boris jusqu'alors si bien adapté, si solidaire de ses compagnons et du peuple en général, se détacher subitement de leur monde. Lui-même se rendit compte de cette brusque transformation qu'il ne cherchait ni à critiquer ni à comprendre. Il aurait autrefois éprouvé une certaine gêne de se trouver ainsi dans un quartier inconnu, sans motif valable, presque comme un vagabond ; il aurait eu peur d'éveiller des soupçons. Plus maintenant. Ce n'étaient que des étrangers, tous ces gens, aussi étrangers qu'ils l'avaient été durant ces longues années. Chez eux, sans aucune importance.

Une fois la bière tiède sur la table, Boris eut à peine le temps de bourrer une pipe avant de replonger dans sa mémoire, infiniment plus loin dans l'espace et dans le temps.

❏

Avril 1964. Le jeune lieutenant Boris Nikto, étudiant en mathématiques à l'université et militant communiste, est en fuite. Il est dans un petit autobus en compagnie de trois de ses camarades gradés et de sept soldats. Le capitaine est blessé à la jambe, mais ne saigne plus ; le pansement qu'on lui a fait il y a quelques heures a suffi. Ils se sont dépouillés de leurs uniformes depuis longtemps et portent des vêtements civils dépareillés, trouvés au hasard de la fuite. Les armes et les munitions sont cachées sous les banquettes.

Ils roulent depuis des heures, depuis le début de la soirée, et le soleil est déjà bien haut dans le ciel. La chaleur est accablante mais ils ne peuvent pas s'arrêter. De vagues contacts les attendent dans un village isolé, encore à une journée de route, même s'ils ne le croient plus. Si l'on se fie aux nouvelles qui filtrent par la radio entre deux marches militaires, le coup d'État est couronné de succès. Le président et sa suite se sont enfuis en Uruguay ; les armées du sud du pays, qui pourtant avaient juré de défendre la démocratie, se sont ralliées aux putschistes. Des arrestations d'éléments dits subversifs ont lieu partout pour garantir la paix et l'ordre. Les États-Unis, le Portugal, l'Espagne, le Canada et Haïti ont déjà reconnu le nouveau régime après sa promesse de respecter les traités et les frontières.

Ils croisent souvent des troupes se dirigeant vers Rio de Janeiro, mais personne ne juge bon de les arrêter. Les rares barrages visent plutôt à faciliter le mouvement des blindés. Leur fuite est passée inaperçue jusqu'à présent. Ça a été une chance de trouver cet autobus qui leur donne l'allure d'une équipe de football en voyage.

Boris est très fatigué et il évite de penser aux événements de la veille. Il n'arrive pas encore à croire que ses camarades du parti lui ont tourné le dos après la révolte à la caserne. Les autres passagers non plus ne semblent penser à rien. Le gradé péruvien qui a été pris par hasard dans la bagarre paraît tout à fait désespéré. Au début du voyage, il protestait encore de son innocence, répétant qu'il n'était qu'un simple coopérant en stage au Brésil. Son baragouinage dans un mélange d'espagnol et de portugais a cessé et il se contente de regarder par la fenêtre arrière avec des yeux ensommeillés. Boris a cherché à le rassurer en lui disant que, sans l'uniforme, personne ne le reconnaîtra, et qu'il pourra toujours prétexter qu'il a été pris en otage. Mais sans grand succès. Pourtant ce Péruvien se disait communiste dans son pays, sympathisant du Che et tout le reste. Maintenant, il est seul avec sa peur.

Ne pas s'arrêter, continuer à se battre, armer le peuple, mobiliser les syndicats... Autant de mots d'ordre désormais vides de sens puisque la réalité s'est montrée bien différente des prévisions. Il n'y a presque pas eu de lutte, le peuple n'a pas voulu prendre les armes ou il est simplement resté chez lui. Les syndicats se sont volatilisés dès la fuite des bureaucrates, aux premières nouvelles du coup militaire. Seule Clarissa est réelle dans toute cette confusion. Boris l'a laissée chez elle deux jours auparavant; le goût sucré de ses lèvres hante toujours son cerveau.

« Comment va-t-elle se débrouiller ? se demande-t-il. Vont-ils la chercher, l'arrêter ? Les étudiants de la faculté ne semblaient pas fiables. Va-t-elle pouvoir trouver une planque ? Qu'est-ce qu'elle savait de notre plan pour prendre d'assaut la caserne ? »

Ces idées et d'autres encore traversent son esprit pendant qu'il surveille la route.

Le caporal Mateus, très habile, conduit comme si de rien n'était, comme s'ils étaient en promenade. Même sans connaître le terrain, il réussit de mieux en mieux à éviter les grandes routes et emprunte plutôt les chemins de campagne afin de ne pas croiser les convois de troupes. On reconnaît parfois des unités militaires d'autres États; mais elles se déplacent si pacifiquement que cela ressemble plutôt à un défilé de la fête nationale.

La journée avance, et avec elle cette honteuse envie d'aller aux toilettes. Ils ne remarquent pas la faim; seule l'inutilité de leur action suicidaire s'impose de manière chaque fois plus évidente. Que faire maintenant ? Autant continuer vers ce point de contact si bien étudié; c'est insensé puisqu'ils ont l'air d'être la seule unité à avoir suivi le plan de combat. Et qu'ils ne sont qu'une poignée d'hommes fatigués...

Pourquoi l'ont-ils accomplie, cette action, au lieu d'hésiter comme tous les autres? Boris aura beaucoup de temps pour penser à cette question idiote dans les années suivantes. Pour l'instant, il se borne à les maudire, tous ceux qui se montraient si courageux, intransigeants et expérimentés dans les réunions préliminaires du parti. Jusqu'aux types du comité central, qui citaient Lénine à chaque phrase pour appuyer le bien-fondé de leur ligne politique. Sauf que, au moment opportun, c'étaient des hommes et pas la ligne ni le parti qui devaient agir. On tombait alors dans l'impondérable facteur humain. Boris se trouve ainsi avec cette bande de casse-cou, armés jusqu'aux dents, sans que personne sache quoi faire.

Trois jours de cette course infernale. Ils sont enfin arrivés à la fameuse ferme abandonnée où, naturellement, personne ne les attend. L'autobus est camouflé dans un ravin et ils se reposent, couchés sur le sol de terre battue. La nuit très sombre, remplie de bruits d'animaux et d'insectes, rassure les hommes et attire le sommeil.

Même ceux qui font le guet ont été surpris par la lumière du jour et le concert joyeux des oiseaux. L'endroit est entièrement désert, très éloigné des chemins. Chacun a l'impression qu'il pourrait y rester toute l'éternité comme le font les naufragés. Les épaisses toiles d'araignées, les chauves-souris nichées au plafond et les chemins couverts d'herbes témoignent d'une énorme paix, tout à fait grotesque. Le constat de l'impossibilité de défendre l'endroit contre des attaquants s'ajoute à la certitude qu'ils ont été leurrés. Rien qu'à voir le choix de cette ferme, les cadres du parti peuvent dire adieu pour toujours à leur fameuse révolution; elle sera vouée à l'échec en dépit de tous les Lénine du monde. Il ne leur reste qu'à se faire paysans.

Mais il y a la faim. Le lieutenant Cassio, le plus âgé du groupe, décide alors d'aller explorer les alentours à la tombée de la nuit en compagnie des soldats. Boris, le Péruvien, le chauffeur et le capitaine blessé restent pour monter la garde.

Clarissa revient dans les pensées de Boris à la faveur de la nuit. Il repasse dans sa tête toutes les possibilités qu'elle a eues de s'échapper, sans cependant se décider pour aucune. Il lui faut retenir toutes les hypothèses dans l'espoir qu'elle sera là, à l'attendre lors de son retour.

Vers minuit, des coups de feu éclatent au loin. Sans doute une bêtise d'hommes désespérés, frustrés. Cassio et sa troupe se sont retrouvés dans un village éloigné, au bord de la grande route, et n'ont pas résisté à la tentation de se mêler à un bataillon cantonné là qui saccage les bars et les magasins et qui, furieux de trouver peu de femmes dans le bordel local, a recruté des filles de force dans les maisons pour satisfaire les nombreux soldats.

Boris ne saura jamais exactement le détail de l'histoire. Un paysan leur raconte tout le lendemain, d'une manière un peu confuse, désordonnée. Il semble qu'un jeune caporal de leur groupe se soit mis à tirer sur les soldats qui violaient une fille en pleine place, devant l'église. Cassio et les autres auraient tiré à leur tour pour défendre leur compagnon. Comme ça, au hasard, plutôt par rage et par envie d'en finir une fois pour toutes. Ils ont alors été abattus, l'un après l'autre ; le corps dépecé du jeune caporal serait resté au milieu de la place après le départ de la troupe.

Le paysan conduit Boris et ses trois compagnons par des sentiers déserts en direction de la forêt. La chaleur insupportable aggrave la faim et la fatigue. Ils abandonnent les armes automatiques et ne gardent que les pistolets et les chargeurs pour avoir l'air de simples paysans qui se déplacent d'une ferme à l'autre. La région montagneuse et boisée les protège assez bien. Mais la blessure du capitaine le fait boiter et trébucher souvent, ce qui ralentit leur avance. L'homme paraît aussi blême et fiévreux. Lors d'une des nombreuses pauses, il refuse de continuer plus loin; il se met à pleurer et à réclamer qu'on le ramène à un corps d'armée, qu'il est prêt à se rendre. Boris s'évertue à le convaincre et ces discussions ne font qu'augmenter la nervosité du paysan qui les guide.

Le chauffeur Mateus propose alors de continuer seul avec le paysan pour tenter de trouver de l'aide.

Il revient au milieu de la nuit en compagnie de deux vieux et apporte un semblant de civière. De mauvaises nouvelles aussi: l'armée ratisse la région depuis la découverte de l'autobus abandonné.

Le groupe repart en transportant le capitaine. Celui-ci s'excuse maintenant d'être blessé et de ralentir leur fuite. C'est une randonnée absurde, vers nulle part puisqu'ils ne savent pas où ils vont.

Boris ne se souvient plus très bien des détails de cette fuite. Un sentiment de vide lui est resté à l'esprit, accompagné d'un goût amer dans la bouche et d'une sensation d'intestins en compote. Ses pieds, dans des bottes surchauffées, sont couverts de plaies puantes dont la senteur ressemble étrangement à celle de la blessure du capitaine. Boris dort lorsqu'ils s'arrêtent, puis il reprend la marche, le jour comme la nuit, sans volonté ni but précis. Même les piqûres d'insectes, grattées et sanguinolentes, ne l'incommodent plus. Ses forces l'abandonnent les jours suivants et il n'arrive plus à avaler la nourriture sèche qu'on lui offre. Son esprit cependant étrangement clair lui redonne des images diverses de ses compagnons, de Clarissa, de son temps à la faculté, même de son père. Le Péruvien paraît plus en forme maintenant qu'on marche dans la forêt; même s'il ne dit pas un mot, il cherche à encourager Boris du regard. Mateus a l'air de savoir où il va.

Ils arrivent enfin à un fleuve en crue qui ressemble plutôt à un immense lac. Le courant est très fort même si la surface paraît immobile; seule la vitesse des troncs d'arbres et des carcasses d'animaux qu'il charrie laisse deviner sa puissance. Impossible de le traverser.

Leurs guides paysans cherchent maintenant un vieux Noir qui habiterait quelque part dans cette région; il serait plus informé sur l'armée et pourrait les conseiller. Mais sa cabane est désormais sous l'eau, très loin de la berge, et les paysans partent, tout excités, à sa recherche dans la campagne environnante. Boris et Mateus croient tous les deux qu'il faut se reposer. Ils attendent, inquiets cependant puisque l'empressement des paysans à trouver ce fameux personnage qui sait tout est suspect: cela fait plutôt penser à un guet-apens.

Ils attendent là toute la journée. Le capitaine essaie de faire quelques pas. Boris constate que la blessure a l'air de vouloir se fermer, et il éprouve une sensation de fierté en se souvenant de l'incision qu'il a faite pour la drainer.

Le vieil homme du fleuve arrive en compagnie des autres au milieu de la nuit, avec des chandelles et en chantant. Il est évident qu'il est fou et qu'il ne sait rien. C'est une espèce de sorcier noir, très maigre, avec les cheveux blancs; sa bouche rouge est édentée et laisse couler de la bave lorsqu'il fume ses cigares puants. Il marmonne des trucs insensés et bénit la jambe du capitaine avec des incantations accueillies respectueusement par les paysans. Il les invite enfin quelque part où d'autres personnes pourraient les aider.

D'un lieu à l'autre, toujours escortés par le vieux sorcier, ils passent les journées suivantes sans vraiment avancer. La région est misérable. Les cabanes en boue séchée abritent parfois plusieurs familles aux nombreux enfants rachitiques et ventrus. Tout le monde a peur de l'armée et se montre disposé à les aider, mais personne n'a entendu parler du putsch militaire. Pour eux, les militaires et la police ont toujours été le seul gouvernement connu.

Le vieux sorcier est accueilli partout avec grand respect. Boris l'observe longuement lorsqu'il bénit les malades, qu'il chante ses rengaines ou qu'il pose ses mains sur ceux qui le demandent. Mateus, par contre, trouve le vieux très drôle, et il arrive même à blaguer avec Boris sur les talents d'organisateur prolétarien qu'a ce sorcier. Chacun évalue en silence l'absurde de la situation, surtout de leur situation. Boris se souvient des nombreuses fois où il a entendu discourir, dans les réunions du parti, à propos de la base révolutionnaire et des mouvements paysans à la campagne. Voilà, ils sont à la campagne, et ces gens-là sont les paysans dont on parlait. Il était aussi question de coopératives, mais ces misérables ne semblent pas les avoir en grande estime ; ils les identifient aux propriétaires et à l'armée. Cette armée omniprésente dans toutes les vies et qui semble être la seule réalité d'une envergure vraiment nationale.

Ils arrivent un soir dans une maison plus grande, où habite une famille nombreuse ; curieusement le paysan n'a que des filles. Une dizaine, de tous les âges, quelques-unes enceintes, et plusieurs bébés. La vieille mère est alitée à cause d'une plaie profonde comme un cratère sur une jambe, purulente et couverte de vers. Personne ne semble s'en faire, sauf le sorcier. Celui-ci paraît même très attaché à la vieille malade et il se met aussitôt à exécuter ses sarabandes en aspergeant l'horrible plaie de cachaça.

Boris, qui a conservé sa trousse de premiers secours, offre alors de nettoyer la blessure. Il n'y a pas grand-chose à faire, pense-t-il ; la jambe est perdue et la vieille mourra bientôt. Le sorcier n'est pas de cet avis et demande au capitaine de venir montrer sa propre plaie à la vieille pour la consoler. Boris panse la jambe du mieux qu'il peut à l'aide de poudre antiseptique et de gaze propre. La famille paraît contente du résultat. Des bouteilles de cachaça surgissent alors pour célébrer l'événement.

Le sorcier, amadoué par le pansement, décide de se confier à Boris, croyant que celui-ci est un médecin. Mais il confond aussi Boris et Mateus avec des curés lorsqu'il marmonne pour invoquer les saints et les esprits. Il exprime sa grande dévotion à Jésus-Christ par des gestes ressemblant à ceux de la liturgie de la messe, et il la prouve en sortant de la chemise plusieurs scapulaires noirs de crasse qu'il embrasse, secoue autour de sa tête comme des fouets, tout en crachant en l'air pour appuyer ses dires.

La cachaça a un effet apaisant sur l'estomac. Boris se sent bien maintenant. Mateus, le capitaine et le Péruvien paraissent aussi plus détendus. Le sorcier bourre d'herbes une pipe en terre glaise et la passe à la ronde. Ils se roulent aussi de grosses cigarettes avec des feuilles de maïs et ce tabac noir qui leur paraît déjà moins puant. Peu à peu, Boris arrive à déchiffrer des propos les concernant malgré l'accent bizarre du sorcier :

— Vous allez courir le monde durant l'éternité... Personne ne retrouve la maison perdue du bon Dieu... comme Caïn, marqués par le malheur... Les soldats vont vous chasser comme des lépreux... Je sais des choses sur vous tous ; sur les autres aussi, que vous avez déjà perdus... Rien que du malheur. Ils tuent pour coucher avec les femmes et s'en vont en chantant pour semer la guerre en d'autres parages. Ils vont vous trouver, c'est certain ; c'est écrit dans le livre de Dieu. Tes amis, tous perdus. Tes amours, tous gâtés. Jamais de repos dans ton voyage sans fin...

Il continue à parler en fumant et en buvant comme dans une transe. Ses yeux sont fermés la plupart du temps, mais il regarde parfois Boris de biais avec une grimace sinistre.

La fumée des herbes et l'effet de l'alcool ravivent des souvenirs dans chaque tête d'une curieuse façon. Le monologue du vieux paraît de plus en plus confus. Il semble quand même prononcer distinctement certains noms familiers à Boris... ou ne serait-ce que du délire ? Les images qu'il évoque et qu'il instille dans la tête des autres sont puissantes, très nettes, remplies de naufrages, de trahisons, d'infidélités et de transformations en bouc, en porc ou en mouton.

Dans son égarement, Boris croit percevoir des ombres félines se mouvant parmi les flammes du foyer. Ce sont des filles nues qui cherchent à se coucher parmi les hommes étendus. Il observe fixement une petite qui chevauche son père tout en gloussant, mais cette vision insolite n'a pas l'air de le déranger. Mateus se fait frotter le corps par une autre des filles, celle-là enceinte ; elle lève sa robe jusqu'aux seins et la tient avec ses dents pendant que le chauffeur la caresse. Cela dure quelques instants qui s'étirent bizarrement. Mateus sort enfin de sa léthargie ; il courbe la fille devant lui, à quatre pattes, et la pénètre comme une chienne pendant que ses tétines maigres de chèvre se balancent d'avant en arrière. Boris lui aussi, tout en entendant encore vaguement les imprécations du sorcier, sent qu'il pénètre à son tour une des filles couchées sous son corps et qui se berce en ondulations de mollusque. Il éprouve une sensation troublante au contact de ce sexe à la fois serré et moite qui semble détaché du corps rachitique de la fillette. En rouvrant les yeux, il perçoit le sourire lascif de Clarissa se donnant comme une putain. Boris retient alors les cuisses maigres de sa compagne pour lui arquer les reins de manière à mieux frotter son sexe contre le sien, et à la faire gémir… Cela dure et longtemps et l'espace d'à peine un instant, jusqu'à l'orgasme qui déchire le voile de sa Clarissa comme lorsqu'on focalise une image floue ; d'abord le sourire, dont les dents jaunes et pourries remplacent celles de ses rêves, puis les lèvres qui se déforment en un rictus, les yeux qui se salissent de nouveau, et le corps qui s'atrophie pour redevenir celui de la fille du paysan. C'est une chute dans le cauchemar, même si la petite fente nerveuse et chaude le retient toujours et que le bassin osseux en demande encore. Il s'abandonne malgré lui à ce spectre dans l'espoir de rejoindre encore l'étrange Clarissa forgée par les herbes magiques du sorcier.

Un peu avant l'aube, il se sent secoué. C'est Mateus qui le réveille. Les autres sont couchés à la ronde, leurs corps nus entremêlés, le capitaine encore enlacé à une des filles et le père sous deux enfants qui sucent leur pouce.

— Merde, Boris ! On s'en va d'ici.

La tête lourde, les membres ankylosés, Boris tente de résister à ce réveil brutal ; Mateus insiste. Escobar, le Péruvien, se lève à son tour et sort se laver dans une bassine. Pendant ce temps, le sorcier s'entretient à voix basse avec la vieille malade et ne paraît rien remarquer de la scène. Le père se réveille enfin, se couche de côté, rallume un mégot et les observe d'un air absent.

Le capitaine refuse de partir et même de se lever. Il proteste qu'il est mieux là, qu'il est décidé à revenir en arrière pour se rendre. Il dira qu'il a été pris en otage. Le paysan et le sorcier sont d'accord pour le conduire à une garnison et pour confirmer son histoire. Mateus confie alors à Boris, en riant, que le petit officier veut rester là pour coucher avec toutes les filles et fumer la marijuana très pure du sorcier. Boris, quant à lui, se rend compte qu'ils seront perdus à cause du témoignage du capitaine. Ils sont perdus de toute façon, conclut-il ; il ne servirait à rien de tuer ce pauvre type. Il fait part de ces réflexions à Mateus et à Escobar, qui se rangent à son avis.

Tous trois repartent donc de la maison en direction d'un village éloigné ; il paraît qu'ils y trouveront un garage de la voirie et des camions. Mateus a toutefois pris soin de désarmer le capitaine, ce qui n'a pas été une tâche facile car l'officier ne voulait pas se laisser convaincre qu'un otage n'a pas d'arme. Le capitaine a protesté que le pistolet était plus qu'une arme ; c'était un signe de son rang, auquel il n'aurait su renoncer. Il a donc fallu utiliser un peu de force. Tant mieux, car cette intervention donnera plus de crédibilité aux propos du prétendu otage.

❏

La patronne qui ramassait les bocks vides secoua Boris de sa rêverie. Il était grand temps de fermer le restaurant ; il remarqua avec étonnement que les clients étaient tous déjà partis, que les chaises étaient empilées sur les tables et qu'un petit vieux balayait la sciure du plancher. Un ancien mal de dos et les effets de la bière sur sa vessie finirent par le ramener tout à fait au présent.

Marchant au hasard, le pas lourd mais la tête fraîche, il s'avoua que Clarissa et le passé étaient quand même vivants dans son esprit. Ils avaient toujours été actifs en lui ; sauf que Boris s'était évertué à les masquer en les considérant comme de pures abstractions, comme de simples points de départ pour une série d'équations subséquentes, presque un postulat. Que faire désormais si les digues se fissuraient ? Il faudrait peut-être se secouer davantage, avec plus de vigueur pour prévenir cette invasion, pour contraindre ce passé à rester enfoui… Une tâche certainement impossible après le sourire du consul. Sans l'aide des anciennes excuses, Boris se sentit pris d'un vertige soudain devant le piège du temps qui emboîtait les réalités à la manière d'un simple jeu ; le présent risquait de devenir une véritable boursouflure enfermant des espaces séparés par des milliers de kilomètres et des temps éloignés de dizaines d'années. Clarissa serait là, de nouveau… Mais Olga aussi était là, vivante, bien réelle et tellement plus palpable.

L'impression bien familière d'absurdité l'assaillit une fois de plus, comme chaque fois qu'il revoyait sa vie. Très insolite, pensa-t-il, ce passé idiot qui ne cessait pas de hanter. Sa bravade pendant le putsch militaire, la résistance grotesque et cette fuite à travers le continent lui apparaissaient comme la chose la plus ridicule qui fût. Même Clarissa, sa jeune fiancée perdue ; il était peut-être temps de l'oublier une fois pour toutes. Ou de la remettre à sa place sans chercher à la faire revivre… Sauf que ces bêtises avaient donné un sens exceptionnel à toute une vie… Par ailleurs, vingt ans, c'est assez pour racheter une vie. Le consul lui-même avait promis que cette période serait effacée de l'histoire. Mais, Boris voulait-il effacer son histoire ? Et quelle histoire parmi toutes les histoires qu'il savait si bien se raconter ? Et s'il prenait le risque de revenir en arrière, maintenant qu'il avait tant gagné en expérience durant cette éternité de vagabondages ?

Il sourit à l'idée que cette action suicidaire, spontanée, avait été à l'origine de merveilleux voyages et de ce sentiment de total détachement. N'avait-il pas dit lui-même, tant de fois, que l'exil suspend le temps ? La mauvaise foi de cette situation n'avait pas de secrets pour Boris, même s'il la gardait cachée de manière à ne pas compromettre le personnage public.

Il restait Clarissa, la faille ancienne qu'il fallait colmater. Comment réagirait-elle devant son portugais appauvri, devenu plus celui de l'Angola ou du Mozambique que celui du Brésil ? Cette impression de perte de sa langue maternelle lui semblait parfois une trahison. Mais, trahison de quoi, de qui ? Là encore, Clarissa s'immisçait dans ses pensées pour ternir le lustre de ses écrits et de sa poésie étrangère ; la langue des autres devenait mensonge et tricherie.

Et si ces vingt ans étaient seulement dans son corps ? Toute cette nostalgie, Clarissa y compris, n'était peut-être que des regrets d'un adolescent vieillissant, une sorte de retour d'âge… Aidé par le plaisir que lui procurait cette promenade nocturne, Boris décida que rien ne servait de hâter les choses, que le temps l'avait toujours bien servi. Le diplomate pommadé n'était peut-être qu'une autre de ses propres chimères.

Il marcha nonchalamment le reste de la nuit. Une fois à l'hôtel, il eut juste le temps de ramasser sa valise et de se rendre à la gare pour prendre le premier train pour Rostock.

## 2

ien calé sur la banquette d'un compartiment vide, insensible à l'humidité montant du plancher et à l'odeur des cendriers débordants, Boris regardait défiler par la fenêtre du train cette campagne socialiste désolée. Des usines et des champs se succédaient parmi les villages enfumés où s'affairaient des habitants sans joie, mécaniquement, pour aller commencer une nouvelle journée de travail. Tout avait un semblant d'ordre, sans harmonie cependant, sans beauté ni passion. Ce n'était pas pauvre, bien au contraire, mais quelque chose chez ce peuple bien nourri lui rappelait curieusement le marasme des populations isolées en Amérique latine. Maintes fois déjà il avait scruté leur semblant de bien-être et il ne pouvait pas s'empêcher de penser qu'ils confondaient le bonheur avec l'absence de misère.

Il avait toujours gardé pour lui ces impressions qui, au demeurant, se faisaient plus fréquentes à mesure que passait le temps. Boris ne cherchait pas à analyser cette façon de vivre, ce conformisme ; il se contentait de croire que la peur en était l'origine. Cette peur diffuse de la vie et des défis qui les faisait s'accrocher aux acquis syndicaux, à l'ancienneté de bons travailleurs décorés et de bureaucrates en attente du prix d'excellence. Même leurs gratifications venaient sans surprise, selon un scénario connu d'avance et répété jusqu'à l'écœurement. Puis la retraite annoncée comme un miracle ultime par de rares séjours touristiques organisés dans des semi-casernes au bord de la mer Noire. Ces gens ne vivaient que pour cela, sans d'autre espoir que de pouvoir monter d'un cran dans la hiérarchie politique, de se faire bien voir par leurs supérieurs et, surtout, de ne pas se faire remarquer par la police. Le monde se trouvant au delà du mur incarnait toujours le mal, la corruption des mœurs et les dangers d'une guerre révolue que la plupart n'avaient par connue. Leur vie coulait comme celle des paysans, prêts à tout pour ne pas affronter la féerie des grandes villes. Ils s'accrochaient à des traditions désuètes pour se donner ne fût-ce qu'un semblant d'identité. Heureusement qu'il y avait l'ennemi de l'autre côté du mur, sinon ils s'écrouleraient sur eux-mêmes tant leur culture était pauvre. Le régime s'éternisait ainsi, moins par la force de sa répression que par l'inertie des ouvriers.

Boris savait toutes ces choses. Il s'était d'ailleurs laissé entraîner à son tour dans cette viscosité tiède où chacun avait une place définie pourvu qu'il continuât à partager la béatitude du groupe. Il était résigné et bien content de son sort. Sa nouvelle niche de poète lui convenait même très bien. Il avait découvert le point de fuite de l'écriture, comme ça, un peu par hasard, et s'y était plongé avec le sentiment qu'il partageait quelque chose de formidable avec d'autres rares privilégiés. Des plaisirs mineurs, si l'on veut, qui correspondaient cependant à sa nature taciturne.

Boris avait d'abord étonné son entourage par sa maîtrise de la langue allemande ; on ne s'attendait pas à autant d'un étranger. Son passé fut alors anobli comme par miracle. Même ses camarades de travail le regardaient désormais avec un respect mélangé de crainte, ne sachant pas si être écrivain constituait un honneur ou un risque inutile. On ne lui demanda plus de se justifier. Le réfugié était poète, voilà ; il continuait sa lutte par l'écriture. On ne comprenait pas très bien ce qu'il disait ? D'autres le comprendraient. Les critiques officiels n'étaient pas trop agressifs à son égard puisqu'il était étranger. Cela suffisait. Les temps étaient difficiles, avec la pression constante de la part des étrangers — contre-révolutionnaires, ceux-là — et il fallait être indulgent envers les bons immigrés, d'autant plus que ceux-ci venaient d'une autre culture, encore éloignée des stades prolétariens avancés du monde socialiste.

Cette liberté nouvelle avait augmenté son intolérance au paysage gris. Mais Boris pouvait désormais fuir cette réalité. En dehors de quelques réunions publiques, des conférences et des séances de lecture, il avait tout l'espace qu'il lui fallait. Plus d'insécurités existentielles ni de plongées mélancoliques. Il avait en effet découvert la poésie comme un enfant qui découvre un nouveau jouet, et cette sorte d'espace mental convenait à merveille à sa nature rêveuse. Le langage lui avait paru si riche lorsqu'il l'avait comparé à la vie qu'en peu de temps il avait même perdu l'envie de voyager pour se sentir vivant. «Plus besoin de se déplacer dans l'espace, se disait-il, puisque j'ai maintenant les rythmes du langage pour bercer mes incursions dans le temps.»

Un certain malaise subsistait lorsqu'il se trouvait dans un cercle uniquement composé d'étrangers comme lui. Boris avait alors la nette impression que ses interlocuteurs ressentaient le même mépris face au réel et que chacun d'eux était conscient de l'absurdité du mot d'ordre de combat artistique. Mais non, ce n'était qu'une impression. Il remarquait que d'autres enfilaient avec aisance les déguisements du combattant culturel, et que seulement en de rares occasions, dans le regard de biais d'un Africain ou dans le sourire d'un Cubain, il retrouvait cette complicité avec ses propres pensées.

Il y avait aussi Olga qui partageait sa manière d'être solitaire d'une façon adorable. Elle avait tout organisé pour qu'ils aient un havre de paix, depuis dix ans déjà. Elle l'aimait d'un amour tranquille, propice à la rêverie, et d'une manière si naturelle qu'on aurait dit qu'elle avait attendu exprès pour le trouver. Lui ou un autre étranger, quel qu'il fût, pensait-il parfois avec une pointe d'amertume. Il était cependant impossible de ne pas l'aimer, tellement elle lui ressemblait. S'enracinant autour de son homme et l'empêchant de s'effriter, à la manière des herbes de la lande autour des dunes, Olga avait à son tour l'impression de trouver un but; surtout, elle pouvait alors se dire que, en retour, Boris aussi l'aimait. Rien d'autre.

Les yeux fermés, balancé par le mouvement du convoi, Boris se mit à comparer Olga avec cette Clarissa dont le mirage refusait depuis la veille de se laisser noyer. Il cherchait à les regarder, toutes les deux; si l'une était vivante, l'autre paraissait une allégorie voilée de nuages dans une lumière diffuse, tout comme les images religieuses de son enfance. En cherchant à préciser le visage de Clarissa qui se dérobait, il se rendit compte qu'il ne pouvait se souvenir d'elle qu'en la faisant ressembler à Olga. Peut-être plus mince, bien plus jeune, les yeux rêveurs et absents, mais la ressemblance était frappante. Boris savait pertinemment qu'il trichait une fois encore, car Clarissa avait emprunté les formes de toutes les femmes qu'il avait aimées ou désirées depuis le début de son exil. Chaque tentative de la retrouver avait été un échec. Il devait simplement se contenter d'une impression vague, de quelques mouvements de tête, d'un regard ou de l'illusion d'un sourire laissant voir la blancheur éclatante des dents. Clarissa n'était qu'une nostalgie. Mais si présente qu'elle savait encore corrompre ses meilleurs moments.

Se laissant ensuite aller à une mélancolie douce, il retrouva facilement le visage souriant d'Olga, son air amusé et cette certitude qu'elle paraissait avoir de toujours le rendre heureux. Et il tomba endormi jusqu'à l'appel du contrôleur, en gare de Rostock.

Boris aimait cette maisonnette simple en pleine lande sablonneuse, dans un village isolé à l'est de Rostock. Cela lui prenait une bonne heure d'autocar pour se rendre jusqu'à son travail en ville, à l'Institut de statistiques sociales. Le trajet ne le dérangeait pas puisqu'il pouvait y entretenir sa fantaisie d'être sur une île, loin de la grisaille industrielle, isolé comme un naufragé et sans comptes à rendre. Olga travaillait à la maison. Elle allait à l'usine de textiles seulement pour livrer ses dessins, des motifs pour tissus, et pour chercher de nouvelles commandes. Boris l'avait connue ainsi, déjà isolée et ne faisant aucun effort pour se distinguer. Par ailleurs, elle s'occupait de sa maison, elle s'amusait dans le jardin, et elle lisait en écoutant de la musique.

Pourtant elle était assez jeune ou, comme le disait Boris, incapable de vieillir. Svelte, avec de longs cheveux tombant sur des hanches fournies, toujours habillée sans grand soin, en pantalon et en souliers bas, elle ressemblait à une adolescente qui n'avait pas pris conscience de ses rondeurs de femme. Elle se savait belle, mais ça ne paraissait pas avoir de l'importance à ses yeux.

Olga ne semblait attendre rien d'autre que ce bonheur quotidien qu'elle voulait purement itératif. Pour une femme socialiste qui avait fait des études, fille d'un dirigeant bien placé, c'était en effet bien peu. Même qu'au début Boris s'était efforcé de mieux la connaître en posant des questions discrètes pour percer le motif de cet isolement. Il avait fini par comprendre que c'était sa nature et il s'était installé confortablement dans la toile qu'elle ne cessait de tisser. Parfois, il se posait encore des questions, se demandant si cet amour gratuit lui était bel et bien destiné, ou si lui-même n'était qu'un support convenable qu'elle utilisait pour continuer à exercer ses désirs d'aimer. Des questions idiotes, il le savait bien. Olga était simplement semblable à lui-même.

La matinée avancée laissait percer un soleil pâle qui égayait un peu les gris et les bruns de la lande. Du petit sentier partant de la route, Boris distingua la maisonnette blanche entourée de vignes dénudées comme si elle était prise dans un filet de pêcheur. Les arbres, aux allures de mains osseuses dressées vers le ciel, perdaient leur aspect sinistre contre les étendues de sable à perte de vue. Le brouillard remontant du sol gelé irisait d'étincelles dorées les gouttes de pluie sur l'extrémité des hautes herbes.

La silhouette d'Olga, habillée d'un gros chandail, dans l'embrasure de la porte finit par le ramener au présent. Il ralentit pour lui donner le temps d'avancer de son pas de danse parmi les débris du jardin, de traverser la clôture et de le rejoindre.

— Boria, mon cœur! s'exclama-t-elle en l'embrassant et en lui défaisant les cheveux.

Comme toujours, impossible de résister à cet accueil juvénile. Il la serra à son tour, caressant ses seins et ses hanches, les yeux dans les yeux.

— Olga, ma petite. Rien que trois jours, comme promis... Ça t'a paru long?

— C'est toujours trop long, tu le sais. Ça fait rien. C'est tellement bon quand tu reviens.

— Moi aussi, j'ai trouvé le temps long. Surtout ennuyeux, ces trucs sociaux, ces cérémonies. Un véritable supplice.

— Mais non, Boria, tu fais tout ça très bien, sans même t'en rendre compte. Et puis, cette fois, c'était important. Ton livre, ça marche? Raconte!

— Ça marchera. Dans quelques mois, mais ça va marcher. Ils n'aiment pas les gros livres, particulièrement quand c'est de la poésie. Mais ça va marcher. Viens, je vais te raconter comment ça s'est passé.

Ils marchèrent, enlacés, vers la maison. L'étincelle physique qui les liait était puissante et ces brèves séparations avaient le pouvoir de rallumer un feu d'une grande tendresse.

Boris lui raconta des détails du voyage et lui donna des nouvelles des écrivains et des artistes qu'elle connaissait. Il lui parla de son prochain livre qui finalement avait été accepté même s'il n'était pas conforme à la ligne de l'Union des écrivains :

— Pas assez engagé, hermétique, éloigné des masses et de l'effort nationaliste, des trucs du genre. Mais ils m'ont dit tout ça sans trop de brutalité puisque je ne suis qu'un étranger, tu le sais. En fin de compte, je ne peux pas me plaindre. Mon ami Dubbez m'a rappelé que, dans les années cinquante, un gars faisait de la prison avec ce genre de critiques. Ils vont quand même le publier, et dans une belle édition.

Boris retrouva ses choses et put même s'offrir une promenade dans la lande avant le souper. Le reste de la soirée se déroula dans un silence apaisant. Mais il s'abstint de parler à Olga de l'amnistie et du diplomate brésilien.

Les semaines suivantes, il put oublier un peu les nouvelles de son pays. La reprise de son travail à l'Institut, la correction des épreuves du livre ainsi que des présentations à l'université le tinrent bien occupé. Olga ne s'était aperçue de rien. Lui-même croyait que tout était redevenu comme avant.

Le feu couvait quand même sous la braise, et les souvenirs occupaient désormais la plus grande partie de ses pensées. Un certain détachement envers les choses qui auparavant l'avaient irrité était perceptible pour ses proches camarades de travail. Ceux-ci se disaient que c'était peut-être une sagesse nouvelle que lui donnait sa célébrité naissante. De petits soucis comme sa candidature pour faire un voyage à l'étranger ou sa demande concernant des vacances furent à leur tour négligés ; au grand plaisir d'Olga d'ailleurs, qui préférait rester chez elle plutôt que de courir le monde.

Une autre fois, Boris écouta sans se fâcher, semblant n'y attacher aucune importance, ce que lui expliquait le bibliothécaire au sujet d'une commande de livres étrangers qu'il avait faite depuis longtemps. Il y avait une enquête, ou quelque chose comme un retard administratif entourant cette commande de livres ; il était aussi question de censure de certains des titres, ou encore le directeur de la section politique attendait pour discuter personnellement avec Boris. Pour le moment, en tout cas, ce dernier ne recevrait plus de livres commandés. Ce n'était pas la première fois d'ailleurs. Au grand étonnement du bibliothécaire, Boris se contenta d'approuver de la tête d'un air distrait, sans poser de question sur les détails. Il ne prit pas la peine de prendre rendez-vous avec son supérieur et n'appela aucun de ses amis haut placés. Il pensa vaguement que ces livres n'étaient pas si importants pour lui et il oublia l'incident.

La lecture des dépêches étrangères des journaux commença cependant à l'occuper davantage et il trouvait le temps d'aller emprunter régulièrement des exemplaires de *L'Humanité*, du *Monde* et du *Zeit* à un copain des bureaux de la presse. Il se mit à éplucher les rares rubriques concernant l'Amérique latine avec un soin accru comme s'il lui fallait rattraper des années de désintéressement. Un jour, dans un article de la *Pravda* intitulé «Triomphe des forces de la gauche au Brésil», il ne fut pas surpris d'apprendre que plusieurs exilés de Paris, d'Alger et de Moscou étaient reçus à Rio de Janeiro et à São Paulo en grande pompe et prêts à collaborer avec le pouvoir en place. Les postes aux chambres et au Sénat se disputaient dans une atmosphère de grande excitation, chacun voulant naturellement récupérer le temps perdu. Le Parti communiste aussi, modernisé, démocratique et suivant l'exemple de l'Italie, demandait sa légalisation sous la direction des mêmes camarades qui avaient autrefois contribué à l'échec de la résistance. Ceux-ci avaient entre-temps mûri, c'est-à-dire vieilli de vingt ans; enrichis par leur séjour à Moscou, ces anciens cadres représentaient désormais, aux yeux du journaliste soviétique, l'espoir du socialisme démocratique et populiste. Rien sur les morts, sur les tortures ou sur les disparitions. Rien sur les dénonciations massives et très zélées au sein du même parti. Une grande photo montrait l'un de ses anciens collègues qui depuis était monté dans la hiérarchie et qui s'apprêtait à briguer le poste de secrétaire du comité central: il descendait de l'avion, un peu plus gros qu'autrefois, un peu chauve et arborant le sourire indécent d'un candidat député.

Plus drôle encore, l'amnistie et les élections se faisaient avec l'aval et l'encouragement des grands frères nord-américains et du Fonds monétaire international; ceux-ci ne voyaient d'autre solution que de rendre le pouvoir aux civils. Sinon, pas moyen d'endiguer la faillite nationale et d'assurer le paiement de la dette astronomique laissée par les militaires. La situation paraissait très mauvaise, avec une famine endémique, la prostitution infantile rampante, le trafic de la drogue et jusqu'au pillage des magasins d'alimentation. Donc, amnistie totale, sans enquête ni procès, et vive la démocratie!

Boris ne pouvait plus oublier cette malheureuse amnistie et il cessa de se défendre contre l'avalanche des souvenirs. Il n'en parla à personne, pas même à Olga. Son copain lui passait toujours des journaux étrangers mais, une fois tarie la nouveauté, seuls quelques entrefilets vagues pouvaient encore l'intéresser; bientôt il n'en fut plus question dans la presse puisque le même scénario se répétait en d'autres pays latino-américains.

Boris négligeait ses obligations sans même s'en apercevoir. Ses soirées si précieuses où la lecture et la poésie tissaient ses liens avec le réel perdirent du charme à ses yeux. Il avait l'impression d'une rupture profonde dans son identité puisque les années les plus importantes de sa vie perdaient tout leur sens. L'homme de quarante-cinq ans se trouvait ainsi projeté vingt ans en arrière, dans une jeunesse qu'il avait créée comme un roman, avec des bribes de réalité, beaucoup de fiction pour combler les lacunes et la simple nostalgie en guise de fil discursif.

Olga finit par percevoir les changements qui le tourmentaient. Elle n'avait plus de prise sur ce promeneur solitaire, si différent du Boris qu'elle avait façonné, et qui disparaissait désormais des journées entières dans la lande pour simplement rêver. Elle ne dit rien. S'il s'abandonnait encore lorsque la femme l'approchait avec la chaleur de son ventre, il ne la cherchait plus avec la même avidité. Elle n'y pouvait rien.

Parfois avec le sourire, d'autres fois avec une concentration soucieuse, Boris se surprenait à mettre un ordre artificiel dans de vastes périodes de son vagabondage en exil, tissant des explications, rapiéçant des scènes ou recousant des événements isolés à la manière d'un historien. Il cherchait surtout le fil d'un souvenir qu'il avait malencontreusement effacé et qui contenait tant de détails dorénavant si précieux. À défaut de faits, il se contentait souvent de ses outils poétiques ; à l'aide de métaphores et d'ellipses bien placées, il arrivait à construire un sens global de l'ordre de la narration. Sa vie antérieure, insouciante et spontanée, devenait de la sorte un parcours cohérent qu'il se racontait à lui-même comme un acteur qui répète le texte avant d'entrer en scène.

Tout au début, il ne se rendit pas compte du besoin qu'avait son cerveau de poursuivre ce travail de reprise du passé. Il se laissa aller au souvenir par simple divertissement, amusé des fantaisies de la mémoire. Il n'était, certes, pas dupe des nombreux raccourcis qu'il devait emprunter, frôlant ici le mensonge innocent, ailleurs presque la fabulation, et surtout omettant les intervalles très étendus et dépourvus de sens où il s'était contenté de simplement déambuler sans rien faire de sérieux. Il ne croyait pas à cette histoire si bien ficelée, qu'il ne comptait d'ailleurs raconter à personne. C'était un simple jeu, se disait-il, une simple mise en ordre pour voir si ça se tenait. Il faut dire qu'il n'était pas un novice dans ce genre d'exercices; durant ses années d'exil, au contraire de ceux qui n'avaient jamais émigré, il avait ressenti cet étrange besoin de se justifier pour donner un sens à son départ. Sauf qu'auparavant il s'était borné à satisfaire vaguement la curiosité de ses interlocuteurs par de petits détails ou de petits silences, pour leur donner l'impression qu'ils comprenaient. L'exilé fascine tellement les sédentaires que ceux-ci comblent spontanément toute lacune à l'aide de leurs propres désirs de partance ou d'aventures. Et le combattant a un charme singulier pour tous ceux qui ne se sont jamais opposés à rien.

Le récit de sa vie se tenait ainsi de mieux en mieux. Il lui arrivait aussi de ressentir une certaine fierté devant toutes les souffrances, toute la rigueur existentielle qui se dégageaient de son histoire. Il en ressortait toujours avec une pointe de honte à l'idée qu'une seule question suffirait à ébranler cette belle architecture : Pourquoi n'avait-il pas continué le combat ? Pourquoi en effet s'était-il contenté de toutes ces errances, du conformisme et des jeux poétiques pendant que tant de combats se déroulaient un peu partout, et que d'autres les avaient livrés ?

Question d'autant plus agaçante qu'il répugnait à évoquer le combat des exilés. Boris savait pertinemment qu'il n'y a pas de combat en exil, seulement l'attente, le souvenir et la frustration. Pire encore : depuis son départ du Brésil, il s'était définitivement guéri de toute velléité d'engagement politique et il cultivait un mépris certain envers tous ceux qui utilisent le peuple pour se justifier. Mais la cohérence tenait, surtout s'il arrêtait de se poser des questions sur le sens de ces vingt dernières années. Si, vraiment, elles n'avaient été qu'une simple attente?... Boris ne pouvait pas s'empêcher de s'étonner de la parcelle de sagesse contenue dans la phrase du diplomate: «On recommence à zéro.»

L'amnistie sonnait la fin des vacances. Comme le font les mourants, Boris cherchait simplement le réconfort d'une signification bien proprette et sans histoires. Comment le faire cependant s'il était conscient que sa trajectoire, depuis la ridicule nuit de combats, avait été le fruit du simple hasard et de sa nature aventureuse? Il s'était laissé bercer par la fatalité, voilà tout, cette comédie des dieux comme il l'appelait dans ses pensées intimes.

«S'ils rentrent tous, pourquoi pas moi?»

Rassuré par ses exercices de fiction, il conclut un jour que peu d'entre eux pouvaient se targuer d'avoir pris les armes lorsque la situation l'avait exigé. Mais il dut aussitôt reculer puisque cette bravade, même en pensée, le faisait rougir.

Les jours passèrent et il ne les remarqua pas. Le temps de la narration est en effet une dimension plus saisissante et hâtive que celui de la vie, surtout lorsqu'il s'agit d'une narration de soi à soi. Boris se prit de plus en plus à ce jeu; son passé devint presque fabuleux, plein de possibilités, et il s'imposa alors devant cette existence actuelle que lui trouvait conformiste et sans éclat. L'idée d'un retour fit alors son chemin; non pas en tant que désir mais en tant que fantaisie. Inexorablement, jusqu'au point où tout délai devint intolérable.

Il reconnaissait naturellement l'absurdité de cette décision et en craignait les conséquences. Une angoisse diffuse se manifestait aussi à la simple idée de voir ses habitudes bousculées. Mais rien n'y fit. Il négligea en particulier l'éventualité du désir de vengeance personnelle que certains militaires devaient sûrement entretenir à son égard à cause des morts de la caserne. L'amnistie était une abstraction qui ne touchait pas tous les cœurs; lui-même, n'entretenait-il donc pas un désir viscéral de vengeance contre certaines personnes? Boris se contenta de repousser cette possibilité dans le reliquat d'une de ses nombreuses ellipses, en se disant qu'on verrait après, une fois sur place.

Olga restait le seul véritable obstacle, le seul point d'attache à cet exil qu'il s'apprêtait à anéantir. Comment réagirait-elle? Il se souvenait très bien de la façon dont elle l'avait aidé au début, dont elle avait pansé ses blessures, cru à ses histoires avec un amour stable et rassurant.

Sa décision était prise. Il lui fallait maintenant une excuse pour le voyage, un prétexte qui saurait sauver les apparences. La cohérence de son histoire était devenue si harmonieuse qu'il arrivait sans difficulté à s'expliquer avec Olga dans ses monologues intérieurs, à la convaincre qu'à son tour elle se devait aussi d'être logique : que son retour s'imposait depuis le moment même où ils s'étaient connus. Mais il reculait en sa présence. Cette femme se dérobait devant les artifices de l'esprit. Elle était d'une réalité opiniâtre, d'une sensualité et d'un amour bien concrets, palpables. Et le filet dans lequel elle l'avait enrobé était tissé de gestes quotidiens, de camaraderie et de complicité, et il ne laissait pas de place pour le monde extérieur. Tout à fait comme sa propre poésie.

Hélas! Olga ne disait toujours rien. Elle continuait à lui prodiguer le même amour et le même regard rempli d'admiration. C'était peut-être sa façon de nier l'emprise du monde sur sa propre vie. Boris oscillait entre le remords et le regret, se promettant d'aborder la question ouvertement sans toutefois arriver à le faire. Il déplora sa propre lâcheté. Il pensa haïr Olga. Il ajourna mille fois sa décision et se demanda encore s'il ne valait pas mieux oublier le passé.

Était-ce vraiment Olga qui le retenait ou était-ce sa propre peur de partir ? Impossible de se décider. Son récit était devenu trop consistant et il ne lui permettait plus de douter. Clarissa, sa jeunesse et la beauté des tropiques lui insufflaient désormais une énergie nouvelle qu'il ressentait jusque dans les muscles. Et puis, l'envie de recommencer. Voilà, recommencer ; tout, sur de nouvelles bases, et enrichi par l'expérience des années d'exil. Emballé de la sorte, cet homme s'imaginait en train de bavarder avec des compagnons jusqu'alors complètement oubliés et retrouvés par hasard ; ou en train de se promener dans les rues de Rio de Janeiro devenues entre-temps des allées magiques de style colonial, ombragées et parfumées, habitées par un peuple au langage savoureux, plein de générosité et toujours souriant. Le carnaval lui apparaissait comme une fête magnifique, un mélange d'orgie, d'exubérance artistique et de fraternité. Et l'idée de révolution sociale refaisait surface en lui donnant une exaltation d'adolescent. Non pas la révolution grise et rigide des pays de l'Europe de l'Est ; la véritable révolution qui toucherait les cœurs, démocratique au point de frôler l'anarchie, pour faire la place à l'art, à la poésie et à la samba.

Boris sortait amer et sceptique de ces envolées lyriques, bien sûr, et non sans honte devant sa propre naïveté.

Olga le laissait faire avec son plus beau sourire taquin, comme si elle se divertissait à son tour de l'imagination de cet homme trop rêveur. Et elle se donnait à merveille ; et il la prenait en pensant à Clarissa, au sable chaud de la plage et aux parfums d'autrefois.

Le hasard vint trancher la question. Des personnages haut placés avaient décidé que le moment était propice pour que Boris retournât dans son pays afin de participer à ce renouveau politique. Les contacts furent établis, les discussions amorcées, et Boris eut finalement l'excuse qu'il attendait pour se présenter devant Olga.

Il le fit sans courage cependant. Il entama la conversation par des formules vagues d'ordre politique, où même la conjoncture internationale des forces progressistes fut évoquée. Olga le laissa parler, longuement, le sourire aux lèvres et à peine un soupçon de brouillard dans les yeux. Puis, par amour encore une fois, elle l'arrêta net, au milieu d'une phrase.

— Tu veux t'en aller, n'est-ce pas?

— Je ne sais pas… Je pense que je dois, Olga. Pour un certain temps…

— Je savais que quelque chose te dérangeait depuis ton retour de Berlin. Quelque chose de nouveau, de triste, contre quoi je ne peux rien… Tu ne dois pas tenter de m'expliquer.

Retenant ses pleurs, elle se blottit contre lui, sa main contre sa bouche pour qu'il gardât le silence. Ils restèrent ainsi enlacés, la tête vide, avec uniquement la chaleur de l'autre pour consolation.

Olga se leva enfin et revint avec une bouteille de vodka et des verres. Allumant sa cigarette, elle s'essuya les yeux comme si ce n'était qu'une réaction à la fumée. Ils burent en silence. Par les fenêtres ouvertes entrait l'air salé de la fin du jour, les cris des mouettes et la plainte lointaine des cornes de brume au bord de la mer.

— Boria, mon amour, ce n'est pas juste, reprit-elle calmement, les yeux fixés sur les spirales de fumée. Ce n'est pas juste, c'est tout ce que je peux te dire… Ce n'est pas juste que tu veuilles partir d'ici, que tu n'aies pas le courage d'embrasser le bonheur, que tu doives te justifier devant des bribes d'un passé qui n'a presque pas existé. Si au moins c'était à cause d'une femme… C'est fou, Boris, t'es vraiment incorrigible. Et ça me fait t'aimer encore davantage. Mais ce n'est pas juste. Le temps a passé, Boria, tu le sais. Tout a changé. Et maintenant tu veux revenir en arrière…

— Olga, je ne sais pas quoi te dire. Je t'aime, beaucoup… Mais je n'arrête pas d'y penser depuis qu'on m'a appris que je pouvais revenir. Tout le reste a perdu de l'importance. Je suis le premier à savoir que c'est absurde, que le temps ne s'arrête jamais, que j'ai vieilli moi aussi. Me voilà quand même suspendu dans le temps, conscient d'un vide énorme, que ma vie ici ne peut pas remplir. Il faut que j'aille là-bas, au moins pour voir comment les choses ont changé. Sinon je ne serai pas en paix.

— Je sais bien, Boris. J'ai essayé, moi aussi, d'arrêter le temps. Pour toi. Mais de l'arrêter ici, avec moi. Et souvent, j'ai cru que j'allais gagner mon pari. Malheureusement, ça ne dépend pas de moi... C'est pas juste. C'est tout ce qui me vient à la tête, mon amour. Ce n'est pas juste. On n'a qu'une seule vie, et nous sommes heureux ici, n'est-ce pas ?

Il approuva de la tête avec un sourire complice, se sentant vieux tout d'un coup, et très las. Olga parlait à voix basse, presque en chuchotant :

— J'ai tout essayé, Boria, tout, parce que, moi, je suis si heureuse avec toi. Je me disais que si j'arrivais à te garder longtemps encore, je te garderais pour toujours. Et que tu serais enfin heureux... Ce n'est pas de ta faute, je sais que tu as fait des efforts. Je l'ai bien vu durant toutes ces années... Mais cette politique immonde, ce besoin de se justifier. Tous ceux qui t'empêchent d'oublier ce passé absurde ; c'est contre eux que j'adresse ma rage. Pas contre toi. J'ai toujours su que tu avais cette nature vagabonde ; et, c'est bizarre, c'est ce que j'aime le plus en toi, Boria. J'étais fière que, malgré tout, tu aies trouvé bon de rester ici, avec moi, pour me faire partager tes rêves. Je pensais que c'était pour toujours... C'était bête de penser ainsi, mais que veux-tu, j'étais si heureuse... Ce n'est pas juste, ni pour moi ni pour toi. Ce n'est pas juste parce que tu vas encore souffrir ; et je ne serai pas là pour te consoler. Voilà le plus triste. Ce n'est pas tant de te perdre, Boria mon amour, mais de savoir que je ne pourrai plus te consoler...

Elle se leva en sanglots et s'en alla. Boris resta dans le noir, luttant pour effacer les images d'une mer lointaine ravivées par l'air salé de la nuit.

Olga revint plus tard pour fermer les fenêtres. Le brouillard de la lande avait pénétré dans la pièce, et les deux silhouettes paraissaient enfumées comme un vieux dessin délavé. Elle s'était calmée.

— Je t'aime, Boris, je t'aime tellement...

— Je t'aime aussi, Olga... Si tu venais avec moi?

— Non, mon amour. Ma vie est ici... et seulement ici je peux t'offrir la vie. Si tu dois partir, pars seul. Ce passé, c'est ton passé. Je ne pourrais pas te suivre et continuer à t'aimer; je ne ferais que t'encombrer. S'il faut que tu partes, c'est que notre vie n'est pas suffisante. Je meurs de tristesse mais je ne t'empêche pas de vivre. Rien ne me servirait de t'étouffer. Il me faut te savoir vivant. Dommage que nos rêves soient si différents...

— Il faut que j'y aille.

— D'accord. Tu pars... Mais, promets-moi une chose, une seule chose, Boris... Si jamais t'as besoin de moi, reviens... Ne te pose pas de question, reviens. Ne laisse pas des scrupules ni des pensées idiotes t'empêcher d'être heureux. On ne vit qu'une seule fois.

— Olga, t'es encore jeune...

— T'en fais pas, Boris, c'est mon affaire. J'attends qui je veux. Mais promets-moi, mon amour, d'accord?

— D'accord, Olga, je te promets.

— Viens, mon amour, viens te coucher. Il fait trop froid pour rester ainsi en dehors des couvertures.

Elle le tira par la main vers le lit en emmenant aussi le reste de la bouteille.

## 3

Après cette nuit du face à face avec Olga, tout se précipita sans que Boris eût besoin d'intervenir. Les autres décidèrent à sa place. Il sentit d'un coup les amarres se détacher, et l'ancienne sensation de liberté vagabonde s'empara de son existence. Sa décision de partir, ou plutôt de retourner dans son pays, paraissait évidente aux yeux de tous, cohérente et courageuse à la fois. Riche de cette justification, même ses scrupules envers Olga s'estompèrent.

Il lui arriva de penser qu'elle jouait un rôle, qu'elle faisait exprès de ne pas souffrir rien que pour le culpabiliser. Il éprouva aussi, vaguement, des sentiments ambivalents à son égard, surtout lorsqu'elle déployait son énergie paisible à l'aider dans les préparatifs du départ. Elle n'essaya pas de le retenir; au contraire, elle refoula ses larmes et sa tristesse. Boris ne sut d'ailleurs pas comment elle vivait son départ puisqu'il préféra croire qu'elle aussi l'approuvait. Après tout, se disait-il, il n'avait pas immigré, n'est-ce pas? Tout ce temps, il n'avait été que de passage, exilé, en attente du retour…

Les formalités furent curieusement faciles dans ce pays de bureaucratie lourde, tout comme si Boris était devenu un fonctionnaire envoyé en voyage. Il trouva cela un peu insolite et, dans un moment d'insécurité, il lui passa par l'esprit que ces gens se débarrassaient bien cavalièrement de leur poète.

Les rencontres avec les autorités se succédèrent sans difficulté; Boris acquiesça à toutes les demandes. Il avait craint au début que l'on n'essayât de lui faire prendre le rôle de mouchard ou que l'on ne balisât ce retour de toutes sortes de contacts politiques précis. Mais non. L'entrevue avec l'officier du ministère des Affaires étrangères se passa bien innocemment; on se préoccupait plutôt de l'instruire sur le besoin de discrétion entourant son séjour dans le bloc socialiste. Aussi, de lui rappeler qu'il serait toujours le bienvenu si jamais il désirait renouer le contact pour des activités de renseignements et de solidarité culturelle. Boris sortait de ces rencontres avec une sorte de soulagement mêlée à la vague impression de se faire avoir, puisque tous ces fonctionnaires paraissaient n'entretenir aucun espoir concernant l'avenir politique des pays latino-américains. Il conclut aussi que le monde avait bien changé depuis son arrivée; ces fonctionnaires et ces militaires avaient plutôt l'air de le trouver veinard d'avoir un endroit où s'en aller.

Boris se rendit à Prague. L'ambiance de la ville lui parut des plus animées; la conversation avec le consul brésilien le renforça dans son désir de partir. Soudain, tout le bloc socialiste lui semblait fissuré et en ruines, désabusé, sans la moindre trace des sentiments utopiques qu'il lui avait autrefois attribués. Les gens les plus sympathiques rencontrés au cours de ce voyage lui parlaient ouvertement de marché libre, de capitalisme, de technologies de pointe et de sursauts nationalistes. La ville de Prague, remplie de touristes occidentaux, avec ses fast-foods et ses boutiques de luxe, avait l'air d'un bateau en plein naufrage. Et chacun le félicitait de sa chance d'abandonner l'épave au moment critique, sans la moindre ironie.

Dans le train qui le ramenait à Rostock, le passeport brésilien tout neuf dans la poche, Boris réfléchissait à ce changement brusque d'un monde qu'il n'avait pas réellement connu. Il n'y avait de brusque, pensa-t-il, que son propre changement; et il retrouva facilement tant de détails qu'il avait jusqu'alors négligés, tant de choses dans son propre entourage à Rostock qui allaient dans le même sens, mais qu'il avait jugé plus confortable de ne pas remarquer. Son long séjour était en effet resté provisoire; avec la mauvaise foi de l'hôte de passage, il s'était contenté de lieux communs pour qu'on le laissât en paix.

Il se mit à penser à une autre chute dans le réel, très ancienne, lorsqu'il fuyait en compagnie de Mateus et du Péruvien à travers l'intérieur du Brésil. Et il glissa alors en arrière, dans une mémoire étrangement limpide et sans censure.

❑

Les trois hommes marchent en silence dans la savane rocailleuse. Leurs pas sont plus lents; ils ne semblent plus avoir ni la hâte ni la détermination des jours précédents. L'orgie avec les fillettes, le vieux sorcier et le capitaine blessé sont choses du passé, d'il y a plusieurs jours. Ils ont ensuite réussi à prendre place dans un camion qui montait vers le nord, et ils cherchent maintenant la ville de Paranaíba où Mateus croit avoir un contact. Ils avancent par les petites routes isolées et les sous-bois, ils traversent des fermes en friche et se font parfois transporter par des voitures à bœufs. La plupart du temps, ils se déplacent à pied. Leur apparence débraillée et sale, leurs têtes hirsutes et la fatigue cadrent bien avec le paysage. Ils ne craignent plus d'être repérés. Les piqûres de moustiques et le soleil sont devenus des habitudes. L'angoisse et la peur ont cédé la place à la dérision : il leur arrive même de rire ensemble lorsqu'un souvenir est évoqué, particulièrement à propos de choses politiques.

Le soir, dans les gîtes de fortune, Mateus commente la misère morale des populations en la comparant aux discours qui décrivaient les paysans comme l'arrière-garde de la révolution. Escobar est le plus silencieux des trois, mais il paraît maintenant avoir accepté son sort. Par contre, il s'est révélé être un maître dans le récit de blagues salaces ; il doit les traduire péniblement puisque son portugais est trop distingué pour les usages gaillards. Boris s'amuse en comparant les détails culturels et les éléments linguistiques dans les versions des mêmes blagues, selon que c'est Mateus qui les raconte ou le Péruvien. Ils se sont aussi rendu compte que les paysans rencontrés en chemin ne comprennent pas le sens des blagues ni des récits en général. Leurs silences et leurs monosyllabes sont plus qu'un signe de timidité ou un trait culturel. Parfois, ces gens ne sont même pas capables de décrire l'itinéraire à suivre alors qu'ils s'orientent très bien en marchant. Les trois compagnons échangent alors des regards intenses, et toute l'absurdité de leur action paraît cruellement comique.

Ils traversent le fleuve Paranaíba sur un radeau destiné au transport du bétail sans éveiller le moindre soupçon. Les hommes armés sont une vision trop familière dans ces parages et les trois fugitifs passent pour des fermiers ou des hommes de main se rendant d'une propriété à l'autre. Les rares militaires qu'ils rencontrent ne leur manifestent que de l'indifférence, comme si le monde moderne s'était arrêté bien loin de là. Les paysans pauvres leur cèdent le passage ; le soir, lorsqu'ils demandent l'hospitalité, on les accueille avec respect et crainte, soulagé de voir que ces hommes ne cherchent vraiment qu'un gîte et un peu de nourriture. Mateus et

Escobar ne refusent pas la compagnie des filles dans les masures ; Boris se sent trop blessé dans ses souvenirs pour avoir envie de se soulager avec une de ces pauvres créatures.

Le village de Paranaíba, dans l'État du Mato Grosso, n'est qu'un relais pour les troupeaux venant du Chaco en direction de São Paulo. Hormis les grands enclos entourés de barbelés, il n'y a qu'une rue pavée, bordée de maisons misérables s'appuyant les unes contre les autres. Dans les bars et les auberges, des filles à moitié endormies attendent les clients de passage. Elles ont le faciès et les cheveux lisses des Indiennes, leur lourde poitrine découverte, sans pudeur ni ostentation.

Les gros billets neufs dérobés à la trésorerie de la caserne ne produisent pas ici le même effet que dans les huttes des paysans. Tous les voyageurs paraissent aussi fiers de leurs liasses que de leurs armes, et se lient facilement les uns aux autres de cette camaraderie soudée par le pouvoir.

Mateus s'enquiert de son contact ; une heure après, l'homme en question se présente de lui-même à la table du bar. C'est un type maigre, osseux, avec une barbe éparse et une chevelure graisseuse, presque aussi grand que Boris. Cet Ezequiel sait qu'ils ont de l'argent et il accepte de les transporter dans son camion presque jusqu'à la frontière. Après la tractation avec Mateus et l'évocation de leurs amis communs, il ne pose plus de question. D'ailleurs, les gens ici ne posent pas de question sur les motifs des voyageurs. Chaque homme armé sait très bien pourquoi il se déplace, et même si toutes sortes de trafics sont monnaie courante, l'on évite d'en faire mention. Cela semble n'avoir aucune importance.

On leur sert une viande très savoureuse, à peine grillée sur les immenses braseros, accompagnée de bière tiède. Ils jouent un peu aux cartes avant de monter dans les chambrettes, chacun en compagnie d'une fille. On loue la chambre avec la fille qui y habite.

Boris suit une jeune Indienne dont le ventre un peu pointu trahit l'état de grossesse. Mais elle est douce et silencieuse, un peu mélancolique, et ses longs cheveux semblent frais lavés. Elle lui dit, en baissant ses yeux, qu'elle ne sait pas son âge mais qu'elle s'appelle Sapoti, Maria Sapoti.

— Maria, parce que je suis une femelle, et Sapoti, je ne sais pas... Peut-être parce que c'est le nom d'un petit fruit sucré... C'est comme ça que les gens m'appellent.

Elle enlève sa robe sans pudeur pour se coucher contre Boris dans le lit étroit. La rondeur de ses seins, sa façon timide et ses rires étonnés lorsqu'il la caresse lui font oublier ses chimères. Plus tard, il regarde dormir la fille en fumant dans le noir.

L'absurdité de sa situation, le souvenir de ses camarades de l'université et de ses petites copines d'enfance se mélangent alors dans sa tête au son lointain d'une radio qui crie des chansons. Malgré ses efforts pour imaginer l'ambiance à Rio, seules les images des rues agitées, des restaurants bondés et des gens allant à la plage lui viennent à l'esprit. Impossible d'aller plus loin puisque tout semble être rentré dans l'ordre et qu'il ne peut pas avoir d'idée sur ce qui se passe dans les prisons. D'après les nouvelles éparses glanées en chemin, les militaires seraient bel et bien en selle, et la prise du pouvoir n'aurait pas été plus compliquée qu'un changement de gouvernement. Passation des pouvoirs, c'est d'ailleurs ce qu'on dit à la radio plutôt que prise du pouvoir. Il est tout le temps question de révolution libératrice et de spectre du communisme. Aucun foyer de résistance. Des rumeurs d'arrestations et d'exécutions sommaires, mais rien de précis.

Boris joue le restant de la nuit avec l'idée de revenir en arrière pour chercher une cachette à Rio, et d'y attendre la suite des événements. Mais il sait qu'il s'agit d'un pur jeu. Mateus et Escobar sont d'avis qu'il faut aller en Bolivie et attendre là-bas. Leur situation est trop dangereuse. Les militaires seront toujours discrets au sujet de l'affaire de la caserne ; ils ne parleront que des étudiants et des politiciens de gauche, histoire de ne pas porter atteinte à la bonne image de l'armée. Mais ils les recherchent, c'est bien certain.

Escobar veut que le groupe parte le plus tôt possible pour la Bolivie. Il assure que, une fois de l'autre côté de la frontière, il pourra organiser facilement le voyage jusqu'à Lima. Il a ses papiers sur lui ; au Pérou il leur procurera des passeports. Boris trouve suspecte cette assurance soudaine après tous leurs échecs, mais que faire d'autre ? Un goût amer lui revient à la bouche chaque fois qu'il pense à cette frontière ; aussi, une lointaine envie de pleurer. Il s'endort quelques heures à peine avant qu'Ezequiel le réveille pour le départ.

Il fait froid sous la bâche du camion. La route cahoteuse malmène les fesses posées sur le plancher en bois. Ce sont à peine des tronçons de route ; le reste du temps, ils prennent des chemins carrossables à travers champs. Ils roulent des jours entiers, avec des détours et des retours dans ce parcours étrange au long duquel Ezequiel mène ses affaires. Des hommes, des familles, des animaux, des sacs de riz embarquent et débarquent. Des villages minuscules et des fermes accueillent les voyageurs dès la tombée du jour ; puis ils repartent à l'aube avec de nouveaux chargements. Les gens se bornent à saluer sans rien dire. Mateus raconte parfois une blague, ou il questionne les rares chauffeurs qu'ils rencontrent dans les relais. Boris est trop hébété, il se laisse transporter sans réagir.

À mesure qu'ils avancent, l'humidité est plus lourde et les moustiques sont plus voraces. Il pleut plusieurs fois par jour ; ensuite le soleil les réchauffe un peu. L'air du matin est rempli de brouillards qui s'accrochent comme du coton aux arbres chargés de plantes grimpantes. C'est le début du Pantanal, l'immense région marécageuse qui prolonge le Chaco au centre du Brésil. Les routes se font rares, le bourbier devient visqueux, mais ils avancent toujours. Les larges troupeaux de zébus sur les marécages font penser aux images de l'Asie. La pensée que les militaires ne les trouveront plus est la seule consolation pendant toute cette semaine de voyage en camion. Même si le capitaine s'est rendu, ils ne sauront rien puisque le plan initial était d'aller en direction de Brasília. Ici, dans cette région, le Paraguay et la Bolivie sont d'accès facile. Il leur suffira de traverser les marais à perte de vue dans un des innombrables cours d'eau.

Le village s'appelle Porto Esperança. Ezequiel doit continuer seul vers Corumba, à la frontière, où l'attend un chargement spécial qu'il ne faut pas compromettre par la présence d'inconnus. Après des pourparlers avec Mateus, il les dépose dans une grande propriété où le patron saura les aider à passer la frontière. Il s'agit d'un riche fermier bien coté auprès des militaires à cause de son influence dans le trafic de la coca.

— Un type très bien, assure Ezequiel, vous verrez.

Le colonel Policarpo est un géant d'homme, déformé par les masses musculaires et garni d'un ventre formidable qui se prolonge par des jambes comme des troncs d'arbres. Assez agile pourtant ; ses bras énormes et ses mains calleuses impriment un rythme animé et expressif à sa conversation. Son langage est correct mais sans recherche, et laisse deviner aisément une intelligence naturelle et vive qui se manifeste par des questions précises. Le visage dans la cinquantaine est couperosé ; le crâne chauve contraste avec la barbe peu soignée qui laisse entrevoir un sourire jovial aux dents chevalines. Il accueille chaleureusement les trois voyageurs amenés par Ezequiel ; son sourire s'élargit encore, accompagné d'un raclement de catarrhes à la vue des pistolets. Malgré ses épaisses lunettes, son œil droit presque fermé de plaisir fait un étrange contraste avec celui de gauche dont le strabisme extrême donne l'impression qu'il surveille son dos.

Il les invite dans sa maison et ne paraît pas étonné de les voir voyager sans bagages. L'intérieur est d'un confort extrême : des planchers en bois lustré, des meubles de style colonial en palissandre et de nombreuses peaux d'animaux tapissant les murs. Des servantes bien soignées et très jeunes apportent des bières et des cigares.

— Ezequiel m'a dit que vous allez rester un peu, n'est-ce pas ? annonce le colonel Policarpo de sa grosse voix. Le temps que vous voulez. J'aime toujours recevoir des gens de la côte intéressés par notre région. On a besoin d'hommes.

Il ordonne qu'on leur prépare des chambres et des bains tout en les observant attentivement, le sourire aux lèvres, comme s'il était habitué à toiser les gens à travers leurs haillons.

— Je cherche des gens qui savent se servir d'armes. Les temps sont difficiles mais la solde est bonne... Un long voyage, à ce que je vois...

Mateus acquiesce et commence à expliquer une histoire bricolée à la hâte.

— Après, mon ami, interrompt aussitôt le colonel. Après le souper. Allez d'abord vous changer, je vais faire préparer aussi des vêtements.

Le colonel Policarpo est l'un des seigneurs féodaux de cette région perdue. Il ne cultive rien mais il possède tout, y compris l'importation de cocaïne. Il règne en maître par tradition, par son argent et par ses hommes armés. Les soldats et la police de la frontière participent ouvertement aux transactions louches. Son seul souci est de parrainer les députés et les sénateurs de son État ainsi que les commandants militaires. Il se sent suffisamment puissant pour ne pas avoir besoin de cacher une certaine naïveté et un semblant de crédulité.

— Comme ça, vous allez en Bolivie et au Pérou...

— Oui, c'est notre intention, répond Mateus. Le capitaine Escobar a des contacts bien placés... Il leur faut ouvrir une nouvelle route, vous voyez... La production de coca s'entasse de plus en plus sur les montagnes, et commence à s'écouler vers la Colombie. C'est dommage pour nous et pour les Péruviens si les Colombiens s'emparent de tout.

Le colonel répond d'un simple signe de tête en repassant la bouteille de vieille cachaça paraguayenne. Les viandes grillées du repas alourdissent les corps des voyageurs et les détendent suffisamment pour ce genre de conversation. Mateus paraît déjà bien à l'aise avec son histoire, et la présence du militaire péruvien est presque une garantie d'affaires fabuleuses. Le colonel a d'ailleurs paru bien attentif lorsque Boris s'est adressé à Escobar en anglais pour donner plus de poids à leur mensonge.

— Ezequiel nous a dit que vous êtes l'homme du commerce dans toute cette région... Alors, qu'en pensez-vous ? demande Mateus.

— C'est bien intéressant ce que tu dis là, répond le colonel en faisant mine de réfléchir. C'est par ici que ça passe le mieux, que c'est toujours passé... Les militaires à Corumba travaillent sous mes ordres et, s'il s'agit de gros chargements... Mais dis donc, ces nouveaux stocks... Et s'adressant directement à Escobar : Peux-tu me donner des détails ?

— La route maritime est encombrée, répond Escobar dans un espagnol châtié, mais la production se modernise et augmente sans cesse. Cela commence à intéresser nos amis américains. Il nous faut alors ouvrir de nouvelles voies sinon les Colombiens finiront par tout avoir. Corumba reçoit un peu, par tradition. À l'avenir, il faudra assurer le transport de grandes livraisons et s'occuper du reste, pour l'exportation naturellement. Nous allons assurer le transport jusqu'ici, selon les spécifications. Là s'arrête notre entreprise. Ezequiel nous a parlé de vous comme étant le premier intéressé.

— Il a bien fait... ici, c'est moi qui commande. Et si c'est en gros, je suis le seul qui soit en mesure de s'en occuper.

— Coca en feuilles, reprend Mateus, le produit raffiné, puis des armes. Les expéditeurs sont intéressés à ouvrir une route sûre, à long terme, visant les marchés étrangers, surtout. Avec le nouveau régime à Brasília, c'est le bon moment.

— Nouveau ou ancien, mon cher, ça ne change rien ici, répond le colonel en tirant fièrement sur son cigare. Ici, la loi règne depuis toujours et nous avons le même régime... Mais tu as raison. Ça va légaliser; on pourra mieux coordonner avec Rio de Janeiro et São Paulo, pour exporter sans problème. Les généraux vont mettre un peu d'ordre au pays.

Ensuite, en s'adressant directement à Boris qui était resté tout le temps en silence, le colonel demande:

— T'es jeune... de São Paulo?

— Non, de Rio.

— Ton père, est-il dans les affaires?

— Hum, hum, répond-il en souriant, d'autres affaires...

— Mais ce voyage... ça ne semblait pas bien se passer...

Aidé par le repas et la cachaça, détendu et même un peu las, Boris répond:

— Non, pas si bien que ça... Ces trucs des militaires nous ont fait perdre beaucoup de temps. Surtout de l'argent.

— Je vois...

— Mauvais moment pour partir, mauvais *timing*, ajoute Boris. Pourtant, tout avait été bien arrangé d'avance. Mais nous sommes arrivés, voilà l'important. Sans voiture, c'est vrai, sans bagages ni papiers. Et seulement avec des cruzeiros...

— Vous avez perdu beaucoup? demande le colonel d'un air sérieux.

— Les dollars... L'argent pour le voyage seulement. Les troupes militaires étaient un peu déchaînées à Minas Gerais, et ils pillaient tout. Nous avons préféré partir en douce... C'est bête tout de même. On s'arrangera, une fois là-bas.

— Je vois...

— Nous n'allons pas là-bas pour acheter, reprend Mateus, soucieux de rassurer le colonel. Nous nous occupons seulement du transport. Les contacts d'Escobar ne veulent pas vendre au détail. Ils préfèrent traiter directement avec les importateurs d'ici. Nous, c'est pour organiser la route, la garder ouverte, assurer les camions... Le commerce à proprement parler, ce n'est pas notre spécialité.

— Je vois...

Bien calé dans son énorme fauteuil, le colonel se renseigne encore sur des petits détails et réitère ses formules d'hospitalité. Il leur assure aussi qu'ils auront tout ce qu'il faut pour passer la frontière et continuer leur voyage. Les trois invités se réjouissent ouvertement d'avoir trouvé si vite le bon contact de ce côté-ci du fleuve Paraguay.

Grâce à Ezequiel, qu'il faudra bien remercier, pense le colonel en réfléchissant déjà à la façon dont il s'organisera pour transiger avec autant de coca. Son rêve de dévier la production de cocaïne du Pérou vers le Brésil lui paraît d'ailleurs une pure question de bon sens. Avec les militaires au pouvoir ici et tous ces communistes libres de l'autre côté de la frontière, la région va enfin pouvoir se développer, conclut-il silencieusement.

Les jours suivants, Boris se met à pratiquer son anglais avec Escobar pendant que Mateus s'amuse à introduire des mots d'espagnol dans sa conversation. Comme ils ne semblent ni pressés ni curieux, agissant en vrais techniciens qui profitent de la pause du voyage, le colonel montre davantage sa joie. Il les emmène visiter les alentours en jeep et profite de cette audience distinguée pour étaler ses richesses et son pouvoir sur les gens de la région.

Les trois compagnons ont surtout beaucoup de temps libre pour se reposer en attendant les manœuvres de leur hôte. Celui-ci sort très souvent, parfois des journées entières, les laissant entre eux sous la bonne garde d'au moins une dizaine d'employés armés.

Le colonel revient toujours de bonne humeur après ses sorties, de moins en moins discret. Ils commencent à penser que cette aventure farfelue finira par marcher. Leur histoire, passée et repassée durant ces journées oisives, est bien au point. Boris et Mateus se mettent d'accord sur les renseignements qu'ils veulent voir figurer sur leurs passeports et sur les éléments plausibles concernant leur passé, au cas où ils seraient interrogés. Boris devient ainsi Robert Nowan, ce qui tombe bien puisqu'on l'appelle Bob depuis le temps de la caserne. Ça lui donne aussi un peu l'allure d'un Américain, ce qui est une origine rassurante politiquement et un déguisement parfait puisque les gringos dominent en effet le trafic de la drogue.

Le jour, Boris se prend au jeu et commence même à s'en divertir. Son appétit est vorace. Mais les nuits sont encore difficiles, avec un mélange d'angoisse et de tristesse. Souvent, il n'arrive pas à dormir ; des souvenirs disparates l'assaillent de toutes parts et continuent parfois sous la forme de cauchemars. Il y a aussi cet étrange sentiment de culpabilité qui s'installe à mesure que les choses paraissent aller mieux. Peu à peu cependant, le bouleversement total de son existence commence à perdre de son horreur ; il lui arrive même de penser que cette liberté nouvelle, quoique absurde, n'est pas dépourvue de charme. Tant qu'il pensait pouvoir revenir à sa vie antérieure, le désespoir avait été terrassant. L'idée de passer la frontière, prise dans cette sorte de jeu, commence à lui être agréable et n'engendre désormais qu'une sorte d'attente anxieuse. Il reste l'incertitude sur le sort de Clarissa ; Boris tente de l'effacer en minimisant la portée des événements, en se disant qu'après tout elle ne savait rien de ses intentions et n'était vraiment pas engagée dans quelque activité politique sérieuse. L'idée que le calme soit revenu à Rio, que tout y soit normal ne le dérange plus ; au contraire, il se sent en quelque sorte rassuré que ce soit ainsi puisque Clarissa ne court plus de danger. Cet état d'esprit lui permet de rejeter lentement l'image de la jeune femme vers les limbes de la conscience.

Le colonel ne paraît pas pressé. Soit qu'il se renseigne, soit qu'il organise leur départ par Dieu sait quelles tractations. Un jour, de retour de Corumba, il apporte un lot de carabines automatiques FN, utilisées par les Américains au Vietnam, et les invite à les essayer. Il est bien évident qu'il veut les voir tirer. Ce sont des armes de précision et tous trois passent très bien l'épreuve, en s'abstenant de s'en réjouir. Boris fait montre de son expertise en démontant et en remontant une des carabines comme s'il était un habitué. Le colonel est aussi un bon tireur et il finit par se prendre au jeu avec un magnifique fusil Beretta au corps ciselé.

— Dommage qu'on n'ait plus assez d'Indiens pour la chasse, commente-t-il avec nostalgie. Lorsque j'étais bien jeune, mon père nettoyait justement cette région. Parfois il m'y amenait. On en tuait au gros plomb… Ils savaient encore courir, les Indiens, dans ce temps-là…

Mateus et Escobar en profitent pour tirer avec leurs pistolets comme dans les westerns, au grand plaisir du colonel et de ses gardes du corps. Leur sortie a ainsi plutôt l'air d'un opéra bouffe, avec des rigolades, des oiseaux massacrés et des duels théâtraux qui chauffent à bloc les canons des armes. Ils rentrent à la tombée du jour, dans une atmosphère de joyeuse camaraderie.

La bonne humeur continue tout au long de la soirée. Le colonel dit être bien avancé dans ses démarches. Rassuré par l'exercice de tir et l'apparence décidée de ces hommes de la ville, il paraît enfin les adopter. On parle ouvertement affaires.

— Quand pensez-vous revenir ici ? demande-t-il.

— Escobar et moi, nous restons au Pérou, répond Mateus d'un air naturel. C'est Bob qui assurera la liaison.

— Et cette route, quand penses-tu qu'elle sera prête ?

— Si tout va bien, Bob doit revenir avant décembre avec un des patrons de Lima. La route sera prête pour les premiers essais. Ça dépendra alors de ce que vous aurez décidé comme contrat. L'homme va vouloir venir ici, bien entendu, pour traiter personnellement avec vous, pour s'assurer... Ce sont des entreprises familiales et ils aiment connaître les gens avec qui ils font affaire. Vous voyez le genre ?

Boris et Escobar boivent en silence. Mateus parle à voix basse en s'efforçant de ne pas remarquer le mouvement frénétique de l'œil dévié du colonel. Celui-ci paraît de plus en plus content à l'idée qu'il recevra chez lui un de ces mystérieux patrons de Lima. Il cherche à déguster calmement son cigare, mais ce nystagmus qui risque de mettre son œil gauche en orbite autour de la tête trahit sa tension.

— Et pour les papiers..., se risque Mateus.

— Une affaire de quelques jours, pas plus. Mes hommes sont avertis et le bureau de Corumba nous attend demain. Ils se chargeront de tout. Ça nous permettra d'aller en ville pour vous habiller comme il faut.

— Bien, colonel, reprend Mateus, rassuré. Très bien. Plus tôt on sera sur place, plus vite le travail sera fait. Je peux vous assurer que les gens de Lima vous dédommageront pour tous ces soucis.

— Ce n'est rien, rétorque le colonel. On fait des affaires ensemble ; d'une certaine façon vous êtes mes hommes, n'est-ce pas ?

Mateus répond en levant silencieusement son verre, suivi de Boris et d'Escobar qui surveillaient leur dialogue.

Le colonel donne alors l'ordre de faire entrer les fillettes. Quelques-unes ont l'allure d'Indiennes, d'autres sont blanches et blondes, avec des cheveux crépus ; elles sont toutes très jeunes, jolies, bien soignées. Conduites par une grosse femme, elles entrent timidement dans la pièce.

— Voila mes petites protégées, messieurs, pour notre plaisir, annonce le colonel avec satisfaction. Venez, les filles, approchez. Ce soir, on fête.

Boris regarde, sans rien comprendre, ces fillettes qui s'assoient par terre, silencieuses, les yeux baissés. Il attend en souriant que le colonel leur présente ses filles. Mais non. Bien sûr que non. La grosse femme s'approche d'un air naturel et leur découvre la poitrine, l'une après l'autre, en leur ordonnant, d'un coup de baguette sous le menton, de lever la tête. Des bourgeons de seins effleurent les chairs grassouillettes pendant que leurs gros yeux regardent droit devant.

— Souriez aux messieurs, ordonne-t-elle d'une voix autoritaire.

Les petites obéissent en faisant de jolis sourires forcés, comme des enfants qui attendraient en classe pour réciter des poèmes.

— C'est mes poulettes. J'en élève. Toutes très belles, n'est-ce pas ?

Devant l'étonnement de ses hôtes, le colonel ajoute :

— N'ayez crainte, c'est déjà des femmes, et très propres. Je m'en charge personnellement. J'en engrosse aussi la plupart. Ensuite elles me font une énorme famille, vous pouvez me croire. Ce n'est pas dans les grandes villes que vous pouvez voir un troupeau comme le mien, ah, non, messieurs. Mais j'aime aussi qu'elles soient montées par d'autres mâles, des mecs de valeur, mes invités. Ça raffine les portées.

En se levant lourdement, il déclare avec un rire sinistre :

— J'espère que chacun de vous me fera la gentillesse d'en engrosser au moins une. Ça ne doit pas être difficile pour des jeunes gens en bonne santé, n'est-ce pas ? On m'assure qu'elles sont mûres ; il ne manque que la semence. Amusez-vous. Demain on part de bonne heure à Corumba.

Le matin, pendant le trajet, assis dans la jeep, les trois hommes évitent de se regarder. Chacun est plongé dans son propre vide et fait semblant de surveiller la route embourbée. Le jour se lève à peine et le brouillard lourd, accompagné d'un froid pénétrant, réveille comme un coup de poing. Le véhicule du colonel avec les autres hommes armés les suit de près.

Boris ne tente plus d'ordonner ses pensées et se borne à les contempler. Toutes ces nouvelles expériences, ce pays inconnu, cette existence sauvage et son identité de criminel se collent à son ancienne peau comme une poisse. Le temps des sarcasmes est révolu ; la déréliction occupe désormais toute la place dans son esprit. Cette agonie sociale désespérante est comme un rituel de passage douloureux et nécessaire ; une avalanche d'ordures qui se déversent sur son innocence. Il doit s'avouer qu'il aurait pu savoir que ces choses existaient partout dans son pays. Il suffisait de le vouloir. Mais dans les villes, à l'université et dans les discussions, seuls les concepts abstraits paraissaient intéressants, limpides, scientifiques. La misère abstraite, comment se manifeste-t-elle dans une existence quotidienne lorsqu'il n'y a ni loi ni morale ? Voilà, pense-t-il, à quoi cette fuite grotesque permet de répondre. C'est bien cela, l'*universel concret* de Marx dont tous les intellectuels discutaient à n'en plus finir, sans jamais chercher à s'imaginer comment il se manifestait sur le corps d'une fillette...

Comme un condamné à mort ayant déjà accepté son sort, très paisible, Boris se laisse glisser à travers le brouillard sans penser à ce qui se passera tantôt, dans les bureaux de la garnison militaire.

Corumba est une assez grande ville, active, fourmillant d'activités reliées au poste-frontière, remplie de camions stationnés pêle-mêle, avec de nombreux bars et auberges. Les immeubles neufs côtoient les masures pourries, les entrepôts de marchandises et les enclos pour le bétail. Partant des allées centrales, les ruelles débouchent aussitôt sur le bourbier marécageux laissé par les crues. Des militaires partout, en désordre, les uniformes peu soignés, souvent barbus et sans souci de parade. Ils sont là pour mettre un peu d'ordre, pour éviter que la ville ne soit assaillie par les familles misérables qui dérangeraient la bonne marche du trafic.

Le colonel Policarpo et ses invités sont reçus chaleureusement par le major responsable des formalités. Celui-ci ne pose pas de question inutile ; il se contente de les accompagner au bureau du photographe, puis auprès du sergent qui prend note des renseignements personnels. Ils signent les formulaires et les passeports et sortent ensuite prendre des apéritifs dans un restaurant attenant. Ils sont rejoints un peu plus tard par un véritable colonel d'infanterie, le colonel Beluco. Policarpo les présente comme « mes agents » et l'officier paraît satisfait.

On leur procure des vêtements en ville ; de retour à la caserne, ils reçoivent des manteaux de l'armée et des bottes militaires qu'un soldat s'empresse de cirer.

Les trois compagnons évitent à leur tour de poser des questions, surtout en ce qui concerne la situation politique, mais ils acceptent avec plaisir une pile de vieux journaux qui louent les succès de la révolution libératrice. Sur les murs, un peu partout, des avis visiblement faits à la hâte et des coupures de presse affichent le visage mongoloïde du général Castelo Branco, le nouveau chef de l'État.

Alors qu'ils s'apprêtent à partir, un spectacle insolite attire leur attention. Sur le terrain de football de la caserne, des soldats crient et gesticulent allègrement autour de deux personnages nus, attachés par des cordes et qui paraissent courir en rond. Le major chargé des formalités les invite à s'approcher pour mieux voir.

— Venez, c'est très drôle. Le curé rouge et le professeur communiste. Il ne reste que ces deux-là, mais ils en valent la peine. Les plus costauds en fin de compte… Les autres n'ont pas résisté une semaine. Pourtant, c'étaient de solides gaillards. On ne sait pas comment font ces deux-là… increvables !

Le groupe des soldats leur ouvre le passage comme dans un bal et ils se trouvent face à face avec une vision d'horreur.

— Regardez, le curé est le plus jeune, continue le major. Il tire toujours le vieux. Certains jours, le vieux se laisse simplement glisser par terre, mais le curé tire toujours… On n'a plus besoin de le frapper, il tire par habitude.

Le jeune homme échevelé, le dos et les cuisses rayés de stries violacées, la corde autour des épaules, tire en effet un vieil homme qui ressemble plutôt à un paquet ensanglanté. Le fardeau ne tient plus sur ses jambes maigres couvertes d'excréments et pourtant il avance. Lorsqu'il tombe, le tandem s'arrête juste un instant ; d'une secousse, le curé ébranle l'autre misérable pour qu'il se remette à genoux, et voilà le manège qui repart sous les applaudissements des militaires. Le curé a les yeux fiévreux, et son corps tremble comme s'il recevait le fouet. Le vieux paraît inconscient ; ses yeux sont fermés, sa bouche grande ouverte laisse échapper un filet de bave qui s'accroche à sa barbe, et ses bras pendent jusqu'à terre.

Les soldats commentent avec enthousiasme la détermination du curé et parient entre eux sur ses chances de survie. Le colonel Beluco s'approche alors du groupe, l'air agressif, visiblement mécontent de voir là son ami Policarpo et ses invités. Il s'excuse et ordonne aux soldats de faire cesser le spectacle.

— C'est des subversifs…, répond le major avec une pointe d'indécision.

— Il faut les liquider comme les autres, ça a déjà trop duré. C'est une caserne, ici, pas un cirque. Je ne veux plus les voir, entendu ?

Le major raccompagne les quatre hommes jusqu'à la sortie en expliquant, mal à l'aise :

— Que voulez-vous ? Les soldats aiment ça. Ils ont fini par s'attacher au curé... Ce sont eux qui ont tout organisé, sans l'accord de leurs supérieurs naturellement ; mais il fallait un exutoire, vous comprenez. La prison était pleine ; on en a transféré à Cuiabá, la capitale, et même à Brasília. Les autres n'ont pas résisté. Ces deux-là sont les derniers, personne ne les a réclamés ; dans toute cette confusion, que voulez-vous ? On attendait...

Policarpo non plus ne semble pas d'accord. Il est resté impressionné par le curé et se demande si les autorités de l'Église ne vont pas réagir.

— Pensez-vous ! s'exclame le major. C'était une peste d'agitateur, ce curé-là. L'évêque ne veut rien savoir de lui ; d'ailleurs, le nouveau curé de la paroisse était déjà nommé et ce curé rouge ne devait même plus être en ville. Non, pas d'inquiétude. C'est pour ça qu'il est toujours ici ; sinon, bien sûr, on l'aurait transféré.

— Il y a des façons plus nettes de tuer un homme... Il suffit d'une balle.

— Mais s'il faut encore les interroger ?

— Merde, major ! rétorque Policarpo en perdant patience. Tu ne vois pas qu'il n'y a rien à interroger ? Ils sont morts, morts !

Une fois dans la rue, Policarpo déclare sur un ton d'excuse aux trois compagnons :

— Ici les gens sont un peu sauvages... il n'y a pas de divertissements. Les soldats sont un peu déçus de la fin des arrestations, ils ont l'impression de perdre de l'importance. Tout redevient comme avant. Des excès idiots, mais que faire ! Dans la région, on n'avait jamais entendu parler de communistes... Alors, des vengeances mesquines uniquement, pour montrer le patriotisme... Ce curé, c'était un fanfaron, d'accord. Mais il ne méritait pas ça. Une balle dans la nuque aurait mieux fait l'affaire. Oubliez tout ça, voulez-vous ? C'était bien pire le mois dernier...

Durant tout le voyage de retour à la ferme, Boris se sent plus dégagé encore du monde des vivants. Il ressent des frissons comme des coups de fouet et ne peut oublier les yeux du prêtre. Curieusement, il se sent aussi soulagé, comme quelqu'un qui vient de frôler la mort dans un accident et qui n'ose pas se réjouir à cause des victimes. C'est une espèce de honte perverse qui donne envie de vivre.

La nuit, couché à côté d'une petite fille, Boris tente de chasser l'horreur en lui murmurant des berceuses de son enfance. Il revoit la peur et les larmes de l'enfant lorsqu'elle s'est couchée. Puis, comme il ne l'approchait pas, elle a fini par s'offrir d'une façon tellement maladroite qu'il a pleuré lui aussi. Sa pitié était si attendrissante qu'elle effaçait même le regard maniaque du prêtre torturé. Maintenant elle dort paisiblement en suçant un coin de l'oreiller.

❑

Un sentiment terrible de solitude et d'impuissance s'empara alors de ce passager à moitié endormi, blotti sur lui-même dans le train venant de Prague, à destination de Rostock.

## 4

Olga garda son courage jusqu'à la fin. Au moment de se séparer sur le quai de la gare, des larmes muettes trahissaient son émotion ; mais pas de sanglots. Et une seule demande :

— Boria, mon amour, tu m'as promis. Souviens-toi. Si jamais tu en as envie, reviens... Reviens, tout simplement, mais reviens.

Ce fut ensuite le voyage Rostock-Lubeck-Hambourg, avec peu de bagages, à peine quelques livres et l'adresse de l'éditeur associé à Brême.

Ce détour par l'autre Allemagne ne s'imposait pas vraiment. Boris comptait recevoir des dividendes de l'éditeur gauchiste qui diffusait ses livres. Il ne le connaissait pas, mais cet éditeur l'avait déjà invité à diverses occasions ; dans ses lettres il paraissait être un type sympathique et, qui sait, il pourrait peut-être faciliter d'une manière quelconque son retour au Brésil. Il lui fallait essayer. Avec ses maigres économies en marks de l'Est, il ne vivrait pas longtemps. Mais, surtout, il voulait des nouvelles fraîches de là-bas, pour se rassurer avant d'embarquer dans cet avion sans escale. Partir de l'autre Allemagne était en outre plus discret, selon l'avis du consul lui-même :

— La situation est normale et l'amnistie est un grand succès. Mais n'oubliez pas, mon cher professeur, nous n'entretenons pas de relations diplomatiques avec l'Allemagne communiste.

Tout se passa bien jusqu'à la frontière. Ensuite, la tempête se déchaîna à cause d'une simple question d'ordinateur. Son visa était en ordre, son passeport aussi ; mais le jeune policier allemand du côté de Lubeck ne voulut rien savoir. Il fallait descendre du train. Et pas question de revenir en arrière puisque Boris était déjà de ce côté-ci de la frontière. Simple question de formalité ; avec une politesse très ferme, pleine de détermination, que partageaient les quatre autres policiers accourus pour aider le premier.

L'ordinateur ne s'était pas trompé. Son nom était bien là, suivi de références en code. Le train repartit et Boris fut aussitôt pris en charge par des messieurs cravatés aux allures militaires. Non seulement ils ne se trompaient pas, mais ils l'attendaient, personnellement, pour de longues conversations. Pas d'arrestation, voyons, mais pas du tout. Il fallait cependant les suivre, ce que fit Boris en songeant à ce qu'il avait bien pu commettre autrefois, dans cette Allemagne-ci, il y avait plus d'une décennie.

Il fut conduit à un building moderne dont les bureaux lui parurent extrêmement luxueux. De jolies filles habillées à la dernière mode s'affairaient partout devant des ordinateurs très sophistiqués ; elles le regardaient passer sans signe de gêne ni de peur, avec à peine une pointe de mépris envers la coupe vieillotte de ses vêtements. Il attendit ensuite longtemps. On lui offrit des sandwichs douceâtres emballés dans des contenants en plastique et accompagnés de café servi dans des gobelets en mousse blanche. Il fut photographié, on prit ses empreintes digitales et on le fouilla de la tête aux pieds. Le tout avec une politesse extravagante.

On finit par s'expliquer. Boris avait eu des contacts avec des jeunes Allemands, une bonne quinzaine d'années auparavant. Ne se souvenait-il pas des noms ? C'est vrai que le temps avait passé. Mais le terrorisme était toujours vivant ; ses compagnons d'autrefois — des provos, des situationnistes, des anarchistes et d'autres gauchistes —, s'ils n'étaient pas morts ou en prison, ou bien ils étaient passés aux aveux ou bien ils couraient toujours.

Boris fut alors invité à faire un récit détaillé de sa vie en République démocratique allemande et à répondre à toutes sortes de questions absurdes. Il ne reconnut aucune des photos qu'on lui présenta, ce qui fut facilité par le fait qu'elles étaient toutes très anciennes, et que les nouvelles ne montraient vraiment que des inconnus. Il lui fut cependant impossible de les convaincre qu'il n'était pas venu pour fuir le communisme, ni qu'il était seulement écrivain et qu'il allait rendre visite à sa famille au Brésil. Il reconnut, certes, avoir eu autrefois quelques déboires avec les services de l'immigration à cause d'une malencontreuse absence de visa de séjour. Il avoua aussi qu'il avait vécu clandestinement dans des communes et que, pendant cette période, il lui était arrivé de se promener entre la France et l'Allemagne avec un passeport qui ne portait pas son vrai nom. Mais c'étaient là des vétilles anciennes, sans aucune importance. Sauf que les bureaucrates et les ordinateurs faisaient un ménage heureux dans ce pays, produisant un sens de l'ordre qui frisait l'obsession.

Ses livres étaient distribués légalement de ce côté-ci de la frontière, certes ; mais le distributeur était un éditeur aux tendances anarchisantes qui, sans être compromis avec la Fraction de l'Armée rouge, faisait tout de même l'objet d'une certaine surveillance. Ses interrogateurs paraissaient même très intéressés par ces rapports en apparence lointains. Ils ne l'accusaient de rien, bien au contraire. On lui offrit même de faire venir le consul brésilien si Boris pouvait se sentir plus à l'aise ainsi accompagné.

Boris préféra ne pas réagir devant l'immensité de la tâche qui l'attendait. Comment leur faire comprendre qu'il était simplement de passage après avoir perdu des années et des années de sa vie à attendre ? Attendre quoi ? Dans quel but ? Pour ces bureaucrates, chaque fait, le plus anodin fût-il, était un signe, avait un sens. Un homme comme Boris Nikto ne pouvait être resté si longtemps caché dans le seul but d'écrire des poèmes. Cela leur paraissait trop puéril comme explication, cela manquait d'imagination.

Leur raisonnement était par ailleurs d'une limpidité déconcertante. Il y avait presque vingt ans, le gouvernement brésilien avait demandé l'extradition de Boris. Les fonctionnaires de Bonn n'allaient tout de même pas extrader un réfugié politique. Ça ne se faisait pas comme ça, voyons ; d'autant plus qu'ils n'avaient pas pu retracer ledit réfugié qui, soit dit en passant, était un déserteur de l'armée spécialisé en terrorisme. Ils en avaient cependant pris note. Ce monsieur Boris Nikto, citoyen brésilien, s'était par ailleurs servi du nom de Robert Nowan pour séjourner clandestinement en Allemagne, et son gouvernement prétendait que son passeport était un faux. Ensuite, cet ancien militaire, qui s'était infiltré dans les milieux gauchistes, avait trouvé refuge en Allemagne de l'Est. Il y avait repris son ancienne identité sous le couvert d'activités littéraires et universitaires. Durant toutes les années où le terrorisme était florissant en Allemagne, en France et en Italie, ce monsieur Nikto avait disparu sans laisser de trace de ce côté-ci du rideau de fer. Il y avait eu des morts, des attentats un peu partout, et jusqu'à l'enlèvement d'un diplomate allemand au Brésil. C'était bien ça ? Alors, qu'avait-il à dire ?

Boris n'avait rien à dire et il ne put s'empêcher de rire durant les premières journées de l'interrogatoire. Les faits étaient là, sauf que l'agencement de ces mêmes faits dans leurs esprits prenait un sens différent de celui qu'ils avaient eu dans la réalité. C'était comme si Boris entendait une sorte de roman policier construit à partir de bribes de sa propre vie. Il passa aussi par des moments d'étonnement et d'angoisse puisque cela ressemblait parfois à un spectacle dans la meilleure tradition expressionniste. Tantôt, au contraire, troublé par la honte, il aurait voulu leur présenter des événements plus palpitants en guise de réponse, des coups de main efficaces ou des preuves définitives d'un militantisme cohérent. Malheureusement, il n'avait rien de précis pour appuyer cette sorte de mensonges. Il lui arrivait quand même de répondre par des ellipses bien calculées, ou il ponctuait son récit de silences qu'il voulait lourds de sens pour ne pas laisser transparaître la banalité de son existence. Voyant que cela ne faisait qu'exciter davantage les bureaucrates, il décida de ne plus recourir à ces artifices.

Ses interlocuteurs tournaient autour de l'idée d'un engagement précis qui mettrait une forme harmonieuse à l'éparpillement de leurs données. Mais aussi loin qu'il pouvait aller dans ses propres conjectures, Boris ne trouvait que le hasard pur et simple, doublé d'un désir irrésistible de vagabondage. Comment leur faire comprendre cela, à ces gens si ordonnés et sans aucune fantaisie, sinon en riant de son propre récit ?

Les nombreux fonctionnaires qui se relayèrent tout au long de ces jours de captivité déguisée paraissaient très différents les uns des autres. Leur apparence variait ; leur âge, leur façon d'aborder les questions ou la situation, et même leur habillement changeait comme s'ils cherchaient à l'appâter de toutes les manières possibles. Il y eut aussi une jolie femme dans la trentaine avancée, du genre féministe aguicheuse qui, s'asseyant au bord de la table, déploya une magnifique paire de cuisses dont le duvet pointait sous la jupe vers des promesses autrement plus velues. Boris, amusé, suggéra de continuer l'interrogatoire dans un endroit plus intime en lui promettant de tout avouer si, de son côté, elle faisait davantage d'efforts physiques. D'un geste brusque d'agacement accompagné d'une « sale cochon » bien articulé, elle mit fin prématurément au spectacle offert par ses cuisses.

Un autre jour, Boris reçut la visite d'un vieux professeur qui avait l'apparence d'un rêveur débraillé et qui parla tout l'après-midi de rien d'autre que de littérature et des livres à la mode dans le bloc socialiste. Ce vieux, en plus de paraître sincère et désintéressé, se montrait enthousiaste lorsqu'il discourait sur l'herméneutique, sur l'esthétique de la réception et sur les perles que le structuralisme pouvait déceler chez certains écrivains officiels de l'Allemagne démocratique. Il prétendait en outre que tous ces gens-là écrivaient en code, dans une espèce de double langue, voire triple, polysémique.

— De la pure dialectique, monsieur Nikto, assura-t-il. Ils ne s'encombrent pas du principe de la non-contradiction, de façon à pouvoir mieux dénoncer le régime qui les fait vivre, vous comprenez ?

Le professeur assura à Boris que de nombreuses thèses et dissertations apparaissaient chaque jour dans les cercles universitaires de ce côté-ci de la frontière, dont les auteurs non seulement étudiaient et déchiffraient ces langages, mais tentaient aussi de communiquer par les mêmes moyens. Selon lui, toute une nouvelle école d'exégèse voyait le jour dans les départements de littérature et de linguistique, matières souvent même inspirées par des méthodes ésotériques comme le Talmud, l'astrologie et la Kabbale, mais aussi scientifiques, statistiques, psychanalytiques… D'ailleurs, Boris allait sûrement se délecter des innombrables plaquettes énigmatiques que les maisons d'édition sérieuses ne cessaient de publier en guise de romans. Le professeur y voyait les signes d'une révolution dans le champ de l'art, qui ouvrirait enfin les digues entre la littérature et les sciences exactes. Quelque chose à mi-chemin entre la sémiotique, le langage numérique et les mots croisés.

— Une science, je vous assure, monsieur Nikto, exacte ; une sorte de psychanalyse des espaces abstraits, mon jeune ami. Enfin l'algorithme qu'il nous fallait pour recréer Goethe, Nietzsche et même Henry Miller !

Boris s'amusa beaucoup avec cet interrogateur ; il le laissa parler à volonté en l'alimentant à peine avec la mention discrète de tous les livres qu'il n'avait pas aimés au cours des dernières années. Chacun de ces titres était relevé par le professeur avec un sourire complice, comme s'il se réjouissait de trouver enfin un terrain d'entente avec le prisonnier.

Ils se quittèrent en très bons termes même si l'interrogateur préféra ne pas s'attarder sur la nature des renseignements qu'il cherchait. Le professeur Spieltrieb invita d'ailleurs Boris à venir lui rendre visite à l'université de Marbourg pour continuer la discussion.

La plupart des autres étaient plus prosaïques, se bornant à vérifier des dates ou l'emploi du temps de Boris à des moments bizarrement précis remontant à plusieurs années en arrière. Leur façon de penser était cependant la même : un mélange harmonieux de psychologie primaire telle qu'on la trouve dans les romans policiers, et de certitude absolue dans la téléologie des existences humaines. Tout pour eux avait un sens, irrémédiablement ; et la fin découlait logiquement des débuts, qui devenaient alors des causes. Boris se rappela, à ce propos, d'un texte merveilleux où un philosophe décrivait son enfance, et où il était question d'« illusion rétrospective ». Hélas ! on n'était pas ici dans le domaine de l'art. Ces gens semblaient tous penser comme les lecteurs de romans, pour qui chaque détail constitue un indice donné expressément par l'auteur et dont la fin de l'histoire justifiera la présence. Voilà, ils tenaient entre leurs mains la fin de l'histoire, le retour de l'exilé. Il s'agissait alors de remonter la trame pour retrouver les cadavres des gens qu'ils n'avaient pas vus mourir. Boris s'avoua malgré tout que leur souci de retrouver cette chaîne causale qu'ils postulaient, leur façon de s'émerveiller des détails négligés ressemblaient tout à fait à ses propres élucubrations et excuses. Cela le fit rire avec une certaine amertume, d'autant plus qu'ils s'attendaient à la collaboration de l'auteur pour le travail d'exégèse.

En fait, ils ne l'accusaient de rien. Ils se montraient chaque fois plus déférents et souvent amicaux. Une fois la méfiance des premiers jours surmontée, il devint clair qu'ils s'informaient pour le plaisir de s'informer, histoire de remplir des dossiers qui serviraient à d'autres dossiers et ainsi de suite. Leur plan — si plan il y avait — semblait suivre le schéma diabolique d'un quelconque informaticien rigolard qui aurait conçu l'extravagant dessein d'utiliser minutieusement la philosophie de Hegel comme logiciel pour les existences individuelles. C'était aussi déraisonnable que la démarche bornée des policiers socialistes, mais avec un côté naïf et bonhomme, sans méchanceté.

Ces interrogatoires permirent cependant à Boris d'effectuer un retour très scrupuleux sur sa propre vie. Tout le flou auquel il n'avait pas prêté attention lui apparut ainsi de manière évidente et burlesque. Les gens n'avaient toujours pas l'air de croire à ses propos ; s'ils lâchaient prise, c'était à cause de l'impossibilité de l'impliquer directement dans des événements précis. S'il était mêlé à d'autres faits, absents de leurs archives — sûrement qu'il l'était, et comment, paraissaient dire leurs regards —, cela n'avait pas une grande importance. Seul leur système de données comptait, pas sa personne. Puisqu'il semblait n'avoir rien fait de grave contre l'Allemagne fédérale, il arrivait parfois à certains de ses interrogateurs de le regarder avec une pointe d'admiration qui trahissait tout ce qu'ils pouvaient s'imaginer dans leur tête envahie par l'ennui.

Boris allait sortir de cet interrogatoire bien renseigné sur sa propre apparence et sur les fables pouvant être créées à partir des déguisements qu'il s'était donnés. C'était une étape de plus dans la connaissance de son propre personnage, qu'il fréquentait désormais avec un certain sens de l'humour.

Les séances de questions s'espacèrent, les agents ne semblaient plus insatisfaits de ses réponses, et à la fin ils lui apportaient même la confirmation de ses propres affirmations. Ils paraissaient se réjouir du fait qu'il n'eût pas raté son examen de passage et le traitaient comme un véritable transfuge des pays de l'Est. Un jour, sans d'autre explication, il fut transféré à Hambourg où des messieurs polis, aux allures de diplomates, lui présentèrent des excuses. On lui demandait de comprendre que les temps étaient difficiles, que tous ces tracas n'avaient été qu'un terrible malentendu causé par les soucis légitimes de vigilance envers la démocratie et de défense du territoire. On constatait qu'il avait été bien traité et le remerciait de sa collaboration. Naturellement, on était navré du temps qu'il avait perdu, mais son visa était renouvelé et on savait qu'il ferait un excellent séjour à Brême, chez l'éditeur Kammer.

Cette fin brusque de la détention l'étonna. Il se demandait encore s'ils avaient cru à son histoire ou s'ils s'étaient rendu compte du ridicule de leurs questions. Par ailleurs, cette détention si confortable lui avait permis en quelque sorte de se familiariser à nouveau avec les pays non socialistes, en plus de lui permettre de faire la paix avec son besoin de s'expliquer. Il se dit que, dans cette drôle d'époque informatique, un étranger, un vagabond et un casse-cou, même inventé et sans lustre, gagnait une valeur singulière du simple fait qu'il sortait de la moyenne. Il se divertit aussi des curieuses ressemblances entre ce passage de la frontière et son départ du Brésil. La figure du colonel Policarpo lui revint à l'esprit comme s'il venait de le quitter.

❑

Les brouillards et la pluie fine s'installent définitivement en même temps que l'hiver. La végétation gagne des couleurs plus intenses, elle devient plus touffue, et la grisaille amalgamant les formes lui donne l'aspect d'une barrière impénétrable. Les moustiques se déplacent lourdement dans l'air épais, voraces, dans une concurrence empressée avec les énormes mouches métalliques qui bourdonnent, paresseuses, sur tout ce qui bouge. Les bruits d'insectes s'amplifient de façon irritante dans la forêt devenue glauque. La lumière pâle du soleil arrive à peine à percer les nuages de plomb et ne peut rien contre l'humidité qui s'étale. Le pain du matin est déjà moisi l'après-midi ; les cigares tachetés de vert et de gris-bleu brûlent avec une étrange lenteur, et les bûches dans le poêle explosent parfois comme des grenades. Entre les draps trempés, seule la chaleur d'autres corps permet un sommeil confortable. Les fillettes se blottissent contre les hommes et les enlacent d'elles-mêmes, sans aucune gêne, pour mieux s'abriter. Boris s'abandonne à son tour à ces jeux, découvrant parfois des plaisirs pervers avec quelques-unes des jeunes filles dont la précocité lui paraît étonnamment sophistiquée. Souvent aussi, il veille toute la nuit, assis, habillé, à la recherche d'un ordre qui se dérobera dès l'arrivée de l'aube.

Ils passent des journées et des journées à attendre. Le colonel Policarpo n'a pas perdu sa bonne humeur, mais ne semble pas pressé, comme s'il avait décidé de garder les trois étalons pour féconder toute sa basse-cour. Se méfie-t-il de quelque chose ? Ça ne paraît pas dans ses manières. Il revient toujours satisfait de ses sorties à Corumba. Il a quelque peu insisté auprès d'Escobar pour obtenir une communication télégraphique avec les patrons à Lima, mais le Péruvien a tenu bon. Pas question, sinon sa propre peau serait en jeu ; les patrons l'ont bien averti. Mateus et Boris, de leur côté, ont tenu les mêmes propos, et le colonel paraît satisfait. S'il a cru à un coup monté, ce refus net, au risque de mettre en péril sa collaboration, l'a comme rassuré. Il ajourne quand même leur départ, sans explication.

L'absence de nouvelles et l'inaction commencent à produire un effet d'abattement sur les trois compagnons. Boris a continuellement la sensation d'être prisonnier des eaux irisées et laiteuses du marais; il s'abandonne à une paresse ankylosante qui efface même la crainte et le souvenir. Mateus et Escobar s'affaissent des journées entières sur les fauteuils moisis de l'immense véranda, apathiques, les yeux dans le vague.

Boris éprouve une fascination morbide pour cette nature démesurée; ses promenades solitaires l'entraînent souvent vers les marécages et les bras de fleuve stagnants qui bordent la propriété. Ses bottes s'enfoncent dans la boue et font des succions et des borborygmes quand il les en retire. Une odeur persistante flotte dans le brouillard, l'odeur de moisi propre au Pantanal, où la matière pourrit et se métamorphose depuis des millénaires. Une myriade de larves et d'insectes grouille à la surface pâteuse parmi les bulles de gaz, les troncs d'arbres spongieux d'où coule une algue bitumineuse, et les pâtés de feuilles se désintégrant en gelée. Les racines puissantes plongent dans les profondeurs comme des canalisations d'égout rongées par la rouille. Boris se baisse alors, trop attiré par les détails. Ainsi, de près, il peut entrevoir, derrière le miroir métallique des huiles, des silhouettes grasses et sinistres, allongées, aux mouvements gluants interrompus par des bonds sporadiques, avides, qui viennent gober la vie de la surface. Rien qu'un tourbillon et de larges bouches en forme de ventouses; puis la vase du fond se dépose de nouveau avec une immense lassitude. Plus loin, une autre bouche refait surface, impitoyablement. Parfois, le cadavre d'une vache à demi enfoncé dans la tourbe offre le spectacle hallucinant d'une infinité de larves blêmes, grosses comme des doigts, qui se disputent frénétiquement la carcasse avant qu'elle ne coule. Et ces masses démangées par la vermine paraissent geindre au son des essaims de mouches qui les entourent comme une épaisse toile d'araignée. Boris cesse peu à peu, somnolent, de lutter contre les visions qui l'assaillent durant ces promenades. Il s'abandonne aux comparaisons bizarres entre les créatures du marais et les filles qui lui tiennent compagnie la nuit. En fixant attentivement la boue, il lui arrive de percevoir l'œil du colonel qui frémit, entouré de lianes vivantes. Son existence commence ainsi à prendre des contours étrangement engourdis, atrophiés.

Un jour, vers la fin de juillet, le colonel Policarpo reçoit des invités : le colonel Beluco de l'infanterie, qu'ils avaient déjà rencontré à Corumba, et deux autres, étrangers. Le premier est un Indien au teint très foncé, gras, aux cheveux presque rasés et arborant une minuscule moustache aux longs poils. Le second est plus grand, métis, avec une énorme poitrine et des membres curieusement minces, ce qui lui donne l'apparence d'un pou. Ils sont présentés en espagnol comme étant, respectivement, le colonel Guayape, du Paraguay, et le colonel Aguirez-Vaca, de l'armée bolivienne. Il s'ensuit un mélange de conclave et d'interrogatoire duquel, inexplicablement, Mateus est exclu.

Boris et Escobar sont avidement questionnés par les invités, surtout par les deux étrangers, pendant que le colonel Policarpo les surveille à travers la fumée de son cigare. Les invités ne cachent pas leur méfiance ni leur mécontentement envers Escobar, et leurs questions sont à la fois irritées et précises. Ils affirment en outre n'avoir connaissance d'aucune nouvelle production de coca, ni en Bolivie ni au Pérou. Leur argumentation abondante et leurs exclamations emphatiques ne suffisent cependant pas à cacher leur amour-propre blessé. En fait, ils parlent trop, sans souci de garder des distances ni de s'informer davantage, et c'est clair qu'ils cherchent à bien paraître devant Policarpo. Leur bluff n'a d'égal que leur manque de finesse. Boris et Escobar échangent à peine des regards et les laissent parler sans intervenir pendant que les deux militaires exposent ouvertement leurs sources d'informations, les routes du trafic, les noms des trafiquants et des autres personnes impliquées en Bolivie et au Paraguay. Policarpo paraît se divertir de l'insécurité des deux colonels ; au fur et à mesure qu'avance la conversation, ils reconnaissent avec hésitation et dépit la possibilité qu'il y ait des lacunes dans leurs renseignements.

Les réponses données par Escobar sont circonspectes et se font souvent attendre ; elles laissent transparaître non pas de l'hésitation mais un mépris à peine voilé pour les deux militaires. Boris le laisse faire sans rien comprendre à sa stratégie.

Le colonel bolivien perd enfin patience devant le sourire cynique affiché par Escobar ; il proclame que toute cette histoire n'est qu'un paquet de mensonges tissés par un petit capitaine. Sans paraître blessé mais avec une moue de dégoût, Escobar rétorque qu'un officier péruvien n'a pas de leçons à recevoir de militaires de pays qui n'ont même pas d'accès à l'océan.

La réaction de fureur des deux étrangers est formidable, le tumulte s'installe et seule l'intervention conjointe de Policarpo et du colonel Beluco les empêche d'en venir aux poings. Le Bolivien, blême, tousse et s'étouffe de rage ; le Paraguayen, plus petit, se contente de fixer Escobar avec un regard meurtrier en s'essuyant la bave du revers de la main. L'énorme masse corporelle de Policarpo impose le respect pendant que Beluco garde ses lèvres plissées et balance la tête pour signifier qu'il regrette l'incident. Boris a la nette impression que ce dernier se range quand même du côté d'Escobar. Un long silence s'ensuit.

Du fond de son siège, sans émotion et avec une pointe de lassitude, Boris prend la parole en faisant un signe de la main au Péruvien :

— Nous savons que vous n'êtes pas au courant de nos informations. C'est naturel. Si vous ne savez rien, tant mieux. Et c'est à cause de cela que nous avons été envoyés, nous trois, pour effectuer les contacts. Sinon, n'importe lequel de vos courriers habituels aurait fait l'affaire... Ça coûte beaucoup d'argent, des gens comme nous... Les patrons veulent du travail bien fait parce que les promoteurs du projet ne prennent pas de risque.

Devant le silence attentif des militaires qui paraissent découvrir enfin l'importance de Boris, celui-ci reprend :

— Notre contact ici, désormais, est le colonel Policarpo. Il semble correspondre à l'homme que nous cherchions, selon les ordres que nous avons reçus. Et jusqu'à son rendez-vous avec les patrons de Lima, nous préférons ne pas discuter avec d'autres personnes. Mais je peux vous assurer que le petit commerce ne sera pas affecté par cette entreprise. Nos chefs n'envisagent pas de s'immiscer dans le trafic local. Celui-ci continuera, naturellement. Notre affaire est à un autre niveau, nos sources sont nouvelles, et toute une infrastructure devra être mise sur pied pour assurer des circuits d'un calibre international. Vous n'ignorez certainement pas qu'avec l'instabilité militaire dans le Sud-Est asiatique, je pense au Vietnam mais aussi au Laos et même à la Birmanie, le cours des opiacées fait des bonds impossibles et la disponibilité des stocks est parfois aléatoire. Nos frères américains sont prévoyants. Il faut trouver d'autres sources de matière première, évidemment. C'est tout ce que je peux vous dévoiler. Si le colonel Policarpo vous honore de sa confiance, c'est son affaire. Pas la nôtre.

Boris recule alors sur son siège, impassible, pour allumer un cigare en attendant la catastrophe. Mais au lieu de la bagarre, les autres paraissent miraculeusement calmés par cette tirade et leurs yeux brillent d'émotion. Policarpo, magnanime, invite les convives à boire et à oublier les dissensions :

— Allons donc, mes chers officiers... nous sommes tous intéressés par cette affaire, n'est-ce pas? Le capitaine Escobar n'a fait que réagir en patriote à vos propos, messieurs. Il ignorait que vous étiez en train de le taquiner expressément avec beaucoup de tact et d'astuce. Maintenant, serrez-vous la main comme de vrais officiers que vous êtes, messieurs; fiers et machos comme je vous connais.

Mateus, invité à se joindre au groupe, ne comprend rien à la scène lorsqu'il arrive au salon. Escobar, le Bolivien et le Paraguayen échangent des politesses debout, avec des sourires et des courbettes très latines, comme des coqs en parade, sous les regards amusés de Policarpo, de Boris et du colonel Beluco. Ça ressemble tout à fait à une fête de famille.

— Je vois que tout est en règle, n'est-ce pas, colonel Policarpo? s'exclame Mateus arborant le même sourire que les autres. Je sens que vous venez de parler affaires.

— C'est bien ça, Mateus, répond le colonel. Nos invités voulaient vous connaître personnellement avant de se joindre à l'entreprise. Tout est finalement réglé. Une fois à Lima, vous pouvez certifier à vos patrons que Policarpo s'est assuré le concours des forces qui contrôlent nos trois frontières: le colonel Beluco, de Corumba; le colonel Guayape, de la garnison de Bahia Negra; et surtout le colonel Aguirez-Vaca, qui facilitera vos déplacements en Bolivie. Allez, buvons à cette puissante association des forces du Chaco qui nous honore tous.

D'un geste exagéré, Escobar lève alors son verre en claquant les talons:

— Je bois fièrement à l'honneur et au courage de tous les colonels ici présents. Que mon orgueil d'officier soit un témoignage de ma soumission à la hiérarchie militaire. *Salud!*

Ce toast d'opérette brise définitivement la glace. Policarpo ordonne que l'on serve le repas; le reste de la soirée devient beuverie agrémentée par une dizaine de jeunes filles et par quelques danseuses dévergondées.

Tard dans la nuit, insistant pour qu'on l'appelle Pepito, le colonel Guayape raconte ses faits d'armes contre les Indiens dans le nord du Paraguay et il se vante de sa formation militaire donnée par les officiers prussiens au service du président Paz Estenssoro. Les deux mains plongées dans les chairs abondantes des danseuses qui le font boire, Aguirez-Vaca proteste à son tour que lui aussi a été instruit par des officiers nazis lorsqu'il était en stage au Chili. Il appuie ses dires de quelques commandements de camp de concentration dans un accent si lourd et d'une voix si cassée que tous s'esclaffent. Satisfait de son effet, il se met à expliquer à Escobar que la Bolivie et le Paraguay n'en font pas un drame, de ne pas avoir de sorties sur la mer. Selon lui, les deux pays sont les Suisses de l'Amérique latine puisqu'ils contrôlent tous les autres par la force de leurs banques et de leurs protections fiscales. Guayape abonde dans le même sens mais, trop ivre pour argumenter, il revient aux officiers nazis et à la longue tradition d'amitié entre l'Allemagne et le Paraguay pour conclure qu'ils sont tous de race pure.

— La race guaranie ! crie-t-il. Machos, aux grosses couilles ! Paraguay ! Un pays sans trace de communisme, Dieu merci…

— Le Brésil aussi, rétorque le colonel Beluco en lâchant les seins de la petite qui le chevauche sur le divan. Vive la révolution chrétienne et démocratique ! Vive les forces armées !

Boris se sent accablé par un sentiment de dégoût qui frise la nausée. Il perçoit l'agitation des autres au ralenti, de façon embrumée. Une douleur intense laboure sa tête depuis la nuque jusqu'à l'intérieur des orbites. Les yeux fermés, il laisse se dérouler diverses scènes imaginaires dont la plus intéressante est celle où il voit Mateus s'emparer d'un pistolet pour tuer les militaires, un à un.

Même ces fantaisies l'assomment; il regarde donc distraitement la fête et capte des images éparpillées de rictus, de langues, de mains qui fouillent l'intérieur de cuisses, les yeux étonnés d'une fille lorsqu'une des danseuses lui mord un mamelon, les obturations en or du colonel bolivien et l'œil strabique de Policarpo. Celui-ci brise alors le silence en s'adressant à Boris :

— Alors, Bob, on ne s'amuse pas?

— Fatigué, colonel, répond-il en sursautant.

— Tiens, tiens, jeune homme... comment ça, déjà fatigué?

— Comme ça, colonel. Un peu nostalgique aussi... Vous voyez, ça fait longtemps que nous sommes en voyage...

— Une amourette, sans doute?

Boris se contente de sourire en guise de réponse.

— Tu vois cette petite-ci? demande le colonel en indiquant une jeune fille assise à ses côtés. C'est ma petite vierge pour cette nuit. Jolie, n'est-ce pas? dit-il en soulevant le menton de l'enfant. Montre tes jolies dents, ma fille, au jeune homme, pour qu'il voit comme tu es en bonne santé.

La fillette esquisse un sourire timide et baisse de nouveau les yeux.

— Tu vois, Bob, ça m'a fait plaisir de te connaître. C'est bien rare qu'un homme si jeune soit capable de mener des affaires avec autant d'adresse. Je sens que nous allons nous comprendre. J'ai aussitôt vu que tes patrons pouvaient être satisfaits de t'avoir.

Puis sur le ton de la confidence :

— J'ai deux fils à peu près de ton âge. Tous les deux avocats, mêlés à la politique. Deux cons. Ma fille est plus âgée, mariée à un autre avocat. Un autre con. Malgré son petit bébé, c'est elle qui porte les culottes. Mon petit-fils... Ces trois-là sont des bons à rien. Ils trouvent qu'ici, chez moi, c'est trop primitif. Que je suis trop primitif. C'est drôle, n'est-ce pas?

— Et leur mère ? se risque Boris.

— Morte, il y a longtemps.

— Ah...

— À force de vivre seul, on poursuit ses affaires machinalement. Ça fait du bien de recevoir des visites comme la vôtre. Ça fait bouger les idées, ça met de la vie. Tu verras, à ton retour on chassera les caïmans. Tiens, prends ma petite... la déflorer, ça te changera les idées.

— Elle est vraiment vierge ? demande Boris, étonné.

— Je te le dis. Prends-la ; je te la donne. Ça te fera changement des plus vieilles. Elle ne sait rien, lisse comme un garçon ; tu as la nuit entière pour lui montrer comment faire.

La fillette peut avoir onze ou douze ans, tout au plus, et elle attend sagement qu'on lui donne des ordres en s'efforçant encore de sourire pour montrer ses dents.

— Non, colonel, c'est trop de bonté de votre part. Je me sens vraiment fatigué. Ce n'est pas le soir pour donner des leçons. Je préfère rester seul, si ça ne vous dérange pas. Avec une bonne bouteille, conclut-il en se levant.

— Comme tu veux, mon garçon. Moi aussi, j'aime boire et réfléchir de temps à autre. Mais tu vas me faire le plaisir d'accepter un cadeau, dit-il en se dirigeant vers une armoire pour prendre une bouteille de Ballantines.

— Tiens, je crois que dans les grandes villes vous aimez ça, non ?

— Merci, colonel.

Boris salue à la ronde mais les autres ne le remarquent pas. Seul dans sa chambre, assis dans le noir, il boit à même le goulot jusqu'à perdre conscience.

# 5

Quelques jours après, les trois compagnons partent vers Corumba, escortés par Policarpo et ses hommes armés, pour traverser la frontière.

Un léger soupçon effleure les pensées de Boris, mais il n'y prête pas attention. Il se sent trop las, ses perceptions ont l'air disloquées les unes des autres et son propre corps lui semble par moments un objet extérieur. Cette étrange sensation dure depuis un certain temps et il s'est déjà demandé s'il n'avait pas la fièvre. Il s'abandonne ainsi aux secousses de la jeep, emmitouflé dans l'épais manteau militaire, et se laisse absorber par les envolées brumeuses montant des marais.

Ils reçoivent les passeports et les billets de train. Policarpo, le colonel Beluco et le chef des douanes les accompagnent ensuite à un bordel de la ville où la patronne les reçoit avec une immense table de fritures. Ils mangent sans parler affaires.

— Souvenez-vous, avertit Policarpo avant de traverser le pont qui les sépare de la Bolivie. En cas de problème, vous êtes seuls. Personne ne vous connaît ici, d'accord ?

— Personne, colonel, personne, répond Boris. Nous ne sommes pas passés et vous n'avez rencontré personne. Ne vous inquiétez pas. Nous sommes habitués à ce genre de voyages. Les patrons vous contacteront en mon nom, si jamais je ne peux pas être là.

— Très bien, Bob, mais cela me fera plaisir de te revoir.

— À moi aussi, colonel. De toute manière je reviendrai, c'est promis. À bientôt et merci encore une fois de votre accueil. Vous ne le regretterez pas. Soyez prêt car les affaires vont commencer à rouler.

En compagnie du chef des douanes, les trois hommes passent la frontière sans aucune formalité et sont accueillis avec respect à Puerto Suarez, du côté bolivien.

La ville n'est qu'une bourgade de passage qu'ils ne peuvent même pas qualifier de misérable : une simple agglomération de masures et d'entrepôts à ciel ouvert, peuplée de gens paresseux et de soldats. Les pierres ancestrales de la place de la gare sont enfouies depuis longtemps sous une épaisse couche de boue, de bouse et de paille macérée. Les bâtiments baroques des douanes et de la caserne présentent des craquelures béantes et un stuc effrité, noyé par l'humidité. La chaux, autrefois rose, est devenue d'un vert brunâtre, visqueux, à cause des moisissures spongieuses qui descendent des toits vers le sol.

Boris et ses compagnons embarquent dans un petit train. La locomotive, avec sa cheminée bombée et son pare-chocs en forme de balai rappelle le temps des westerns muets. Leur wagon de première classe est vide et sale, dans un état d'abandon total. Le cuir des sièges râpé, déchiré, laisse percer un rembourrage noirci, ciré par les années. Les rideaux en dentelle brune sont en lambeaux ; les vitres des fenêtres sont bloquées par des fils de fer et ne se baissent plus.

Au bout de quelques heures d'attente, la pression dans les chaudières permet enfin au convoi de s'ébranler avec de grandes expirations de fumée, à une allure à peine plus rapide que celle d'un homme qui marche. Leurs regards se croisent alors avec des sourires imperceptibles. Ils ne se sont pas parlé ouvertement depuis plus d'un mois ; désormais, chacun est capable de capter les intentions des autres par un simple coup d'œil.

Boris réalise enfin qu'ils sont vraiment sauvés et s'étonne encore de la naïveté cupide du vieux Policarpo. La sensation légère d'être dans un pays étranger et avec une nouvelle identité en règle commence en peu de temps à produire son effet revigorant. À l'exemple de Mateus et d'Escobar, il se plonge dans les vieux journaux en quête de nouvelles.

Tucavaca, Robore, San Juan, San José de Chiquitos. Montacucito, El Cerro, Santa Cruz. Plus de quarante heures d'un voyage ennuyeux avec de longs arrêts sans motif apparent au milieu d'une nature luxuriante et répétitive à la fois. Le temps paraît suspendu dans les brouillards. Rien ne brise la monotonie des minuscules villages d'un peuple d'Indiens aux ponchos colorés et aux chapeaux invariablement noirs. Le bétail se fait plus rare ; la route étroite qui longe la voie ferrée est toujours vide.

Dans les gares délabrées, les stations d'eau et les dépôts de charbon, le convoi est envahi de vendeurs ambulants qui offrent des fruits, des fritures et de la bière chaude à des prix ridicules. Aussi des ponchos, des calebasses et des poteries, du tabac en corde et des poupées en paille tressée. Ces gens ne crient pas pour annoncer leur marchandise, ils ne se bousculent pas et ne cherchent pas à séduire les passagers. Ils se contentent de défiler respectueusement le long du couloir et paraissent surpris quand un passager désire acheter quelque chose. Puis ils se retirent dans le même silence et restent là, à côté du train, jusqu'au départ. Que font-ils ensuite, toute la journée durant, en attendant un autre convoi? Peut-être rien du tout. Ou ils retournent dans leurs cabanes, la tête remplie d'images du monde des voyageurs qu'ils ajouteront soigneusement aux images passées et à ce qu'on leur a raconté, pour chercher ainsi à bâtir, patiemment, une vision du monde s'étendant au delà de l'horizon. Seuls les soldats font semblant de ne pas regarder avec curiosité le train qui passe.

De rares passagers ensommeillés prennent place dans le wagon pendant que d'autres débarquent en silence et en se tenant à une distance respectueuse de ces trois voyageurs aux allures peu avenantes. Mateus s'est laissé pousser une barbe mal soignée, noire et touffue qui lui donne des airs de brigand. Escobar, rassuré par la langue espagnole qu'ils ont adoptée dès la frontière, reprend sa fierté militaire; son regard devient froid, pénétrant et aristocratique lorsqu'il observe les autres passagers. Boris se sent de mieux en mieux, comme dans une promenade sans but, et il fait connaissance avec un côté vagabond de son âme qu'il avait jusqu'alors refoulé.

Escobar dit qu'il télégraphiera dès leur arrivée à La Paz pour tout organiser. Un de ses oncles serait un politicien influent à Lima, et il y aurait plusieurs hauts gradés dans sa famille. Selon lui, ils sont désormais en vacances.

Drôles de vacances, pense Boris avec un sentiment mélangé d'angoisse et d'exaltation. Vacances de la vie. D'après ce que rapportent les journaux, ces vacances vont durer longtemps. On parle d'ambassades envahies par des demandeurs d'asile politique, d'universités fermées, de syndicats démantelés, de procès et même de déportations. Des entrefilets discrets évoquent les bateaux de la marine au large de Rio qui ont été transformés en prisons militaires pour ceux qui attendent de passer en cour martiale. Par ailleurs, l'ordre règne sur tout le territoire national depuis la dissolution des chambres.

Cette impression légère de s'en être tiré indemne tourmente son esprit. Il cherche à se souvenir de gens connus et de camarades qui, en ce moment même, souffrent peut-être sous la torture ; qui sont dans des prisons surpeuplées ou qui vont se faire arrêter d'un instant à l'autre. Mais il ne ressent rien pour eux tant son soulagement est profond.

« Moi aussi, je suis en cavale », se dit-il pour se rassurer devant le plaisir de ce voyage, ce plaisir qu'il arrive de moins en moins à se cacher. La faille dans son système moral est cependant là, béante, ou plutôt souriante face à cette disponibilité taquine que le hasard a créée de toutes pièces. Boris sait pertinemment qu'il ne peut pas retourner en arrière, qu'un sacrifice idiot ne servirait à rien dans cet ensemble qui le dépasse. La chance de s'en être sorti le talonne quand même avec un arrière-goût de trahison.

« Curieux, pense-t-il, lorsque je fuyais la caserne, prêt à me faire tuer, je me sentais moralement justifié. Maintenant que je n'ai rien à craindre, j'éprouve ces scrupules idiots envers ceux-là mêmes que je méprisais alors, parce qu'ils n'avaient pas réagi. Ils me hantent comme si leur situation s'aggravait du fait que je m'en sois tiré. Cette délivrance qui a une saveur de dissipation… Qu'est-ce que cela peut me faire ? Ça ne dépend plus de moi… »

Le souvenir de situations analogues lui passe vaguement par la tête, ainsi que d'anciens remords. Il finit par les trouver ridicules et se trouve ridicule à son tour en contemplant le sérieux de son passé. Ces exercices, sans cesse renouvelés tout au long du voyage, finissent par aboutir à une conscience très claire, cocasse, de la manière dont il s'est toujours senti concerné par les tracas d'autrui. Maintenant qu'il est seul, et qu'il est question de sa propre peau, sans avenir qui chante ni marches inexorables du prolétariat, il se sent profondément léger, avec une pointe de vertige devant tout ce qu'il pourra entreprendre.

Mateus a l'air de bien s'adapter à sa nouvelle identité et il ne cache pas sa satisfaction devant le nom de famille qu'il s'est donné : Garcia. Il regarde souvent son passeport et se réjouit chaque fois de s'appeler désormais comme sa vedette préférée de football.

— Dis, Bob Nowan, tu ne trouves pas ça chic, Mateus Garcia ? Monsieur Garcia, ou simplement Garcia, pour les intimes. C'est un nom que je me rappellerai facilement, à cause du gardien de but de l'équipe Flamengo, tu t'en souviens ? C'était un Argentin, si je ne me trompe pas... Mateus Garcia... Le tien est pas mal non plus, et je trouve que Robert est bien mieux que Boris. Ça fait plus distingué. Comme Robert Taylor, tu vois ? Boris, ça m'a toujours fait penser aux films d'horreur, à Frankenstein... Ça n'allait pas bien pour toi. Moi, en tout cas, je suis content. Mateus Garcia.

Escobar, par contre, paraît être retombé dans son monde d'uniformes, d'ordre et de hiérarchie d'où il n'était pas vraiment sorti.

Mateus semble deviner les préoccupations de Boris lorsqu'il lui dit avec une grimace :

— Bob, mon vieux, nous allons connaître le monde ! Puis, devant son regard pensif, il ajoute :

— Tu ne regrettes pas l'armée, n'est-ce pas ?

— Non, pas l'armée. J'y étais parce que je trouvais mieux de faire mon service militaire comme aspirant officier que comme simple soldat. Je suis resté un peu plus pour pouvoir me payer la fin de mes études. C'est l'université que je regrette... Tout s'est passé si vite et je ne sais pas encore où je suis.

— Moi non plus, tu sais, Bob... C'est bizarre, mais toute ma vie j'ai voulu voyager, comme ça, sans but, rien que pour changer... Voilà. Toi, c'est différent, bien sûr : t'as une famille, un avenir... Lâcher tout ça d'un coup ne doit pas être facile. Ça va te prendre du temps...

En pointant un doigt vers Escobar, qui dort la bouche ouverte, il ajoute :

— En tout cas, je ne changerais pas ma place avec le capitaine Escobar.

— Moi non plus, répond Boris avec un large sourire qu'il ne cherche pas à dissimuler.

— T'es un salaud, Bob... Le vieux borgne était à deux doigts de t'adopter comme héritier de son trafic de coca, hein ? Tu crois qu'il a vraiment gobé notre salade ? Par moments, j'avais l'impression que le vieux savait très bien de quoi il retournait ; qu'il s'amusait avec notre cavale rien que pour se venger de ses fils avocats. C'est bizarre, mais c'était mon impression... Je crois que le vieux aurait voulu avoir un fils comme toi, qui est bon à l'école sans être une lavette.

— Mais non, rétorque Boris, un peu mal à l'aise car il a pensé la même chose. Non, il a peut-être voulu m'adopter parce qu'il a mordu à notre histoire. Il ne pouvait rien imaginer de tout ça. C'est l'avarice et l'orgueil, j'en suis sûr. Ce Policarpo est fou du pouvoir... Très ignorant aussi de tout ce qui se passe hors d'ici. Lorsque je pense à l'énormité de sa bêtise, je désespère définitivement du Brésil entier.

— Pas seulement du Brésil... De toute l'Amérique latine. T'as vu les deux colonels ? Des brutes. Même Beluco, ce tortionnaire, était embarrassé lorsque les deux autres ouvraient la bouche. Il est parti complètement dégoûté des obscénités du Paraguayen ; Policarpo se contentait de rire de plaisir, repu. C'est un merdier continental.

Après un long silence consacré à allumer soigneusement son cigare, Boris se met à réfléchir à haute voix en regardant Mateus :

— C'est un changement si brutal et je ne peux même pas dire que je suis triste. Au début si, plutôt désespéré, et je voulais en finir au plus vite. Un peu comme lorsqu'on est ivre au milieu d'une bagarre. Ensuite, notre longue promenade a eu un effet calmant. Même les gens que j'ai laissés en arrière paraissent avoir perdu de l'importance. J'y pense, naturellement, mais une espèce de brume s'est installée entre leurs vies et la mienne. Tant que j'étais plongé dans l'action, les choses semblaient avoir un sens précis ; je ne me posais pas de question. Tu sais, Mateus, depuis que je suis tout petit, je n'ai jamais décidé de rien. Les choses se faisaient d'elles-mêmes. Je me bornais à suivre le flot. Le travail, les études, l'armée, tout ça, ce n'est pas moi qui l'ai décidé. Même le parti, où je suis entré sans savoir au juste pourquoi...

— Tu montais vite, pourtant...

— Par rage, surtout. Par rage et par révolte devant la passivité des gens. Une rage sourde contre ma propre vie, ma propre inertie. Je ne sais pas... Aussi, par souci de bien faire. J'ai toujours été passionné par ce que j'étais en train de faire. Comme ça, par goût de bien faire les choses... C'est idiot, n'est-ce pas ?

— Pas tant que ça. On ne choisit pas toujours sa vie. Moi aussi, j'aime bien faire. Conduire, par exemple. Je sais que je suis meilleur conducteur que tous les autres. La mécanique, tiens ! Un moteur qui roule bien, de préférence un vieux moteur que j'ai réparé moi-même. Ça me donne presque autant de plaisir que baiser... parfois même plus, je te l'avoue. C'est ce qui me plaisait le plus à l'armée : tous ces véhicules lourds qu'on pouvait forcer sans motif et qu'il fallait ensuite réparer. Toutes ces balades pour s'amuser...

Ils restent silencieux, dégustant la fumée bleue des cigares. La plaine monotone défile derrière la fenêtre, sous un ciel gris chaque fois plus bas. Bientôt commencera la montée abrupte des Andes et c'est comme si les nuages s'impatientaient déjà, cherchant à envelopper le convoi et les passagers.

— C'est ça, reprend Boris. Je ne faisais que suivre. Soudain, le château de cartes s'est effondré et je ne suis pas mort. Vivant mais coupé de la vie, du passé, sans possibilité de retour. Et le reste me paraît sans importance. Mes livres, la dissertation que j'étais en train de préparer à la fac, mon service militaire et cette solde d'officier qu'ils avaient tant hésité à m'accorder, les sauts en parachute, mes projets d'écrire, jusqu'à mes amis. Mon père, je suis sûr qu'il sera content quand il aura de mes nouvelles. Il a toujours eu de la difficulté à comprendre pourquoi j'étais resté à l'armée. Mais il existe une Clarissa...

— Ta fiancée ?

— En quelque sorte. Pas tout à fait. On n'avait pas parlé de mariage. On se connaissait depuis à peine six mois... Mais j'étais amoureux... je ne le sais plus. Je pense à elle comme si j'avais perdu quelque chose de précieux. Presque comme si elle était morte ; ou comme si je l'avais rêvée...

— Est-ce qu'elle était en danger ?

— Non, je ne le pense pas. Elle ne militait pas activement. Non... Notre relation était discrète ; à moins d'une malchance très grande, elle va s'en tirer. Tu vois, elle est à l'université catholique où tout est tranquille. Langue et littérature anglaises, rien de subversif. Elle est restée comme un vide que je ne peux pas combler. Une tristesse attendrissante...

Et pour changer le cap de ses idées, Boris demande :

— Toi, Mateus, personne ne t'attend ?

— Pas comme ta Clarissa, en tout cas, rétorque-t-il avec un sourire. De ma famille, il ne reste qu'un oncle ; je l'aime bien. Quelques amis, une ou deux filles, pas plus... Et l'armée, ce qui n'est pas une grande perte. Quelques camarades du parti aussi, même si je n'ai jamais été officiellement membre. Ils savaient que je sympathisais, c'est tout. À franchement parler, Boris, je crois que je suis bien mieux aujourd'hui. Si tout marche bien, je vais voyager... Attends qu'on arrive dans une grande ville ; même ton cafard disparaîtra. On a de l'argent, de quoi vivre quelque temps. Tu écris à ta fiancée pour qu'elle t'attende, et on part en balade, veux-tu ?

— On verra ça une fois à Lima...

— Si tu veux, répond Mateus, pensif. J'y pense quand même puisqu'on n'a pas l'air de pouvoir rentrer de si tôt... De longues vacances nous feraient du bien. On pourra toujours travailler comme mécaniciens en attendant. En fin de compte, les militaires ne resteront pas indéfiniment au pouvoir. Une affaire de quelques mois, un an tout au plus...

La voie ferrée s'arrête à Santa Cruz. Les trois compagnons trouvent le gîte dans un hangar de marchandises en compagnie d'un Indien silencieux et de sa nombreuse famille. C'est très paisible mais ils se relaient quand même pour faire le guet la nuit durant. Ils sont debout avant l'aube et partent dans les rues désertes au son d'aboiements de chiens maigres.

Ils font l'étape suivante à bord d'un vieil autobus qui serpente péniblement sur la route escarpée à flanc de montagne. Le paysage devient rocailleux et hostile à mesure qu'ils s'approchent des nuages. De rares bosquets de pins apparaissent ici et là, mais, la plupart du temps, la nature est dénudée et misérable parmi les étendues désertiques de sable noir. Les autres voyageurs restent patiemment emmitouflés au milieu du pêle-mêle exotique de cages de poulets, de fardeaux de peaux à la laine épaisse et de valises en osier. Il fait de plus en plus froid malgré le printemps avancé. Durant les arrêts, le café chaud accompagné de tartines au fromage blanc tient lieu de repas. La Guardia, Samaipata, Mataral, Comarapa, Pojo ; de simples agglomérations de masures accrochées à la Cordillère orientale.

Les trois hommes arrivent à Cochabamba en pleine nuit, au terme de dix-sept heures de voyage, abrutis, les pieds gonflés, la tête vide, grelottant dans leurs manteaux militaires. La taverne qui tient lieu de salle d'attente les accueille, enfumée, avec ses buveurs attardés qui sirotent des aguardientes en compagnie de soldats. Boris se rend compte de son apparence en remarquant comment tous baissent les yeux sur leur passage. La petite Indienne qui sert aux tables leur demande s'ils ne veulent pas de la compagnie féminine, mais Escobar refuse d'un geste brusque. Ils s'installent lourdement en attendant l'aube.

Ils gagnent ensuite Oruro dans un autre autobus. C'est un voyage fascinant, à travers des gorges plongées dans une sorte de crépuscule brumeux, d'où ils peuvent contempler le soleil brillant sur les cimes. L'air raréfié rend leur respiration haletante et produit une fatigue étrange sur les muscles de la poitrine. Les voyageurs sommeillent, le chauffeur sommeille, et l'autobus paraît glisser tout seul comme s'il connaissait le chemin.

Ensuite, de nouveau le train, sur la crête des Andes au milieu d'un décor lunaire parsemé de plaques de glace. Les villages, à l'aspect minéral, semblent n'être que des logements déserts parmi les bâtiments miniers abandonnés aux chèvres et aux lamas : Sicasica, Patacamaya, Calamarca, Viacha, et enfin La Paz, écrasée par la présence majestueuse de l'Illimani se perdant dans les nuages.

Escobar prend alors les choses en main comme il l'avait promis. Il assaille le télégraphiste de la gare centrale et se démène en des rencontres diverses qui durent parfois toute la nuit. Pendant ce temps, Boris et Mateus passent leurs journées à flâner dans cette ville sans attrait, revenant infailliblement à l'auberge paisible en face du cimetière, dans la banlieue Los Andes. Ils consacrent alors leur temps à mettre au point une stratégie commune pour faire face aux projets qu'Escobar ne cesse d'évoquer. En effet, rassuré par ses contacts télégraphiques, le Péruvien s'est mis en tête de les convaincre de s'établir à Lima en attendant de pouvoir retourner au Brésil. Il parle de leur trouver du boulot, de les accueillir dans sa famille, et Boris pourrait même reprendre ses études à l'université. En outre, les camarades du Partido Comunista del Peru seraient ravis de les recevoir pour leur donner des tâches politiques.

Cette dernière perspective surtout déplaît à Mateus. Maintenant qu'il se sent libre, il se méfie de toute sollicitation. D'autant plus que le capitaine Escobar a l'air de devenir de plus en plus militaire, de plus en plus officier à mesure qu'ils se rapprochent de son pays ! Même sa façon de présenter ses projets a quelque chose de martial. Mateus a déjà pensé qu'il devait casser la gueule d'Escobar une fois pour toutes ; cette petite fantaisie d'un moment de fatigue lui est restée comme un désir vague, quelque part dans son cerveau, et elle lui rappelle qu'il doit se méfier.

Boris, lui aussi, a bien réfléchi depuis leurs premières conversations dans le train. Il a pris goût à l'aventure et ne pense plus s'arrêter pour étudier. Dans son cas, la décision n'est pas encore prise, mais la simple résolution de ne rien décider pour le moment en est déjà une. D'autant plus que les plans de vagabondage qui foisonnent dans la tête de Mateus le captivent étrangement.

— Tu vois, Bob, il serait bête de s'arrêter à Lima, comme ça, simplement pour rendre visite à la famille d'Escobar, se faire emmerder par les bourgeois et les militaires, tu ne trouves pas ? Pendant qu'on y est, si tu veux étudier, autant aller dans un endroit plus aéré, comme les États-Unis, Moscou... Tu m'as dit que, ton vieux et toi, vous parlez russe, non ?

— Je me débrouille un peu, à peine. Il n'est pas russe mais allemand.

— L'Allemagne alors !

Boris répond par un sourire, amusé de l'enthousiasme affiché par Mateus depuis que celui-ci se sent à l'aise avec la langue espagnole. Il s'étonne aussi de la facilité qu'a le chauffeur d'entrer en contact avec les gens qu'ils rencontrent et de sa façon de s'entraîner à parler en mettant des accents de tango aux phrases courtes qu'il adresse aux Boliviens. Et pourtant, ça marche.

— Bob, je ne savais pas que c'était si bon d'apprendre d'autres langues. Très facile. Je n'ai pas fait d'études comme toi... Qui sait? Je pourrais peut-être encore m'y mettre. On a de l'argent...

— Je sais, Mateus, tu ne cesses de le dire. Pour ce qui est des études, je t'assure, ça ne me tente plus pour le moment. T'inquiète pas; j'ai aussi peu envie que toi d'attendre quelque part en me sentant exilé. Si je ne peux pas rentrer, autant me promener un peu. Cette Amérique latine me dégoûte à mesure que je la connais mieux. Tout comme le Brésil. Si ça se trouve, le Pérou va être plus merdique encore que cette Bolivie, ce qui n'est pas peu dire! En moins de deux, les militaires suivront partout l'exemple de ceux du Brésil, avec peut-être l'applaudissement du peuple. Ça va être invivable.

— Tu es pessimiste, Bob... Ce n'est que ta nostalgie, tout ça.

— Tu ne crois pas? Regarde un peu autour de toi. N'est-ce pas le marasme? Et au Brésil? Aucune résistance, aucune opposition; même les partis politiques et les journaux vantent le miracle réalisé par les militaires. Le peuple, lui, suit passivement en attendant le miracle économique promis par les Américains. Pas de grève, pas de sabotage ni d'occupation d'usines. Rien. Quelques fous comme nous, arrêtés ou en cavale, c'est tout. Et les intellectuels qui se gargarisent de mots vides dans les journaux pour se donner de l'importance. De la merde, je te dis. N'oublie pas comment le parti nous a laissés tomber. Ils nous avaient prévenus que notre coup était contre la ligne politique dictée par l'Union soviétique...

Ces conversations se répètent chaque jour sous diverses formes pour redire la même chose. Mateus et Boris s'habituent ainsi à leur liberté nouvelle. Le chauffeur veut désormais connaître le monde. Boris ne se l'avoue pas encore mais, dans ses pensées profondes, il est déjà bien plus loin que Mateus dans sa rupture avec le quotidien. Il ne cherche que des excuses.

— Ta décision paraît claire, Mateus. Tu te tires. Mais qu'est-ce que tu fais des autres, de tous ceux qui sont restés là-bas ?

Le chauffeur continue à marcher, pensif, prenant le temps qu'il faut avant de répondre. Il sait que son compagnon se débat avec la même question. Il soupçonne d'ailleurs que Boris se la pose à lui-même, cette question, à travers lui.

— Boris, je te dis franchement : je m'en fiche. Les autres, je m'en fiche... Je pourrais te donner une réponse plus jolie. Ce serait mentir. Tu vois, c'est à ça que servent les études : à bien parler lorsqu'on est embarrassé dans ses pensées. Mais, entre nous, je m'en fiche, c'est tout. Je me suis sorti tout seul de la merde. Je n'ai pas de famille pour m'aider. La seule famille que je connaisse, c'est l'armée, tu vois le genre ? J'ai commencé en étant ballotté un peu partout ; j'ai nettoyé des garages pour pouvoir manger. Puis, lorsque j'ai eu dix ans, les patrons ont été assez gentils pour me laisser laver les pièces et les moteurs avec de la gazoline durant des années et des années. Des fois, à la tombée du jour, j'étais ivre mort à cause des vapeurs. Personne ne m'a rien appris. Il m'a fallu glaner tout seul, me battre pour faire ma place. À l'armée, je me suis senti chez moi. J'ai appris à lire et à écrire tout seul, au hasard car, pendant les quatre années d'école primaire, j'avais trop faim pour apprendre. Les coups que j'ai reçus sur la tête...

Après un moment de silence, Boris lance, avec un peu de tendresse :

— Mais tu sais que les autres souffrent... tu le sais peut-être mieux encore pour avoir toi-même souffert.

— C'est vrai. Je le sais dans ma peau, Bob, dans mes muscles, et je t'assure qu'on me fera plus souffrir. Je le sais aussi dans les cauchemars qui me viennent parfois ; dans la terreur de ne pas pouvoir me battre et de ne pas pouvoir me réveiller. Une fois réveillé, ça passe. J'ai un mépris profond pour les gens qui vivent de la souffrance des autres... Mais je n'ai pas de comptes à rendre. Rien qu'à moi-même, le nouveau monsieur Mateus Garcia, sans père ni mère et bien portant. Je ne vais tout de même pas laisser passer la seule chance de liberté que j'ai jamais eue! Comment voudrais-tu que je me regarde ensuite dans un miroir? Et devoir me dire: t'as été baisé par la vie et tu demandes pardon... Non, Bob, Mateus Garcia va connaître le monde, sans être le chauffeur de personne. L'ancien Mateus est mort et enterré.

Boris s'étonne toujours de la bonne humeur de son compagnon, de sa capacité naturelle à saisir les choses et à s'adapter, sans honte ni rancune. D'où vient cette force, ce plaisir de vivre? se demande Boris en observant cet homme costaud, presque plus large que haut, au teint légèrement basané qui est son aîné d'à peine quelques années. Il s'étonne aussi de l'aisance avec laquelle Mateus se sert du langage sans avoir fréquenté ni les livres ni les bancs d'école.

— Je ne sais pas comment a été ta vie, reprend Mateus. Peut-être que toi non plus, tu n'as pas de comptes à rendre. Il y a ton vieux... Est-ce qu'il t'a aidé?

— Et comment! Mais je ne m'en fais pas pour lui. Il a son travail de mécanicien, la chose qu'il aime le plus au monde. Je crois qu'il sera fier de me savoir en voyage. Je l'ai toujours entendu dire que la vie à l'étranger était meilleure qu'au Brésil. Il ne quittera jamais son travail, mais il aime rouspéter. Un vrai gringo.

— Tu vois, Bob, maintenant tu pourras réaliser son rêve, pour lui raconter ensuite tout ce que tu auras vu, pour lui dire qu'il avait raison; ça va lui faire plaisir.

— Il m'a toujours encouragé à me percevoir comme un étranger. Pas ouvertement et sans tristesse. C'était plutôt par souci de comparer sans cesse les choses, de changer de points de vue, pour que je ne me contente pas de la vie telle qu'elle est. Ça doit être une manie des mécaniciens.

Une autre fois, après avoir entendu les arrangements faits par Escobar pour gagner le Pérou, et à nouveau seul avec Mateus, Boris reprend :

— Demain on sera au Pérou. Si on croit Escobar, on y sera en sécurité. On verra. La perspective de militer encore au parti, ça ne te tente pas ?

— Non, ça ne me tente pas, Bob. Je veux savoir comment c'est là-bas, chez eux, par pure curiosité. Ça m'étonnerait beaucoup que ce soit différent du Brésil... Tu vois, je suis un type de gauche, je suis comme ça. Être pauvre et ne pas être de gauche, c'est idiot, naturellement. C'est pour cette raison que je n'ai pas besoin de militer. Boris, merde, c'est moi le prolétariat dont ils parlent sans arrêt ! Il suffit d'être toi-même, sans besoin de te dévouer ni de passer ton temps à vouloir réveiller les autres. Laisse pour une fois aux bureaucrates le soin de protéger les pauvres gens, voyons ! Les pauvres, c'est leur marchandise, leur raison d'être ; la même chose pour les politiciens et pour les capitalistes. Ils s'acharnent à nous appeler « les prolétaires » dans leurs livres et leurs discours ; mais dès qu'une tâche ingrate ou dangereuse se présente, tous les syndicalistes se défilent, les intellectuels sont maladroits et les chefs du parti prétextent qu'il ne faut pas exposer les cadres dirigeants. Et en avant le prolétariat ! La seule chose qu'ils attendent de nous, c'est de faire leur révolution ; ensuite ils nous diront quoi faire en pavoisant dans les salons qu'ils auront pris aux riches. Tu vois, je suis certain qu'ils n'écrivent pas cela dans les livres. D'ailleurs, t'as déjà vu un ouvrier écrire des livres ? N'ont pas le temps...

— T'as bien raison, Mateus, c'est souvent pourri. Mais le parti est quand même le seul instrument qu'on ait pour l'action. Sinon, comment organiser les gens, les faire résister, leur donner une conscience humaine ?

— Boris, t'es pas si con que ça, voyons ! Tu montais dans la hiérarchie du parti parce que tu étais un casse-cou et un intellectuel de surcroît. Même l'église catholique serait contente d'avoir des types comme toi, fiables, gentils et pas trop révoltés. Ou les capitalistes. Le parti, ce n'est qu'une bande de ronds-de-cuir qui nous utilisent pour se faire élire et vivre à nos dépens, rien d'autre! Rappelle-toi Policarpo qui voulait t'adopter. T'es bon, voilà tout, et tu éprouves ce sentiment absurde que tu dois consacrer tes énergies à ceux qui ne les méritent pas. Être de gauche, ce n'est pas ça.

— C'est quoi alors, selon ton système? demande Boris, amusé.

— Tu ris, mais je crois que c'est très sérieux, ce que je cherche à te faire comprendre. Ne viens pas saboter ma pensée avec des théories. Écoute de façon honnête; ça ne sert à rien de tout expliquer, tu le sais bien. Les gens qui expliquaient avec de jolies théories nous ont laissés tomber, nous et le peuple. Ils t'ont baisé, encore plus que moi. Si les militaires t'arrêtent, tu sais bien qu'ils vont te fusiller. Qui sait si les cadres du parti ne seront pas contents de se débarrasser d'un boulet comme toi? Ils t'avaient déjà dit que tu péchais par excès de gauchisme, pas vrai? Tendances anarchistes et guévaristes, ce qui voulait dire la même chose dans leur tête: trop peu soumis à la hiérarchie.

Boris ne peut pas s'empêcher de sourire en écoutant Mateus répéter ces formules stéréotypées qui paraissaient avoir tant d'importance il y a à peine quelques mois. Il se souvient des discussions interminables et prétentieuses, aussi absurdes que leurs cours de philosophie, et qui avaient pour but de changer la face du monde, le destin de l'humanité. Comme cela paraît lointain, pense-t-il avec un mélange d'humour et d'embarras.

— C'est ainsi, Bob, tu n'y peux rien. Il suffit d'être toi-même, d'agir selon tes moyens lorsque la situation se présente. Rien ne sert de se cacher sous le drapeau rouge. Si t'es un salaud, ça va paraître. Et rien n'est pire qu'un salaud qui parle au nom du peuple. Pense aux politiciens. Parti communiste ou pas, tu seras toujours un salaud, si c'est ça ta nature. Laisse-leur donc la bureaucratie et continue d'être toi-même, simplement. Moi, Mateus Garcia, s'il y a une chose qui me plaisait dans toute leur salade, c'est bien l'internationalisme. Voilà. Maintenant je vais m'efforcer d'être plus international qu'auparavant. Je vais aller voir si ça souffre aussi ailleurs, dans les autres pays; et comment ça souffre. Misère pour misère, n'est-ce pas, autant s'instruire. Ha! ha! ha! N'est-ce pas ce que disait ton père?

Mateus reprend ensuite à voix basse, en se donnant des airs de conspirateur:

— Tu te souviens comment les cadres du parti avaient la manie de citer Lénine: « La patience est la plus grande vertu du prolétariat. » ? Bon, je trouve qu'il est temps de leur laisser pratiquer cette vertu, en attendant leur révolution. Le camarade Mateus Garcia, lui, va pratiquer l'internationalisme prolétarien...

Leur éclat de rire est si délicieux que même les passants boliviens, d'un naturel taciturne, les regardent étonnés, le sourire aux lèvres.

Trois jours après, ils arrivent à Lima. Escobar les installe dans une banlieue du port de Callao et repart aussitôt. L'arrière-boutique de l'atelier d'imprimerie dans laquelle ils logent est misérable et étouffante. Les gens de l'endroit les regardent avec méfiance, même si Boris et Mateus respectent la consigne de ne jamais sortir durant la journée. Leur propre méfiance s'accentue cependant à chaque visite d'Escobar, inopinément promu major. Celui-ci a repris son uniforme et son poste au service de renseignements de l'armée, et il paraît plus aristocratique que jamais. Le major Escobar se fait aussi de plus en plus discret en ce qui concerne leur avenir. Il paraît qu'il faudra attendre les visas de séjour avant de trouver du travail; hélas! ces visas seraient plus difficiles à obtenir qu'une promotion. Il faudra qu'ils restent cachés encore un certain temps, histoire de laisser passer en douce les rumeurs venant du Brésil. La situation là-bas serait instable ; même les demandeurs d'asile politique dans les ambassades tarderaient à recevoir leurs laissez-passer. Les services de renseignements de la marine passent au peigne fin les demandes, semble-t-il, et aucun militaire ne pourra trouver asile dans un autre pays. C'est une question qui paraît compréhensible aux yeux du major Escobar. On aurait livré des réfugiés au gouvernement brésilien, surtout ceux qui sont passibles de cour martiale, ou les déserteurs. Ce ne sont là que des rumeurs, mais il vaut mieux attendre. Il y aurait par ailleurs beaucoup de travail à faire ici, au Pérou... D'un autre côté, les camarades du Parti communiste sont en droit de se méfier des étrangers, et ils attendent des renseignements au sujet de Boris et de Mateus avant de les accepter dans leurs rangs. Certainement que les cadres du Partido Comunista Brasileiro vont répondre à leurs demandes, mais ça va tarder à cause de tous les bouleversements ; ils doivent comprendre qu'ils ne sont pas la priorité du moment... Une affaire de quelque temps encore. Il faut patienter. En attendant, il serait mieux de les loger ailleurs, loin des regards et séparés de préférence. Boris pourrait toujours passer pour un étudiant étranger, trouver du boulot comme secrétaire d'un professeur de l'université, assistant de recherche... Quant à Mateus, il y aurait un garage à Cuzco qui serait prêt à l'engager comme aide-mécanicien...

— Je vous tiens au courant. Pour le moment, n'est-ce pas, on attend. Et bouche cousue.

Voilà encore le major Escobar qui repart pour on ne sait où, en laissant les deux compagnons sans nouvelles durant une longue période.

Boris et Mateus passent ainsi les mois suivants dans une attente oisive et oppressante, tout à fait comme en prison. Pas de nouvelles du Parti communiste, et c'est peut-être tant mieux. D'ailleurs, Escobar se fait de plus en plus vague concernant ses contacts ; parfois, pressé de questions, il n'arrive plus à cacher son irritation. Il est clair que ses deux compagnons de voyage sont devenus un fardeau encombrant, peut-être même dangereux puisqu'ils sont des témoins de sa propre fuite.

À la fin de décembre, Boris et Mateus lui arrachent enfin une décision qui balaie du même coup leurs dernières hésitations morales. Il leur faut partir pour l'Europe, en bateau. Escobar paraît soulagé de cette solution, et les choses se précipitent. Des places à bord d'un cargo sont trouvées miraculeusement et avec rapidité. Leur argent est échangé en dollars américains à un taux qui frise l'escroquerie, et Escobar lui-même leur achète les pistolets pour une somme ridicule. À quoi bon protester ?

— Salut, Escobar, et merci pour tout, lui dit Mateus sur le quai, avant de s'embarquer.

— Salut, capitaine, dit Boris à son tour avec un sourire.

— Major, mon ami Boris, major.

— Excuse-moi, Escobar, il fait si sombre que je n'ai pas remarqué tes épaulettes. Major, bien sûr. Mais n'oublie pas d'envoyer mes lettres. Il n'y a aucun danger. C'est pour mon père et pour ma fiancée. Seulement pour les rassurer. Elles ne contiennent rien de compromettant ; tu peux les lire. Merci encore une fois et *hasta la vista*.

La coque blanche du *Lingard*, un cargo battant pavillon suédois, glisse lourdement dans la nuit. L'air frais de l'océan et les lumières qui s'éloignent ont une saveur de liberté.

## 6

Boris arriva à la gare de Brême en provenance de Hambourg. Il fut accueilli par une jeune femme encore dans la vingtaine, jolie, aux cheveux blonds soigneusement coiffés en une large masse de style afro, les jeans moulés se terminant par de longues bottes, et dont le manteau vert olive à la coupe militaire, en cuir souple, trahissait une coupe griffée. Ses gestes féminins légèrement teintés d'un staccato martial lui firent penser aux jeunes komsomols soviétiques, mais en plus sophistiqué, comme si un mannequin de la haute couture s'était déguisé en garde rouge.

— Salut, camarade, fit-elle en tendant la main. Je suis Rosa, Rosa Kammer. Vous êtes sûrement Boris Nikto, n'est-ce pas ? Albrecht Kammer, des Éditions Strasse Frei m'a demandé de venir vous chercher.

— Bonjour, Rosa, répondit Boris avec une certaine gêne en déposant sa valise, encombré par son imperméable et les journaux qu'il n'avait pas lus.

— Je vous cherchais, mais j'ai failli ne pas vous reconnaître. Sur les photos, vous aviez l'air plus vieux. Mon père regrette de ne pas pouvoir être là ; il vous souhaite la bienvenue.

Boris se borna à sourire devant ce regard si innocent et séduisant à la fois.

— Mais il nous attend à la maison. Venez, on va chercher vos autres valises au comptoir.

— Ce n'est pas la peine, fit-il. Tout est là.

— Ah, non ! Les flics ont saisi vos choses ! s'écria-t-elle, outrée.

— Non, ils n'ont rien saisi, non…

— Bon, dit-elle, un peu déçue. Vous n'avez apporté que ça ? D'accord… J'ai mon auto dans le parking.

Boris suivit la jeune femme le long des couloirs, dans le flot des autres voyageurs qui sortaient vers la place. Elle avait une démarche souple, élégante malgré les talons extrêmement hauts, et décidée ; tout à fait en harmonie avec la ville, pensa-t-il. En sa compagnie, il se sentait pour la première fois bien loin du bloc socialiste. C'était la même sensation de richesse et d'insouciance qu'il avait éprouvée autrefois, lors de son arrivée en Europe.

Rosa conduisait vite, avec adresse et d'un air distrait. Boris, qui n'avait jamais possédé d'auto, s'étonnait aussi du confort luxueux de cette berline aux lignes sportives dont il croyait avoir vu l'image dans des revues étrangères. Tout dans ce pays lui paraissait fastueux, étranger, interdit.

Vingt ans auparavant, l'Europe de l'Ouest avait été pour lui un simple lieu de vagabondages en compagnie de Mateus, mi-beatniks, mi-hippies, souvent même clochards. Et voilà que maintenant il se baladait en auto de luxe, pour séjourner chez des gens qui n'auraient pas voulu du jeune Boris comme laveur de vaisselle. L'étrange sensation d'imposture ne l'abandonnait pas, avivant son malaise malgré le naturel de la jeune femme.

— J'aime beaucoup votre poésie, Boris. C'est pourquoi je suis si contente de vous rencontrer. Pas seulement moi. Ici, vos livres sont l'objet de discussions dans les cercles littéraires.

— Ah, merci. Je ne savais pas...

— Si, je vous assure! La rupture avec les vieux schèmes socialistes ainsi que les nouvelles formes d'expression de la gauche sont des thèmes d'avant-garde chez nous, dans les milieux universitaires.

— Eh bien...

— J'espère que le séjour à Hambourg n'a pas été trop pénible. Mon père a tout mobilisé dès que nous avons appris votre arrestation. On a failli manifester à l'uni. Les gens de mon département, en socio-sémiotique, étaient très révoltés à l'annonce de l'annulation de votre conférence.

— Conférence? demanda Boris, étonné.

— Si, papa avait organisé des conférences et des rencontres avec d'autres intellectuels et artistes. Cette mobilisation des masses a d'ailleurs obligé les flics à vous relâcher. Une honte, leur violence. Mais très significative de l'État policier qui règne ici en Allemagne fédérale... Maintenant on va se reprendre. Surtout pour les lectures de vos poèmes.

— Merci, Rosa. Je ne savais pas que je serais attendu comme ça. Albrecht, votre père, a sans doute été informé de mes déboires depuis Berlin, je crois... Pour Hambourg, non, ça n'a pas été trop pénible. Ils savent que je suis seulement de passage. Si j'avais demandé un permis de séjour, peut-être que leur accueil aurait été différent.

— Sûrement, acquiesça-t-elle avec une moue en ralentissant à peine avant de pénétrer dans le garage souterrain d'un très bel immeuble.

Boris remarqua que Rosa avait pu ouvrir la barrière intérieure sans quitter le volant, à l'aide d'une simple carte en plastique glissée dans une fente. Il s'étonna ensuite de la somptuosité de l'ascenseur, aux mouvements amortis et accompagnés d'un air de Vivaldi en sourdine, qui débouchait directement sur le hall privé de l'éditeur.

L'Allemagne a bien changé, pensa-t-il en se souvenant que Mateus avait insisté pour qu'il n'aille pas vivre en Allemagne démocratique : « Bob, c'est idiot d'aller s'enterrer là-bas, mon vieux. Fais comme moi ; trouve-toi une Française et reste de ce côté-ci. Ou une Suédoise, si tu veux. Attends encore un peu. Souviens-toi que Lénine vivait en Suisse. »

Albrecht Kammer lui fit un accueil chaleureux, presque latino-américain, ponctué d'exclamations et de tapes dans le dos. Cet éditeur n'avait rien de l'image que Boris s'était faite en songeant à l'intellectuel malingre, timide ou rancunier comme tant de gens de gauche qu'il avait rencontrés auparavant. C'était un homme d'une grande robustesse, aux allures de capitaine de marine à la retraite : la barbe peu soignée, le rire franc et les yeux taquins. Ses vêtements amples tombaient pourtant avec une élégance certaine, et de ses gestes larges se dégageait une agilité gracieuse. Le visage ridé indiquait l'approche de la soixantaine. Il avait l'air ravi de rencontrer Boris et le mit aussitôt à l'aise. Sa bonhomie parut déteindre aussi sur Rosa qui, soudain, abandonna ses manières artificielles pour s'exprimer de façon juvénile.

— N'est-ce pas, papa, qu'il a l'air jeune, Boris ?

— Bien sûr ! L'art et le combat sont les seuls élixirs de la jeunesse. Regarde-moi ! s'exclama-t-il avec un éclat de rire. Venez, Boris, venez. Votre chambre vous attend.

Une fois qu'ils furent installés dans le salon, entourés de livres, de tableaux, d'affiches et d'une quantité incroyable de plantes tropicales, Boris se sentit comme une vedette de la chanson. Albrecht et sa femme, Karin, l'entouraient d'attentions, et même leurs questions n'avaient d'autre but que de lui montrer ce qu'ils connaissaient de ses écrits. De son passé aussi, hélas ! Ils étaient par ailleurs bien informés de son interrogatoire à Hambourg, et ils paraissaient se réjouir de la manière

rusée et diplomatique dont Boris avait déjoué les enquê-
teurs. Quelques mots d'assentiment de leur hôte ou un
simple sourire de connivence suffisaient pour les faire
s'engager dans de longues tirades sur l'oppression des
masses laborieuses en Allemagne, la montée du néona-
zisme, l'essor des mouvements écologistes un peu partout dans le monde, la décadence de la société de consommation ou la fécondité des nouvelles formes
littéraires. La conversation bifurqua ensuite sur les
immigrants turcs, sur les communes autogérées ou sur
l'architecture humaniste issue des mouvements de
retour à la nature. Ils en profitèrent pour signaler leurs
divergences stratégiques avec la Fraction de l'Armée
rouge et les attentats téléguidés par celle-ci depuis les
pays arabes. L'État totalitaire dans les pays de l'Est fut
aussi abordé, de même que le combat clandestin des
écrivains, et Boris eut droit à ce propos à des clins d'œil
complices qu'il accepta sans trop comprendre.

Boris se contentait de sourire en donnant son approbation exactement comme il l'avait fait durant l'interrogatoire. Il trouvait cependant la situation de plus en plus
intéressante, amusante dans son absurdité.

Les jours suivants se déroulèrent dans le même climat cordial, avec souvent la présence de divers invités
tout aussi enthousiastes que l'éditeur et sa famille. Les
soirées étaient consacrées à des rencontres organisées ;
les discussions sur l'engagement abstrait de la poésie,
sur l'herméneutique des signes ou sur le structuralisme
y prenaient fréquemment des allures surréalistes. Les
invités mélangeaient allègrement la peinture avec la
politique, les happenings avec l'écologie, l'érotisme avec
le féminisme, la poésie avec l'informatique, pour ensuite
conclure, satisfaits et à l'unisson, que la littérature devenait chaque jour davantage une science digne d'étude.
D'autres fois, c'étaient des poètes et des écrivains qui
lisaient leurs propres textes, de façon monotone, en évitant soigneusement toute emphase ou ponctuation. Ça

devenait si ennuyeux que Boris ne pouvait pas s'empêcher de penser aux réunions bureaucratiques de l'administration socialiste. Seule la présence de Rosa et de ses jeunes amies l'empêchait alors de bâiller. Il s'efforçait aussi de ne pas éclater de rire devant les remarques prétentieuses des participants quand il leur lisait ses propres poèmes.

Lorsqu'ils se retrouvaient en cercle fermé, Al Kammer en profitait pour évoquer ses souvenirs nostalgiques du bon vieux temps des combats de la gauche où, comme il le disait, le monde était clairement découpé.

— Vous savez, mon cher Boris, il fut un temps où être de gauche était une sorte de sacerdoce, une vocation plutôt qu'un choix. Tout est si mélangé maintenant, si confus ; moi-même, en tant qu'éditeur, je trouve parfois difficile de juger de l'idéologie d'un auteur. Je ne dis pas ça pour me plaindre, d'aucune façon. La rupture des chapelles et le retour du formalisme — qui, soit dit en passant, est d'origine soviétique ; n'oublions pas Propp, Malevich, Bakhtine, Kandinski et même Maïakovski —, le formalisme donc est un simple retour aux sources, n'est-ce pas ? Il faut retourner aussi aux sources du socialisme, car leur capitalisme d'État me laisse songeur... Sans parler de la bureaucratie. Souvenez-vous plutôt de cette époque glorieuse du combat contre le nazisme montant, durant laquelle les gens de gauche, le Parti communiste en tête, sortaient dans les rues pour livrer des combats singuliers. L'Espagne, le Front populaire... que de moments exaltants, n'est-ce pas ? Dommage que la guerre ait mis fin à toute cette épopée...

Boris souriait en approuvant d'un mouvement de tête ; juste ce qu'il fallait pour renvoyer l'éditeur dans ses propres rêveries.

— Chez moi, nous sommes tous de gauche, ça va de soi. Mes invités aussi ; par définition, pourrait-on dire. Mais, à gauche de quoi, je me le demande souvent. Cette société de consommation aura tôt fait de tout aliéner.

Bientôt ne resteront que les punks et les hippies qui, au demeurant, se feront bouffer par l'extrême droite. Ce ne sont pas des combattants, Boris! Il reste le théâtre d'avant-garde, naturellement, où le dépouillement formel et l'intertextualité s'expriment à merveille. On ne pourra pas me contredire là-dessus. Malheureusement, seuls les riches et les intellectuels y participent, et très souvent par pur snobisme. Sans passion, sans l'élan d'émerveillement qui accompagnait autrefois les manifestations esthétiques... Brecht, l'agit-prop, la générosité expressionniste? Enterrés, mon cher, et bien enterrés, je vous assure. Parfois je me demande comment nous avons fait pour perdre si terriblement l'appui des masses. La société de consommation en est la seule responsable, il n'y a pas d'autre réponse possible. Le veau d'or a tué l'amour du beau. Regardez nos musées d'art contemporain vides, les galeries d'avant-garde désertes, tandis que la moindre exposition d'art figuratif ou ancien attire des foules de visiteurs sans aucune culture et avides de kitsch. Nous perdons ainsi le combat contre l'illusion ; nous sommes allés trop loin dans notre quête, et le vulgaire n'a pas voulu nous suivre. Même nos étudiants semblent blasés, de vrais dandys. Comment s'intéresseraient-ils aux efforts des artistes si l'on ne sait plus ce qu'est être prolétaire ? Avec ce niveau de vie infernal qui s'accélère à vue d'œil, les travailleurs ne pensent qu'à devenir riches, à consommer, à voyager et à changer souvent de voiture. Tiens, le mois dernier, nous avons fait une tournée des écoles de beaux-arts, un peu partout, sous le thème du déconstructivisme de Derrida. Génial, n'est-ce pas ? Je vous assure, ça a été un échec monumental ! Je ne comprenais rien à leur charabia ni à leurs revendications bidon. Les étudiants paraissaient d'ailleurs aussi blasés que les professeurs, et tout aussi stériles !

— Je vous comprends, Al, et je sais très bien de quoi vous parlez, interrompait Boris. Laissez-moi vous dire, c'est la même chose dans les pays socialistes. Plus pauvre, en cherchant à copier le capitalisme avec les moyens du bord et avec dix ans de retard, mais c'est tout aussi vide.

De longs silences ponctuaient ce genre de réflexions, comme si les deux interlocuteurs s'étaient donné le mot pour être d'accord.

— Heureusement, Boris, qu'il y a des gens comme vous, avec un point d'attache, reprenait ensuite l'éditeur presque distraitement mais attentif à l'opinion de son invité. Vous, au moins, en Amérique latine, vous avez un combat clair... Dites donc, Boris, dans votre longue marche après le coup d'État, comment réagissaient les élites paysannes ? Et les groupes qui organisaient les masses pour la réforme agraire ?

Dès les premiers jours et bien à contrecœur, Boris avait déjà raconté le malheureux épisode du combat à la caserne militaire. Il aurait préféré ne pas s'étendre sur cet événement, mais ses interlocuteurs en connaissaient quelques détails ; à la fois trop peu et suffisamment pour en imaginer davantage. Par des assentiments vagues, en confirmant ici et là des bribes éparses et en brodant chaque fois plus joliment, Boris leur en avait tracé un tableau plein de modestie, certes, mais contenant de rares scènes dignes d'un Eisenstein. Cela s'était produit malgré lui, au fil de la conversation, et sur le moment il ne s'en était même pas rendu compte. Plus tard, seul dans son lit, il avait éprouvé un sentiment complexe entre la honte et l'humour, qu'il appela « cynisme fantastique ». Il réalisa alors que, une fois passée l'inhibition du début, s'il se laissait guider par la simple logique de la narration, son récit se développait tout seul. En outre, lorsqu'il passait vite sur certains détails en faisant des ellipses bien commodes, il ne faisait qu'accroître son aura dans la tête des autres ; ceux-ci percevaient alors ces silences comme de la simple pudeur d'un combattant expérimenté.

— Il nous était bien difficile d'établir des contacts à ce moment-là, disait-il. Les forces révolutionnaires étaient assez dispersées, chacun suivant son propre mot d'ordre. C'était du combat clandestin, ne l'oubliez pas... Nous avons fait tout de même des rencontres remarquables avec des paysans ; des hommes... comment dire ?... peut-être peu instruits, mais possédant une vision du monde personnelle, spontanée. Parfois un esprit libertaire aussi voluptueux que la forêt tropicale. Hélas ! nous n'avions pas le temps d'approfondir la discussion ni d'apprendre davantage de ces natures complexes et généreuses à leur façon. Et puis nous n'avions pas l'intention de gagner le centre du pays ; notre dispositif militaire était avant tout urbain. Sauf que la répression avait été trop inattendue. La lutte interne avait d'ailleurs miné et divisé les efforts des forces de la gauche. Le Parti communiste s'opposait à la résistance armée, et les militaires eurent tôt fait de dominer les centres urbains. Nous menions alors un recul stratégique en forçant leurs lignes jusqu'à la frontière...

Les premières fois que Boris avait menti à ses hôtes, il l'avait fait avec beaucoup de scrupules et de culpabilité. Il chercha ensuite à s'expliquer, mais ce fut impossible. Ses interlocuteurs n'auraient jamais compris la véritable histoire. Le temps avait passé de manière si cruelle, si érosive, que les détails et les jeux de hasard n'avaient plus de sens. Les autres ne s'encombraient d'ailleurs pas de ces scrupules ; ils voulaient un passé sans nuances. Ce qu'ils entendaient de sa bouche se transformait aussitôt dans leur esprit d'une façon trop harmonieuse pour qu'elle ne fût pas la bonne. Boris se résigna donc à leur donner ce qu'ils voulaient, tout en se promettant de ne rien inventer et de leur laisser entièrement le soin de le faire. Il se dit alors que ces divertissements étaient le prix à payer pour revenir confortablement au pays.

— C'était un drôle de combat, très désorganisé et suicidaire. Rien à voir avec une action vraiment révolutionnaire, je vous assure. Nous étions jeunes, sans expérience, un peu romantiques et, surtout, nous avions peur pour notre peau. Il s'agissait d'apprendre l'art de la guérilla sur le tas. Nous avons donc forcé notre chemin en engageant l'attaque lorsqu'il s'avérait impossible de se dissimuler, toujours dans l'espoir de nous joindre à une unité combattante mieux organisée... Que faire d'autre? À la fin, il n'y avait plus rien de politique dans notre entreprise. Nous avions déjà perdu de nombreux camarades, les meilleurs... Disparus, devenus simplement partie de l'humus qui couvre ce pays immense, sans nom ni histoire puisque l'armée préférait alors ne pas rendre compte de ces actions isolées, pour éviter d'en faire des symboles...

Cherchant à éviter les questions difficiles, Boris reprenait aussitôt le fil sous la forme de réflexions:

— Il m'est arrivé de revoir toute cette longue marche, jour par jour, bien plus tard, à la recherche de leçons. Je crois malheureusement que la seule leçon à tirer est celle d'un combat prématuré, presque d'un hasard cruel, absurde.

— Tous ces détails isolés peuvent en effet paraître absurdes, mon cher Boris, rétorquait l'éditeur pour l'encourager à continuer. Mais il ne faut pas perdre de vue le combat d'ensemble, son sens historique au delà de l'individu singulier. Au moins, vous avez combattu. C'était ce qu'il fallait faire dans cette situation et ce moment précis. Pour garder l'espoir, pour ne pas se résigner à capituler ou à fuir.

— Si l'on veut. Nous avions l'enthousiasme de la jeunesse, et le combat pour le combat avait alors un côté enivrant, sans aucun doute.

— Pendant tous ces mois-là, vous n'avez pas réussi à établir de contact avec les organisations de masse?

— Non, seulement avec des groupes isolés. Nous nous entraidions à l'occasion, surtout pour nous ravitailler mutuellement. Ensuite nous nous séparions, chacun espérant un volte-face politique ou une rébellion.

Rien de cela n'est arrivé. Nos communications étaient des plus précaires et, déjà à ce moment-là, les dirigeants du parti étaient confortablement installés à Moscou. Nous avions songé à marcher sur Brasília, mais nos pertes avaient été trop lourdes. Les rares nouvelles confirmaient que nous étions isolés. Seule la rage nous guidait désormais, de pair avec le vague espoir de rejoindre des combattants en Bolivie ou au Pérou. Nous n'étions plus qu'une dizaine à l'approche de la frontière...

Étaient-ce des mensonges ou de la pure fiction? se demandait ensuite Boris en cherchant à mieux comprendre ce passé qui par moments paraissait ne jamais avoir existé. Le simple fait qu'il avait quitté son pays, qu'il avait tout abandonné pour courir le monde leur suffisait comme garantie de son récit. À travers ces méditations solitaires, le voyageur saisissait enfin clairement ce qu'il avait toujours plus ou moins su : son charme et le charme de ses récits venaient moins des contenus — réels ou fictifs — que de la forme de sa vie aventureuse. Ses interlocuteurs étaient disposés à imaginer n'importe quelle cause grandiose pour expliquer ses vagabondages et son détachement. N'importe quoi — et plus ce serait magique, mieux ce serait — plutôt que de s'avouer qu'ils n'avaient pas le courage de partir à l'aventure. Ils avaient tous un besoin viscéral de permanence, de cohérence et d'appartenance. C'était leur propre peur de l'incertitude qui les poussait à croire, qui leur faisait redemander encore et encore d'autres récits héroïques. Et ils créaient de toutes pièces les dangers et les actes de témérité que sa narration laissait en blanc. Il était ainsi un exutoire à leur vie fade et mensongère. Qui donc était le menteur, qui le dupe? concluait-il souvent avec un sourire amer, parfois aux premières lueurs du jour, après avoir passé et repassé ce passé qu'il n'arrivait pas à dépasser.

D'autres fois, l'ambiance et le bon alcool aidant, Boris régalait ses amis d'un morceau de fiction parfaitement bien ficelé, avec des éléments si précis de hasard et de fatalité qu'ils soupiraient d'angoisse à la simple idée que cela aurait pu se passer autrement.

— Non, nous avions seulement nos papiers militaires. Ce fut un coup de chance, notre prise d'un avant-poste des douanes militaires perdu dans la jungle, à la frontière du Paraguay. Après un combat aussi court que meurtrier... Nous y avons laissé cinq hommes. Nous nous étions d'abord crus encore très loin dans le Pantanal. L'avance en canot à travers les marais était pénible ; nous nous laissions guider par les troupeaux de zébus et par leurs pistes à peine visibles dans les îlots à la surface polie et huileuse des eaux stagnantes. Les rares paysans, misérables et méfiants, nous évitaient à cause de notre apparence et de nos armes. Nous errions à l'aveuglette depuis plus d'un mois, hirsutes, amaigris, les yeux flambant de cette lueur causée par les fièvres palustres. Harassés par les moustiques et les insectes, toute orientation se faisait impossible ; d'autant plus que nous n'avions pas de cartes. Parfois, un paysan plus courageux nous renseignait sur les mouvements des troupes aéroportées qui sillonnaient la région. La frontière était à l'ouest, au fleuve Paraguay ; telle était notre seule certitude. Trop fatigué, démoralisé, chacun désirait finir en combattant. Soudain, cette caserne perdue a surgi de nulle part. L'avant-garde a aussitôt ouvert le feu, mais leurs hommes nous ont pris de flanc pendant que les derniers des nôtres avançaient encore dans le marais. Nous nous sommes crus perdus. Moi, le lieutenant Mateus et un caporal, nous avons réussi à nous soustraire à leur feu et nous sommes tombés face à face avec leur poste de garde abandonné. Une chance inouïe. Pendant ce temps, les soldats se battaient. Nous avons trouvé là leur commandant, un capitaine, couché et brûlant de fièvre. Malaria. Curieusement, ce salaud se faisait soigner par trois jeunes Indiennes à peine pubères, nues, qui sûrement subissaient aussi la lubricité des hommes. Quatre de leurs soldats sont revenus et nous les avons mis en joue. Le caporal a blessé l'un d'eux, Mateus en a tué un deuxième, et les autres, abandonnant leurs armes, sont allés se perdre dans le marais. Le prisonnier nous a appris que nos hommes étaient tombés sous leurs balles. Il nous a même indiqué l'endroit, mais nous n'y avons trouvé que deux corps. Les caïmans sont voraces dans cette immensité boueuse…

Boris fit alors une longue pause, les yeux absents, pour laisser l'éditeur et ses convives rêver à leur tour parmi les miasmes et la vision des caïmans. Ensuite, tendant son verre d'un geste distrait à Karin qui versait du scotch, il reprit :

— Ce poste de garde avait des passeports blancs, déjà signés et timbrés en provenance de la garnison de Corumba. Sûrement pour accommoder les trafiquants de coca qui agissent main dans la main avec les militaires. Le soldat blessé a lui-même collé les photos de nos papiers d'identité et les a estampés avec le sceau ; je me souviens du soin que j'ai mis à écrire les renseignements nécessaires avec ma plus belle écriture… Et voilà. Nous trois, désormais habillés proprement, baignés et rasés, avec de l'argent en poche, nous étions devenus des civils avec des passeports en règle. Le lendemain à l'aube, après avoir jeté à l'eau leurs armes et le poste de radio, nous avons traversé le Paraguay dans leur canot à moteur. La ville la plus proche était la garnison de Bahia Negra. Il a été facile de l'éviter, car la région était complètement inondée, avec des centaines de bras de fleuve en toutes directions. Nous sommes allés du côté de la Bolivie pour être certains de ne pas être repérés…

Pendant qu'il prenait une gorgée de son scotch d'un air pensif, Boris faillit s'étouffer en entendant la remarque presque soupirée que Rosa laissa échapper :

— Tant d'années avant le Che…

Réprimant sa toux, rouge et les larmes aux yeux d'avoir avalé de travers, Boris crut, l'espace d'un instant, qu'il s'était trahi. Il avait en effet pensé à Che Guevara pendant qu'il racontait. Il se sentit envahi de honte comme un enfant surpris en train de mentir. Mais les autres ne virent que les signes d'émotion dans son visage, de la pure modestie devant cette comparaison grandiose.

Boris eut le temps de se ressaisir durant le long silence qui suivit la remarque de Rosa. Il comprit aussi qu'il était inutile de préciser les détails ou de joindre logiquement les morceaux de la narration. Plus il restait vague, plus son histoire paraissait convaincante, et plus elle plaisait. Ses soucis de logique n'étaient que le fruit de sa propre pudeur devant les mensonges. Ceux qui l'écoutaient, au contraire, n'avaient besoin que des faits bruts pour rêver, et ils ne s'encombraient nullement des articulations du récit. Ils étaient trop gourmands d'images exotiques pour s'attarder à autre chose.

Sans leur laisser le temps de repenser au Che, Boris reprit d'un air mélancolique :

— Puis, La Paz, par toutes sortes de routes bizarres. Je me souviens que le caporal Policarpo avait décidé de rester en Bolivie, chez des amis. Il s'était blessé à l'œil ; l'infection ne cessait de s'aggraver à cause des vers tenaces qui s'y étaient installés. Mateus et moi, nous avons continué en direction du Pérou et nous ne l'avons jamais revu...

— Les contacts avec le PC bolivien, demanda l'éditeur avec empressement, comment se sont-ils déroulés ? N'oublions pas qu'ils ont vendu Che Guevara aux Américains !

— Je ne sais pas, répondit Boris après avoir fait semblant de réfléchir. Le lieutenant Mateus était bien déçu de ces fameux contacts. La Paz nous paraissait hostile et les soi-disant camarades semblaient avoir plus peur de nous que les militaires brésiliens. On sentait le besoin de s'éloigner davantage et le Pérou nous paraissait plus convenable. Le pays avait alors un gouvernement social-démocrate... Nous avons regretté de ne pas être allés vers le Chili, conclut-il sans préciser sa pensée de peur que Rosa ne lui parlât d'Allende.

— La traversée de tout un continent, reprit l'éditeur avec les yeux pétillants. Une époque formidable ! Il faudra nous mettre tout ça par écrit, Boris ; ça en vaut la peine. On a trop peu de textes sur les combats au tiers monde, et ceux qui existent sont souvent trop immédiats, concrets, sans la maturité de l'analyse esthétique, philosophique. Une expérience comme la vôtre mérite que l'on s'y attarde, je vous assure. Vous n'avez jamais ressenti le besoin de l'écrire ?

Boris parut réfléchir mais il jouait plutôt avec le souvenir des paroles de Mateus : « Si un jour tu te mets à raconter nos balades, Bob, ne fais pas la bêtise de vouloir aller à la confesse. Souviens-toi de l'universel concret dont tu m'as parlé ; un fait qui ne symbolise pas l'ensemble n'est qu'un fait divers. »

— Si, j'y ai déjà pensé… Mais je ne suis pas encore prêt. Mon expérience se poursuit toujours. Tant que je n'ai pas revu le Brésil, je reste dans les limbes, sans la perspective nécessaire. Trop engagé encore pour en dégager le sens d'ensemble, vous voyez ?

— Dommage, Boris. Je parle en tant qu'éditeur, bien sûr, mais aussi en tant qu'homme de gauche, et en tant qu'artiste. L'écriture a le don de mettre une forme à l'expérience par la vertu du langage narratif. Il y a l'effet de catharsis, certes, mais surtout son rôle heuristique ; et, pourquoi pas, celui de faire rêver…

— Vous avez bien raison, Al, fit Boris ; j'y pense de plus en plus souvent à mesure que je m'approche du but. Je sens même que ce genre de conversations, de rencontres, aura peut-être un effet de mise en forme sur mes réflexions.

Et avec un sourire adressé à l'éditeur mais surtout à Rosa, il ajouta :

— Là-bas, dans l'autre Allemagne, je vivais si solitaire, si éloigné de tout et de toute réflexion, que j'avais l'impression de n'avoir vécu qu'une longue défaite. Ici, au contraire, je me sens revivre à nouveau, rajeunir en quelque sorte... Cela aide à refaire, je veux dire à récupérer le passé.

Boris et Rosa sortaient de plus en plus souvent ensemble pour faire de longues promenades sans but précis. Ils partaient en auto en direction du port, d'autres fois vers la lande du côté des Pays-Bas et pouvaient passer des jours entiers seuls. Boris avait l'impression que la jeune femme le regardait jalousement lorsque ses amies étaient présentes, même si son enthousiasme juvénile semblait toujours prendre le dessus. Mais lorsqu'ils étaient ainsi seuls, elle prenait une allure grave et songeuse, lui posant des questions plus intimes, en particulier sur sa poésie. Elle se décidait alors à lui confier ses propres efforts d'écriture, ses élans de générosité envers les défavorisés et les exilés de tout genre. Ou encore, elle parlait de ses études de sémiotique avec tant de passion que Boris se promettait de considérer une fois encore cette discipline qui lui avait jusqu'alors paru comme une simple facétie des critiques occidentaux. C'est que Rosa prenait des airs si jolis, lorsqu'elle mélangeait des interprétations farfelues sur des trucs si distincts, qu'elle devenait empressée et désirable à la fois. Sémiotique ou physique nucléaire, n'importe quoi aurait fait l'affaire, pourvu que cela sortît de sa bouche. Les longs silences qui suivaient ses envolées étaient ponctués de regards discrets où Boris croyait percevoir des soupirs dissimulés.

Un jour, dans un petit village à la frontière hollandaise, alors qu'elle était ainsi silencieuse et haletante, il prit ses mains dans les siennes et sentit son corps s'approcher avec un vrai soupir. Ils passèrent la nuit dans un hôtel bien charmant; le matin, en la regardant manger avec appétit une énorme tartine, il eut l'illusion d'être aussi amoureux d'elle.

Albrecht et sa femme trouvèrent bien naturelle cette liaison, si naturelle qu'ils n'en parlèrent pas. Rosa, par contre, devint un peu plus possessive et soucieuse de l'éloigner de ses copines. Cela faisait d'ailleurs bien l'affaire de Boris, car les astuces de la jeune femme lui permirent de se soustraire à quelques réunions ennuyeuses où il commençait à se répéter.

# 7

L'éditeur et sa suite ne paraissaient pas se lasser de leur trouvaille; Boris était devenu une sorte de figure indispensable, presque mondaine.

La nuit, seul dans sa chambre, lorsque Boris cherchait à mettre un ordre personnel dans cette agitation, le travail du souvenir se faisait difficilement. Il y avait mis trop d'ajouts et n'était jamais certain de retrouver clairement le fil de sa véritable histoire. Cela ressemblait étonnamment au temps qu'il avait passé à la ferme de Policarpo en attendant de traverser la frontière. Le passé s'estompait pour laisser la place aux soucis de l'avenir. Dans le cas présent, bizarrement, l'avenir serait une reprise du passé; et cette marche à reculons lui causait beaucoup de lassitude.

Il lui arrivait parfois de songer à rester simplement à Brême en compagnie de Rosa, pour se consacrer à la fiction. N'était-ce pas la recommandation de Mateus? Il regrettait de ne pas pouvoir discuter de cette éventualité avec son ancien compagnon et il se perdait en conjectures qui ne le menaient nulle part. Par ailleurs, rester et écrire lui paraissait d'autant plus facile qu'il avait fait la paix avec le concept de mensonge. Ses récits aidant, il commençait presque à croire à ce personnage qui lui collait à la peau, le trouvant même sympathique et plein de possibilités. Rosa, tellement jeune, qui se donnait de façon si amoureuse, était en quelque sorte multipliée par les regards de désir que lui lançaient ses jeunes copines. Il y avait en outre la présence des belles femmes mûres rêvant encore d'aventures et qui produisaient sur lui l'effet d'un printemps rempli de promesses. D'ailleurs, sa relation avec Rosa s'était stabilisée de manière bien confortable. Après les premières semaines d'une ardeur romantique et passablement étouffante, ils atteignirent subitement et d'un commun accord une sorte d'amitié plus prosaïque. Comme des copains, avec beaucoup de place pour les conversations et tout autant d'espace pour leurs vies privées. De temps à autre, ils se rencontraient encore dans des petits auberges campagnardes que Rosa choisissait avec un souci touristique certain; et si leurs nuits n'avaient plus l'exubérance des premières, elles paraissaient plus détendues et satisfaisantes. Avec le mois d'octobre et la reprise des cours à l'université, la jeune femme se trouvait en outre occupée par un grand nombre d'activités auxquelles Boris avait de bonnes raisons de ne pas participer.

Hélas! son voyage de retour faisait désormais partie intégrante de son personnage et il ne pouvait plus reculer. Il se souvenait alors avec tendresse des dernières paroles d'Olga, qui le ramenaient brusquement à une autre couche de cette réalité en pelures d'oignon où il craignait parfois de perdre pied. Olga, Rosa, les regards des femmes en admiration ou des jeunes filles rêveuses, c'était peut-être tout ça la signification des illusions qu'il avait réunies sous le nom de Clarissa. Mais comment le savoir sans revenir en arrière?

Ses conférences et causeries étaient facilitées d'avance par le simple fait de sa réputation. Souvent les gens qui y assistaient ne lui donnaient pas l'occasion de dire tout ce qu'il avait préparé par écrit. Ils préféraient entendre les lectures de ses poèmes pour se délecter de son accent. Ils l'assommaient ensuite avec tant de questions vagues qu'il n'avait aucun effort intellectuel à fournir. On l'invitait à manger, à boire, à rencontrer des tas de gens qui l'admiraient beaucoup sans rien savoir de lui. Le simple fait qu'il existât et leur sourît suffisait pour qu'on le trouvât brillant. À deux reprises il s'était réveillé dans le lit de femmes anonymes, ravies d'avoir partagé l'intimité d'un personnage aussi charmant. Une d'elles, une blonde hystérique au milieu de la trentaine, professeur de sciences littéraires, avait eu tellement de choses à lui confier, tant d'articles à citer que Boris s'était assoupi au lit sans être tout à fait certain de l'avoir baisée. Le lendemain, cependant, elle avait un sourire complice et satisfait ; Boris fut obligé de conclure qu'après tout elle avait un auteur de plus dans sa collection et que cela seul paraissait compter.

Il changeait de ville sans changer de manège. Ça se répétait de la même façon avec d'autres personnages, d'autres décors, d'autres façons de séduire. Leurs questions étaient invariablement formulées de façon à montrer qu'ils connaissaient sa poésie et pour qu'eux-mêmes pussent briller. Ces questions avaient souvent tant de périphrases et de citations à l'appui, avec des retours critiques sur leurs propres prémices, des références personnelles et des renvois syncrétiques à des situations analogues, ou encore des clins d'œil complices concernant la polysémie de leurs propres métonymies, qu'à la fin personne ne se souvenait plus de l'intention originale de l'intervenant. Ça n'avait d'ailleurs aucune importance. Boris n'avait qu'à saisir le rythme affectif, le ton de son interlocuteur en se laissant guider par des lambeaux de phrases, pour créer ensuite, à travers la pure association libre, des réponses qui faisaient frémir de plaisir le public. À d'autres moments, tel un musicien de jazz qui laisse la place à ses accompagnateurs pour le bénéfice du spectacle, Boris laissait son interlocuteur improviser librement, l'encourageant à peine de son sourire et de courtes phrases bien placées. Ça marchait à merveille ; chacun repartait convaincu d'avoir participé à un débat formidable où tout le monde avait eu raison.

Ce savoir-faire se développa sans que Boris fît trop d'efforts. Il lui avait suffi de transposer la structure des débats dans les assemblées socialistes en langage plus libre, moins bureaucratique ; puis, de substituer les citations des auteurs à la mode, structuro-psychanalystes, à celles du marxisme. Le tour était joué. Boris n'était certes pas étranger à ces jeux de logique formelle et de linguistique qui l'avaient toujours amusé. D'ailleurs, sa propre poésie n'avait-elle pas sa source dans ce qu'il se plaisait à appeler son impudence verbale ? C'était surtout un exercice transculturel très captivant, où seuls changeaient la liturgie et les dogmes, laissant transparaître intacts le besoin de religiosité et la bêtise des fidèles. Ces jeux étaient bien plus divertissants à l'Ouest, car les participants ne risquaient aucune sanction policière. L'ardeur et l'angoisse des joueurs n'étaient pas diminuées pour autant ; des jalousies tenaces, haineuses, perçaient malgré tout, même si les seuls enjeux étaient l'amour-propre et l'honneur des chapelles.

Plus il exerçait ce rôle de clown, plus il était la proie de nostalgies corrosives. Tout au début, Boris s'était cru capable de garder les apparences juste le temps qu'il faudrait pour regarnir sa bourse. Il n'avait cependant pas compté avec la fascination du spectacle. Ces jeux de langage fonctionnaient à la manière d'un engrenage, l'emprisonnant chaque jour davantage dans une sorte de poisse gluante qui s'accumulait ensuite même dans sa solitude. Il se rendit alors compte que l'isolement au milieu de cette foule d'admirateurs était en fait beaucoup plus douloureux que celui d'autrefois, qui ne dépendait que de lui-même.

La question du pourquoi il n'avait pas écrit son autobiographie revint à diverses reprises au long de ces rencontres. Sa réponse était toujours la même, mais il gagnait chaque fois une conscience plus aiguë du caractère fictif de son existence se déroulant dans la tête des autres. Puis ce fut le séjour à Marbourg, le point de rupture de sa tolérance envers l'absurdité.

Boris y fut reçu avec un enthousiasme débordant par le même professeur fou qui avait fait partie de ses interrogateurs à Hambourg, le professeur Spieltrieb. Les participants à la rencontre qui durait deux jours étaient tous passionnés de sciences exactes, si bien que, malgré les citations littéraires qui ponctuaient les présentations, Boris avait continuellement l'impression d'être en présence de mathématiciens ou d'astronomes. Le colloque avait d'ailleurs lieu au centre d'informatique de l'université, dans un hall rempli d'ordinateurs dont les imprimantes crachaient inlassablement de longues bandes de papier qui s'enroulaient et se promenaient par terre dans une ambiance de science-fiction. Ces ordinateurs connectés à des bibliothèques et à d'autres centres d'information pouvaient, à la demande des participants, faire venir tous les articles scientifiques nécessaires aux conférences. Des groupes d'étudiants s'affairaient à découper ces bandes de papier pour les distribuer avant chaque présentation, grossissant les piles d'imprimés que chacun avait reçues dès son arrivée.

Comme ce colloque était sous le patronage de la compagnie Siemens, une alerte à la bombe venant de la part d'anarchistes avait retardé le début des travaux. Des tracts menaçants distribués par de jolies gauchistes dénonçaient la collusion des fabricants d'ordinateurs avec les chercheurs cryptofascistes et avec l'impérialisme prosioniste.

Après un court mot de bienvenue du doyen du département de sémiotique aux chercheurs et aux poètes, avec mention discrète de «nos visiteurs étrangers» accompagnée d'un signe de tête et d'un sourire en direction de Boris, la séance fut déclarée ouverte. Le premier orateur, un jeune professeur, présenta, le plus sérieusement du monde et à l'aide de diapositives, un programme informatique de formalisation logique qu'il prétendait applicable aux œuvres de fiction; avec un support statistique et l'inclusion de champs sémantiques à la carte, ce programme servirait à faire avancer les recherches herméneutiques et déconstructivistes. Ensuite, une vieille dame échevelée avec un lourd accent slave se fit, quant à elle, le plaisir de présenter un projet de logiciel très complexe, destiné à absorber des échantillons de poésie pour produire ensuite des œuvres en prose et vice-versa. Elle avoua avec modestie qu'elle poursuivait ses recherches dans la direction d'un élargissement du même logiciel, mais cette fois pour obtenir de véritables poésies originales à partir d'échantillons de discours, de peintures et de symboles d'une époque quelconque. Cette dame fut suivie par un groupe de chercheurs issus de diverses disciplines scientifiques et qui travaillaient comme invités au département de langue allemande. Boris comprit seulement qu'ils se consacraient à la transposition mathématique des rythmes atomiques de la table de Mendeleïev aux textes poétiques de l'après-guerre. Puis ce fut le tour d'un Français qui avait l'air d'un représentant du monde de la haute couture, avec queue de cheval, pendentifs et breloques, veste et cravate en haut et leggings en bas, et qui faisait des gestes exagérément virils. En se basant sur un théoricien français que tous les participants avaient l'air de connaître et d'admirer, ce drôle de type disait avoir formalisé définitivement le système de la mode, de toutes les modes, et il prétendait avoir mis au point une méthode efficace pour prédire les nouvelles tendances tant dans le domaine des vêtements que dans celui de la littérature, du cinéma, des arts visuels et des carrosseries d'automobiles. Le succès de sa présentation fut si grand que la séance dut être suspendue jusqu'au lendemain, car la moitié des participants souhaitaient le suivre à un happening antinucléaire et propalestinien.

Boris se réfugia alors dans les toilettes avec la ferme intention de disparaître en direction de son hôtel. Il n'avait cependant pas compté avec la surveillance efficace de son hôte, le professeur Spieltrieb, qui l'attendait patiemment même si tous les autres étaient déjà partis. Boris dut alors l'accompagner non pas à la manifestation mais chez lui, où un cercle select d'intellectuels les attendait. Que faire d'autre ? Il était leur invité et il avait déjà encaissé le gros chèque émis par Siemens à son nom.

Au moins, la conversation du vieux professeur était drôle. Avec la profusion de gestes qu'il faisait avec ses membres décharnés, ses cheveux dressés et ses yeux globuleux, le petit homme avait l'allure d'un insecte passionné et joyeux. Il prit Boris à témoin pour regretter le peu d'audace de ces chercheurs et cette manie moderne de tout vouloir mettre en programmes informatiques. Dans le taxi qui les conduisait, il se laissa aller à ses propres nostalgies d'un temps où le moindre candidat de philosophie était capable de rendre en signes de logique formelle, à la pointe du crayon, n'importe quel texte.

— Ah, monsieur Nikto, commença-t-il, si vous saviez quel climat stimulant et quelle économie de moyens nous avions alors à Vienne, avant la guerre. La plus petite assemblée réunissait en un clin d'œil plus de logiciens chevronnés qu'il n'y a d'ordinateurs dans cette salle de conférences. Et de toutes les tendances, naturellement, même des psychanalystes ; orthodoxes, marxisants, mystiques et d'autres encore. Toute la fleur de l'intelligentsia... Si on s'amusait! Et quelle tension lorsque les physiciens débattaient avec les poètes, les chimistes avec les phénoménologues, les théologiens avec les théosophes... Ah! tout perdu d'un coup, disparu, envolé ou immigré en Amérique pour se perdre dans le bourbier du pragmatisme. Désormais, avec cette mode de l'informatique, finis les beaux systèmes, finie l'élégance des démonstrations et *kaputt* la créativité abstraite. Car ce n'est pas en tapant à la machine qu'on formera un nouveau Wittgenstein... quelle pureté poétique avait-il, n'est-ce pas ? On perd du terrain, monsieur Boris Nikto, je vous assure ; on perd du terrain et le métier se perd définitivement. Si le mouvement persiste, le cerveau humain sera incapable de penser seul d'ici au milieu du siècle prochain. Et ce sera bien fait. Moi, je n'ai jamais eu confiance à ces IBM, à ces Siemens, à ces fabricants d'outils destinés aux banques et aux bureaux. Vous savez, je ne me suis jamais servi d'une machine à écrire ! Vous non plus ?

— Si, mais je préfère écrire à la plume, rétorqua Boris en souriant.

— Ah, à la bonne heure ! reprit-il. Moi, c'est le crayon que je préfère. Le bon vieux crayon qu'on peut effacer. Tenez, j'en ai toujours sur moi, plusieurs, de toutes sortes, et de beaux porte-mines aussi, dit-il en ouvrant son veston pour montrer en effet une collection hétéroclite de crayons glissés dans les poches intérieures parmi des liasses de papiers pliés. Pratique, n'est-ce pas ? Ça me donne aussi le droit de porter mon vieux canif, pour les aiguiser, ajouta-t-il avec un sourire taquin. Je crois même que j'aime encore plus mon canif que mes crayons, pas vous ?

Et il sortit aussitôt de sa poche un long canif qu'il exhiba en l'ouvrant et en le fermant avec une fierté bien juvénile gravée sur le visage.

— Je peux passer de bons moments à affûter mes crayons. C'est mon polissage de lentilles à moi, avoua-t-il, les yeux pétillants. L'unité du monde, monsieur Nikto, de toutes les choses, elle peut être perçue dans l'éclat d'une pointe de mine bien effilée, vous le savez bien. Spinoza l'a bien dit, à sa façon, vous en souvenez-vous ? On n'a pas besoin de toute cette quincaillerie électrique qu'ils picorent comme des poules en espérant la satiété. Après tout, n'est-ce pas, si l'esprit universel avait voulu qu'on se serve de vils claviers, il n'aurait pas perdu tant de temps pour créer l'infinité de rapports symboliques dont sont remplies la nature et la pensée, ne trouvez-vous pas? demanda-t-il avec colère.

— Vous le posez de manière bien essentielle, ce problème, professeur Spieltrieb, bien juste, répondit Boris avec un accent mélancolique après avoir fait semblant de pondérer longuement la question. Il cherchait ainsi à l'apaiser, car le vieux devenait de plus en plus agité en pensant aux ordinateurs, et Boris commençait à craindre qu'il ne fît une syncope ou quelque geste irraisonné.

Cette réponse parut en effet satisfaire le professeur, qui garda alors un silence hautain, les yeux dans le vague pendant le restant du trajet.

Le taxi les déposa devant un portail s'ouvrant au milieu d'une haie épaisse. La maison était en retrait, parmi des arbres et des buissons, au fond d'une allée mal entretenue, entièrement cachée de la rue. On aurait dit un pavillon de chasse ancien, en stuc ocre d'allure baroque, délaissé mais assez charmant. La demeure allait tout à fait avec l'apparence de son propriétaire: vieillotte, mal peignée, quelque peu aristocratique et farfelue à la fois. Tout en haut d'une tour attachée au mur latéral s'ouvrait une fenêtre ronde du genre observatoire astronomique, coiffée d'une girouette en forme d'aigle à deux têtes dépenaillée et en déséquilibre. Comme Boris paraissait attiré par cet étrange appendice de la maison, le professeur s'exclama avec fierté:

— Vous aimez mon atelier, à ce que je vois!

— Oui, c'est un endroit bien insolite, perché là-haut. Ça fait très... comment dire?...

Mais Boris ne put terminer sa phrase puisque le seul mot qui lui vint à l'esprit était «alchimique».

— Je vois ce que vous voulez dire, monsieur Nikto, enchaîna le professeur. Je pense aussi que c'est abstrait. C'est une sorte d'exposant qui met ma maison au cube!

Très convenable aussi. Je me suis pourvu d'un télescope moderne, ma seule concession à ce temps de peu de raffinements. Des lentilles Zeiss d'une qualité extraordinaire! Je vous laisserai peut-être le manipuler un peu s'il nous reste du temps, car je vois que, vous aussi, vous êtes connaisseur. J'ai une vue imprenable sur le quartier résidentiel; même sur un hôtel, ho! ho! conclut-il presque en sautillant, déjà au seuil de la maison.

Le professeur habitait seul cette vaste demeure encombrée de meubles lourds, de rideaux sombres et de bibelots. Pourtant, les pièces paraissaient d'une propreté extrême et le plancher reluisait comme dans les salles d'un musée.

Les deux autres convives qui attendaient cérémonieusement dans la bibliothèque parurent étonnés. Une vieille dame habillée d'un uniforme de servante et coiffée d'un large bonnet de religieuse leur servait du thé.

— Ah! excusez notre avance, mes chers amis! s'écria le professeur. Le colloque a été interrompu à cause de la bombe atomique. Mais j'apporte notre cadeau, comme promis! M. Boris Nikto en personne, fit-il en serrant la main des invités et en présentant Boris avec des gestes théâtraux.

Les deux invités étaient très différents l'un de l'autre, sous tous les aspects, comme s'ils l'avaient fait exprès. Le premier, tout petit et extrêmement rond, chauve avec une moustache en brosse, avait un visage tendu aux allures de fauve irrité. Il ne dit rien, se bornant à toucher du bout des doigts la main tendue que lui présentait Boris. Le professeur prononça un nom difficile à comprendre et ajouta qu'il s'agissait d'un mathématicien et iconographe amateur. Le second, mince, les cheveux noirs pommadés malgré son visage très ridé de vieillard, habillé en complet noir soyeux, la cravate nouée de façon fantaisiste, le sourire mielleux et les yeux attendris, garda un instant de trop la main de Boris dans les siennes en se nommant:

— Docteur de Slaszy, artiste. Cela nous fait grand plaisir de vous connaître, Boris Nikto ; vraiment, un plaisir profond. Je peux vous appeler Boris, n'est-ce pas ? ajouta-t-il en le fixant avec des yeux perçants. Appelez-moi de Slaszy tout simplement, je vous en prie.

Une fois assis, buvant un thé fade, le professeur s'effaça, comme dominé par les deux autres personnages pour lesquels, de toute évidence, il avait un respect craintif.

— Excusez-moi, Boris Nikto, commença alors avec empressement celui qui se disait l'artiste. Excusez notre curiosité. Si je suis bien informé, vous n'avez pas écrit votre autobiographie ; est-ce vrai ?

— En effet, répondit Boris sans cacher son étonnement et avec une pointe d'agressivité. En quoi cela vous concerne ?

— Rassurez-vous, on le demande avec le plus grand respect. Cette question peut paraître impertinente de prime abord, mais vous comprendrez, j'en suis certain. Votre poésie est appréciée par nous tous, grâce surtout aux soins du professeur Spieltrieb qui, le premier, l'a découverte et a perçu ses rapports avec la logique formelle. Son degré d'abstraction et les rythmes que vous captez par votre exercice relèvent en effet des domaines les plus modernes des mathématiques non euclidiennes... Je me réfère à l'espace de Lobatchevski, mais aussi aux structures des quasi-cristaux et à leurs rapports avec la mécanique quantique qui, j'en suis persuadé, ne constituent pas un mystère pour vous, ajouta-t-il avec un sourire et en baissant les yeux. Or, une œuvre de cette intensité ne pouvait pas manquer de capter l'intérêt des cercles sémiotiques occidentaux. D'ailleurs, le présent colloque à l'université vous donnera l'occasion, je le souhaite, de préciser vos subtilités axiomatiques avec des interlocuteurs plus exquis que nous.

Après son étonnement initial, Boris ne ressentait qu'une extrême lassitude devant ce discours délirant. Il était sûr que sa poésie n'avait aucun rapport avec les mathématiques, dont il ignorait d'ailleurs entièrement les théories modernes, tout comme il ignorait les références de son interlocuteur. Boris avait pensé que le professeur Spieltrieb était maniaque ou sénile. Maintenant, par inadvertance, voilà qu'il était en compagnie de deux autres fous, sans savoir quoi faire ni quoi répondre. Alors il garda le silence d'un air concentré, se bornant à faire quelques signes de tête pour indiquer qu'il suivait la conversation. Heureusement, ces trois personnages n'avaient pas l'air dangereux et ils paraissaient l'aimer sincèrement. Même que le petit rond à la moustache en brosse abandonna son air furieux pour esquisser un sourire de plaisir lorsqu'il fut question du théorème de Fermat. Boris perdait parfois le fil de leurs propos tellement il était occupé à les regarder. Puis il captait de nouveau leurs paroles, mais sans y prêter trop d'attention.

— Nous, continua l'artiste de Slaszy, nous nous contentons du plaisir contemplatif de ces figures géométriques, de ces dentelles célestes qui se dégagent à la lecture de vos axiomes et des signes de dérivation poétiques produits par votre génie. Puisque, en effet, ce sont des systèmes logiques et métalogiques, n'est-ce pas ?

— Tout à fait, laissa échapper le petit iconographe qui désormais se tortillait de plaisir sur sa chaise. J'ai d'ailleurs moi-même formalisé votre dernier recueil de poèmes, monsieur Nikto. Je crois que vous ne trouverez rien à redire à mes efforts de déduction propositionnelle ni aux tables de vérité dressées en conséquence. À propos, sans vouloir être indiscret, lorsque vous les avez créés, vos ensembles, avant de les traduire en poésie, quel langage avez-vous utilisé ? Je parie que ce fut celui du Polonais Tarski. Ai-je tort ? demanda-t-il avec l'appréhension d'un écolier.

Boris répondit simplement par un bref signe de la tête.

— Je le savais, je le savais ! éclata le petit homme en regardant le professeur Spieltrieb avec émotion. Merci, monsieur Nikto, mille fois merci ! fit-il debout en gesticulant. J'en étais sûr. Au contraire de certains de mes collègues, j'étais sûr que vous étiez parti d'un système propositionnel logico-mathématique pour le poétiser *a posteriori*, plutôt que de formaliser une poésie préalable. Et je suis d'accord avec vous ! Seule la logique permet de créer des images si saisissantes ; le prétendu réel est trop concret, trop pauvre devant la pureté du langage. *Primum versificare deinde vivere*. J'étais dans la même voie que vous, quel bonheur ! La seule voie vraie. C'est le *Principia Mathematica* de l'*ars poetica*, monsieur Nikto. Merci une fois de plus, monsieur Nikto, vous nous causez une émotion incommensurable !

Boris sourit, magnanime, pendant que le petit homme se rasseyait en trémoussant. Voilà qu'il commençait enfin à comprendre l'enthousiasme de ces gens envers ses jeux de langage. Ils ne blaguaient pas. Ils étaient fous, sans doute, ou complètement pervertis par leur habitude universitaire de penser sans regarder la réalité. C'était ça. Ils avaient appliqué leurs trucs algébriques à la recherche d'une littérature abstraite, ou quelque chose du genre. Et ils étaient tombés sur sa poésie en le croyant aussi fou qu'eux... Il commençait aussi à comprendre leurs allusions à Spinoza et à Leibnitz, à l'harmonie du monde et à la lecture de l'univers. C'était donc ça, l'aboutissement de leur passion sémiotique, conclut-il en s'efforçant de cacher son sourire.

— Vous voyez, Boris Nikto, reprit de Slaszy avec une pointe d'impatience dans la voix, nous sommes vraiment des amateurs avertis. Heureusement que vous êtes passé à l'Ouest avant que des apparatchiks aient perçu le sens profond de votre quête. Les pauvres, si ancrés dans les théories réalistes désuètes et incapables de percevoir autre chose que la réalité ! Mais, si vous me permettez, en tant qu'artiste, c'est justement cette réalité-là qui me cause du souci, cette imperfection qui alourdit le sens des abstractions. Voyez-vous, Boris, nous avons été très confondus en apprenant par des amis communs que votre propre vie avait été... comment dire?... chargée d'avatars, accidentée en quelque sorte, remplie d'événements... Est-ce possible?

— Un peu, comme celle de chacun, je suppose, répondit Boris, mal à l'aise. L'immigration, le choc entre le tiers monde et l'Europe, tout cela bouleverse, certainement, je ne peux pas le nier...

— J'imagine à peine la force de concentration dont vous êtes capable, et que vous avez dû déployer pour ne pas laisser ces accidents déranger l'harmonie de vos réflexions formelles...

Boris reprit son attitude méditative pour attendre la fin de cette nouvelle élucubration.

— Moi-même, de Slaszy, issu de l'aristocratie austro-hongroise, j'ai été épargné du réel cru et vil puisque mes aïeux avaient eu la sagesse de poursuivre leur vie en Espagne, en compagnie de la cour de Siméon I$^{er}$ de Bulgarie, des princes roumains et de la famille royale albanaise. Mais, rien que de revivre les événements historiques à travers des textes, cela me bouleverse et me déséquilibre, monsieur Nikto.

— Vous vous dites pourtant artiste, monsieur..., rétorqua Boris en se prenant au jeu.

— De Slaszy, monsieur Nikto, Aurelius de Slaszy. Je suis, certes, artiste, monsieur Nikto. Mon médium est le plus délicat qui soit, le plus subtil. Je suis psychanalyste. L'existence humaine est ma matière, naturellement. Mais je ne m'occupe pas de ses aspects matériels. Seul le texte du discours trouve grâce à mes yeux. Je manipule ou, mieux, je caresse cette fluidité pour la mettre en forme, pour lui donner un sens... Les êtres humains sont parfois si peu soucieux d'un ordre significatif qu'ils se dépensent malencontreusement, se gaspillent en vivant au hasard des avatars. L'herméneutique est un art majeur, monsieur Nikto, et je suis à son service.

Ces paroles furent suivies par un silence d'église. De Slaszy regardait dans le vague pendant que le professeur et l'iconographe baissaient respectueusement les yeux. Boris eut l'impression que ces deux-là avaient été des patients de cet idiot prétentieux, ou qu'ils l'étaient encore. De Slaszy reprit alors, sentencieusement :

— C'est donc ma science qui me porte à m'intéresser à votre biographie ; car, vous serez d'accord avec moi, Boris, cette existence accidentée constitue tout de même un texte, fût-il parallèle à vos réflexions... N'est-ce pas ?

— Un texte, dites-vous ?

— Oui, mon cher. Vous ne l'avez pas écrite, votre autobiographie. Mais elle est là. Le plus intéressant, c'est que vous avez osé la vivre, cette autobiographie, dans le registre du réel plutôt qu'en langage récitatif. Raffiné mais très dangereux...

— Je ne vous suis pas.

— Votre vie s'est bien déroulée, naturellement, puisque vous êtes ici. On peut la mettre en mots, la dépouiller des aspects particuliers pour en dégager le sens, déconstruire le récit apparent pour la lire en tant que texte, comme d'ailleurs n'importe quoi, vous en conviendrez... Donc, elle existe, indépendamment de vous, hors de l'espace et du temps pour ainsi dire. C'est mon domaine, sa lecture, cette mise en forme plastique de l'amalgame brut que constitue une vie.

— Je ne vous suis pas car vous mélangez les sens avec vos métaphores et vous me confondez. J'ai vécu ma vie, pas ma biographie puisque je ne l'ai pas écrite.

— Voilà ma question, Boris, notre question à tous. Que l'homme du commun vienne à moi pour que je mette en forme sa vie selon mon style et mes exigences formelles, soit. Il n'a pas la créativité pour la dire, sa vie ; et seule ma production génitrice de psychanalyste peut lui composer une cohérence. Mes perspectives, mon dessin, mes symboles et les mythes à ma disposition, ma sensibilité, ma propre conscience créatrice d'artiste, voilà les outils pour lapider un tant soit peu l'état brut des existences voguant à la dérive du désir. L'herméneutique est création, poésie ; elle est le remède que cherchent les âmes souffrantes pour avoir un sentiment de finalité, un semblant de cosmos dans la dissipation chaotique qui les entoure, n'est-ce pas ?

De Slaszy toisa ses deux compagnons d'un regard sévère et dominateur avant de poursuivre :

— Mais vous, Boris, qui possédez à la fois la science et la poésie, dans quel dessein avez-vous préféré vivre votre biographie plutôt que de l'écrire ? Je suis persuadé que ça n'a pas été la complexité des événements qui vous en a empêché. Votre œuvre écrite le prouve bien. Il y a là une décision singulière, surtout pour un poète. Vous auriez pu la mettre en forme, cette vie, pour en dégager publiquement la structure ; avec facilité, n'est-ce pas ? En lapidant vous-même les diamants pour les mettre en valeur, comme il se doit. Je vous avoue, humblement, qu'avec bien moins de matière première j'en ai tissé, des fresques qui me permettent de comprendre chaque jour plus intensément mes propres racines aristocratiques, le fil récitatif essentiel qui aboutit à ma personne depuis les ténèbres d'un passé se perdant au delà de la Renaissance, voire de Byzance...

Boris avait le souffle coupé ; il resta la bouche ouverte, assommé par tant de vanité mélangée au délire, et il ne put rien faire d'autre que regarder son interlocuteur. Une idée provocante s'esquissait cependant dans son esprit : par quelle manœuvre pourrait-il blesser ce fat ? Pendant ce temps, le professeur et l'iconographe regardaient le psychanalyste avec des yeux d'adoration. De Slaszy leur donna un long moment de répit avant de continuer :

— C'est ainsi que je travaille continuellement à cette œuvre majeure, comme un orfèvre ; ou plutôt comme un maître oriental qui sculpte des univers subtils et infiniment dentelés dans une belle pièce d'ivoire. Dès que la matière vulgaire des autres existences est modelée par mon art, je reviens à moi, à cette passion, pour dégager l'absolu qui s'y trouve enchaîné à des pulsions libidinales dignes d'un titan. Ce combat formidable entre ma brutalité bestiale et la loi morale m'effraie, certes, mon ami. Mais je dispose de la parole, cette orthodoxie qui me lie à des âmes sœurs, pour assujettir ce mâle déchaîné qui laboure mon âme... diabolique, la verge fulgurante dressée pour des viols ravageurs, intoxiqué par la testostérone et conquérant! s'écria-t-il en épongeant son front blême avec un mouchoir aux broderies violettes avant de poursuivre: Je vous assure, monsieur Nikto, la parole apaise, elle met de l'ordre, elle anoblit le vil. Mais vous, qui êtes capable de tant de raffinements abstraits, pourquoi n'avez-vous pas appliqué ces richesses à votre propre cas? Quelle est donc l'idée d'avoir laissé béante cette contradiction entre votre esprit et la fatalité aveugle? En tirez-vous profit? Pourquoi n'avez-vous pas soumis votre vie au feu purificateur du langage récitatif? Voilà notre question. Autrement dit, ce démon qui vous pousse à l'aventure, est-il si puissant que ça, si charmant que vous le laissiez se déchaîner? La libido et le passage à l'acte ne détruisent-ils donc pas l'esprit? Se pourrait-il que la vie crue existe en dehors du langage, et qu'elle ait de la valeur? Tant de questions... que de mystères aveugles et vertigineux!

Ces énoncés et le climat de grande émotion figèrent les trois intellectuels dans un état de méditation théâtrale qui allait d'ailleurs très bien avec le crépuscule. Boris se dit qu'il ne pouvait tout de même pas s'en aller sans insulter ce psychanalyste d'une façon quelconque. Après avoir encore étudié ses poses, son visage jauni, et en imaginant cette bite ratatinée qu'il venait de qualifier de verge fulgurante, Boris opta pour le simple bon sens:

— Pardonnez-moi, mais je ne suis pas d'accord avec vous. D'abord, toute autobiographie est un tissu de mensonges pour le seul plaisir de se justifier aux yeux des autres, de se donner de l'importance lorsque notre vie est sans attrait… Ce n'est pas une œuvre d'art, chers messieurs. Elle cherche à reprendre le temps pour le figer, à l'opposé de l'existence, qui est ouverte.

Il parlait avec une grande lenteur, le sourire aux lèvres et l'air de celui qui cherche à apaiser plutôt qu'à convaincre, très content de l'effet d'étonnement produit sur ses auditeurs :

— Vous confondez des choses trop distinctes, sûrement par perte de contact avec cette même réalité qui vous effraie tant. C'est de la création, je vous l'accorde volontiers, mais au même titre seulement qu'une homélie de curé ou qu'un texte publicitaire. D'ailleurs, en Allemagne vous avez des exemples bien connus des effets pervers de la transformation du réel à partir des mythes, n'est-ce pas ? Vos verbiages ne font que poursuivre une tradition très ancienne, chers professeurs…

— Monsieur Nikto, je vous en prie, balbutia de Slaszy.

— Non, ne me priez pas ! Je déteste qu'on parle à ma place. Laissez-moi continuer ; et écoutez plutôt, si c'est pour cela que vous m'avez fait venir. Ensuite, la vie et la littérature sont des choses distinctes, même si en apparence elles ont parfois l'air de se rejoindre. Comme la poésie, qui n'a rien à voir avec les mathématiques ou la logique. Sa source est dans nos émotions, concrètes, qu'elle vise à retrouver chez le lecteur. La vie est palpable, tandis que la littérature n'est qu'un jeu, sans autre sens que le plaisir ludique qu'on y trouve.

— Un jeu ? fit l'iconographe, scandalisé, en reprenant son faciès de fauve boudeur. Vous voulez dire, comme le jeu d'échecs ?

— Si l'on veut. Les échecs sont trop abstraits, mais ça fait l'affaire. Je pensais plutôt aux jeux de l'amour, ou aux jeux de faire semblant qui sont si chers aux enfants. Tenez, pensez aux contes de fées…

— Propp décrit la structure du conte comme une algèbre…, commença le professeur Spieltrieb, sans cependant pouvoir conclure, puisque Boris lui coupa aussitôt la parole :

— Pas de structures, professeur, oubliez cela. Ce ne sont que des sottises pour des universitaires oisifs ou des critiques complexés. Je parle du conte qui renvoie à la vie et au rêve du lecteur individuel, qui le fait vibrer d'émotion. Le poète et l'écrivain, ce sont de simples raconteurs d'histoires, pour tromper le lecteur, pour le faire sortir de son quotidien fade.

— Monsieur Nikto, reprit de Slaszy avec assurance, vos poèmes renvoient aux mathématiques, pas au désir. Ou bien…

— Malheureusement, mes jeux de mots ne renvoient à rien, monsieur l'artiste ; pardonnez-moi de vous décevoir. Après tout, c'est moi qui les ai créés, n'est-ce pas ? Ces histoires d'algèbres et de structures, ce sont vos propres lubies, pas les miennes. Je ne les ai faits, mes poèmes, que pour m'amuser, comme quelqu'un qui monte des châteaux de cartes ou qui fait des jeux de patience. Ils sont le fruit de l'ennui pur et simple, de l'arrêt de la vie. Il y avait un silence si grand là-bas, les intellectuels disaient tant de bêtises sur le rôle social de l'art… comme vous avec vos métaphysiques et vos sémiotiques… et je n'ai trouvé que ces enfantillages verbaux pour me désennuyer. Peut-être que c'est la même chose pour vous, avec vos algèbres ; sauf que je garde les pieds sur terre, moi.

— Pardonnez-moi, demanda respectueusement l'iconographe. C'est donc sorti spontanément, comme par miracle ?

— Tout à fait spontanément, rien qu'en m'amusant, répondit Boris.

— Alors, monsieur Nikto, vous avez vécu un moment privilégié car, chez vous, le cerveau a produit ces systèmes et ces figures spontanément, à partir de ses propres rythmes physico-chimiques ! Incroyable et émouvant à la fois, monsieur Nikto ! C'est un exemple clair de l'esprit se manifestant en dehors de soi pour se connaître en s'aliénant. Exactement comme l'avait prédit Hegel, en toute spontanéité !

— Non, mon cher ami, protesta de Slaszy avec enthousiasme. Pas le cerveau ! L'inconscient seul guide l'artiste aveugle devant le désir qu'il croit effleurer.

— Merde alors ! Vous allez vous taire ? interrompit Boris, sans cependant réussir à faire disparaître les regards émerveillés qu'échangeaient ses interlocuteurs. Vous ne comprenez donc pas ce qu'est un jeu ?

— De manière ludique, en effet, monsieur Nikto, fit de Slaszy d'un ton conciliant. Rassurez-vous, nous vous comprenons très bien. Et nous sommes ravis de vous l'entendre dire avec tant de modestie, d'innocence. Je comprends maintenant pourquoi vous avez cru bon de renoncer à votre autobiographie.

— Ah, bon ! Et pourquoi donc, pouvez-vous me l'expliquer ? demanda Boris, au bord de la crise de colère.

— Parce que cela n'a pas d'importance devant tant d'absolus essentiels comme le jeu, le langage, les créations de l'esprit. Pour ne pas salir la pureté formelle de ce que vous appelez pudiquement le jeu...

Boris se leva d'un coup, empoigna de Slaszy par le collet et le secoua comme une guenille sous le regard épouvanté des deux autres. Le psychanalyste avait les yeux fermés et gémissait faiblement comme un enfant, avec des petits cris aigus étouffés. L'expression de son visage était si ridicule que Boris éclata de rire et le laissa tomber sur le canapé.

À ce moment précis, deux jeunes gens entrèrent presque en courant, à bout de souffle, et restèrent debout tout à fait étonnés de ce spectacle inhabituel.

— Que voulez-vous ? demanda Boris sèchement.

— Excusez notre entrée précipitée, fit l'un d'eux. Nous cherchons le professeur Spieltrieb. Ah ! vous êtes là, professeur... Excusez cette interruption, mais c'est urgent. Nous avons été attaqués par des fascistes. Par la police aussi !

Cette arrivée imprévue calma aussitôt les esprits et leur fit oublier la discussion. Les deux étudiants racontèrent de manière confuse la bagarre avec la police au cours de la manifestation antiatomique : une sorte d'émeute avait eu lieu après l'intervention de groupes de punks, avec beaucoup de casse, des voitures incendiées et des matraquages. Les étudiants se demandaient quoi faire puisque divers participants au congrès avaient été blessés et exigeaient une réaction de la part de l'université.

Le professeur Spieltrieb ne voulait rien savoir de tout cela. Il renvoya les étudiants en leur suggérant de dire aux autres d'aller prendre une bière ou d'aller au cinéma, car le colloque recommencerait de bonne heure le lendemain. Lui, il se dissociait de toute action entreprise par de vulgaires informaticiens, et il ajouta qu'il ne pensait aucun bien des Palestiniens. Et puis, dit-il, la bombe atomique ne lui faisait pas peur, et le Français qui avait interrompu le colloque n'était qu'un play-boy et un insolent.

L'iconographe et de Slaszy en profitèrent pour repartir avec les étudiants, hâtivement, sous prétexte qu'il fallait tout de même aller voir l'émeute et réconforter les gens.

Seul avec Boris, le professeur fit servir des scotchs par la même vieille femme étrange coiffée comme une sœur. Ils restèrent assis dans le noir, buvant en silence pendant un très long moment. Par la fenêtre arrivait une fraîcheur intense accompagnée du bruit du vent qui arrachait les dernières feuilles des arbres du parc. Boris se sentait très calme et il repassait dans sa tête les moments les plus amusants de leur discussion. Soudain, il entendit le rire rachitique du professeur Spieltrieb qui cherchait ainsi à briser le silence.

— Monsieur Nikto, commença-t-il, vous serez désormais la brute bestiale dans les cauchemars de ce pauvre de Slaszy, la verge vengeresse... hi! hi! hi!... La tête qu'il faisait!

Puis, en se raclant la gorge et d'un ton sérieux :

— Je réprouve votre conduite, naturellement, monsieur Nikto. Mais je suis heureux d'avoir vu ce prétentieux devant un homme en colère... Verge fulgurante, aristocratie byzantine, qu'est-ce qu'il ne faut pas entendre, mon Dieu ! Le pauvre est roumain ; de ces Roumains pique-assiette qui courent le monde en se réclamant de la gloire passée de Vienne et en maudissant les communistes... Verge fulgurante ! Vous voyez, monsieur Nikto, vous avez tout de même un peu raison avec votre théorie désuète de littérature comme fuite de la vie et divertissement d'enfants. Sa verge fulgurante et sa bestialité relèvent en effet du conte de fées, hi ! hi ! hi !...

— Excusez-moi de vous avoir causé du souci, répondit Boris. Si, si, car je vous ai fait peur...

— Je ne voulais pas de meurtre chez moi, surtout pas de castration.

— Ma conduite a été grossière, certes ; mais vous, quelle sorte d'amis vous avez !... Et puis, m'inviter comme ça, dans une souricière...

— Hi ! hi ! hi ! hi ! fit le professeur en guise de réponse.

— Peut-être que vous ne le savez pas, professeur, mais vous vous êtes complètement trompé à mon sujet. J'écris en effet pour m'amuser, et jusqu'à il y a quelques minutes je vous croyais un peu dérangé. Que voulez-vous ? Ces artistes, dont vous exploitez tant l'œuvre dans vos trucs de sciences littéraires... Bien, voilà : beaucoup sont comme moi et se fichent des théories. Seulement, il ne faut pas les confronter. Leur patience n'est pas bien grande.

— Je sais bien, monsieur Nikto, je le sais très bien. Vous vous dites joueurs, amateurs de jeux, mais vous vous fâchez trop vite. Tandis que nous, les professeurs, nous prétendons être des gens de science et nous avons une patience infinie envers n'importe quelle sottise à la mode... C'est comme ça, que voulez-vous ? De temps à autre, l'un de vous rencontre l'un de nous, et l'on assiste à des perles du genre «verge fulgurante» de la part de l'homme de science, ou du genre «tromper le lecteur» de la part de l'artiste... Excusez-moi, monsieur Nikto, mais le «tromper le lecteur» me paraît presque aussi grandiose que la verge fulgurante, n'êtes-vous pas de cet avis? conclut-il en riant avec son interlocuteur.

Boris prit congé de cet homme sympathique avec le regret de ne pas pouvoir le fréquenter davantage. Le professeur s'excusa d'avoir oublié de lui montrer son télescope, et il accepta de bon gré que Boris partît immédiatement, sans assister à la suite du colloque.

— Je leur dirai que vous êtes parti en protestation contre la violence policière. Ils comprendront et vous aimeront davantage, monsieur Nikto. Quant à moi, ma maison vous est ouverte si jamais vous repassez dans le coin. Ah! sans rancune! Mais si vous décidez d'écrire votre biographie, n'oubliez pas de tricher... J'adore les aventures!

# 8

Sortant de chez le professeur, Boris marcha lentement vers le centre-ville où se trouvait son hôtel. Il
empruntait les ruelles étroites et les voies latérales pour
être sûr de passer inaperçu. Chemin faisant, il regrettait
ses tirades impulsives chez le professeur qui lui paraissaient surgir d'un autre temps. Tantôt il se reprochait
son manque d'assurance, la légèreté avec laquelle il
s'était senti personnellement concerné par la discussion ;
tantôt, au contraire, il riait de cette agressivité juvénile.
Depuis toutes ces années, il s'était habitué à l'extérieur
nonchalant qu'il avait si péniblement construit pour ne
pas se fondre dans cette Europe étrangère. Et voilà qu'il
avait suffi de quelques heures en compagnie de trois cinglés pour que s'effondrât sa carapace. Ou, serait-ce que
ces derniers mois l'avaient bouleversé plus qu'il ne se
l'était avoué, ramenant à la surface des malaises anciens
qui sommeillaient jusqu'alors ? Ce nouveau personnage
d'aventurier un peu vieillissant était trop lourd à porter,

en effet, et Boris ne savait pas où cela le mènerait. Qu'est-ce qu'il cherchait au juste en faisant ainsi le clown, puisque après tout il avait déjà suffisamment d'argent pour continuer le voyage ?

L'air frais de la nuit lui fit grand bien. « Il n'y a rien comme une promenade solitaire dans une ville étrangère qu'on s'apprête à quitter », pensa-t-il. Avant même d'arriver à l'hôtel, il ne se faisait déjà plus de reproches et se sentait soulagé.

Tout se fit discrètement, sans aucune rencontre imprévue. Avec sa valise légère, après un sandwich et deux bières au comptoir de la gare, Boris prit le dernier train en direction de Brême. La décision d'interrompre cette tournée de conférences et de prendre dès le lendemain un billet d'avion pour Rio de Janeiro s'était clairement imposée à son esprit.

La noirceur parsemée de points lumineux qui défilaient derrière la fenêtre du wagon le fit revenir loin dans le passé.

❑

Mateus et lui sont sur le pont d'un cargo silencieux, chargé d'engrais et de nitrates, qui monte lourdement le long de la côte du Pacifique pour gagner le canal de Panamá. Depuis Lima ils ont fait deux courtes escales, à Guayaquil et à Buenaventura, pour embarquer quelque marchandise et pour remplir des papiers consulaires. Ils n'ont pas pu se promener dans les villes ; juste le temps de faire quelques achats aux environs du port : du tabac et de l'alcool en prévision du voyage.

Les deux compagnons sont devenus de simples voyageurs comme les occupants des cinq autres cabines étroites : des fonctionnaires scandinaves et leurs familles qui ne sortent qu'à l'heure des repas. Ils coulent des journées silencieuses à lire et à regarder l'horizon. Les nuits chaudes qu'ils passent sur le pont, couchés à même les bâches et les cordages, se succèdent avec la monotonie d'une convalescence.

Mateus raconte des histoires de son enfance. Ses phrases éparses, parfois sans lien apparent ou lancées sans souci d'explication, donnent l'impression qu'il se parle à lui-même. Ce sont des scènes de rue dans les banlieues éloignées où abondent les cerfs-volants, les chemins de fer dangereux, les bagarres, les querelles de ménage et les petites combines pour survivre à chaque jour. C'est plein d'enfants qui jouent partout, sans soins ni surveillance, et qui découvrent le monde par ses côtés les plus âpres. D'aucuns meurent sans que le narrateur sache pourquoi, d'autres disparaissent sans laisser de trace. Les seins des fillettes poussent pointus avant même qu'elles s'en aperçoivent et parfois leur ventre gonfle sans qu'elles sachent au juste pourquoi.

Sa façon de raconter est fascinante. Décousu de la sorte, son discours fait quand même apparaître claire-ment les scènes dans l'esprit de Boris, qu'elles soient tristes, violentes ou comiques. Les images éparpillées forment un curieux récit sans que Mateus fasse d'efforts pour tisser une trame ou pour dramatiser. Les aspects sociaux et la misère sont passés sous silence; peut-être qu'il les trouve évidents ou qu'il ne les ressent plus. Les séquences lui viennent au hasard, les personnages se modifient, les thèmes et les époques se confondent. Seul reste le plaisir de la mémoire.

— Tu sais, Bob, ma première copine devait avoir onze, douze ans tout au plus. J'en avais treize. Je m'en souviens parce que c'est l'année où j'ai quitté l'école. En fait, je l'avais quittée bien avant, mais j'y retournais de temps à autre pour jouer avec les copains. À treize ans, j'ai commencé à travailler toute la journée au garage. Auparavant, ils me donnaient seulement des commis-sions et des pourboires; je me contentais de laver les pièces et les moteurs avec de la gazoline, et à nettoyer la place. Cette année-là, leur apprenti s'était fait ami avec un client qui avait une vieille Packard. Un monsieur qu'on disait riche. Il avait un appartement au centre-ville et il lui avait promis qu'il serait son secrétaire, peut-être même son chauffeur. Une histoire de cul comme tant d'autres. Sauf que l'apprenti ne s'était pas contenté du vieux ; tu connais la chanson : un garçon jeune et costaud, un vieux monsieur pommadé, la Packard... Ça a attiré d'autres gens de leur milieu. Ils ont tué le vieux au cours d'une partouze, paraît-il, pour le voler. La Packard, disparue... Ça fait que l'apprenti a été mis en tôle. Alors, les gens du garage ont décidé de me prendre même si j'étais encore jeune. L'école ne m'a jamais plu. Personne n'aimait l'école ; on y allait en attendant de trouver un travail. Ou un vieux... Ou, mieux encore, une vieille pour t'adopter ; du genre de celles qui sont malades de la matrice et qui ne peuvent pas tolérer les bites des hommes mûrs... Moi, je ne pensais pas à ça ; chez nous les gens avaient toujours travaillé et j'avais hâte d'avoir aussi un emploi. C'était le signe de la maturité... J'étais amoureux de la fillette, et je voulais qu'elle me voie au travail, dans le garage. Je ne pensais pas à la sauter, pas du tout. C'était comme une petite sœur. Jolie, toute douce. Lorsqu'on courait ensemble, elle transpirait autour des lèvres. Elle était tout le temps à côté de moi. Elle s'appelait Verinha. Les nuits chaudes, quand on se cachait dans les buissons pour regarder les gens par la fenêtre de leurs cabanes, elle se collait à moi et on passait de longs moments à lécher nos langues. Elle n'avait pas encore de poils, tu vois... Elle n'était pas gaie, non : plutôt sérieuse. Parfois elle pleurait en silence sans qu'on sache pourquoi, ou elle restait plusieurs jours enfermée chez elle, malade. Je travaillais beaucoup et je ne me suis même pas aperçu qu'elle avait disparu. Puis, un jour, je l'ai revue : elle était devenue vieille et maigre tout d'un coup, avec un gros ventre et des souliers neufs qui l'empêchaient de bien marcher. Les yeux cernés et du rouge à ongles. Elle ne m'a pas salué, comme si elle ne me connaissait pas ; trop fière pour regarder son petit copain sale de graisse. Il paraît qu'un ami de son beau-père l'a gardée pour lui, après que le bébé est mort à la naissance... Comme ça, je n'ai même pas pensé à baiser mon premier amour. Par la suite, je commençais par baiser aussitôt qu'elles se laissaient caresser, histoire de ne pas tomber amoureux... Je pense encore à elle ; parfois elle apparaît dans mes rêves comme elle était, avant d'être enceinte. Verinha... elle doit être morte maintenant, tu penses ! Trop maigrichonne ; les fausses couches font trop saigner. Je l'ai revue de loin, lorsqu'elle vivait encore chez son beau-père. Ensuite, j'ai changé de garage...

— T'es un romantique, Mateus, je ne le savais pas, remarque Boris pour rompre le silence qui s'est installé.

— Je n'avais ni le droit ni le temps d'être romantique. Mais lorsque j'y pense, ce sont ces petites choses jolies qui me viennent le plus facilement à la mémoire. Les grosses affaires, les trucs dangereux, même les coups réussis qui m'ont permis de m'en sortir, rien de cela ne me concerne plus. Les petites histoires, elles restent vivantes, je ne sais pas pourquoi. Des gens sans importance aussi, ou des affaires étranges... Et ça paraît prendre de la valeur avec le temps. Tu vois, j'ai travaillé à peu près deux ans dans ce premier garage. Mais si tu me demandes le nom des gens, je ne pourrais pas te le dire ; ni même celui du patron, qui pourtant était un type bien. Par contre, je me souviens très bien du vieux de la ferraille : Nehemias. Mais on l'appelait plutôt Yaya parce qu'il n'arrêtait pas de dire ya, ya, ya, à tout moment et à propos de rien. C'était parfois comme une véritable mitraillette, surtout lorsqu'il s'énervait : Ya, ya, ya, yayayayayaya... Les gens disaient qu'il avait été soldat et qu'il avait attrapé son yaya durant la guerre, par peur des Allemands. Je ne le crois pas ; il était trop vieux pour avoir été à la guerre. C'était juste un tic nerveux. Il y avait aussi son visage qui se contractait en spasmes, d'un seul côté, et il mordait de l'air en tournant la tête comme s'il voulait attraper des mouches en vol. Les gens disaient d'ailleurs qu'il était devenu fou à force de manger des mouches. Rien que pour se moquer de lui... Ils faisaient aussi semblant de lui tirer dessus lorsqu'il crachait ses yaya en regardant le ciel. Mais il ne se fâchait jamais et ne paraissait remarquer personne. Il n'était pas du genre méchant, non ; plutôt de ces fous tranquilles qui construisent des machines fantastiques. Tu vois, je me souviens de lui et de son nom bizarre même si les gens ne l'appelaient pas Nehemias. Il habitait en bas de la côte, derrière le garage. Nous, on pouvait déverser directement les huiles usagées, les morceaux de ferraille et toute espèce de saleté, sans aucun problème. Ça tombait dans sa cour à ferraille et ça lui faisait plaisir. Parfois, il venait au garage pour démonter les vieilles carcasses d'autos, des moteurs et des différentiels rouillés, qu'il faisait ensuite dégringoler sur son terrain. Nehemias collectionnait tout ce qui était vieux ; il revendait du cuivre, du zinc et du nickel, puis aussi des engrenages, des vis, des chapeaux de roues et des fils électriques. Mais ses véritables passions étaient la soudure et la poudre de chrome. En fait, il passait la plupart de son temps à souder des morceaux hétéroclites de ferraille, les uns aux autres, sans aucun dessein précis, tout à fait au hasard de ses trouvailles. Il nettoyait la rouille d'une pièce, soigneusement, puis il la soudait n'importe où sur l'immense amas de ferraille qui s'élevait depuis l'arrière de sa cabane jusqu'au milieu de la cour. Dès qu'il avait de l'argent, le voilà qui rachetait de l'acétylène et se mettait à agrandir encore cette véritable brousse compacte de ferraille amalgamée. Elle poussait dans toutes les directions, complètement désordonnée et agressive, avec par-ci des couronnes de barbelés, par-là des essieux collés à des châssis et à des morceaux de carrosserie, avec des engrenages, des poteaux, des grillages et des bouts de marches en fer forgé. L'ensemble avait l'aspect d'une de ces usines bombardées qu'on voit dans les films de guerre; mais en plus compact, avec des allures de buisson de cactus ou de nids d'araignées poilues. C'était plus haut que sa maison. La forme répondait peut-être à une vague intention de rondeur, car il se déplaçait autour pour souder. On aurait dit un gigantesque champignon en train de pourrir. D'ailleurs, avec le temps, les morceaux anciens rouillaient et s'affaissaient sous la forme de tas de poussière rougeâtre, qu'il cherchait à recouvrir de nouvelles ferrailles soudées. Parfois des pans entiers de cet ouvrage s'effondraient dans un énorme fracas. Maintes fois, on m'a fait descendre la pente pour aller voir si le vieux n'était pas mort sous les décombres. Mais non. Il paraissait assez satisfait du travail du temps sur sa machine infernale. Ça lui permettait d'atteindre de nouveaux emplacements pour souder encore. Tout était si compact que seuls les oiseaux pouvaient y loger, comme dans un pigeonnier. Les chats y allaient aussi et ils criaient la nuit entière avant de retrouver la sortie du formidable labyrinthe... Et puis, le chrome. Nehemias surveillait le moindre bout de pare-chocs ou de grille de radiateur, de poignée de porte; enfin, tout ce qui était chromé. Dans son atelier, ou plutôt dans sa maison car il travaillait et vivait dans une vaste et unique pièce encombrée de ferraille et de seaux pour les divers métaux — il dormait sur des sièges d'auto et se faisait à manger sur un poêle à charbon —, alors, dans cet atelier, il limait ensuite patiemment toutes les pièces chromées qu'il avait accumulées, pour ramasser la poudre de chrome. Pas pour la vendre, car ça n'a pas de valeur. Pour décorer son amas de ferraille comme on décore un arbre de Noël. À l'aide d'un chalumeau, il faisait fondre le plomb des batteries dans les concavités des pièces soudées, cherchant minutieusement chaque orifice qui lui paraissait propice. Il saupoudrait alors le plomb liquide de cette poudre de chrome. Pas seulement les morceaux qu'il venait de souder. Non, un peu partout, en faisant le tour de l'ouvrage, même sur la poussière de rouille et sur les bouts effondrés... Drôle, n'est-ce pas? Tout en se consacrant à cette folie, il continuait à vendre du métal au poids et à vivre pacifiquement, sans jamais être dans le besoin. Il ne soudait d'ailleurs que ce qu'il n'arrivait pas à vendre, pour ne pas gaspiller, disait-il. Son seul regret était de ne pas pouvoir chromer le tout, car il n'arrivait pas à ramasser assez de poudre de chrome. Tu sais, Bob, pourquoi il faisait cela depuis des dizaines d'années? Une fois, je lui ai posé la question. Il m'a répondu sans sourciller, très sincèrement: parce que ça va ensemble!

— Est-ce qu'il vivait seul, ce vieux?

— Oui, naturellement. Sinon il n'aurait pas pu se consacrer à son tas de ferraille. Tu aurais dû voir l'émotion dans ses yeux quand les camions des usines lui livraient une cargaison de déchets... Mais il baisait encore; je peux te l'affirmer pour l'avoir vu de mes propres yeux. De temps à autre, il recevait une femme tout ce qu'il y a de plus normale; dans la quarantaine et assez jolie. Il lui faisait d'abord faire le tour de son immense construction comme s'il s'agissait d'un jardin. Vu de loin, elle paraissait bien intéressée, sans ironie, et il répondait à ses questions en expliquant avec des gestes précis. Puis, dans l'atelier, ils mangeaient les provisions qu'elle apportait toujours. Elle lui donnait aussi des vêtements, parfois des livres et des bouteilles de cachaça. Ensuite ils faisaient l'amour. La nuit, je pouvais les observer tranquillement par la fenêtre ouverte sans qu'ils s'en rendent compte. Ils se caressaient avec tendresse et avec passion; ils s'embrassaient comme de vrais amoureux. Et ils baisaient longtemps, en murmurant, et elle gémissait de plaisir en le mordant. Ils buvaient encore... Nus dans la lumière de la chandelle, je t'assure, ils étaient presque beaux. Le matin, de bonne heure, elle était déjà partie...

— Tu n'as plus rien su de lui?

— Non. Ensuite je suis parti de là. Les rares fois que je suis passé dans le coin, c'était sur la route. J'ai revu le garage, qui entre-temps avait changé de nom. Mais je n'ai pas pensé à aller regarder sur la pente arrière pour voir Nehemias et son tas de ferraille. Aujourd'hui, c'est vrai, je le regrette car son souvenir m'est curieusement plus précieux que beaucoup d'autres choses... à cette époque je ne pouvais pas savoir. Qu'en penses-tu ?

— Je ne sais pas, fit Boris en réfléchissant. Moi aussi, ce sont ces petites choses qui me reviennent le plus souvent à la mémoire. Sans aucun motif. C'est possible que ce soient les choses qui nous ont fait rêver ; des trucs qui ne faisaient pas tout à fait partie du réel, qui sortaient du quotidien et de l'ordinaire. Tout ce qui remplit son rôle ou qui a une fin banale a l'air de passer sans laisser de trace. Même si c'est triste. On en dit d'ailleurs que c'est sans histoire. Tandis que ta Verinha, elle est restée comme un rêve, inachevée. La passion du vieux pour la ferraille est du même genre, inachevée, absurde, sans rapport avec la vie. C'est peut-être pour ça que ces choses nous sont chères.

— T'as peut-être raison, reprend Mateus après une cigarette. Il m'arrive la même chose avec les femmes que je n'ai pas réussi à baiser ; leur souvenir me hante comme des blessures non fermées et que je me plais à gratter. Les cicatrices, je n'y pense plus... Ça doit être la même chose pour les écrivains lorsqu'ils écrivent leurs bouquins, tu ne penses pas ? Ce livre que tu m'as prêté, par exemple, sur le gars hollandais, Willems, qui abandonne tout pour rester avec une fille dans la brousse, tu te souviens ? C'est si absurde que ça devient vrai. Je le lis vite et je ne me rends même pas compte que c'est en espagnol ; c'est comme si j'étais à sa place. Tu sais, je n'ai pas appris à lire des livres. Le gars qui l'a écrit, cet Anglais, l'histoire a dû le marquer ; ce n'est pas possible qu'il l'ait inventée à partir de rien.

— Je ne sais pas te dire. Il avait voyagé beaucoup, et ça aide à inventer ; on voit les choses sous un autre angle lorsqu'on change de pays. En fait, il était polonais ; mais c'est vrai qu'il a toujours écrit en anglais. Tu sais qu'il n'a jamais réussi à bien parler l'anglais ? Pourtant il l'écrivait... Un drôle de gars en effet. Je savais que tu allais aimer ce livre. Ils en ont un autre de lui sur les étagères de la salle à manger, en espagnol aussi...

— Sur des voyages ?

— Chez lui, c'est toujours sur des voyages. C'est mon père qui m'a appris à l'aimer.

— Ton père est polonais ?

— Non, russe, mélangé d'allemand... Et il n'aime pas les Polonais. Comme ça, sans motif, par pure habitude de voisinage. Sauf que Joseph Conrad est devenu anglais, et ça le rachète aux yeux de mon père. Et puis il aimait trop ses histoires avant de savoir qu'il était polonais. Mon vieux se compare parfois aux personnages de ses livres ; ça lui permet de maudire le Brésil sans devoir penser à repartir. Je crois qu'il aime trop son travail à l'usine ; il est fier de savoir que ses patrons sont contents de lui, de sa façon de travailler pour travailler. S'il était resté en Union soviétique, il serait de ce genre d'ouvriers modèles qu'on montre sur les affiches.

— Est-il aussi dans le parti ?

— Jamais de la vie ! Mon père déteste les communistes, comme d'ailleurs il déteste les ouvriers et la plupart des êtres humains. Il croit que le fait d'être maître tourneur le classe dans une catégorie à part de tous les autres travailleurs, simplement parce qu'il est capable de reproduire n'importe quelle pièce mécanique. Et puis il dit qu'un homme de bien doit se contenter de sa place et du respect de ses supérieurs. C'est comme ça, par simple préjugé. Il ne comprend rien aux luttes ouvrières et il pense que les syndicats sont des nids de paresseux et d'envieux. Il les voit comme des fainéants qui ne savent pas reconnaître les efforts que font les patrons pour acheter les meilleures machines-outils, les plus modernes, pour que des gars comme lui puissent s'amuser à tailler toutes sortes de bricoles de précision. Lorsqu'il était jeune, il a travaillé dans les usines Oerlikon en Europe et il n'a jamais oublié cette expérience. Ce sont des fabricants d'armes suisses, des ordures qui font des affaires partout dans le monde, qui ont survécu à la chute du nazisme et qui survivent toujours. Ils ont des intérêts ou ils possèdent en cachette l'usine d'armements où travaille mon père. Lorsque mon vieux parle d'Oerlikon, c'est comme les gens du parti quand ils parlent de Moscou : le berceau de la perfection. Il ne sert à rien de lui dire que ce sont des marchands d'armes. Mon père rétorque qu'il n'a jamais fabriqué une arme de sa vie ; il n'aurait fait que des pièces de précision pour des trucs optiques. En fait, ce sont des viseurs et des systèmes de guidage pour l'artillerie, tu comprends ? Mais lorsqu'il parle des ateliers Oerlikon, ses yeux brillent tant et il paraît si heureux qu'il finit par te convaincre.

— Tu l'aimes, ton vieux...

— Bien sûr que je l'aime, Mateus. Ça n'a rien à voir avec le reste. Si j'oublie sa façon bornée de juger les autres, son entêtement et sa naïveté envers les patrons, alors c'est très facile de l'aimer. Il est vraiment un tourneur formidable. Tout son monde se résume aux concepts de taille, taraudage, filetage, calibrage, alésage et décolletage... Je suis peut-être le seul fils du monde qui a jamais reçu un jeu d'échecs en acier, sculpté par son père. Pas n'importe quoi, je t'assure. D'un modèle ancien car il avait jugé le modèle moderne trop peu imaginatif pour son art. Figure-toi, ces pièces toutes tarabiscotées ; les noires en acier bleui, les blanches en inox. J'ai toujours pensé que mon anniversaire n'avait été qu'un prétexte pour qu'il puisse s'amuser à tailler les pièces. Impossible de ne pas l'aimer. Il est pire qu'un enfant lorsqu'il s'agit de mécaniques, de serrures et de petits trucs compliqués. Il s'y connaît surtout en aciers, et c'est à cause des aciers de Sheffield qu'il aime les Anglais. Dans sa tête, l'écrivain Conrad a bien fait d'aller s'établir dans ce pays d'aciers, de navigateurs et de respect de la hiérarchie. D'ailleurs, comme Conrad, il méprise les Orientaux, surtout depuis que les Japonais et les Indiens se sont mis à exporter des outils bon marché. Selon lui, c'est tout à fait immoral de fabriquer un outil ou une lame avec un acier de qualité douteuse, voilà. Il y a deux endroits dans le monde qui sont respectables à ses yeux : Sheffield en Angleterre et Solingen en Allemagne. Tous les deux à cause des aciers. Il tolère à peine les Suédois, à cause de leurs scies et de leurs haches ; mais il trouve que c'est moins noble puisqu'elles servent juste à couper du bois... Nous n'avons jamais parlé beaucoup et il m'a fallu me guider tout seul dans la vie. Je me souviens que, lorsque j'étais petit, il apportait toutes sortes de petites bricoles pour jouer avec moi, plutôt pour jouer en ma présence, comme un grand frère. Il fabriquait aussi des miniatures ; il y avait, entre autres, une petite machine à vapeur en cuivre et en nickel dont les pistons faisaient bouger des leviers, et qui marchait vraiment à l'aide d'un four à huile. Une merveille. Sauf que je ne devais pas la toucher... Je suis sûr qu'il ne s'en fait pas pour moi. Tiens, c'est un peu comme ton gars de la ferraille. La seule différence, c'est que mon père a besoin que ses bricoles fonctionnent, qu'elles servent à quelque chose. Il ne pourrait jamais se contenter d'une chose gratuite...

— Et qu'est-ce qu'il pensait de tes engagements politiques ?

— Ça ne l'intéressait pas. On se voyait peu depuis que j'étais parti à Rio pour étudier. Je crois qu'il pressentait quelque chose, à sa façon. L'an dernier, il m'a déclaré à brûle-pourpoint que je pouvais me faire héberger par des gens qu'il connaissait si jamais j'étais mal pris. Mais il n'approuvait pas mon engagement dans l'armée. Une fois, cherchant à lui faire plaisir, j'ai voulu aborder la question des viseurs optiques des nouveaux chars d'assaut — des trucs qu'il avait peut-être aidé à fabriquer de ses propres mains. Mais il a coupé court en disant que les armes ne l'intéressaient pas. Puis, contredisant tout ce que je croyais connaître de sa façon de penser, il a ajouté que je perdais mon temps à l'armée, que les mathématiques sont des choses trop belles pour les mélanger à la vie. Tu vois ? Il doit être très content de me savoir en voyage...

La nuit suivante, Mateus reprend ses récits avec une logique qui lui est propre, comme si le fil de ses souvenirs était une frange ouverte balançant au vent.

— Je n'ai pas connu d'étranger comme ton père, Bob. Mais en t'écoutant hier et à cause de cet écrivain, je me suis souvenu d'une Polonaise que j'ai fréquentée il y a quelques années. Excuse la comparaison ; ça n'a rien à voir, mais tu verras. Cette Polonaise, M^{me} Rebecca, tenait une maison de putes sur la montée de la Lapa. Tu vois où c'est ? Des ruelles étroites où les camions s'accrochent, à pic comme des escaliers, et toujours encombrées de déchets qui coulent dans les rigoles. Un endroit très joli. En bas, t'as le dancing Acapulco, déjà presque sur la rue de la Lapa, à côté de quelques bars. Tiens, pendant que j'y pense, l'eau me vient à la bouche. C'est que dans un de ces bars-là, celui qui est juste en face de la salle de billard... oui, en face de l'abri couvert du tramway, ils ont un pressoir à jus de canne à sucre ; et il y a un grand Indien en bois à l'entrée, tu sais, celui qu'on peut frapper sur le ventre pour cinquante centimes et qui crie selon la force de ton coup de poing... Oui, c'est là. À une certaine époque, j'étais assidu au billard et je connais bien le coin. Alors, dans ce bar, on peut manger les meilleurs friands de toute la ville : à la viande, au fromage ou aux crevettes. De vrais délices. C'est une Portugaise encore jeune qui les fait de ses propres mains. Tu devrais voir le morceau de belle femme, mon vieux, avec des bras de marbre, des tétons énormes et des yeux si tristes... Son mari, le propriétaire, est un homme heureux, sans aucun doute. À table et au lit ! Mais très jaloux, bien sûr, car les clients se bourrent de friands la journée durant tout en dégustant des yeux les chairs de la cuisinière... Sans blague, avec de la bière, c'est un vrai bonheur. T'as déjà couché avec une de ces Portugaises toutes blanches et rondelettes ? Elles ont l'air timide comme des saintes, mon Dieu, avec des corps de juments... Moi non plus. Les Portugais sont très stricts avec leurs femmes parce qu'il paraît qu'elles sont des fauves au lit. Je ne sais pas, c'est ce qu'on dit... Alors, au milieu de la montée, il y a de ces vieilles maisons à deux étages. La plupart sont des bordels, discrets et confortables. Si tu montes encore, plus vers le couvent Sainte-Thérèse, là, ça s'arrête naturellement, sinon ça dérangerait trop les pauvres novices... Quoique, à une certaine époque d'avant la guerre, toute la rue était remplie de cabarets et de bordels, jusqu'au couvent et même au delà. Les filles disent toujours que sainte Thérèse protège les orgasmes ; tu savais ça ?

— C'est bien possible, répond Boris. Thérèse d'Avila était très connue pour ses orgasmes. Elle a même écrit là-dessus pour l'exaltation des autres religieuses.

— Tu parles d'une sainte ! À bien y penser, pourquoi pas ? Il y a des saints patrons pour tous les métiers... je croyais que pour les putes, c'était sainte Madeleine.

— Sainte Madeleine, c'est pour le métier ; sainte Thérèse, c'est pour les orgasmes, n'importe quel orgasme, ajoute Boris sérieusement pour encourager l'imagination déjà active de Mateus. Est-ce que ta Polonaise... ?

— Rebecca, M\ᵐᵉ Rebecca. Mais elle était juive, je crois. En tout cas, elle avait été dans une de ces prisons en Allemagne où ils maltraitaient les gens. Elle m'a montré des chiffres tatoués sur son bras, la pauvre. Une femme extraordinaire. Elle tenait sa maison avec beaucoup de soin et ses filles étaient parmi les meilleures de la Lapa. Elle n'avait pas de souteneur ni de videur, mais tout le monde la respectait. Une belle femme aussi ; un peu passée, certes, mais les chairs opulentes encore fermes, les coiffures grandioses, et très stylée avec ses bas de nylon et ses jarretelles qu'elle gardait même en plein combat. Un soin extrême pour sa lingerie ! Tu sais, il paraît qu'en Europe les gens sont très raffinés pour ces choses. Elle disait qu'il ne suffit pas d'ouvrir les cuisses comme une vache ; qu'il faut être aussi actrice pour que le client se sente emporté. Rebecca se disait une artiste de l'amour. Je t'assure, beaucoup de clients venaient exprès pour elle malgré les fillettes qui attendaient à rien faire. Une fois la lumière fermée, sa voix rauque de fille enrhumée, ses rondeurs pleines de plis et ses manières de faire durer la bagarre, il n'y avait pas de meilleure passe en ville. En plein jour, normal, elle se maquillait trop ; c'est aussi leur habitude... Les Françaises que j'ai connues abusaient aussi des rouges et des crèmes. C'est dans leur nature ; en vieillissant un peu, elles exagèrent. Mais M<sup>me</sup> Rebecca était propre, presque fanatique des ablutions. On dit que les Juifs sont très soigneux de leur personne... M<sup>me</sup> Rebecca l'était. D'ailleurs, elle s'en vantait, et elle exigeait que tous fassent de même dans son établissement. Les nuits où il y avait peu de clients, elle devenait parfois mélancolique et elle se mettait à chanter des trucs polonais d'une tristesse infinie. Tu sais que des messieurs importants venaient d'Ipanema régulièrement pour elle ? J'en ai rencontré qui l'auraient même épousée... Mais elle ne voulait que son petit bordel de la Lapa et le respect des clients. Tu comprends ça ? Elle aurait pu être riche, ou déménager son bordel à Copacabana pour recevoir le beau monde... Tu crois que les rabbins se marient comme les pasteurs protestants ? Je le pense aussi. En tout cas, elle en recevait le dimanche, des rabbins ; on les reconnaissait à leurs chapeaux. Le plus drôle, c'est qu'elle accompagnait les filles qui allaient à la messe au couvent Sainte-Thérèse. Elle ne faisait pas de distinction en matière de religion ; ni en matière d'hommes, d'ailleurs. « Dieu, c'est Dieu, disait-elle avec son accent chargé. C'est comme les langues : si l'on ne se comprend pas en parlant, il suffit de passer à table ou au lit... » Je suis d'accord avec ce point de vue.

Mateus reste soudain pensif. Boris a la nette impression que dans la tête de l'ami défilent de nombreuses images pour le simple plaisir de défiler. S'il reste ainsi longtemps sans reprendre le récit, il lui suffit de poser une question vague pour qu'il recommence.

— Tu parles d'elle au passé...

— Oui, ça fait à peu près deux ans. Un beau jour, elle a tout simplement vendu la maison à une autre tenancière. Pas pour aller à Copacabana. Elle avait sûrement mis de l'argent de côté ; sont prévoyants, les étrangers. Et elle est repartie dans son pays. Pour sa fête de départ, crois-moi, il y avait de ces vieux Polonais tout grassouillets, avec des chapeaux et bourrés de pognon, qui pleuraient comme des enfants parce qu'ils ne pourraient plus la baiser... Les vieux, ils sont parfois capricieux pour ces choses ; lorsqu'ils s'habituent à quelqu'un, ça ne marche pas avec d'autres femmes.

Voilà l'histoire. Mateus la laisse ainsi en suspens, se contentant de ce simple épisode pour aller chercher d'autres filons dans cette mémoire qu'il parcourt en promeneur distrait.

— Tu vois, Bob, les vieux ont de drôles d'habitudes que les jeunes ne comprennent pas. Dans mon régiment, il y avait un sergent-major déjà grisonnant...

— Dis-moi, Mateus, interrompt Boris, en quoi cette Polonaise te fait penser à mon vieux ?

— T'es pas fâché, hein ? Je ne sais pas. C'est venu comme ça. Peut-être parce qu'elle était étrangère comme ton père ; et qu'elle aussi faisait les choses différemment des gens du pays... Ou l'amour du métier, je ne sais pas. Ton vieux aussi paraît heureux ; mais, comme Rebecca, il est une plante transplantée ailleurs, qui vit dans son pot. Tu ne penses pas ?

— Si, t'as raison...

— Toi aussi, Boris, t'as l'air un peu transplanté. Tu parles comme un Brésilien, mais ta tête et tes racines ne sont pas d'ici. Une femme comme Rebecca, elle avait tout pour elle ; pourquoi donc partir ?

— De nous deux, Mateus, c'est toi le plus excité par les voyages...

— Normal, j'ai toujours voulu voyager. C'était ma chance. Toi, c'est différent. T'as pas la bougeotte comme moi. Non, c'est plutôt le manque de racines.

— Comment tu vois ça ?

— Regarde. T'as beaucoup de choses à perdre. Ça m'étonne encore que tu sois venu si facilement. Tes études, c'était important autrefois. Ta carrière militaire : rien qu'en pensant à la politique, tu la mettais en jeu, et pourtant... C'est comme si tu faisais exprès. Tu aimais tellement tes cours de génie sur les explosifs, les démolitions. Tu les aimais vraiment. Ce n'était pas pour mettre des bombes à l'ambassade américaine, je le sais très bien. Et tu as tout laissé tomber. Même au parti tu faisais exprès pour saboter tes propres chances ; c'était évident qu'ils allaient vouloir t'éliminer vu le genre de positions que tu prenais. Tu vas pas me faire accroire que c'était par pur idéalisme.

— Il est vrai que j'ai hérité de mon père le goût de l'étranger plus que l'amour du métier, que veux-tu ? Mais toutes ces choses se sont un peu imposées d'elles-mêmes, sans que je sache très bien comment.

— Tu oublies aussi d'ajouter qu'on n'est pas malheureux de tous ces événements, n'est-ce pas ? C'est là que tu rejoins Rebecca, dans l'aventure pour l'aventure, sans motif... Moi, tu vois, j'ai toujours été un enfant ballotté, et je ne fais que saisir ma chance de m'en sortir. Peut-être que je reviendrai au Brésil si les choses changent. Toi ? Je ne sais pas...

— T'as pas complètement raison, Mateus. Maintenant, ça ne dépend plus de moi ; ils me cherchent. C'est vrai que j'ai un peu contribué à ce départ ; et si tu veux savoir, je pense l'avoir rêvé depuis longtemps. D'accord. Mais il me fait aussi de la peine. Et il y a Clarissa...

Mateus garde le silence un certain temps pour laisser à Boris le temps de méditer, le temps de fumer encore une cigarette et de laisser les idées faire toutes seules leur chemin. Ensuite, d'un ton taquin, il ajoute:

— Tu vois, Bob, ce que je veux dire... On perd un pays, tu perds ta carrière, tes études, tout enfin. Mais ta seule tristesse est de perdre ta fiancée. Arrête, va! Elle te rejoindra en moins de deux lorsqu'on sera établis quelque part, tu le sais bien!

Les deux hommes se mettent à rire en se passant la bouteille de rhum. Mateus reprend plus tard le flot de ses souvenirs cocasses ou lubriques, mélangeant les meurtres avec des faits divers toujours pleins de vie.

Durant la journée, ils lisent ou ils jouent aux échecs. Mateus descend de plus en plus souvent dans la chambre des machines pour s'entretenir en langage gestuel avec les mécaniciens, pour se faire expliquer les moteurs tout en captant des bribes de suédois qu'il se plaît ensuite à utiliser parmi les expressions espagnoles et les mots anglais. Puis d'autres soirées et de nouveaux bavardages jusque tard dans la nuit. Leur réserve de rhum étant épuisée depuis l'entrée dans le canal de Panamá, ils boivent de la vodka suédoise jusqu'à l'escale de Santo Domingo. Ils reviennent ensuite au rhum, accompagné cette fois d'une vaste provision de tabac et de cigares dominicains qui leur dure toute la traversée, jusqu'au Havre.

**9**

Boris avait été invité dans l'atelier de Klaus, un jeune peintre très sympathique et passablement cynique. Plusieurs jeunes gens de l'université, à qui Rosa avait promis de montrer son poète, étaient aussi venus. Le thème de la rencontre, créativité et existence, était certes des plus vagues, mais Rosa avait promis que le peintre s'occuperait lui-même de développer la partie concernant l'esthétique.

Dès le début, les concepts les plus bizarres fusaient de toutes parts, autour de bouteilles de vin blanc et sur fond d'immenses toiles aux couleurs crues, dont les personnages paraissaient sortis de gribouillages enfantins. Boris était bien décidé à ne pas retomber dans un piège comme chez le professeur Spieltrieb ; au risque de les choquer, il traduisait leurs questions en langage courant, tout en avouant avec candeur ne rien connaître de leur arsenal théorique. Mais sans mépris, avec beaucoup de chaleur et de tact dans ses remarques. Il leur fit aussi part de ses propres craintes concernant le danger des concepts arides pour un artiste; ceux-ci risquaient de s'interposer entre sa conscience et le réel, et de transformer le désir de créer en pur verbiage académique.

Le peintre, qui avait l'air d'avoir déjà passablement bu, lui donna aussitôt un appui enthousiaste. Il se mit à décrire ses propres difficultés de création depuis qu'il avait atteint une certaine renommée dans les cercles artistiques de la ville. Les théories des critiques d'art et les attentes des marchands, les idées sur l'espace et les objets, disait-il, s'étaient interposées entre lui et les toiles avec un effet paralysant. Il avoua ne plus savoir ce qu'il voulait peindre :

— Vous voyez ces toiles ? s'exclama-t-il avec un mouvement circulaire de la main et sans les regarder. Elles valent peut-être de l'argent... Mais j'ai la sensation de les avoir faites selon les plans et devis des gens qui écrivent dans les revues à la mode ; comme un simple ouvrier à qui l'on dit où poser les briques. Sans aucun plaisir, comme une pute. Quand je me bats avec une nouvelle toile pour qu'elle soit originale, le temps passe, je n'avance pas, et à la fin je suis de nouveau persuadé que mes impulsions sont de la merde bourgeoise que je dois surmonter...

Cette tirade émotive fut entrecoupée de paroles d'encouragement et de protestations de la part de ses camarades, les premières pour le consoler et les secondes pour le ramener dans le giron de l'avant-garde. Rien n'y fit. Klaus paraissait excité par la présence et les propos de Boris, et il n'avait pas l'air de vouloir rater cette chance d'autoconfession.

— Tout ça, c'est une fraude, reprit-il visiblement ivre mais avec un plaisir évident. J'avais commencé à m'opposer à l'abstraction dans le seul but d'emmerder les bonzes des Beaux-Arts, rien d'autre. Parce que j'ai toujours aimé les bandes dessinées... Mais je voulais aller plus loin, pouvoir me mesurer aux vrais maîtres que j'aime. Malheureusement, ils sont tous du passé, morts et *muséifiés*. Les salauds ont aimé mes choses parce que c'était nouveau, rien de plus. Et puis ça a marché trop vite, avant que je puisse mûrir... Ces tableaux sont faits selon leurs nouvelles théories... J'ai l'impression d'avoir pris un train pour aller à Rome, et de me rendre compte par la suite qu'il s'en va ailleurs ; et je n'ose pas sauter en marche par pure lâcheté ! Les salauds... et dire qu'ils n'ont jamais touché à un pinceau !

Klaus était non seulement plus vieux, mais aussi plus costaud que les autres, ce qui imposait un double respect. Par ailleurs, c'était lui le peintre célébré. Le malaise de ses jeunes camarades était évident. Boris, craignant le pire, se borna à attendre la fin des interventions pour voir comment les autres allaient s'en sortir.

Une jeune fille, dont l'apparence anémique allait à merveille avec les personnages des tableaux, se risqua :

— Tu oublies que l'artiste a toujours dégagé sa vision du réel à partir du discours théorique de son temps...

Et, encouragée par le silence, elle ajouta :

— Michel-Ange lui-même devait se plier aux commandes des mécènes, je crois...

— Peut-être, rétorqua le peintre brusquement. Sauf que les mécènes de son temps n'étaient pas les lavettes qui nous inondent de bêtises. Ils baisaient et fécondaient... Ils prenaient des risques. Je t'assure que les risques étaient alors de taille. Michel-Ange est peut-être devenu un grand artiste grâce aux exigences mêmes de ses mécènes, non pas malgré elles. Aujourd'hui, il faut que l'artiste s'émascule de ses propres mains s'il veut plaire aux marchands ; il faut qu'il fasse n'importe quoi tout en donnant l'impression de souffrir, pas de travailler sérieusement. Je suis écœuré et vous devriez tous l'être aussi...

Cette intervention eut l'effet d'une douche froide sur tous les invités. Mais ce n'était qu'un rituel habituel, pensa Boris en remarquant que l'ambiance se détendait en même temps. En effet, la conversation reprit bientôt sur un ton plus personnel, comme s'ils s'étaient subitement rendu compte qu'ils étaient jeunes. Les concepts et les phrases toutes faites encombraient encore leurs paroles, car ils ne semblaient pas avoir appris à parler autrement; mais leurs réactions semblaient plus franches. Quelques blagues furent même lancées à propos de textes jugés fondamentaux, mais qu'ils qualifiaient d'illisibles. Une des filles ajouta en riant:

— Sibylle m'a dit que coucher avec Peter Handke doit être aussi ennuyeux que lire ses livres...

Le groupe éclata de rire pendant que Sibylle, toute rouge et très embarrassée, cherchait à se cacher derrière les autres. C'était une jeune femme timide, sans l'éclat des autres filles présentes; mais depuis un moment déjà elle avait attiré l'attention de Boris par ses yeux fébriles, qu'elle posait sur lui dès qu'il regardait ailleurs. S'il cherchait à la surprendre, elle baissait son visage en faisant semblant de se concentrer sur les cheveux du type d'en face. Sa bouche plissée trahissait tout de même une certaine tension.

«Elle s'appelle donc Sibylle, pensa Boris; un joli prénom pour des yeux fuyants.» Tout en suivant les moqueries lancées par ses camarades, il en profita pour étudier davantage son visage et ses manières sans que Rosa s'en aperçût. Celle-ci ne paraissait d'ailleurs pas trouver que Sibylle fût une concurrente et elle riait à son tour de l'embarras de la jeune femme. Boris pensa aussi, avec plaisir, que cette Sibylle, même effacée, possédait le grain de folie nécessaire pour voir juste. L'amusement du groupe à son égard était une très bonne chose d'ailleurs, détournant la surveillance de Rosa vers les autres, les plus belles, celles dont les poitrines opulentes et les airs suffisants trahissaient la fadeur de l'âme. Il pouvait ainsi continuer son petit jeu de regards tout à fait en marge du groupe.

Mis à l'aise par les manières ouvertes de l'invité, les jeunes gens osèrent alors dévier la conversation sur le thème de l'identité personnelle. De toute façon, il était bien évident que c'était la seule chose qui les préoccupait. Boris ne chercha pas cette fois à briller, mais seulement à exposer ses propres idées. Il leur parut tout de même brillant car ces étudiants n'avaient pas été habitués à ce qu'on les prît pour des égaux. La simple conversation d'un homme qui venait d'ailleurs leur paraissait un événement extraordinaire et les poussait à évoquer leurs propres angoisses, surtout en ce qui concernait leur place dans un monde où tout semblait déjà fait, sans défis de taille ni mystères. Ils étaient simplement avides de savoir comment on devient un adulte sans devenir un pantin.

— Je ne sais pas, répondit Boris. Je me pose moi-même encore toutes ces questions ; mais de façon plus tranquille que vous. Je suis plus vieux, voilà tout ; et avec l'âge, la question de l'identité se pose d'une autre manière. On a derrière soi une existence qui nous donne du lest. Cette question évolue d'ailleurs, sans cesser d'être là, toujours présente. Sauf si nous abdiquons notre vie au profit d'un parti, d'une idée, d'un mythe quelconque ou d'un déguisement confortable. Ce lest de la vie passée apaise beaucoup. Non pas que mon existence ait été exceptionnelle, rassurez-vous. Ma vie, comme toutes les vies, n'a été, plus souvent qu'autrement, que le produit du hasard. Elle peut vous paraître fascinante, mais ce n'est qu'une illusion. Quand j'étais jeune, je croyais que les vieux avaient vécu une époque formidable, pleine de choses incroyables auxquelles je n'aurais jamais accès. J'avais envers eux, pour ainsi dire, un respect historique. Ce qui m'impressionnait, c'était l'histoire de leur époque ; et je leur attribuais toute la fascination que j'avais éprouvée durant mes lectures en les croyant acteurs de cette histoire. Hélas ! il n'en est rien. Chacun doit créer son propre moment présent pour le rendre le plus merveilleux possible. Voyez-vous, je continue à me poser ces mêmes questions, mais avec plus d'indulgence, car la mémoire m'oblige à m'avouer que je n'ai pas toujours été à la hauteur des choses que la vie m'offrait. Ni même de mes illusions...

Les questions devinrent ensuite plus concrètes, voire intimes. Boris parla des choses qui l'avaient inspirées, de ses lectures, des peintres qu'il aimait et de plusieurs petits détails qui ne constituaient aucunement un ensemble cohérent. Il mit particulièrement l'accent sur les voyages, sur l'envie de dépaysement que lui avait transmise ce père immigrant passionné de mécanique et d'imaginaire, échoué sous les tropiques. Chemin faisant, et à cause des yeux rêveurs de la jeune Sibylle, il ne put s'empêcher de raconter davantage :

— Je crois que mon point tournant comme artiste a été mon départ de l'Amérique latine. Jusqu'alors, je ne peux pas dire que je savais très bien où je m'en allais. Je ne faisais que m'atteler à une vie et à des projets d'emprunt que je disais être les miens. Le quotidien dans tiers monde est très contraignant lorsqu'on n'est pas riche ; il laisse peu de place pour une réflexion originale. On continue ce qu'on nous a dit de faire, on craint de perdre pied en perdant les chances, et tous autour se débattent avec un sentiment profond d'insécurité devant ce qui nous vient des métropoles. Ne pas prendre de risques, surtout ne pas emprunter des chemins personnels puisque tout a déjà été pensé en Europe, bien avant ; il s'agit de s'informer, d'accumuler des données, de ne rien tenter de créer par soi-même. Et voilà qu'un jour je me trouve sur le pont d'un cargo quittant le port de Callao...

À ce moment précis, il hésita à cause des yeux noirs et du regard brillant de Sibylle. Elle le fixait, les lèvres entrouvertes, et paraissait attendre une expérience ineffable. Boris n'eut pas le courage de la décevoir. Il sentit qu'il fallait la pousser, l'encourager à prendre ses propres départs ; il fallait plus que des faits à ces yeux avides, plutôt quelque chose de l'ordre du paradigme. Dans son esprit, la route des Caraïbes se confondait alors trop avec les yeux verts et possessifs de Rosa, toute gon-flée de suffisance. Les cheveux noirs de Sibylle méri-taient mieux, puisqu'ils lui rappelaient le teint des filles de son pays. Alors, sans trop savoir pourquoi, il glissa en imagination le long du ventre de cette jeune femme rêveuse et opta pour la route du sud ; elle était plus sombre et mystérieuse, plus propice à l'exploration, par-semée d'îles et de brumes, de falaises et de gouffres boisés.

— Le *Yorikke* était un de ces rafiots battant pavillon de circonstance, tellement couvert de rouille qu'on ne pouvait plus distinguer sa couleur originale. Mais assez vigoureux encore pour se traîner le long des flancs de l'Amérique du Sud et de l'Afrique, en glanant les char-gements que les vrais cargos de ligne étaient obligés de refuser. Un équipage des plus cosmopolites, avec des marins philippins très maigres que le contremaître arménien essayait de terroriser. Le mécanicien suédois avait fait la Légion étrangère ; du moins c'est ce qu'on disait derrière son dos. Le second officier était un vieil Anglais, et le cuisinier était grec. Le capitaine, un Finlan-dais borgne et taciturne, était grand comme un ours. Les camarades péruviens nous avaient obtenu des postes dans la chambre des machines en remplacement de deux marins incarcérés à Lima. Lorsque le Suédois a su qu'on était des militaires, il nous a aussitôt engagés en disant qu'on l'aiderait à maintenir l'ordre à bord. C'est que le bateau devait, en principe, revenir à son port d'attache en Orient ; à cause de certains imprévus, le capitaine avait décidé de ne pas rebrousser chemin depuis Lima, mais bien de continuer vers l'Europe en passant par la Guinée. Des histoires de contrebande d'armes et d'équi-pements, si courantes en ce temps-là... Ça ne faisait pas l'affaire des Philippins. Ceux-ci étaient d'une humeur massacrante et ils craignaient en outre pour leur solde si jamais arrivaient des pépins. Rien à faire cependant, puisque le Suédois et l'Anglais semblaient être des associés du capitaine, et ils connaissaient la valeur des caisses enfouies dans les cales sous des tonnes d'engrais et de minerai de cuivre qu'on embarquait dans chaque grand port du Chili. Peut-être même que cette route avait été toute tracée depuis le départ, qui sait? Mon camarade Mateus était un habile mécanicien; pendant les trois mois qu'a duré le voyage, nous avons été occupés presque chaque jour à faire en sorte que les vieux diesels ne nous lâchent pas... Une besogne sale et éreintante qui nous détendait après les angoisses de notre fuite.

Rassuré par la complicité de Sibylle qui paraissait comprendre l'enjeu, Boris lança son cargo dans le Pacifique Sud. Il leur décrivit la chambre des machines et l'immense bloc d'acier vibrant comme une bête, transpirant d'huile et crachant des émanations étouffantes. Il leur parla de la soif, de la graisse, de la fatigue et de la chaleur.

— Car, continua-t-il après avoir donné plein de détails concrets, l'exil n'est qu'une disponibilité pour naviguer à la dérive une fois qu'on a coupé les liens avec l'enfance. Il peut être soit souffrance, soit aventure; ça dépend de la façon dont on a largué les amarres et lâché du lest. La plupart du temps, on vit les deux choses, dans un mélange de remords et de regrets. C'est comme la vie sédentaire, mais en moins ennuyeux. Au contraire des bateaux qui visent le retour, le problème majeur qui tracasse l'exilé est précisément son port d'attache, pas la haute mer. J'ai connu des exilés inadaptés, tels les marins philippins qui sont tombés dans l'apathie dès que le rafiot a mouillé dans un port de l'Atlantique. C'étaient en général des gens trop attachés au sol maternel; ils perdaient le goût de vivre dès qu'ils sentaient le vent du large. Des êtres par ailleurs très raffinés et sensibles, je vous assure, peut-être même plus courageux et dévoués que les vagabonds. Leur étoffe douce, destinée à étreindre et à protéger, ne résistait cependant pas à la bise. D'autres, ceux qui justement étaient devenus âpres par le frottement de la vie, se déployaient au contraire avec un plaisir presque obscène et se laissaient emporter comme des voiles.

Boris parla ensuite des soirées passées à fumer et à boire dans la cabine étroite de Marlow, le mécanicien suédois.

— Le soir, lorsque tout était calme, le commandant venait nous rejoindre dans la cabine avec des bouteilles de *pisco* pour délier la langue du Suédois. Ils se connaissaient depuis toujours ; et même si le commandant était flegmatique, il paraissait fasciné par les histoires de son compagnon. Marlow réagissait à l'alcool en déroulant presque automatiquement le fil de narrations étranges, pleines de personnages insolites, de fantômes, de catastrophes inattendues et de curiosités anatomiques frôlant le monstrueux. Il était un excellent conteur d'histoires et ne s'encombrait pas de réalisme, pas plus qu'il ne cherchait à convaincre. On avait l'impression qu'il se divertissait à l'écoute de ses propres récits qu'il avait d'ailleurs l'air de créer au fur et à mesure qu'il les racontait. Au beau milieu d'une histoire, il pouvait tout interrompre et tomber dans un mutisme pensif. J'avais alors la nette impression que l'action, devenue trop rapide pour la parole, continuait à se dérouler toute seule dans son esprit. Ensuite, sans aucun souci de cohérence et sans qu'il ait rien fait pour bien la camper, une autre narration jaillissait de ses lèvres pour captiver encore le public. Il ponctuait ses exposés de tirades en espagnol, d'expressions en allemand et de jurons suédois, comme si l'anglais n'était pas suffisant pour la richesse de son imaginaire.

Tel le mécanicien de son histoire, Boris sentait que chacun des jeunes gens tissait son conte personnel en meublant les lacunes avec des bribes de leurs propres lectures. Mais il visait seulement la jolie Sibylle penchée en avant, la tête posée sur ses deux mains, entièrement abandonnée au son de sa voix.

— Antofagasta, Valparaíso, Talcahuano, Valdivia, Puerto Montt, des escales endormies. Notre rafiot ne recevait que des approvisionnements nocturnes, discrètement, au bout des quais d'embarquement de minerai, loin des autres bateaux et de l'attention de la police. Nous nous promenions alors par les rues étroites et mal éclairées, au pavé souvent glissant à cause de la bruine, parmi les maisons délabrées et rongées par le sel. En compagnie de Marlow et de l'Anglais Fitzroy, nous faisions la tournée de tavernes tristes où l'on servait parfois un vin d'une qualité exquise, mais plus souvent le *pisco* gris distillé sur place. Nos deux compagnons reconnaissaient ici et là d'autres étrangers échoués sur cette côte comme des épaves. Des Allemands pour la plupart, des officiers nazis ou d'anciens S.S., qui s'étaient dit qu'ils attendraient quelques années avant de retourner en Europe ; qui avaient ajourné encore et encore un retour chaque fois plus incertain, et qui ne pouvaient désormais plus se passer de cet exil indolent, sans justification. On les oubliait en repartant avant l'aube. Le monde paraissait éternellement enveloppé d'une lumière blafarde dans cet été austral envahi de brouillards. À mesure que nous descendions vers le sud du Chili, caressant à peine cette côte ébouriffée d'îles comme une chair de poule, la brume s'empâtait en une sorte d'ouate visqueuse à cause des vents froids de l'ouest contournant l'Antarctique. Trop chargés d'humidité, ces vents viennent frapper les contreforts des Andes et d'énormes masses de nuages s'accumulent alors, emprisonnées dans le treillis sinistre de ces archipels aux îles escarpées. La pluie reste pratiquement suspendue dans l'atmosphère laiteuse ; on ne distingue rien. Le bateau est obligé d'effectuer un long arc de cercle depuis le golfe d'Ancud jusqu'à l'archipel de la Reine-Adélaïde, avant d'aborder le cap Deseado dont les terres s'appellent aussi Désolation. C'est à cet endroit que nous replongeons dans les embruns glauques qui amalgament le ciel et la mer, pour pénétrer enfin dans le détroit de Magellan : cette fente intime et tiède en forme de fjord, aux parois abruptes et boisées, sombre mais accueillante, qui sépare la Terre de Feu du continent. La navigation est extrêmement difficile dans le détroit ; le vieux Fitzroy pilotait cependant avec une grande assurance, car il y avait déjà été plus d'une fois dans le passé, ne me demandez pas pourquoi. Guidé par mes lectures d'enfance, je croyais qu'on allait emprunter le détroit de Beagle pour ensuite doubler ce fameux cap Horn, et je me souviens d'avoir été bien déçu. Le vieux Fitzroy m'a alors déclaré que je n'étais qu'un jeune romantique... On a suivi l'escarpement de la rive nord en contournant la péninsule de Brunswick et, soudain, le bras de mer s'est élargi. Mais au lieu du calme attendu, les courants étaient si puissants qu'on se croyait dans le cratère d'un volcan. C'était le choc entre les deux océans dont le dénivellement produit des marées formidables. Nous avons fait une longue escale à Punta Arenas pour réparer un piston ; sa bielle, longue d'un mètre, vibrait en saccades effrayantes et risquait à tout moment de fracasser les parois.

Boris profita de cette escale pour faire une longue pause, le temps de remplir les verres, d'allumer les cigarettes et de laisser Sibylle respirer un peu après cette longue pénétration. Elle paraissait en effet épuisée, mais son regard témoignait du même envoûtement qui commençait d'ailleurs à le rendre mal à l'aise. S'il n'avait tenu qu'à lui, il se serait arrêté là, à Punta Arenas, et il aurait changé de sujet. Mais les jeunes gens étaient trop avides, trop en manque de rêves pour qu'il interrompît ainsi un tel voyage. Même si Rosa venait de partir à la salle de bains avec l'air de quelqu'un qui en a assez, les questions fusaient, obligeant Boris à donner d'autres détails. Comment était le village, quelle sorte de gens y habitaient, quelle en était l'atmosphère, que ressentait-on ainsi au bout du monde ? Sibylle, encouragée par l'absence de Rosa, se lança à son tour :

— Vous deviez vous sentir terriblement seul…

— Je me sentais petit, répondit Boris avec un sourire de tendresse. Je ressentais une nostalgie vague et exaltante à la fois. Comment dire ?… c'était mon entrée dans une nouvelle existence, une sorte de passage, et j'avais une impression enivrante de liberté. Je n'étais pas alors conscient de ce qui se passait, je ne faisais que me laisser bercer par ces choses nouvelles ; c'est peut-être idiot de le formuler ainsi, mais je me sentais soudainement très jeune. Voyez-vous, les jours duraient presque vingt-quatre heures d'affilée, avec un soleil bas faisant tout bonnement le tour du firmament comme une perle qu'on fait tourner dans une tasse de porcelaine. Les gens de Punta Arenas avaient tous l'air ensommeillé ; on aurait dit que l'espace avait englouti le temps dans une ambiance de spectres sans la terreur des cauchemars. Punta Arenas était à l'époque un simple poste militaire avec des centres de télécommunications et des ateliers mécaniques pour dépanner les bateaux. Puis quelques pêcheurs, des moutons. Les bars crasseux étaient continuellement remplis de buveurs silencieux mais amicaux. De filles de joie aussi, mais qui avaient plutôt l'air d'épouses, tant ils vivaient tous collés les uns contre les autres. Fitzroy a même rencontré une de ses anciennes copines, une aborigène qui baragouinait un peu d'anglais ; elle nous a parlé, figurez-vous, d'un voyage qu'elle avait fait autrefois à Londres en compagnie de Fitzroy !

Rosa revint à l'atelier avec une mine sérieuse, des regards en l'air et des soupirs d'impatience. Il devenait clair que la réunion était sur le point de prendre fin. Tout en faisant semblant de l'ignorer, Boris se dépêcha de boucler la traversée, car il avait, lui aussi, envie de connaître la fin de son histoire.

— Une autre courte escale à Punta Delgada pour échanger les sacs postaux et, au tournant du cap des Vierges, enfin la lumière intense de l'Atlantique. Désormais, avec le vent froid de l'ouest à la poupe et les alizés au devant, le rafiot s'est mis à remonter péniblement les courants d'Afrique. Nous avons fait d'autres escales à Rawson et à Bahía Blanca en Argentine, puis nous avons passé toute une semaine à Montevideo. La ville était dans un état de grande agitation à cause des nombreux politiciens et militaires venus en exil du Brésil. On ne nous a offert aucune aide, et les contacts avec les gens du parti se sont avérés décevants. Ils nous pressaient même de continuer vers la France en attendant, pour éviter de gâter leurs relations avec le gouvernement de l'Uruguay, qui commençait alors à avoir de petits problèmes avec les Tupamaros. Ensuite, l'escale au large du port de Santos d'où j'ai pu voir au loin, pour la dernière fois, mon pays.

Sans prêter attention aux soupirs que l'évocation de cette image déclenchait dans son auditoire, Boris enchaîna pour couper en diagonale cet Atlantique qui restait à franchir.

— Cette vision au loin m'apparaissait plutôt comme une sorte de souvenir. J'avais coupé avec mon passé, et l'avenir m'attirait déjà plus fortement que ma nostalgie. J'avoue que j'ai été soulagé lorsque le bateau s'est incliné vers l'est pour traverser l'océan. Le soir, en attendant que le Suédois finisse son quart, Mateus et moi avons commencé à boire de la cachaça que les vedettes du port de Santos avaient amenée à bord. Nous étions dans un état de grande exaltation émotive ; lorsque Marlow est enfin arrivé, nous étions déjà ivres morts... Le reste s'est fait sous une chaleur et une lumière brûlantes, avec des vents salés qui nous apportaient continuellement les senteurs de l'Afrique. Une traversée longue et ennuyeuse à cause des courants. À l'escale de Conakry, en Guinée, le capitaine a vu ses derniers contacts ; nous sommes ensuite allés mouiller pendant une semaine au large d'un port minuscule, Victoria, presque à la frontière de ce qui est aujourd'hui la Guinée-Bissau. Les précieuses caisses ont alors été livrées durant un simulacre de débarquement d'engrais. Des militaires locaux sont venus à bord pour surveiller les opérations et pour bavarder avec le commandant, et ils ont apporté plusieurs caisses de scotch. Pendant ce temps, d'autres membres de l'équipage et moi, nous nous amusions à nager dans une mer claire comme une piscine. Le commandant et le Suédois paraissaient si contents de leurs affaires qu'ils nous ont même offert une prime, ce qui apaisa définitivement l'humeur des Philippins.

L'irritation de Rosa grandissait au point qu'elle ne cherchait plus à la dissimuler. Il fallut encore abréger. Sentant qu'il ne verrait plus jamais la jolie Sibylle, Boris la confondait avec la fille d'une autre histoire et il fit quand même une escale à Casablanca. Rien que pour voir ses yeux briller une fois de plus avant qu'ils ne se disent adieu. Mais aussi pour emmerder Rosa. Son bateau toucha ensuite Málaga à cause des cheveux noirs et il débarqua avec Mateus à Marseille, comme il se doit lorsqu'on arrive des Indes. Il regrettait quand même de ne pas pouvoir continuer vers Aden ou Surabaya.

Maintenant, tard dans la nuit, alors que Boris était avec Rosa dans un petit hôtel, la chanson *Surabaya* hantait son esprit au rythme de la respiration de sa compagne. Il chercha à chasser la chanson et l'image de Sibylle en répétant les vers de Gertrude Stein, « *a rose is a rose, is a rose…* » Mais il ne réussit qu'à les remplacer par la première déclinaison latine sur des accords de marches militaires.

Couché dans la pénombre, Boris regardait le corps de Rosa endormie. La respiration profonde de la jeune femme transmettait une cadence apaisante à sa poitrine et faisait onduler ses seins dressés comme s'ils étaient à la surface d'un lac. Son ventre lisse garni d'une chair plus pulpeuse à la hauteur du nombril suivait cette mesure lente avec un instant de retard, produisant de la sorte une ligne sinueuse depuis la gorge jusqu'au pubis surélevé ; ce flux rappelait les mouvements de l'eau frappant la paroi ronde d'un bassin en marbre, pour couler, à chaque inspiration, par le canal touffu et mystérieux entre ses cuisses écartées. Ce rythme, enrichi par le son de la respiration de Rosa, l'absorbait depuis un bon moment. La lumière pâle faisait éclater le rouge profond des poils contre la blancheur des chairs. Boris réprima le désir de les caresser comme on caresse un velours, ou un animal.

La passion apaisée, l'homme n'éprouvait plus qu'une tendresse sensuelle pour ce corps. Rosa endormie perdait ses aspects vivants, réels, et sa beauté redevenait un simple support pour les rêveries. Il se retrouva ainsi seul avec l'image de Sibylle et celles d'autres Rosa qui avaient, chacune à sa manière, contribué à façonner cette Clarissa qui se dérobait à chaque étreinte. Et elle, la vraie Rosa endormie, qui aimait-elle quand ses yeux le regardaient amoureusement? Les éclats fiers de ses yeux verts lorsque ses jeunes copines écoutaient, fascinées, les récits de Boris, quel homme visaient-ils? Ces ondées de son sexe secoué de convulsions, à qui donnaient-elles à boire? Qui était le Boris qu'elle voyait dans sa tête de femme, ce Boris qu'il savait pertinemment ne pas exister? Et le Boris qui était dans la tête de Sibylle, quelle sorte d'homme pouvait-il être? Avait-il une existence indépendamment du support pour les voyages imaginaires, ou n'était-il que l'image fuyante d'un dépliant publicitaire pour des vacances au soleil? Peu à peu, pendant qu'il se souvenait de la journée qu'il venait de passer en compagnie des jeunes gens, une lassitude amère, presque accablante, s'empara de lui.

L'image d'Olga vint alors se surimposer à celle de la jolie Sibylle: le même corps mais avec des formes plus amples, plus mûres, et moins nerveux sans doute. Et les mêmes yeux brillants regardant souvent dans le vague. Que faisait-elle à ce moment précis? Comment avait-elle continué à vivre? D'étranges questions qu'il cherchait à éviter depuis son départ. Olga... Au fur et à mesure que son attraction envers Rosa se tarissait, il avait maintes fois hésité entre l'impulsion de continuer le voyage et celle de revenir en arrière, à Rostock. Cette immobilité-là, ce bonheur sans histoires avait un charme puissant, en particulier lorsqu'il était ainsi seul et plongé dans ses mirages. Mais quelque chose s'était révolté en lui à chaque moment de doute; il faisait alors appel à Clarissa, ce paradigme du large aux horizons lointains, aux incarnations multiples, qui avait pris le corps de Rosa ces derniers temps et celui de Sibylle aujourd'hui. Ce simulacre lui permettait de résister à chaque menace d'attachement. Et Boris réalisa que Rosa s'était transformée en statue de sel aussitôt qu'elle avait manifesté l'intention de le garder. En fait, comme les autres auparavant, Rosa n'avait été qu'une bouée de sauvetage contre cette formidable menace d'échouer dans un port quelconque, cette mort en vie qu'il redoutait plus que tout. Cette Clarissa inconnue, disparue dans le passé, agissait paradoxalement comme une sorte de répulsion, le poussant toujours vers l'avant dès qu'une stabilité quelconque se dessinait à l'horizon.

« Curieux, c'est moi qui regarde en arrière et ce sont elles qui se figent. Ce ne sont peut-être pas des femmes de Lot, mais plutôt des Euridice que je me plais à renvoyer à la mort pour me garder vivant. Pourquoi est-ce ainsi ? » se demanda-t-il une fois de plus sans parvenir à se satisfaire d'une réponse. L'image du Vaisseau fantôme lui revint comme toujours à l'esprit, la plus satisfaisante, mais étrangement doublée de l'autre vaisseau fantôme, celui du vieux marin et de l'albatros tué par une flèche. Comme dans le poème de Coleridge, tout ce qu'il tenterait de toucher se figerait, deviendrait poussière…

Cependant, même en cherchant à s'émouvoir, il n'arrivait pas à ébranler sa certitude croissante concernant le pouvoir de la fiction. La réalité se défaisait en poussière, et il continuait ses voyages imaginaires. « Mais, au fait, se disait-il, si je me demande où sont les fondements du mensonge et de la vérité, serais-je capable de me contenter du vague réel comme réponse ? Et de quel réel au juste ? Car, cette réalité qui sert de preuve aux sciences, comment se manifeste-t-elle lorsqu'il s'agit d'une identité dans le temps ? Il est évident que chacun tisse un ordre personnel, un sens arbitraire pour se sentir lui-même, pour se donner une permanence. Pourquoi donc s'arrêter à mi-chemin lorsqu'on peut aller beaucoup plus loin, comme dans les romans ? Pourquoi cela devrait-il se limiter aux textes écrits ? Une chose est certaine, conclut-il avec un sourire. Ma traversée du détroit de Magellan est bien plus jolie et cohérente que celle du canal de Panamá, infiniment plus significative. »

Le voyage jusqu'au Havre lui parut alors une simple erreur de jugement qu'il venait de corriger la veille, en bifurquant vers le sud. La preuve ? Les yeux de Sibylle et la furie du corps de Rosa pendant qu'elle servait de simulacre à la fille aux cheveux noirs... Rosa elle-même, à qui avait-elle rêvé pendant que leurs corps se caressaient ?

Boris chercha alors dans l'obscurité son veston posé par terre, il tâta la poche intérieure et fut rassuré de sentir la présence du billet d'avion : Lufthansa, départ de Francfort. Dans moins d'une semaine, il serait à Rio de Janeiro.

# 10

Dès le lendemain, Klaus l'invita à venir le rencontrer dans un village des environs. Se sentant déjà dégagé de tout, Boris accepta le rendez-vous avec plaisir en se disant que la journée passerait ainsi plus vite. Il était aussi curieux d'entendre ce que le jeune homme avait à lui dire.

Worpswede est un village où l'on trouvait autrefois beaucoup d'artistes, situé dans un endroit particulièrement joli. La lumière basse dorant la lande lui fit penser à Olga et à Rostock, et Boris était d'humeur mélancolique lorsqu'il arriva au bar. Klaus l'attendait déjà, seul, sobre et bien plus calme que la veille.

— Merci d'être venu, dit-il en se levant pour l'accueillir. Je vous ai téléphoné comme ça, sous le coup d'une impulsion, et je suis content que vous soyez venu.

Ils prirent place au fond du bar, à côté d'une baie vitrée donnant sur un jardin aux couleurs automnales, parsemé de buissons et de feuilles mortes. Le ciel gris et le vent donnaient un cachet triste aux rares rayons d'un soleil morne.

— C'est beau, n'est-ce pas ? commença Klaus en suivant le regard de Boris. C'est mon refuge lorsque j'ai besoin de penser. Mon atelier en ville est devenu une sorte de club social pour intellectuels et je ne m'y sens plus à l'aise. Je viens alors dans ce bar et personne ne sait où me trouver. Les peintres modernes n'aiment pas Worpswede... C'est le symbole d'un temps où faire de la peinture était aussi une forme de contestation. Et puis l'endroit est devenu un peu touristique. L'endroit idéal pour cacher un peintre à la mode, vous ne trouvez pas ?

Boris répondit par un sourire en allumant sa pipe, le regard toujours au loin. «Un drôle de jeune homme, pensa-t-il, qui a les mêmes besoins que moi et qui sait déjà se cacher au milieu de la foule. »

— Cette lumière est belle, reprit le peintre, mais je préfère le printemps, lorsque la lande commence à verdir. Ce ciel lourd et ces couleurs me rendent triste. Ça fait un peu tableau symboliste ; et les atmosphères de spectres m'irritent...

— Je préfère ainsi ; c'est le bon moment pour les souvenirs tristes. Je pars dans quelques jours et je ne sais pas quand je reverrai un paysage d'automne.

— Il n'y a pas d'automne au Brésil ?

— Non, tout est toujours vert là-bas ; les tons de verts changent peu avec la pluie ou la sécheresse. C'est assez monotone à la longue. Les touristes trouvent ça beau puisque cela leur paraît nouveau. Lorsque nous nous habituons, les choses disparaissent de nos perceptions ; la lumière crue et l'humidité diluent les contrastes et tout devient flou. Ici, au contraire, la nature nous rappelle que le temps passe ; cela nous amène à nous poser certaines questions personnelles...

— Je ne connais pas le Sud, reprit Klaus après un long regard par la fenêtre comme s'il cherchait à découvrir le paysage avec des yeux nouveaux. Deux ou trois balades en Italie, un tour à Majorque pour aller à la plage, c'est tout. J'ai passé le reste du temps dans les villes du nord. Pendant mon enfance, mes parents préféraient passer leurs vacances à la montagne. C'est peut-être à cause de ça que je suis attiré par les tropiques. Votre récit d'hier m'a laissé très curieux.

— Pourtant, à la fin vous dormiez sur les genoux d'une jeune fille.

— J'avais un peu trop bu. Je craignais votre visite, je l'avoue.

— Ma visite ?

— Oui, Rosa nous en avait tant parlé que je m'attendais à quelqu'un de snob...

— Et vous vous êtes trompé ?

— La conversation m'a fait tant de bien que je me suis assoupi. Je m'étais préparé à une bagarre ; c'est ma réaction lorsque je me sens menacé. Au contraire, ça m'a soulagé de vous entendre. Les copains m'ont raconté la suite de votre voyage et nous sommes restés à parler toute la nuit. Vos voyages, votre façon de voir l'art, mais surtout ce que vous avez dit à propos des détachements. Le lest, vous vous souvenez ?

— Oui...

— Je suis justement en train de vivre quelque chose d'analogue. D'autres qui étaient là hier se battent aussi avec cette question. Je ne sais pas si vous avez remarqué, une jeune fille un peu timide, Sibylle. D'habitude elle ne dit rien, plutôt effacée. Sa mère vient du Venezuela. Ce que vous avez raconté sur l'Amérique latine l'a tellement enchantée qu'elle s'est mise à son tour à décrire ses propres voyages... Pour nous, les tropiques, c'est le point de fuite, l'horizon de nos détachements. Ça doit être toujours comme ça, je suppose : on se détache vers ce qui est étranger, forcément. Quelques-uns de mes camarades étudient les mêmes trucs que Rosa ; ils se sentent écœurés et la plupart pensent à tout abandonner. Ils sont allés vers les études littéraires parce qu'ils voulaient écrire, mais c'est la même merde qu'aux Beaux-Arts pour la peinture. Un bavardage inutile et sans aucun rapport avec la réalité de la littérature ni de la création. Ensuite, les étudiants flottent parmi les théories et doivent se contenter de l'espoir de devenir professeurs pour, à leur tour, continuer à parler des livres des autres. Ils se rendent compte qu'ils n'ont rien appris, ni à lire ni à écrire ; comme nous, qui n'avons appris ni le dessin ni les techniques de la peinture. Au lieu d'être plus avancés en sortant des études, nous sommes tout aussi ignorants des outils du métier ; sans compter que nous sommes assommés de théories bizarres, de préjugés et d'inhibitions que nous n'avions pas en entrant à la fac… Pas tous, c'est vrai. La plupart se rangent, se mettent à répéter ce qu'on leur a dit en cherchant à cacher l'hypocrisie derrière des apparences blasées. Mais il y a les autres, ceux qui se révoltent.

— C'est votre cas, je me souviens…

— Oui… mon problème est peut-être même plus aigu, Boris. Je suis en train de réussir dans leur système, en train de devenir riche, figurez-vous. Et cette réussite est si confortable, si agréable et exaltante… Mais elle n'a rien à voir avec moi, vous comprenez ?

— Vous l'avez dit un peu hier… Le simple fait que vous en soyez conscient est déjà un bon début. La plupart des gens de mon âge ne sont jamais arrivés à cette lucidité.

— La question de la rupture, voilà ce qui m'a touché hier. Je cherche justement à me détacher même si je suis encore trop enfoncé dans mon confort, trop craintif. Dans mon éducation il n'y avait pas de place pour les ruptures. La peinture, c'était dans la tradition de ma famille ; et je n'ai pas eu à me battre pour devenir artiste. Il y a dans ma famille des marchands d'art importants et j'ai un oncle qui est conservateur dans un musée d'avant-garde… Je n'ai fait que suivre leurs conseils en faisant semblant de les découvrir par moi-même. Déjà à l'école des Beaux-Arts, j'étais le plus avant-gardiste, forcément. Ce sont eux qui dictent l'avant-garde…

— Et vous voulez changer de voie ? demanda Boris, un peu surpris.

— Pas du tout ! Je me cherche comme artiste, c'est là le plus difficile. Il ne s'agit pas de la peinture, mais du type de peinture que je veux faire. Vous voyez, ce qui me plaît vraiment n'est pas à la mode ; et je n'ose pas le dire à haute voix. Moins encore le faire… Ça me bloque complètement dans mon travail.

— C'est bien rare que les gens avouent être encombrés par la gloire, rétorqua Boris en souriant.

— Oui, reprit Klaus en souriant à son tour. Peut-être qu'ils sont trop vieux lorsque la gloire arrive ; ou qu'ils se laissent happer par elle sans s'en rendre compte. Ou ils oublient qui ils étaient, d'où ils sont partis, ce qu'ils voulaient faire au juste. Je connais un professeur qui est exactement comme ça. On le voit à la haine qui transpire dans son regard lorsqu'il observe certains de mes dessins ; c'est une rage étrange, dirigée contre lui-même, presque triste. Il m'a une fois montré quelques-uns de ses travaux d'autrefois, produits tout juste après la guerre, lorsqu'il débutait. Des choses très fortes, très courageuses. Le temps et les subventions l'ont fait se ranger aux désirs du marché. Les gens ne voulaient rien savoir de la souffrance passée, ils cherchaient à tout oublier le plus vite possible, à dénier et à mentir s'il le fallait pour créer un art purement décoratif qui allait bien avec la période de reconstruction. Il s'agissait de tuer dans l'œuf toute représentation de combat, d'angoisse… La simple figure humaine était devenue trop pénible à leurs yeux puisqu'elle les mettait face à face avec les morts et les tortures. Ils avaient peur de retomber dans l'Allemagne d'autrefois. Ce prof a alors suivi le courant en faisant ce que l'on attendait de l'artiste nouveau, surtout que les marchands cherchaient à se mettre au diapason de l'art abstrait revenu avec l'invasion américaine. De véritables putains. C'était l'époque où l'on pouvait acheter des toiles expressionnistes et de la nouvelle figuration pour un prix ridicule. Aujourd'hui, ce prof est une loque cynique. Le jeune artiste d'autrefois cherche parfois à refaire surface lorsqu'il prend un verre de trop. Mais c'est trop tard. Le confort et la certitude l'ont châtré.

— Vous savez, Klaus, fit Boris en regardant par la fenêtre, l'âge seul suffit à châtrer, la plupart du temps. Souvent on n'a plus l'énergie nécessaire pour continuer à douter ; on arrête alors de créer, de prendre des risques, et la répétition commence lentement à s'imposer en guise de choix. C'est comme pour les mouvements artistiques : avec le temps, chaque artiste tombe dans son propre académisme ; et il cherche à imiter les conservateurs des musées mais, cette fois-ci, envers ses propres œuvres. On les entend souvent dire pour s'excuser qu'ils sont dans une phase plus profonde, d'exploration en profondeur... Même les meilleurs. J'ai l'impression que l'énergie initiale se perd facilement avec l'usage, chez la plupart des êtres humains.

— Vous êtes toujours en train de chercher, n'est-ce pas ?

— Je ne sais pas. Peut-être que l'on continue à chercher lorsqu'on n'a jamais rien trouvé. Pas par courage mais par pur désespoir. Pour ne pas s'avouer vaincu. Parfois, je me demande si l'échec magnifique ne m'attire pas davantage qu'une honnête réussite... En tout cas, lorsque le succès arrive, il trouve toujours l'artiste avec la garde baissée. La révolte est sans doute un ingrédient essentiel de l'art, et c'est un fait que la reconnaissance désarme... L'histrionisme, cet autre ingrédient qui se cachait timidement, occupe alors l'avant-scène, et l'artiste n'a plus qu'une idée en tête : se faire aimer du public pour que ne cessent pas les applaudissements.

Boris sourit en pensant à l'analogie qui achevait si bien son argument, mais qu'il préféra garder pour lui : comme les hommes d'âge mûr qui cherchent à séduire les fillettes exaltées.

— Vous avez raison, reprit Klaus après un long silence. Lorsque j'ai raté complètement un tableau, cela me laisse si enragé que dans les tableaux suivants je suis capable de découvrir plein de nouvelles questions, de voies originales et une énergie ravivée. Après un tableau réussi, au contraire, je peux passer des semaines entières sans avoir le courage de recommencer à peindre. Comme si le tableau parfait m'avait vidé de toute créativité. Je le contemple, je pavoise devant, je suis gonflé à bloc ; en apparence seulement. En réalité, je suis paralysé par la frousse de ne plus être à la hauteur, c'est tout.

— Vous n'êtes pas le seul. Chaque artiste éprouve la même angoisse, surtout parce qu'on n'a plus de cadre extérieur pour nous servir de guide. Cette liberté totale d'expression est très morbide, et plus que jamais l'artiste est seul face à lui-même. C'est à cause de ça qu'il y a tant d'œuvres d'art vides aujourd'hui ; vides comme l'angoisse, vides comme quelqu'un qui erre sans but, vides par manque de combat. Vous l'avez dit hier, à propos des mécènes…

Ils burent en silence, chacun plongé dans ses propres souvenirs du vide, en laissant défiler dans l'esprit diverses petites défaites et de nombreux compromis.

— Mais la rupture, Boris. Vous en avez parlé hier ; comment la cultive-t-on ? Vous, par exemple, où avez-vous trouvé le courage de tout abandonner et de partir en exil ? D'où vient-elle, cette énergie qui nous permet de lâcher du lest ?

— Curieux que vous me posiez cette question. Je me la suis posée moi-même la nuit dernière…

En rallumant sa pipe, Boris remarqua le regard d'expectative du peintre. Mais il n'avait plus envie de tricher.

— Je n'ai pas trouvé la réponse. Je ne pensais pas à l'art comme tel, mais à la vie tout court. Pour l'art, je ne peux pas répondre puisque j'ai toujours envisagé la poésie et la narration comme un pur jeu, un passe-temps amusant. Pas un jeu formel comme le veulent les théories modernes. Non, un simple jeu pour mieux rêver, pour émerveiller et peut-être pour m'éloigner d'un quotidien que je trouve morne. Pas une fuite non plus ; je dirais une sorte d'amélioration du réel... Tiens, je pensais à l'amour et aux femmes, par exemple. Lorsqu'on fait l'amour depuis longtemps, qu'on vieillit, la sexualité n'a plus le même attrait qu'elle avait dans la jeunesse. Ça devient répétitif. Je ne sais pas comment cela se passe pour les autres, mais dans mon cas la rêverie, l'imagination créatrice vient alors rompre la stéréotypie. Et la sexualité se renouvelle. La femme qui est entre mes bras devient une autre tout en restant la même ; elle s'enrichit des autres femmes que j'ai connues ou rêvées. Étonnamment, au lieu qu'elle devienne un simple objet, mon rapport à sa personne gagne en intimité comme si elle ressentait, elle aussi, mes efforts d'artiste pour créer quelque chose d'embelli. Il m'est arrivé, plus rarement, de vivre la même situation à l'envers, lorsque des femmes créatrices se sont servies de moi pour aiguiser leurs propres fantaisies. Le support matériel de la sexualité s'efface presque dans ces occasions magiques, et les deux êtres se rencontrent dans une fusion singulière. Je crois qu'il y a là une piste pour mieux saisir l'énigme du mythe de l'androgyne dont parle Platon. C'est bête, mais je crois que c'est pareil pour la vie.

— Je ne vous suis pas.

— L'existence humaine tisse une trame en se servant des aspects concrets du réel. C'est la trame qui compte, le tissu des résonances ressenties ; le sens que les choses prennent lorsqu'elles s'incorporent à notre narration individuelle. Chacun crée ainsi son propre monde ; la signification des choses n'est pas la même pour vous et pour moi. Certes, si je tombe, le sol interrompra ma chute, tout comme pour vous. Là s'arrête l'emprise du concret et là commence l'intentionnalité du sens pour chacun de nous. Qu'est-ce que cela veut dire, une chute pour moi ?

Cette pipe-ci, par exemple, elle est peut-être un objet en bois pour vous ; pour moi, elle fait partie d'un ensemble de saveurs, de scènes, d'occasions de victoires ou de défaites, de sentiments qui me sont essentiels. Elle a presque plus de réalité humaine que votre personne tout en étant pourtant un objet en bois. Pour les ruptures, c'est plus évident encore. Vous voyez, mon départ pour l'exil a été une rupture parce que je cherchais à rompre ; j'étais prêt à rompre, mon monde personnel était lourd d'attentes de ruptures. Pour d'autres gens, l'exil n'était qu'une étape. Certains ont refusé de partir et ont préféré parfois mourir que de subir ce qu'ils ressentaient comme un démembrement. Ou encore, ils n'ont rien fait pour se révolter — non pas parce qu'ils étaient des salauds ou qu'ils pactisaient avec le pouvoir ; non, simplement parce que leur monde personnel ne se rapportait pas au réel de la même manière que le mien. Ils vivaient dans une autre dimension, leur vie s'adaptait en conséquence, et certainement qu'ils me prenaient pour un idiot... Hélas ! avec raison, si l'on regarde de leur point de vue.

— Alors on ne peut jamais comparer ni communiquer ?

— Non... Nos mondes ne se touchent que de façon tangentielle ; et dans ces rares contacts, nous n'échangeons que des récits organisés au préalable sous la forme de fictions. L'essentiel du moment d'innocence où tout a débuté se dérobe à jamais, même pour l'intimité de chacun de nous. On a beau chercher le noyau, on ne retrouve que des simulacres et des anamorphoses. Le hasard seul paraît diriger le mouvement pendant que nous nous efforçons d'y voir le fruit d'une volonté agissante... Lorsque je suis arrivé en France, j'avais encore des illusions d'engagement social ; c'était cette morale qui m'avait servi d'excuse quand je suis parti. Il me fallait des excuses... comment dire ?... plus altruistes. À cette époque, je confondais encore individualisme et égoïsme, ce qui est une erreur conceptuelle. Mais les temps étaient propices à cette confusion à cause de tous les messianismes alors en vogue. Mon camarade de voyage, surtout, m'a aidé à prendre conscience de mes propres besoins. Mateus était un type formidable. Même s'il n'avait pas d'instruction, son jugement, très lucide, avait été aiguisé par des circonstances difficiles. Cet exil était sa planche de salut et il se promettait d'en profiter. Je ne faisais que suivre en apprenant à me dépouiller de mes propres soucis. J'avais toujours été un peu romantique, prêt en pensée à des actions grandioses, mais me contentant souvent du quotidien. Très rêveur aussi, avec peu d'expérience. Le rêveur doit apprendre à se méfier de lui-même plus que de la vie, s'il ne veut pas y laisser sa peau. Tout me sollicitait ; j'étais continuellement en train de me dévouer aux causes des autres et je ne récoltais que des déceptions. En compagnie de Mateus, un homme sorti du peuple, j'ai enfin commencé à regarder la vie en face, à être plus exigeant dans le choix de mes dévotions.

— Vous avez fait du travail clandestin en France ? demanda Klaus à voix basse.

— Non, et je vous le dis à vous seulement. Je vais vous raconter comment cela s'est vraiment passé pour que vous ne vous fassiez pas d'illusions. Lorsqu'on se détache, les scrupules moraux doivent aussi se détacher dans une certaine mesure... Nous en avions marre du travail politique. L'Europe représentait pour nous la liberté. Imaginez que vous partez incognito quelque part en laissant ici toutes vos contraintes. Vous pourriez alors vous consacrer vraiment à vos recherches plastiques. Le seul risque serait l'échec. Mais, qu'est-ce l'échec lorsqu'on n'a réellement pas de comptes à rendre, que personne ne nous connaît ? N'oubliez pas que l'échec est surtout l'échec aux yeux de quelqu'un. En soi, il n'y a pas d'échec, seulement des événements... Peut-être que vos camarades vous penseraient fou, que les copines vous abandonneraient, que vous ne réussiriez jamais à vendre un seul tableau... Peut-être; on ne peut pas savoir avant d'avoir essayé, n'est-ce pas? Alors, en solitaire, à l'aide des livres et des tableaux qui sont dans les musées, vous pourriez tenter de retrouver cette énergie que vous pensez avoir perdue. Sans d'autre motif que vos recherches plastiques, si vraiment elles sont si importantes que ça. Sans révolte non plus, sans haine ni désir de prouver votre valeur à qui que ce soit. Rien que pour vous... pour le plaisir de vous créer comme on crée un récit.

Les yeux du peintre brillaient à la perspective de cette vie ouverte. Boris reprit:

— Mateus et moi avons vagabondé très longtemps, des années durant. Nous avons trouvé du travail comme mécanicien; d'abord à Paris, dans des petits garages où l'on faisait des trucs clandestins, si vous me permettez l'épithète. Des autos volées la plupart du temps; des camions surtout, qu'on devait arranger et maquiller pour des voyages en Turquie et en Bulgarie. Ils transportaient des fruits, parfois des armes ou des immigrants clandestins. Mais surtout de la came.

— De la drogue? s'écria Klaus.

— Sûrement. Nous ne nous sommes jamais occupés des détails. On nous payait bien. Notre but était de survivre et ce n'était pas le moment de s'encombrer avec ce genre de questions. Mateus était bon mécanicien; moi, j'avais appris la soudure dans ma jeunesse, car mon père était d'avis que sans un métier manuel un honnête homme ne serait jamais respectable. Notre formation militaire n'était pas négligeable lorsqu'on craignait des pépins; et sans visa de séjour, nous ne pouvions pas constituer de menace. Les gens du milieu nous appréciaient beaucoup. Mateus savait se débrouiller dans ce monde depuis son enfance. Pour moi, la découverte de cette clandestinité était bien plus séduisante que celle de la clandestinité politique, vous pouvez me croire. Bien plus riche et moins décevante. Nous nous sommes ainsi baladés à peu près partout en Europe comme de vrais errants. Dès qu'on avait un peu d'argent, ou des contacts ailleurs, on repartait pour ne pas trop se faire repérer au même endroit. S'ils avaient des camions à préparer à Munich ou à Hambourg, nous étions toujours volontaires ; une fois le boulot fini, on repartait pour voir du pays. J'avais tout le temps que je voulais pour m'instruire, pour visiter les musées, lire ou simplement regarder les villes et les gens qui passaient. Nous avons fait des rencontres formidables ; la fréquentation de gens ayant des vies étranges, marginales pour la plupart, m'a peu à peu aidé à rendre plus flexible ma propre façon de penser. À d'autres moments, c'était plus dur, naturellement, car nos contacts avaient la mauvaise habitude de disparaître sans laisser de trace ; nous avons dû parfois jouer les clochards. L'hiver en particulier, c'était bien pénible ; le sud de la France et les Alpes-Maritimes étaient très surveillés par la police et souvent on devait bouger d'un endroit à l'autre. Mais au contraire des Noirs et des Nord-Africains, tant qu'on était en mouvement la police nous laissait tranquilles. On allait en Italie, à pied et en stop, sac au dos, déguisés en étudiants. Ça finissait par nous coûter trop cher, là-bas, puisqu'il était impossible d'y trouver du travail. Les Italiens sont si débrouillards que même les trucs clandestins se font en plein jour, par tout un chacun, et ils n'ont pas besoin d'étrangers pour les aider. L'ambiance était quand même chaleureuse et ça nous dépaysait...

Profitant du fait que Boris avait cessé de parler, l'air absorbé dans ses souvenirs, Klaus répliqua :

— C'est bizarre, Boris, je m'attendais à quelque chose... comment dire ?... de plus excitant. De plus sérieux. Peut-être que je ne comprends pas très bien. Vous avez seulement vagabondé, sans rien faire d'autre ?

— Pratiquement, sans rien faire d'autre. Je lisais beaucoup. Il y a partout des livres. Et une fois lus, j'ai appris à m'en débarrasser. Ça a été peut-être l'apprentissage le plus difficile, car j'avais toujours aimé les livres et je n'en avais jamais eu assez dans ma jeunesse. À cette époque donc, j'ai appris la valeur de la lecture pour la lecture, sans le pendant du collectionneur. Cette attitude m'est restée. Je ne possède que quelques livres, auxquels je me suis attaché; et là encore, je fais attention pour qu'ils ne dépassent pas un certain poids, facile à transporter. Le reste va dans ma tête. Si j'ai besoin de vérifier une citation, le fait d'attendre jusqu'à ce que je retrouve un exemplaire du livre en question constitue déjà un grand plaisir. J'ai surtout appris à garder l'essentiel d'un livre, à l'incorporer à ma façon de penser. Sinon ce n'est pas un livre pour moi.

— Et, ce n'était pas... ennuyeux?

— Pas du tout. Voilà le plus remarquable! On vivait en vagabonds, c'est tout. C'était même très varié. Vous seriez étonné du nombre de gens qui vivent ainsi... parfois des types formidables. J'ai rencontré un médecin, d'anciens professeurs, des curés, des ouvriers et même un peintre assez doué qui ne faisait que des faux... Et puis on changeait constamment de ville, de travail, de nourriture. Quelquefois, Mateus et moi avons dû nous séparer durant de longs mois. Ensuite, on confrontait nos expériences. C'était l'époque des hippies et des communes, souvenez-vous, et nous pouvions avoir l'air tout à fait hippies. Les groupes d'itinérants anglais et scandinaves nous adoptaient avec une aisance incroyable dès qu'ils avaient besoin d'un coup de main. Sous la surface paisible de leur laisser-aller, ils vivaient parfois dans la crainte, surtout les filles. Ils se faisaient terroriser par d'autres vagabonds et par des gens du milieu... Vivre dans la rue a l'air romantique durant la journée seulement. Ça faisait bien leur affaire d'avoir des copains comme nous. Il y en avait qui recevaient de l'argent de leurs familles pour pouvoir continuer à s'amuser en Europe, des Américains en particulier. D'autres étudiaient le jour et jouaient les hippies la nuit. La pègre est non seulement réactionnaire mais aussi raciste, partout.

Alors les jeunes gens nous adoptaient lorsqu'ils avaient besoin de nous. Dans ce temps-là, les filles avaient une véritable passion pour les rencontres agglutinées ; en leur compagnie, la police ne s'occupait pas de nous. Il fallait seulement s'habituer à leur verbiage. Mateus a dû me raisonner à quelques reprises pour que je me calme, tellement j'avais envie de casser la gueule à certains. Surtout aux gourous qui jouaient les prophètes. De cette façon j'apprenais aussi à me taire, à garder mes angoisses pour moi, à ne pas chercher des boucs émissaires pour me décharger de mes problèmes. Mateus savait le faire à merveille, et il goûtait à la vie sans aucun désir de convertir les autres. Je me souviens de l'avoir trouvé cynique au début, presque immoral. Mais avec le temps j'ai compris qu'il était bien plus sage que moi. Il n'exploitait personne, par ailleurs ; il était authentiquement généreux, vous voyez, sans culpabilité ni illusions et sans se laisser déranger par ce qui se passait dans la tête des autres.

— Ça a duré combien de temps ? demanda Klaus avec une pointe de déception dans la voix.

— Un peu plus de cinq ans. À peu près le temps qu'il faut pour faire une maîtrise à l'université. C'était ma maîtrise de la vie. J'ai appris alors le sens de la véritable solitude ; celle qu'on cherche, pas celle qu'on subit. Mais j'en ai profité pour lire beaucoup et pour travailler sérieusement toutes sortes de textes, vous pouvez me croire. Je restais en contact avec les milieux d'étudiants latino-américains à Paris ; je pouvais pratiquement suivre le fil de leurs études de philosophie et de littérature durant nos interminables discussions. J'avais d'ailleurs plus de temps pour lire qu'eux. J'ai été obligé, il est vrai, d'abandonner les mathématiques ; il faut des cadres universitaires pour les mathématiques avancées. Ma vie n'allait pas avec cette rigueur et mes bases étaient trop faibles pour que je continue seul. La même chose pour le jeu d'échecs. Autrefois, j'étais passionné des échecs… De toute façon, ma situation était incompatible avec des projets à long terme. Nos passeports étaient faux. Le passeport lui-même durait six ans, mais il fallait qu'il soit contrôlé périodiquement par un consulat ; un copain les avait fait estampiller en Suisse tous les deux ans. Mais une fois le délai fini, il fallait trouver une solution. Mateus avait été porté disparu, du moins c'est ce qu'on avait appris. Quant à moi, les militaires savaient que j'étais en Europe et les Français sont assez salauds pour déporter les indésirables en cachette. J'ai failli être embarqué en 68 lorsqu'ils déportaient en masse les étrangers suspects.

— Vous avez été actif durant les révoltes de 68 ? demanda Klaus plein d'espoir.

— Pas comme vous le pensez. En fait, tout leur mouvement n'a été qu'une simple vessie remplie de vents, un happening d'étudiants sans aucun impact social. Il se passe si peu de choses en France qu'une descente des lycéens dans la rue prend immédiatement des proportions d'apocalypse. Ils sont très bavards là-bas... Vous savez qu'il s'est publié plus de livres sur Mai 68 que sur la Commune de Paris ? Pourtant, à peine un an après il n'en restait d'autre trace que celle du goudron sur les pavés du Quartier latin. Ils en parlent toujours... C'était amusant. Les groupes de hippies avaient quitté Paris dès les premières agitations ; plusieurs d'entre eux s'étaient cependant transformés en gauchistes et participaient à la fête en compagnie d'étudiants et de jeunes ouvriers. Nous avions été entraînés à notre tour par l'enthousiasme, même si les barricades devenaient répétitives et s'il était évident que les syndicats et les communistes ne marcheraient pas. Je flânais un peu partout, curieux de voir jusqu'où pouvaient aller l'absurdité et la naïveté printanière qui régnaient alors. Je m'étais fait copain avec un groupe qui s'appelait « les situationnistes » ; c'était un ramassis hétéroclite d'étudiants anarchistes, de provos hollandais et d'autonomes allemands. On s'amusait beaucoup dans leurs fêtes et beuveries gratuites. Après l'occupation de la Sorbonne, les choses se sont peu à peu gâtées à cause de la pègre ainsi que des policiers déguisés en anarchistes. On les appelait « les Katangais » ; ils terrorisaient littéralement tout le monde là-dedans. C'étaient des types complètement cinglés, sûrs de leur pouvoir, avec, dans beaucoup de cas, une formation militaire de commandos. Nous avons été mêlés à quelques bagarres. Au début, ils ne se distinguaient pas des étudiants et nous avions même fraternisé. C'était un véritable carnaval à l'intérieur de la Sorbonne ; tout était sale car il n'y avait pas de toilettes et les gens dormaient un peu partout. Il y en avait qui faisaient la cuisine, d'autres prêchaient des théories bizarres, et les communes hippies s'étalaient dans des nuages de fumée. Des trafiquants de drogue et de jeunes putes partageaient les salles avec les nombreux états généraux, comités permanents et même des soviets. Il y avait des ateliers d'impression de tracts, de fabrication de cocktails Molotov, de psychothérapie de groupe et de libération sexuelle ; de la musique, beaucoup d'alcool et des partouzes sauvages. En peu de temps, les Katangais contrôlaient complètement la place ; ils acceptaient ou refusaient les nouveaux venus, ils faisaient le trafic de la came et celui des filles. Mais les jeunes gens continuaient d'arriver à cause des célébrations qui avaient lieu dans la grande cour. Souvent, ils tombaient aussitôt entre les mains des Katangais et étaient ensuite violés et battus dans les postes de police. Il était clair que c'étaient des flics et des militaires. Un jour, il y a eu une bagarre avec nous… un des Katangais est tombé par la fenêtre. Les CRS sont aussitôt arrivés, comme s'ils n'attendaient qu'un signal. Nous nous sommes échappés et nos copains situationnistes nous ont trouvé une planque en Alsace. Pour nous, c'était fini, Paris. On commençait le deuxième épisode, qui me conduirait en Allemagne démocratique.

— Excusez-moi, Boris, mais cela me laisse très confus. Ça ne cadre pas avec l'idée que je me fais d'une rupture. Je ne cherche pas à critiquer. Peut-être... ça ne me convient pas de rompre de cette façon...

— Chacun a sa propre situation, c'est bien évident. Je ne cherche pas à me justifier ni à me donner comme exemple. Mon point de départ était celui-là, et c'est ainsi que j'ai tiré parti de ma situation précise. Ce sera différent pour vous. C'était là ma manière de survivre. L'idée de redevenir étudiant m'était complètement étrangère après mon départ du Brésil. J'avais beaucoup travaillé jusqu'alors ; ces années de vagabondage constituaient une sorte de bain de vie et d'insouciance qui me nettoyait de mes préjugés. Vivre au jour le jour était très instructif ; je gagnais une assurance nouvelle, j'apprenais à me fier à mes propres moyens dans les études et la lecture. Lorsqu'on vit ainsi en balade, l'opinion des gens à la mode a si peu d'importance qu'on finit par développer son propre jugement critique. Cela est un facteur essentiel pour l'exercice de la littérature. Si vous ne sentez pas la poésie dans votre propre rythme, même les vers du poète le plus glorieux ne vous diront rien. Par contre, si d'autres, qu'on juge mineurs, vous font vibrer, vous n'aurez pas besoin de l'approbation des critiques, n'est-ce pas ? Ça doit être la même chose pour la peinture.

— Bien sûr... Mais c'est aussi plus facile à dire qu'à faire. Quand on vous écoute, tout a l'air si simple, tout va de soi et les risques paient toujours. Vous ne mentionnez pas les moments difficiles, le désespoir, les angoisses, la solitude qu'on n'a pas cherchée... Surtout, vous ne parlez pas de la peur de se complaire dans l'échec et d'y rester.

— J'étais trop jeune à cette époque pour me poser ce genre de questions. N'oubliez pas que j'étais bien mieux dans cette nouvelle situation qu'autrefois, au Brésil. Bien plus confortable. Cela aide à ne pas remarquer les difficultés. Je me trouvais chanceux et l'idée d'échec ne se posait pas puisque je n'avais rien à perdre. Il restait la nostalgie. Je ne peux pas parler de la nostalgie... Chacun s'arrange à sa manière, selon son lot. J'avais appris à ne pas vouloir les fouiller, mes nostalgies... Par contre, si vous ne rompez avec rien et si votre vie est bien ordonnée, l'angoisse et la nostalgie viendront quand même vous hanter, peut-être plus violemment encore. Ces choses font partie de n'importe quelle vie. Je crois aussi que, lorsqu'on prend son existence en main, qu'on a moins l'air d'un jouet de la fatalité, ces inquiétudes ne nous font pas souffrir autant. Remarquez que la mélancolie et l'inconfort dans sa propre peau sont des ferments propices pour le travail artistique.

— Vous ne vous sentiez donc pas jaloux de ceux qui étudiaient ? coupa Klaus pour revenir à ses propres préoccupations. De ceux qui visaient des buts, comme un diplôme, par exemple. Ou vous n'aviez pas envie de pouvoir rentrer plus tard chez vous en vous disant que vous aviez fait quelque chose de votre exil ?

— Si, par moments, répondit Boris en cherchant à retrouver ses souvenirs. Mais je faisais quelque chose dans mon exil, quelque chose de bien plus important encore qu'un diplôme. Et j'avais perdu l'envie de rentrer au Brésil, dictature ou pas. Cette nouvelle vie m'allait comme un gant, comme si de tout temps je m'y étais préparé. Je ne sais pas pourquoi. La nuit dernière, après vous avoir raconté le voyage, je me suis encore posé la question ; je vous l'ai déjà dit, je n'ai pas trouvé de réponse. Voilà une autre chose que l'errance m'a apprise : accepter et même chérir les questions qui n'ont pas de réponse. Je forçais autrefois les réponses, je cherchais à tordre le réel pour le faire entrer dans mes moules. Aujourd'hui, je sais que le réel est bien plus riche que le plus parfait des moules. Il y a une formule qu'on appelle le rasoir d'Occam : *Pluralites non est ponenda sine necessitate*. Elle suggère que l'explication la plus simple a les meilleures chances d'être aussi la plus vraie. Ma formation scientifique m'avait conduit dans cette même direction ; en mathématiques, par exemple, l'élégance et la concision sont presque des garanties de véracité. Je sais maintenant que cette formule est fausse. Elle n'est d'ailleurs pas non plus du vieux Guillaume d'Occam. C'était un type brillant, ce gars-là, un authentique poète de l'épistémologie. En tant qu'artiste, la formule de William Blake me convient mieux : *exhuberance is beauty*. La vie est plus magique que les théories sur la vie... Vivre et laisser vivre, voilà ; je ne m'engage qu'envers les moules que j'ai construits moi-même. Et là encore, sans fanatisme !

— L'art engagé, alors, les combats, la solidarité, toutes ces notions si importantes pour l'artiste, ça ne compte pas ? Pourquoi, dans ce cas, faire de l'art plutôt que faire de l'argent ? demanda le peintre en haussant la voix.

— Voilà justement la question que vous devez vous poser à vous-même, si vous désirez être un artiste. D'ailleurs, vous l'avez posée hier, même s'il vous a fallu boire pour l'exprimer. Je ne peux pas répondre à votre place. Moi, je fais de l'art parce qu'il me plaît davantage de jouer avec les mots que de jouer à la bourse. La vie libre de l'artiste me convient aussi ; je n'ai alors pas besoin de me demander chaque soir pourquoi je ne me suicide pas... Le reste, l'engagement et tous ces trucs, vous venez de le dire, ce ne sont que des notions. Ce sera à vous de décider comment ces notions envelopperont la fluidité de votre vie, ce qu'elles deviendront dans le cas particulier de votre personne. Ces certitudes paraissent fondamentales et l'on a envie de les enfiler pour anoblir sa propre existence. Le plus souvent, ce ne sont que des camisoles de force pour nous protéger des secousses de notre propre liberté...

— La liberté, justement, soupira Klaus.

— Voilà encore une autre notion qui peut devenir tout aussi encombrante. Un poète monégasque a bien posé ce problème de la liberté de la façon suivante : *Le drapeau noir ? C'est encore un drapeau !*

— Je sais bien, Boris, qu'il faut créer cette liberté. Sauf que je n'arrive pas à l'incarner dans ma propre situation, voilà tout. En vous écoutant hier, ma liberté était ailleurs, dans les voyages, l'exotisme… Malheureusement pour moi, les tropiques ne sont que des destinations soleil, pour aller en vacances !

— Klaus, vous devez tempérer cette causerie d'hier avec ce que vous avez entendu aujourd'hui. Hier, j'étais en verve. Tous ces jeunes gens, ces belles filles… Je suis humain après tout, et je suis sensible à cette attention que je n'ai jamais eue. Comme tous les solitaires, d'ailleurs ; surtout les grisonnants. Alors, j'ai un peu embelli les choses, j'ai tissé un récit, j'ai fait de l'art. Mon voyage avait l'air glorieux à cause de vos regards qui stimulaient mes besoins de cohérence, de justification, de me montrer que j'avais justement fait quelque chose de mon exil. En réalité, ce voyage a été bien quelconque… Même l'art, dont je parle avec tant de détachement, ce n'est pas simple pour moi non plus. Lorsque je travaille à un poème, naturellement, je suis très exalté. Une fois qu'il est fini, où est l'artiste, où sont l'identité enrichie et le repos mérité ? Nulle part. Je n'ai que le vide devant moi, ce vide que peut-être le prochain poème viendra combler pour quelques instants et ainsi de suite. Dites-vous bien que l'histoire que j'ai racontée hier avait sa source dans ce que vous aviez dit au début, sur vos propres tableaux. Je ne pouvais pas rester en arrière. Et puis, votre camarade aux cheveux noirs, Sibylle, elle avait tellement envie de voyager que j'ai emprunté malgré moi le détroit de Magellan… Dans la vraie vie, cependant, chacun doit inventer ses propres Terres de Feu.

La nuit était tombée. Ils firent venir des poissons frits et d'autres bières. Les lumières du bar étaient maintenant allumées, des clients étaient venus et repartis, et les deux hommes se retrouvaient de nouveau seuls. Le paysage de la fenêtre disparu, les vitres reflétaient désormais le comptoir, les manettes chromées, les verres et les bouteilles. Klaus commanda des alcools blancs parfumés au cumin avant de continuer.

— Vous repartez maintenant au Brésil, après tant d'années. Et vous laissez en arrière votre travail d'écrivain, tout. Vous avez toujours écrit en allemand et, selon Rosa, les gens de là-bas ne connaissent pas votre poésie. Ce n'est pas une drôle de rupture, ça ?

— Si, mais je n'arrive pas non plus à me l'expliquer. Tout a commencé par un coup de pure fatalité, très idiot, qui m'a entraîné malgré moi. La réponse à votre question de tout à l'heure se limite peut-être bêtement à cela : ne pas se battre contre les courants du large qui veulent nous entraîner. Ce sont eux qui font la rupture avec la plage. Il suffit au nageur de ne pas leur résister lorsqu'il s'ennuie sur le sable. Il n'y a là rien d'héroïque.

Boris lui raconta alors brièvement le coup de l'amnistie et la façon dont le souvenir de Clarissa avait refait surface.

— Mais, Boris, demanda Klaus, un peu ému, vous ne croyez pas qu'après tant d'années… les choses ont aussi changé là-bas ?

— Cette amnistie, c'est évident que je ne la voulais pas, enchaîna Boris en guise de réponse. J'aurais pu l'ignorer, et j'avais de très bons arguments pour le faire. Pourtant, une fois encore je m'en suis servi comme prétexte… C'est idiot à mon âge, je suis le premier à le reconnaître. Tous les jours, je regrette d'avoir accepté cette amnistie sans combat et je pense à revenir en arrière. Cette amnistie, j'avais toujours pensé à elle comme à un miracle ; elle m'aidait à survivre. Et voilà qu'un beau jour elle arrive justement pour m'emmerder. Le gouvernement a donné une amnistie comme on donne une fête ; il était impossible de ne pas m'y rendre. Je la vis un peu comme ces rencontres d'anciens camarades de collège, des années et des années après, pour que chacun voie ce que les autres sont devenus. Mais formulé ainsi, cela peut paraître trop cynique et je ne voudrais pas vous laisser sur cette impression. J'ai aussi quelques petites affaires à régler avec le passé. Rien de politique. Que cela ne vous serve pas d'exemple de conduite. C'est impossible de copier la vie d'autrui. Vos peintres du passé, par exemple, vous ne pouvez pas non plus les copier. Vous pouvez les étudier, vous en inspirer pour vos recherches, mais il vous faut les dépasser. Voilà, mes ruptures étaient les ruptures que je pouvais me permettre sans me briser. Il arrive un jour où l'on est trop vieux pour rompre ; on se contentera alors de regarder l'horizon...

Boris s'interrompit pour allumer sa pipe, sans achever sa phrase, l'air pensif. La question posée par Klaus l'avait de toute évidence dérangée et il paraissait attendre pour donner au langage le temps d'enrober les coins trop pointus et les arêtes de l'objection. Il alluma ainsi soigneusement le tabac et, se laissant emporter par les spirales de fumée, il reprit :

— On se construit toujours dans une sorte de vide. Une fois la construction entreprise, les excuses intégrées, on devient un autre homme que celui qui se posait les questions sages. On regrette, certes, les chances perdues ; mais les regrets et les cicatrices nous assurent qu'on est encore vivant. La douleur aussi... C'est comme un poème qui se transforme en cours de création ; il s'accompagne de l'arrière-goût amer d'une perfection initiale perdue à jamais dès l'instant où l'on a décidé de l'écrire. On élague, on l'ampute de toutes ses richesses en disant que ce ne sont que des excroissances ; on se confronte à sa propre peur de le gâcher et on fait encore des compromis, dans le seul but de continuer à le composer. L'idée initiale, l'inspiration virginale qui m'a poussé à vagabonder, moi-même je ne puis la rejoindre. Elle a disparu parmi les vagabondages. En écoutant mon récit d'hier, vous avez trouvé ma personne fascinante, car vous ne saviez rien du travail qu'il m'a fallu accomplir pour en arriver là. Une fois que je vous ai dévoilé la trame, vous voilà déçu car elle n'est faite que de survie, de sueur, d'imperfections et de coups de chance. Votre réaction me rappelle celle du lecteur qui confond l'auteur et le narrateur, et qui se sent déconfit quand il apprend que le «je» du récit n'est pas la voix d'un homme mais celle d'un personnage. Ou encore, la réaction du spectateur qui s'extasie devant un tableau de maître et qui ignore tout de la saleté, des hésitations, des corrections, des angoisses et des échecs immenses dormant derrière cette forme finale.

— Et le mensonge, dans tout ça?

— Je crois que l'acteur est le véritable paradigme de tous les artistes: un individualiste qui se sert des sentiments pour engendrer une narration dans l'esprit du spectateur. Si l'artiste est sensible à la souffrance, c'est parce qu'il se l'est donnée plutôt que de la subir. Celui qui souffre ne fera jamais de l'art. Il vous faudra donc apprendre à considérer que le masque, le maquillage et les déguisements font partie intégrante du métier d'artiste. Le public est trop peu sensible pour percevoir la souffrance, la beauté ou toute autre passion lorsqu'elles se présentent dénudées. C'est pour cela que les gens vont au théâtre: pour apprendre à voir en récit ce qu'ils côtoient quotidiennement sans cependant le distinguer.

— Vous avez oublié Clarissa dans votre explication, insista le peintre. N'aura-t-elle pas changé entre-temps?

— Un artiste de mon âge ne se pose plus ce genre de question. Sinon, pas moyen de continuer à créer, conclut Boris en riant.

# 11

Boris passa son dernier après-midi à Brême en compagnie de l'éditeur. Ils parlèrent d'abord affaires ; il fut question de divers projets fermes de traduction de romans et de poésies latino-américains. Boris reçut même la promesse d'avances en argent auxquelles il ne s'attendait pas et qui seraient à sa disposition durant son séjour au Brésil. L'atmosphère était bien chaleureuse et un peu mélancolique. Albrecht déboucha une bonne bouteille de scotch et ils s'installèrent pour une longue conversation.

— Vous étiez à Paris en 68, n'est-ce pas ? demanda l'éditeur d'un ton nostalgique. Moi aussi, figurez-vous. Seulement pour quelques jours, pour ne pas rater le spectacle. Ici en Allemagne, notre Mai 68 a été écrasé dans l'œuf et il n'est resté qu'une répression sauvage et les folies du terrorisme... À Paris, cela avait l'air d'une belle fête, presque une orgie.

— Oui, toute une fête. Mais, hélas ! rien qu'une fête, on le sait bien aujourd'hui.

— Excusez-moi, Boris, je ne peux pas m'empêcher de vous le demander, rien que pour assouvir ma curiosité. Les groupes de la Fraction de l'Armée rouge m'ont toujours fasciné, mais ce que j'en sais est trop peu. Est-ce que cela vous dérange de m'en dire davantage?

— Non, Al, pas du tout. Je crains seulement de vous décevoir. Mes contacts avec les groupes armés en Allemagne n'ont été que très sporadiques et, croyez-moi, tout à fait accidentels. Il est vrai que j'ai eu des problèmes avec votre police, mais cela n'avait rien de politique. À cette époque il régnait une confusion totale, moins à cause des gauchistes que des services secrets américains et israéliens. Ces provocateurs agissaient alors de manière ouverte pour prolonger la guerre froide qui mourait de sa belle mort. Vous ne pouvez pas imaginer les intérêts énormes qui se jouaient ici. La CIA fomentait des agitations créées de toutes pièces dans le seul but de justifier les crédits alloués par le Congrès américain aux cartels militaires. Il y allait de la survie même du Pentagone puisqu'il devenait chaque jour évident que les Soviétiques n'étaient pas de taille à constituer une menace. Les services d'espionnage occidentaux savaient très bien que le mythe de l'Armée rouge n'était qu'un mensonge pieux à l'intention des électeurs et des politiciens. Pour raviver ce mythe, ils agitaient ici, ils plaçaient des bombes là, ils finançaient des jeunes Palestiniens et des jeunes Allemands pour qu'ils fassent des sottises. Cela s'est étendu ensuite en France, avec l'Action directe, et en Italie, avec les Brigades rouges. C'était une fable grotesque qui semblait faire l'affaire de tous. On commence à peine à connaître l'étendue de ce mensonge. Une chose est certaine, puisque je l'ai vue en personne: plusieurs groupuscules autonomes qui s'entraînaient au Liban étaient ensuite financés par des agents américains. Tout comme les Katangais de la Sorbonne, vous en souvenez-vous? L'attentat contre Rudi Dutschke ici en Allemagne a été un coup de ce genre, pour semer la merde; le contribuable yankee se sentait alors rassuré en voyant qu'il fallait s'armer pour cette guerre imminente. Une fois en Allemagne démocratique, je me suis rendu compte qu'on jouait là-bas exactement le même jeu. La Stasi cherchait à convaincre tout le monde que l'invasion américaine était aussi imminente; l'invasion de la Tchécoslovaquie visait le même but. Les militaires de chaque bloc faisaient tout leur possible pour justifier leur propre existence. De la pure fiction, Al, comme un vrai roman... Vous savez, j'ai toujours perçu les politiciens, les militaires, les syndicalistes, les bureaucrates et les policiers comme un ensemble ayant une économie et une dynamique unifiées. Leur art de la désinformation est sans cesse en avance sur les intellectuels. Dès qu'ils ont besoin de défendre leurs positions et leurs postes, rien ne peut les arrêter. Les journalistes se font d'ailleurs un plaisir de participer à cette désinformation sous le prétexte de créer ce qu'ils appellent « leur information ». Le citoyen gobera n'importe quoi dès qu'il se sentira secoué dans ses angoisses...

— Naturellement, acquiesça l'éditeur. On commence déjà à connaître un peu de ces affaires, mais cela n'intéresse personne. Ces mythes se perpétuent, ils s'élargissent et ils finissent par devenir une réalité dans la tête des gens. Toute cette imposture, cela doit vous faire un drôle d'effet tout de même, lorsque vous y pensez, non?

— Plus ou moins. Je me suis tellement habitué aux jeux de langage que ma propre vie me paraît impalpable. J'arrive mal à distinguer les faits de la fiction, et souvent ma mémoire semble être une machine à tisser des récits à partir de fragments de la vie réelle. Vous m'aviez d'ailleurs demandé pourquoi je n'écrivais pas mon autobiographie. J'y ai pensé souvent durant mon séjour ici. Et je suis arrivé à la conclusion que cela n'en vaut pas la peine. Mieux vaudrait écrire un vrai roman. Ces exercices de la mémoire et cette recherche visant à récupérer le temps relèvent entièrement de la fiction. On s'occupe seulement des faits qu'on a choisi de se souvenir, ou encore de ceux que la mémoire a bien voulu conserver, et selon la forme qu'ils ont pris en s'agençant dans notre esprit. Les marées de la mémoire sont très mensongères. Dans un roman, au moins, l'apparence de la vérité sert à rendre l'histoire intéressante, et on garde toute la liberté. Par ailleurs, comment écrire mes mémoires si je ne suis pas encore certain du personnage que je veux être ?

— Du personnage ?...

— Oui, figurez-vous. Comme je suis toujours vivant, il se peut très bien que l'envie me prenne de changer de cap, de modifier le sens de certains passages, d'arranger le fil de l'histoire d'une autre façon. La même chose s'applique aux personnes que j'ai rencontrées... D'abord, il faut une certaine cohérence, que je ne trouve pas encore dans ma vie. Ensuite, si je construisais cette cohérence sous la forme d'un récit, je serais désormais encombré par ce déguisement, comme pris dans un carcan. Tout ce que je ferais ensuite serait compris selon la trame que j'aurais moi-même tissée. C'est idiot. Ce serait comme si j'étais déjà mort...

— Mais, Boris, les faits de votre existence passée sont tout de même là, vous n'y pouvez rien...

— Vous vous trompez, Al. Mieux encore, vous vous laissez charmer par les lambeaux de ma narration et vous les appelez « faits ». En réalité, vous ne retenez de mon récit que les bribes qui font l'affaire de votre propre récit. Vous les triez et vous vous contentez de ceux qui forment pour vous une histoire cohérente, une histoire qui vous rassure. Même que vous évitez soigneusement de me demander certaines précisions concernant les lacunes, les larges laps de temps desquels je n'ai rien rapporté de significatif, n'est-ce pas ? Par exemple, l'accent que je mets sur certains événements ou sur certains personnages ; son rôle est peut-être davantage de déguiser d'autres faits, lesquels je préfère passer sous silence.

Mes faits ne sont peut-être que des masques pour mieux vous séduire, pour vous faciliter la lecture d'un texte que j'invente de toutes pièces...

— Il y a, certes, toujours un peu de fiction, rétorque l'éditeur avec un sourire. Je parlerais plutôt de structuration signifiante permettant de mieux apprécier l'essentiel. Le sens global est quand même conservé. On n'a pas le choix, on ne dispose que du langage pour penser ; il reste toujours classificatoire, opérationnel, et il néglige le concret. Et personne ne peut garder un fil cohérent à tous les moments de sa vie ! Il y a des hésitations, des accidents, des compromis tactiques pour mieux avancer, sans compter les bonnes occasions dont on n'oublie pas de profiter. On est humains, après tout. Vous êtes peut-être trop exigeant envers vous-même, comme le sont d'ailleurs souvent ceux qui ont joué à fond la carte de l'engagement. En ce qui me concerne, l'important est l'effort qu'on fait pour garder une ligne de conduite, pour éviter à la fois les grandes incohérences et l'abrutissement.

— Si vous voulez... Mais ça me dérange lorsque je cherche à raconter ce que j'ai fait. Voyez-vous, l'image qui me vient à l'esprit est celle d'une marée, d'une mer montant et descendant, sur laquelle flottent des masques à la dérive. Pas des têtes ni des corps, personne. Rien que des masques qui glissent et s'entrechoquent les uns contre les autres, avec leurs rictus, leurs sourires, leurs larmes et leurs cris. C'est une vision que je pourrais qualifier de cauchemar paisible ; elle est tout de même inquiétante puisque je sais que les gens sont morts noyés. Il y a d'ailleurs des corps désarticulés sur la plage, qui bougent dans mon sommeil. Le plus curieux, c'est que je me reconnais dans cette infinité de visages et de rôles, sans toutefois savoir lequel m'appartient en droit. Il n'y a pas de droit ni de fait, Al, rien que des grimaces... Autrefois, je ne m'encombrais pas de ces questions ; je me bornais à vivre. À la suite de ce retour en arrière, j'éprouve continuellement le besoin de me raconter à moi-même pour me justifier en quelque sorte. Je vivais isolé à Rostock, et j'y étais heureux, confortable, puisque je n'avais pas besoin de me faire connaître. Ici, au contraire, cherchant à répondre aux questions, je me rends compte que mon passé m'échappe, qu'il refuse de passer et de couler, tout comme les masques des noyés…

— Aucun passé n'est tout à fait limpide, Boris, fit l'éditeur à voix basse en remplissant les verres.

Boris le regarda en souriant, acquiesça de la tête, but une large gorgée et reprit :

— Lorsque je me suis enfui de Paris, des copains nous ont trouvé un refuge sûr en Alsace. Mon camarade Mateus avait tué un flic dans une bagarre à la Sorbonne. Cela n'avait rien de révolutionnaire. C'était une simple bagarre pour porter secours à un autre copain. Celui-ci, un Angolais, a d'ailleurs été déporté vers Lisbonne. Comme nous avions un passé prétendument politique, et que les Français cherchaient à tout politiser, c'est devenu une affaire politique. De la pure fiction… La drogue, les orgies, les filles et les garçons que les Katangais violaient durant la nuit, les trafics éhontés, tout cela est tombé dans l'oubli au profit de la cohérence. Même si ça faisait déjà quatre ans qu'on vivait en vagabonds, grâce à cette cohérence, Mateus et moi nous sommes alors redevenus politiques et le reste a été biffé de nos biographies. On se souvenait seulement que deux militaires étrangers, déserteurs et gauchistes, étaient au large avec des faux passeports. Nous nous sommes alors retrouvés en Alsace dans l'espoir de passer discrètement en Allemagne, pour nous débarrasser de nouveau de l'étiquette politique.

— Vous n'étiez pas engagés en France ?

— Bien sûr que non, Al. Nous étions étrangers et sans papiers. Vous savez bien que les militants de gauche sont très scrupuleux envers les gens qui ne peuvent pas montrer patte blanche. Et, comme je l'ai déjà dit, nous étions écœurés de la politique. Quant aux étudiants brésiliens à Paris, ils ne rêvaient que d'un diplôme français pour revenir au pays une fois passé le pire de la répression. Ils reprendraient alors leur carrière là où ils l'avaient laissée, pistonnés par leurs familles riches et prêts à se lancer en politique avec l'auréole d'exilés. Plusieurs d'entre eux entretenaient même de très bons rapports avec l'ambassade du Brésil... Ils occupent maintenant des postes prestigieux dans le nouveau gouvernement, à droite comme à gauche, si ces distinctions veulent encore dire quelque chose. Je peux vous assurer que c'était presque la mode de s'exiler à Paris. Ces gens vivaient dans une espèce de monde clos; leurs bavardages philosophiques et politiques n'avaient aucun lien avec le pays, et servaient plutôt de paravent à des histoires de cul et de liberté loin de leurs familles. Et puis, Mateus et moi, nous étions d'une autre couche sociale que ces étudiants, et ce genre de différences compte énormément pour la mentalité tropicale. Ils nous toléraient avec méfiance, c'est tout. Sauf de rares exceptions, ces étudiants me rappelaient trop la raison pour laquelle j'avais quitté le Brésil: leur attachement à leurs familles surprotectrices, leurs préjugés petits-bourgeois, leur nationalisme imbécile et mielleux, la mollesse, la dépendance et le manque de passion intellectuelle... Surtout leurs mensonges concernant l'engagement envers les pauvres; en réalité, ils détestaient les pauvres, comme seules savent le faire les élites coloniales. Je me souviens très bien de quelques-uns de ces exilés recevant la visite de leurs familles accompagnées des bonnes en uniforme; les familles étaient ensuite reçues officiellement par l'ambassadeur! J'ai connu aussi des exilés africains qui étaient millionnaires chez eux, et qui rêvaient de coups d'État pour prendre la place de leur oncle dictateur. La France et la Belgique sont farcies de ces rois nègres en exil temporaire. L'intelligentsia sous-développée est souvent une grosse blague, Al, et chaque aspirant dictateur se dit anti-impérialiste, souvenez-vous... Les images du Che et de Hô Chi Minh qui décoraient alors toutes les chambres remplaçaient celle de Marlon Brando et de James Dean ; elles ont à leur tour cédé la place à un Einstein souriant et au Dalaï-Lama sans que personne se demande pourquoi. Pensez qu'un fumiste comme Warhol a mis Mao et Marilyn sur un pied d'égalité et tout le monde a trouvé cela génial !

Boris vida son verre. Il bourra lentement sa pipe et l'alluma avant de continuer :

— En Alsace, nous avons été pris en charge par une femme singulière. Elle s'appelait Cybelle ; avec sa jeune sœur, elle tenait une auberge dans un village à l'écart. Elle nous a aussitôt engagés, Mateus et moi, comme hommes à tout faire dans sa ferme. C'était le début de ma période paysanne, loin de toutes les excitations, sans d'autre souci que de travailler, boire, manger, baiser et dormir. Surtout manger et baiser. Je ne peux pas vous dire comment cela s'est passé au juste, mais nous nous sommes vite habitués à la routine. Après nos années d'errance, cet interlude nous convenait à merveille. Mateus est devenu son amant dès les premiers jours et moi, ensuite, l'amant de sa sœur, Céline. Aujourd'hui encore je cherche à comprendre ce curieux passage de ma vie, mais en vain. La seule explication est l'envoûtement. La nature était belle, leur vignoble avait l'air d'un jardin et le temps passait… Les autres fermiers nous prenaient pour des travailleurs portugais immigrés et se contentaient de nous saluer à distance. Mateus est devenu très gros en peu de temps, avec le visage rose d'un cochon ; moi aussi, j'ai fini par avoir l'air d'un Alsacien. Cybelle et Céline nous gavaient littéralement de nourriture et de vin, et elles nous récoltaient ensuite au lit sans aucun souci concernant l'avenir. Elles ne pouvaient s'imaginer une meilleure vie que celle-là : deux hommes robustes et plus jeunes qu'elles, captifs en quelque sorte de leur vignoble et très discrets. Il faut ajouter qu'elles étaient très drôles et généreuses, et qu'elles riaient sans cesse en se chuchotant l'une à l'autre leurs secrets. Bien étrange en effet… J'ai lu à peine durant cette période. Au bout d'une année — je me souviens que c'était presque à l'époque des vendanges —, il m'a fallu livrer un combat intense contre l'inertie pour pouvoir sortir de là. Mateus paraissait à son tour complètement envoûté. «Boris, me disait-il, qu'est-ce que tu veux chercher dans les pays socialistes, mon vieux? Restons ici avec nos deux petites femmes; dans quelques années on nous aura oubliés et nous repartirons en voyage, veux-tu?» Heureusement que l'ennui est venu une fois de plus à ma rescousse. En fait, ce n'était plus la police française qui me faisait peur, mais bien ce monde clos et moelleux qu'elles avaient construit pour nous, cette sorte d'étable somptueuse pour loger leurs étalons…

— Vous êtes alors venus en Allemagne? demanda l'éditeur pour mettre fin aux rêveries du narrateur.

— Pas immédiatement. Je suis d'abord allé à Paris en quête de nouvelles auprès des autres exilés. C'était le moment de prendre une décision, et je pensais sérieusement à retourner au Brésil. Les nouvelles de là-bas étaient cependant sinistres. La répression battait son plein et Paris était de plus en plus envahie par des légions de Latino-Américains en fuite. La ville avait aussi l'air de s'adapter: de partout surgissaient des restaurants typiques, des librairies et des boîtes où l'on dansait la samba. Les premiers travestis brésiliens apparaissaient alors au bois de Boulogne, mais plutôt comme une curiosité exotique, sans faire trop de concurrence aux petites putes locales. Une drôle d'époque. D'un côté, un monde de morts, où l'on respirait la défaite car il était évident que les dictatures dureraient des années et des années, tant au Brésil qu'en Uruguay et en Argentine. Seuls les Chiliens respiraient encore, mais pour peu de temps. Les nouveaux arrivés racontaient l'horreur des prisons, l'échec des foyers de résistance, et il était de plus en plus question de nombreuses trahisons parmi les militants de gauche. Le souvenir des morts et des disparus les aidait à s'adapter à la misère, aux chambres surpeuplées, au travail au noir et à l'effritement des liens affectifs. Notre dictature était d'ailleurs passée de mode et les Français perdaient l'intérêt et la solidarité des premiers temps. Le Brésil redevenait une destination soleil de luxe. Mes rares connaissances me déconseillaient à la fois de retourner au pays et de rester à Paris : avec la vague d'attentats et de prises d'otages, il ne fallait pas que la présence d'un type comme moi vînt déranger la paix de la florissante colonie brésilienne. Des mouchards circulaient, paraît-il, parmi les groupes d'exilés car Paris était aussi devenue une fête pour les Brésiliens aisés de toutes les tendances. Ces derniers, subitement enrichis par l'argent de l'aide internationale, débarquaient alors très nombreux en France pour participer à cette fête, histoire de se familiariser avec leurs comptes en Suisse et de se remplir les valises dans les boutiques de luxe. D'autres, charmés par cette ambiance, y envoyaient leurs enfants adolescents pour qu'ils apprennent le français. Tous ces gens se fréquentaient ainsi sans aucun scrupule ; l'ambassade recevait des poètes et des chanteurs en exil pour des soirées culturelles dans une ambiance de carnaval. Si j'avais voulu, j'aurais pu assouvir ma soif de vengeance sans même sortir de la ville, tellement l'endroit grouillait de militaires haut gradés, de politiciens et de tortionnaires en vacances...

— Oui, soupira Albrecht en remplissant encore les verres. Cela me fait penser aux histoires d'immigrés allemands ; les vedettes s'en sont tirées avec une aisance incroyable pendant que d'autres étaient acculés au suicide...

— L'exil met en relief des côtés bien étranges de la nature humaine, reprit Boris. J'ai entendu aussi de ces histoires en Allemagne démocratique : des communistes qui avaient confortablement fréquenté des nazis sous le prétexte qu'ils étaient à l'étranger et qu'ils avaient le mal du pays. Jusqu'aux histoires de Juifs qui se vendaient entre eux… Le mélange de déracinement et de nostalgie nationaliste peut être très explosif et sordide, parfois même cocasse… J'ai connu un Argentin qui était un véritable artiste de l'exil : barbu, cheveux longs, habits soigneusement négligés, très romantique. Il faisait fureur à Paris, où il se spécialisait en épouses de politiciens et de diplomates dans la colonie latino-américaine. On disait qu'il faisait plus pour la cause que toute la publicité de la gauche ; et que ses bienfaitrices, après lui avoir ouvert les jambes, étaient définitivement gagnées à la libération du prolétariat… Il y avait d'ailleurs toute une faune de marginaux qui cherchaient à survivre en profitant de l'étiquette d'exilés politiques, en jouant surtout la carte du cul enrobée de nostalgies nationalistes. Je suppose que c'est comme ça chaque fois que s'amorce une vague d'immigration d'intellectuels. Aujourd'hui je peux considérer tout cela avec sérénité et même m'en divertir ; mais, à cette époque-là, mon identité était encore fragile, pleine d'illusions, et ce climat me blessait. La déréliction, Al, le sentiment d'être définitivement coupé du secours divin, d'être seul, voilà le châtiment qui nous transforme en hommes libres. C'est très corrosif au début, et souvent ce sentiment détruit sa victime. Seule la fuite, quelle qu'elle soit, me paraissait apporter un certain soulagement… Je suis alors allé à Hambourg dans l'idée de reprendre du travail comme mécanicien et soudeur. Lorsque Mateus est venu me rejoindre, quelques mois après, j'étais plutôt en train de me tailler une belle place parmi les maquereaux yougoslaves de la Reeperbahn.

— Pas vrai, Boris, pas chez les putes ! s'exclama l'éditeur en riant.

— Si, je vous assure. Si Mateus ne m'avait pas retenu, je me serais plongé sérieusement dans ce milieu qui me fascinait. J'étais complètement désabusé, sans savoir que faire de ma vie, et j'avais pris le parti d'accepter la fatalité ; du moins provisoirement. En fait, depuis notre arrivée en Europe, nous avions toujours travaillé dans des milieux louches. La seule manière... Une fois en Allemagne, j'avais tenté de reprendre les anciens contacts dans l'espoir d'obtenir un nouveau passeport pour tout recommencer sous une autre identité. J'avais le projet de voyager comme chauffeur pour les mêmes gens qui nous avaient alors payé pour trafiquer leurs camions. De contact en contact, en attendant, j'ai fait la connaissance d'un Yougoslave qui tenait le cabaret Mermaid à Hambourg. Avez-vous connu ce cabaret? C'était une place fameuse, et ce Stan était un maître du show-business. Les marins des cargos des pays de l'Est ne juraient que par son cabaret. Il y régnait une atmosphère du genre russe décadent d'avant la révolution. Les filles chantaient des trucs mélancoliques, la vodka et le mousseux géorgien coulaient à flots, et les chambrettes du deuxième étage étaient toujours occupées, jour et nuit. Le service était efficace et le trafic de toutes les drogues avait l'entière bénédiction de la police. Par ailleurs, Stan faisait aussi venir souvent des musiciens de jazz pour des concerts, et il attirait alors une faune nouvelle composée d'artistes, de travestis, de pervers de tout genre et des gens du monde du spectacle. Durant ces soirées artistiques, ça jouait dur dans les recoins et dans les toilettes puisque les chambres étaient encombrées par une foule de mecs, les uns sur les autres en des partouzes d'homos. Ça diminuait un peu le boulot des filles, mais c'était bon pour la réputation de l'établissement. Stan était en train de se tailler une belle place parmi la clientèle de snobs qui commençaient à venir assidûment, en compagnie de leurs propres femmes, copines et minets se mêler aux putes et aux marins. Un grand succès. C'est alors que Mateus est venu, pour prendre des vacances de sa Cybelle, mais surtout attiré par les passeports que Stan nous avait promis. Les choses ont mal tourné. Il voulait qu'on paye les papiers en participant au transport de ses marchandises de contrebande de toutes sortes, des armes en particulier. C'est ainsi que j'ai pu établir des contacts avec les groupuscules d'ici ; par affaires, si vous me permettez l'expression. Plusieurs de ces cellules autonomes échangeaient contre des armes de l'héroïne qu'ils apportaient du Moyen-Orient. Stan était l'un de leurs plus importants intermédiaires. Dans ses camions de fruits et de légumes en provenance de la Roumanie et de la Bulgarie, il amenait des armes, tchèques pour la plupart. C'était si facile que je me suis ensuite demandé si la police d'ici n'était pas derrière toute l'opération. Rien que des armes de poing, cependant, même si les jeunes gens étaient prêts à payer des fortunes pour des armes automatiques. Curieux, vous ne trouvez pas ? Il y a plus bizarre encore : les seules mitraillettes que l'on trouvait sur le marché noir étaient des Uzi israéliennes vendues par un commerçant turc assez mystérieux. Et tous les explosifs venaient des dépôts de l'armée américaine. Lorsqu'on connaît le souci du détail de leurs services secrets, il faut tout de même se poser des questions...

— Vous dites que ça a mal tourné ?

— Naturellement. Les gens du milieu savaient se défendre, mais il n'était pas question d'absorber deux étrangers venus de Dieu sait où. Nous avions déjà fait plusieurs livraisons et nos passeports tardaient toujours. Stan nous avait promis des passeports espagnols ou portugais avec des visas allemands, qui en fait n'étaient pas si difficiles à trouver. On aurait pu alors rester ici et se fondre dans la masse des ouvriers immigrés. En attendant, nous continuions les livraisons et les contacts, parfois en Suisse mais le plus souvent en Autriche. Jusqu'au moment où la police a décidé de nous cueillir. Je pense qu'ils savaient tout sur nous deux, et peut-être que, en nous donnant, Stan payait une dette quelconque ou qu'il nous échangeait contre des faveurs à d'autres de ses copains croates... Cela s'est passé dans un bois proche de la frontière autrichienne. Des jeunes gens de la

Fraction de l'Armée rouge nous attendaient pour une livraison, mais la police s'est montrée avant l'heure. Les jeunes se sont mis à tirer et nous nous sommes sauvés... Ensuite, pas question de rester au large puisque l'organisation des Yougoslaves était bien plus efficace que celle de la police. Mateus est retourné en Alsace auprès de sa Cybelle et, moi, je suis passé dans l'autre Allemagne. Voilà, Al ; peu romantique, n'est-ce pas ?

— En effet, répondit l'éditeur en léchant le bord de son verre avant de s'en verser un autre. Mais ça fait du bien de vous entendre le raconter aussi candidement... Nous aussi, les intellectuels, on se leurrait avec nos désirs romantiques. On le savait, d'ailleurs, que les choses se passaient de cette manière, que la pègre et la police étaient dans le coup et qu'il n'y avait rien de révolutionnaire là-dedans. Mais nous ne voulions pas le reconnaître ; nous avions bien trop besoin de nous dire qu'il se passait quand même quelque chose, que tout n'était pas perdu. Lorsque je pense à tous ces jeunes gens qui sont morts à cause des rêves qu'on ne voulait pas laisser mourir... Le pire, c'est que les forces de droite se renforçaient à chaque coup... et que les gens, terrorisés, approuvaient toutes les mesures visant à renforcer la répression policière et la présence militaire américaine.

— La même chose se passait de l'autre côté...

— Vous avez raison, Boris, ce n'est pas seulement dans les autobiographies qu'on est plongé dans la fiction. Tout notre siècle relève de la fraude. La mystification et la fumisterie du progrès historique... Combien donc de crimes ont été commis au nom de cette imposture qu'on appelle « le sens de l'histoire », hein ? Au lieu de se consacrer au présent et d'améliorer le sort des misérables, on a préféré leur promettre le salut éternel, des avenirs qui chantent et des royaumes de mille ans. Comme le peuple ne savait que faire de nos utopies, nous, les intellectuels, nous nous sommes évertués à les prêcher, ces mythes, à les chanter, à les peindre, à les filmer et à les décrire en vers et en prose. Comment pouvons-nous encore nier que nous ne sommes que des clercs, des larbins du pouvoir ? s'exclama-t-il.

Les deux hommes fatigués restèrent longtemps à regarder la bouteille vide, chacun avec la drôle d'impression qu'elle s'était vidée d'elle-même, évaporée dans les brouillards de l'histoire, en les laissant dans un état de sinistre sobriété.

— Boris, il m'a fait un grand bien de vous connaître, finit par dire l'éditeur. Surtout aujourd'hui, de pouvoir vous parler aussi librement. Il m'arrive de me parler tout seul avant de m'endormir. Le plus souvent lorsque je n'arrive pas à m'endormir. Ce n'est jamais aussi franc que ce que vous avez dit puisque j'ai la manie d'éditer mes propres pensées, pour en faire des textes cohérents, bien composés, crédibles aux yeux de tous. C'est une sorte de déformation professionnelle, toujours en tenant compte d'un lecteur imaginaire... Si vous saviez ! Il m'arrive la même chose lorsque je travaille les manuscrits de certains auteurs. Parfois je réécris des chapitres entiers... Cela améliore tellement le texte qu'ensuite les auteurs se pensent des grands écrivains... Je vous remercie de m'avoir aidé à en prendre conscience. Je comprends maintenant vos réticences lorsqu'on vous pose des questions. Quant à moi, Boris, il y a un passage de la Bible qui me fait souvent réfléchir à toute cette vanité qui nous occupe : *faire des livres est un travail qu'on n'achève jamais.*

— L'Ecclésiaste, 12, 12, Albrecht, rétorqua Boris. Je ne savais pas que vous étiez un amateur de Salomon ! Il est vrai que c'est le seul morceau de la Bible qui convienne à des cyniques comme nous.

— Vous le connaissez ? Un gauchiste qui connaît Salomon, la vanité et la poursuite du vent... Vous n'avez pas honte ?

— J'ai fait la paix avec l'incohérence, Al, et cela choque les gens, répondit Boris avec un sourire. C'est si fatigant de toujours éditer, n'est-ce pas ?

— Je vois... Cette paix dans l'incohérence est une sorte de sagesse qui offense ceux qui se battent avec leur propre identité. C'est d'ailleurs pour nier l'insécurité de base qu'on crée tous ces mythes et ces fraudes dont nous venons de parler. Sans une religion quelconque, la solitude est si corrosive... Je suis content de vous avoir rencontré, Boris, cela m'aide à faire la paix avec beaucoup de choses qui me sont personnelles. Dites, si jamais vous écrivez de la fiction, pensez à moi pour la publication, d'accord ? Et n'oubliez pas mes traductions. S'il vous faut quelque chose là-bas, entrez en contact avec le gars dont je vous ai parlé. Et n'hésitez pas à m'appeler. Bon voyage, mon vieux !

Ils se donnèrent l'accolade en titubant tellement qu'ils renversèrent la bouteille, les verres et le cendrier. La secrétaire, en ouvrant subitement la porte, ne vit que deux hommes ivres qui riaient comme des enfants.

## 12

Boris quitta Brême par le train du matin en direction de Francfort. Rosa l'attendrait à l'arrivée et ils passeraient ensemble sa dernière nuit en Europe. Elle était allée d'avance à Francfort pour discuter d'un emploi de rédactrice dans le quotidien le plus important d'Allemagne. C'était une chance unique qui aplanissait à merveille l'inconfort de la rupture, pensa Boris. Rosa paraissait d'ailleurs assez satisfaite de son départ, d'autant plus que sa pire crainte était de perdre son poète au profit d'une de ses copines. En partant ainsi seul, il remplissait son rôle et tout rentrait dans l'ordre. Leur dernière nuit promettait alors d'être paisible et sans histoires.

Plongé dans ces réflexions produites par la somnolence, Boris sourit à l'idée qu'il arrangeait une fois de plus la réalité comme un éditeur devant un récit peu clair. Peut-être, au contraire, que Rosa souffrait un peu plus qu'elle ne le montrait, ne fût-ce que par son manque d'habitude à l'égard des ruptures. Ou que son amour-propre de jeune femme était davantage meurtri... Comment le savoir ? « De toute façon, conclut-il, c'est une fille intelligente et pleine de vie, elle saura se débrouiller. » D'ailleurs, elle serait l'unique perdante dans une relation à long terme. Lui, il savait déjà survivre seul, et les attaches qu'il pouvait offrir étaient trop rouillées par le vent salé de la mer. Et il se trouva bien cynique de penser à toutes ces choses.

Sa conversation de la veille avec Albrecht lui revint alors à l'esprit, accompagnée de l'odeur du bon scotch qui leur avait servi de combustible. Il ne put alors s'empêcher de plonger dans le souvenir des événements tels qu'ils s'étaient vraiment passés lors de sa dernière visite à Paris.

❏

Boris arrive à Paris tôt le matin. Il fait encore noir et la petite bruine agaçante qui n'a pas cessé de tomber depuis Nancy prend des allures de brouillard. Le camionneur le dépose au milieu des Halles presque désertes, aux étals fermés pour la plupart, avant de repartir vers le nouveau marché central de Rungis. Boris l'aide à décharger quelques caisses chez un marchand à moitié endormi, et l'écoute protester contre le déménagement du marché qu'il considère comme un affront personnel :

— Les Halles, c'est toute ma vie qui s'en va, tous mes potes. Ça fait mal au cœur de prendre le boulevard périphérique pour aller à Rungis. C'est trop moderne, là-bas. Ce n'est pas les Halles, non, monsieur ! Allez, au revoir !

Le camion disparaît au loin et Boris se faufile par les ruelles étroites jusqu'au bistrot, un des seuls qui restent encore pour accueillir les retardataires du grand déménagement des Halles. Des rats nerveux courent un peu partout, affamés et sans rien comprendre à cette désertion insolite.

« Les restaurants du coin vont subir une vraie invasion de rongeurs avant que la faim ne les décime », pense-t-il en se souvenant de la voracité des rats de sa jeunesse.

— Rats français, Rungis est trop loin. Préparez-vous à goûter un peu au sort de vos copains brésiliens, murmure-t-il avec un sourire sarcastique.

Le bistrot est quand même rempli de gens debout qui discutent affaires et tiercé devant des cafés-calva. Le patron sert Boris sans même le regarder, puis il le sert encore tout en s'entretenant avec d'autres clients. Boris savoure l'odeur de pomme meurtrie de cet alcool qui se gonfle dans la bouche réchauffée par le café. Le bleu des deux paquets de Gauloises paraît rehaussé par la lumière jaune et le marbre gris du comptoir.

Dehors, la ruelle est toujours sombre et les pavés humides sont glissants, mais il ne pleut plus.

Il traverse le boulevard Sébastopol et prend la rue Saint-Lazare pour mieux se dissimuler, puis la rue Haudriettes, la rue Vieille du Temple et la rue des Francs Bourgeois jusqu'au musée Carnavalet. Il descend ensuite par l'église Saint-Paul en direction du quai pour traverser l'île Saint-Louis. Cet homme qui marche lentement mais d'un pas ferme, la casquette enfoncée jusqu'aux yeux et une sacoche en bandoulière, paraît en effet aller quelque part pour une journée de travail. Mais il ne va nulle part ; il ne fait que marcher en attendant le lever du jour pour se fondre dans la masse des passants et tuer le temps jusqu'à son rendez-vous. Une longue attente d'ici onze heures, à l'église Saint-Marcel, en face de la Salpêtrière. Monica, une ancienne connaissance, maintenant médecin en stage à Paris, doit lui apporter des nouvelles. Quelle sorte de nouvelles ? se demande-t-il en s'efforçant de ne pas accélérer le pas. Un coup de chance qu'elle ait pu le contacter par l'intermédiaire de Birgit et de ses copains, sans quoi il serait déjà en Allemagne...

Quelle sorte de nouvelles ? pense-t-il encore. Sûrement pas de bonnes nouvelles. Cybelle a trouvé Birgit trop nerveuse au téléphone, et son message n'était pas clair. Uniquement l'heure et le lieu des deux rendez-vous, qu'elle a répétés avec insistance... On dirait un piège. Mais non ; Birgit n'aurait eu qu'à envoyer les flics là-bas, si elle avait voulu les donner. Qui peut bien lui envoyer des nouvelles, et comment avait-on pu penser à Birgit ?

« Aucune idée. Il faut tuer le temps jusqu'à onze heures... Ça va faire drôle de revoir Monica après tout ce temps. Je me demande... Je ne cesse de me demander. Mais ça sert à rien, il faut attendre. C'est ce que j'ai fait le plus ici en Europe, attendre... S'il faut lui dire quelque chose, qu'ai-je à dire ? Qu'est-ce que j'ai fait tout ce temps ? Dans le fond, cela n'a pas d'importance. Monica veut simplement me voir, me donner des nouvelles... sûrement pas des nouvelles de Clarissa... Il faut attendre. Le jour vient à peine de se lever... »

Pont Marie, quai d'Anjou, quai de Béthune, pont de la Tournelle, puis il remonte la Seine très lentement jusqu'au Jardin des Plantes. Boris trouve étrange l'absence de cars de police, cette paix nouvelle qui contraste avec le Paris agité de l'an dernier. Il marche dans les rues sans même s'en rendre compte.

Il reconnaît de loin la jeune femme par sa façon impatiente d'attendre devant l'église. Monica paraît soulagée de le voir et l'embrasse chaleureusement avec cette intimité créée par le simple fait d'être à l'étranger. Boris la trouve plus maigre, avec les traits tendus, mais encore jolie.

Le premier malaise de la rencontre passé, ils se dirigent en marchant vers la place d'Italie. Boris écoute en silence ses paroles et il a l'impression que cela lui vient d'un autre monde. Son père va bien, il travaille toujours et il envoie ses salutations. Oui, il a reçu ses lettres ; non, il n'a pas été inquiété. Tout va bien. Non, personne n'a eu de nouvelles concernant les problèmes de Boris avec les militaires, ou encore, personne n'a jugé bon d'en demander. Rien du côté de l'armée ; silence total. Par ailleurs, la situation au Brésil est très mauvaise. Les arrestations n'en finissent plus ; beaucoup de disparus, de tortures, de procès. Les tentatives de résistance armée ont toutes été matées. Mais les gens ne le ressentent pas ; la vie a l'air de continuer pour ceux qui ne s'occupaient pas de politique. Les cinémas sont remplis, les stades de football aussi ; les plages, belles comme toujours. Le dernier carnaval a été très animé. Les universités fonctionnent normalement. Tel professeur ? Ah, il est là, à son poste. Tu te souviens d'un tel autre ? Il a été promu professeur titulaire de la chaire. Ah, celui-là, je crois qu'il est ici à Paris, qu'il étudie à la Sorbonne. Lequel ? Non, je ne me souviens pas ; je ne l'ai plus revu, en tout cas. Mais non... Ils n'ont pas disparu, Boris. Les gens déménagent, tu sais, on les perd de vue, c'est tout... Comme toi ; la plupart des gens te croient sûrement au Brésil, quelque part...

Monica parle de façon saccadée, avec un débit d'une étrange lenteur typiquement brésilienne dont il a perdu l'habitude. Elle traîne les mots de façon chantante et seule une pointe d'hésitation trahit sa nervosité. Elle surveille les coins de rue, et chaque fois qu'ils croisent des policiers elle semble sursauter. « Elle a peur, pense Boris ; on l'a mise au courant de ma situation. »

Ils s'assoient au fond d'un restaurant, rue des Diamants. Monica paraît plus à l'aise ainsi cachée de la rue même si le déjeuner bat son plein. Steak-frites, qu'elle mange avec appétit.

— J'étais de garde toute la nuit, dit-elle. Et très nerveuse de t'attendre. Maintenant que tu es là, c'est bête, je ne sais pas quoi te dire. Je me spécialise en médecine interne... une chance, cette bourse. C'est plutôt moi qui veux de tes nouvelles. Là-bas, tout continue comme d'habitude, Boris. On s'habitue à la dictature... Les gens posent des questions à ton sujet, et je pourrai dire que je t'ai vu. T'as même l'air en très bonne santé. C'est drôle,

Boris, t'as plus l'air d'un militaire maintenant que dans le temps de la fac, tu sais ?

Boris la regarde sans savoir quoi répondre. Il la rassure cependant. La vie continue, il étudie toujours. C'est embêtant de ne pas avoir un passeport en règle, mais ça va s'arranger... Il voyage beaucoup ; et il vit surtout en Italie. Oui, c'est très beau là-bas. Non, il a abandonné les mathématiques, c'est fini. Il s'intéresse maintenant aux langues. Peut-être qu'il fera une maîtrise, plus tard, une fois qu'il aura consolidé ses connaissances... Linguistique comparée, latine et germanique. Oui, il parle l'allemand ; un peu, suffisamment pour pouvoir continuer à étudier... Il gagne son pain en faisant des traductions ; des textes scientifiques et techniques, sans aucun rapport avec la politique. Il y a beaucoup de possibilités ici en Europe, et ça marche très bien lorsqu'on parle des langues, tu vois ?

— Tu te souviens d'une fille appelée Clarissa Robles ? demande-t-il enfin d'un air distrait.

— Clarissa, qui étudiait l'anglais ? Bien sûr que je la connais. Elle et Luciano Campos se sont mariés l'an dernier. Tu le connais, Luciano, n'est-ce pas ? Il était à l'université catholique ; un beau gars qui étudiait l'économie. Si, tu le connais. Ils vivent aux États-Unis et il travaille à l'ONU.

— Le Campos que je connais est communiste...

— C'est le même, Luciano Campos. Son père est général et maintenant sénateur. Luciano était secrétaire dans le comité de la jeunesse communiste dans ton temps. À cette époque il sortait avec une autre fille, Marly, tu te souviens ?

— Mariés...

— Un beau mariage, très distingué, à l'église Candelaria. Son père est très important au gouvernement. Luciano a été envoyé comme secrétaire de consulat ou quelque chose du genre à New York, pour travailler à l'ONU.

— Ah... et elle ?

— Bah, elle est allée avec lui, naturellement ! Je l'ai vue pour la dernière fois la veille du mariage. Si je me souviens bien, elle allait étudier là-bas, avec une bourse de post-graduation. Luciano aussi ; tu sais comment sont ces emplois du gouvernement. Le Brésil n'a pas changé, Boris. Les gens se débrouillent toujours très bien. Dis, elle n'était pas ta copine, par hasard ? demande Monica en le regardant de côté avec une moue d'embarras.

— Non... je me souviens d'elle comme ça, entre autres choses... Ça fait si longtemps que je dois m'accrocher à des détails épars ; un visage par-ci, un prénom par-là, tu vois ?

Ils se quittent en sortant du restaurant comme si de rien n'était. Boris prend note de son adresse et lui promet d'envoyer sa nouvelle adresse, à Milan.

— Tiens, j'allais oublier. C'est pour toi ; c'est ton père qui t'envoie ça, lui dit-elle en tendant le sac en plastique qu'elle transportait. Salut, Boris. J'attends de tes nouvelles ! Si tu m'invites en Italie, je ne dirai pas non. Pense à moi. Ciao !

Boris avance par les rues sans se soucier des passants, sans s'orienter ni savoir où il va. Ceux qui le voient ne savent rien de cet homme qui marche d'un pas décidé, les yeux plissés, et qui a l'air pressé maintenant. La sacoche paraît légère sur son épaule et il balance nonchalamment le sac en plastique comme s'il s'amusait. Sa tête est cependant remplie d'images confuses et son humeur est très sombre ; un curieux mélange de rage et d'envie de pleurer lui fait serrer les poings et tendre les muscles des mollets. C'est un homme dont le monde vient soudain de s'effondrer et de s'éclaircir, et qui ne sait pas quoi faire de ce paradoxe.

Il savait depuis toujours que Clarissa ne l'attendrait pas, mais jusqu'à aujourd'hui il s'était appliqué à ne pas y prêter attention. Faute de pouvoir refaire le passé, et somme toute assez content du présent, il avait préféré garder l'image de la jeune femme dans l'avenir. Un avenir vague, à venir depuis un passé plus-que-parfait, sans toutefois jamais toucher le présent. Une sorte de conditionnel, auquel il avait peu à peu enlevé la conjonction de subordination et arrondi la terminaison pour obtenir un futur bâtard qu'il se plaisait à évoquer avec des intonations impératives. Toute cette mécanique vient de s'effondrer en dévoilant sa formidable fragilité de souhait pieux. Voilà pour la colère rentrée. La mélancolie englobe tout le reste, depuis son pays laissé en arrière, le voyage au Pérou, l'Europe et cette envie de vagabonder qui est devenue sa première nature. Tout a été gâché par l'image de Clarissa en voile blanc...

Les heures passent dans le réseau de ruelles et il tourne en rond. Ses jambes s'occupent toutes seules des méandres et de la direction à prendre pour le conduire à son prochain rendez-vous. Il n'a qu'une seule envie : partir au plus vite de cette ville, quelque part où il puisse se cacher de sa honte. Son seul soulagement est de penser qu'il n'a jamais parlé de Clarissa ni de ses chimères. Sauf à Mateus, qui ne compte pas puisqu'il comprend ces choses. D'ailleurs, Mateus l'a déjà mis en garde contre cette image désincarnée que Boris transportait dans sa conscience. Si protégée, pensa-t-il, qu'elle a pu se marier, avec Campos de surcroît, et partir tranquillement à New York... Les ordures !

Le parc Montsouris est presque désert en cette journée de froid humide. Seuls quelques bébés emmitouflés, dans des landaus poussés par des mamans aux joues rouges, perturbent le calme. Boris s'assoit sur un banc à l'écart, dépose la sacoche et remarque enfin le sac en plastique amené par Monica. Il y trouve un paquet très bien enveloppé dans un papier brun épais, attaché avec des ficelles solides et rendu étanche par des rubans noirs d'isolation électrique. Boris reconnaît avec tendresse le souci de perfection de son père, son respect à l'égard des grandes distances que le colis était destiné à parcourir. Il défait délicatement les nœuds, décolle le ruban sans déchirer le papier et découvre enfin une bouteille de cachaça protégée par un cylindre de paille, une cartouche de cigarettes

Continental et une petite boîte de cigares. Boris voit en pensée le vieil homme achetant toutes ces choses, une à une, pour ensuite les regarder longuement avant de les emballer, se donnant le temps de réfléchir, se demandant si c'était bien cela qu'il fallait, si c'était la bonne marque... L'emballage de la boîte de cigares est recollé avec un ruban transparent. Boris la gratte avec l'ongle, décolle le ruban et entrouvre le couvercle. Un papier plié en rouleau se trouve à la place d'un des cigares. Il l'examine et découvre un message dans une écriture ancienne et laborieuse : *J'ai fumé un cigare de ta boîte en pensant à toi. Voyage encore, Boria. Je vais bien et je voyage avec toi. Écris-moi et ne t'occupe de rien d'autre. Ton vieux, Dmitri.*

Boris essuie ses yeux d'un geste brusque en regardant alentour, de peur que quelqu'un d'autre ne le voie. Puis il sort un cigare et referme le paquet du mieux qu'il peut pour le mettre dans sa sacoche. Il lèche soigneusement la feuille séchée et examine la bague verte et dorée du cigare. La fumée âcre et rustique qui se dégage de ce tabac noir lui ramène à l'esprit une nature remplie d'odeurs sucrées sur un léger fond de moisissure. Il s'imagine le vieil homme seul dans son logis, étudiant les cartes de l'Europe à travers ses lunettes épaisses, le cigare calé entre ses dents jaunies et le verre de cachaça entouré de ses mains calleuses, qu'il déguste comme s'il s'agissait d'un dessert. L'image s'évanouit avec un clin d'œil et un léger sourire qui dit : *zdrasistie, Boria.*

Lorsque le cigare est fini et qu'il revient du passé, Boris se rend compte qu'il est encore trop tôt. À peine cinq heures de l'après-midi. Son rendez-vous avec Birgit à la cité universitaire n'est qu'à neuf heures. Il prend alors la direction de la porte d'Orléans pour aller faire au moins un tour rapide dans le Quartier latin. Ce n'est pas prudent, il le sait bien, mais sa mélancolie prend soudainement des aspects frondeurs.

Monica n'avait pas de mauvaise nouvelle, pense-t-il, du moins elle ne le savait pas. Donc, ce n'était pas ça qui dérangeait Birgit. D'un autre côté, si elle l'avait invité à Paris, il n'y avait sûrement pas de danger... Peut-être que ce n'était qu'une inquiétude parce que Monica s'était adressée à elle pour le trouver... Il faut attendre encore. Peut-être bien aussi que Cybelle s'était trompée...

Le métro plein de voyageurs est une excellente cachette. Les Français détournent les yeux aussitôt qu'on les dévisage, et maintenant c'est l'heure de la foule d'étudiants et de lycéens. À la station Saint-Michel, le mouvement est si intense que Boris se fait presque pousser dans l'escalier jusqu'en haut. Le crépuscule et les lumières de la rue sont un bon déguisement puisqu'ils changent les traits du visage. Le vent humide chasse les passants qui se meuvent à la hâte, sans se regarder. Boris fait le tour de la place pour aller jeter un coup d'œil à l'église Notre-Dame et, comme chaque fois, il est content de la trouver là. Cette vision lui donne une confiance étrange : plus que toute autre chose, son Paris est cette église qui défie le temps.

Il longe encore les rues au hasard et revient ensuite sur ses pas. Attiré par les affiches d'un nouveau film de Bergman, Boris entre dans un petit cinéma du côté des ruelles Saint-Séverin. « Rien de mieux qu'un film de Bergman lorsqu'on cherche à se défaire d'une peine d'amour », pense-t-il.

Il ressort bouleversé de ce film étrange, avec l'impression que l'histoire parlait exactement de ses propres chimères. Il n'éprouve pas la peur ressentie par le peintre, mais le déracinement et l'incommunicabilité sont les mêmes qu'il ressent à tout instant ; la même incapacité aussi de se fixer au présent et cette attirance insolite vers des mondes imaginaires qui dépouillent le réel de sa matière. La scène de la conversation nocturne entre le peintre et sa femme lui a ramené Clarissa à l'esprit. La pensée de son mariage, une fois qu'elle avait perdu l'espoir de le retrouver, teinte sa mélancolie d'un filet de honte. Ce film bizarre produit cependant un effet de contraste, et Boris se sent soulagé en sortant dans les rues, comme s'il pouvait alors mieux respirer.

Il mange un énorme sandwich chez un marchand tunisien et retourne au métro. Les wagons bondés de visages moroses sortant de leurs journées de travail lui font encore penser à Bergman. Mais sans l'heure du loup. Ceux-ci dormiront comme des agneaux pour continuer à paître le lendemain...

Birgit traverse la barrière clinquante et agressive des joueurs de flipper pour le rejoindre au fond du bistrot où il se trouve attablé derrière un journal. Elle paraît fatiguée, mais son joli visage aux pommettes rondes s'ouvre en un large sourire suivi d'un mouvement de tête pour dégager la mèche de cheveux qui tombe devant ses yeux. Boris paie et ils sortent dans la nuit.

— On va plutôt chez une amie, dit-elle. C'est plus sûr. Son studio est vide ; elle est à Londres en ce moment.

Ils reviennent en silence vers Montparnasse. Birgit ne semble pas à l'aise. Elle assure que ça va bien, que ce n'est rien, qu'ils en parleront tout à l'heure. Qu'elle est contente qu'il soit là.

L'appartement de sa copine est au sixième étage d'un immeuble sans ascenseur. Ils entrent sans se faire remarquer. C'est un petit studio assez moderne, rempli de livres et décoré de parapluies japonais en papier.

— Moi non plus, je n'ai pas faim, dit Birgit. Je nous fais juste un café pour aller avec ton eau-de-vie.

— Cachaça, Birgit... c'est un cadeau de mon père, lui dit Boris en allumant une cigarette.

Ils boivent le café pendant qu'elle le met au courant des dernières nouvelles, de ce qui s'est passé depuis l'an dernier et de ce que font les gens qu'il connaît.

— Les études, ça va, répond-elle. À la maison aussi. Ça va bien, je t'assure... Je suis contente de te voir, c'est tout... Notre groupe s'est dispersé un peu partout. Je suis la seule qui soit restée.

— Personne d'autre ? demande-t-il distraitement pour l'encourager.

Boris est certain qu'il se passe quelque chose, mais quoi au juste ? Il faut lui donner le temps, pense-t-il avec un sentiment d'impatience.

— Non, personne. Les autres sont en Allemagne. Moi aussi je serais partie ; mais je finis l'an prochain, et ce serait bête de tout lâcher maintenant...

Boris s'étonne du goût sucré de la cachaça, mais il se délecte du parfum de canne à sucre qu'elle dégage. L'arrière-goût dans la gorge lui ramène à l'esprit des images hétéroclites accompagnées étrangement d'une odeur d'iode et de sueur. Il étudie le visage de la fille pendant qu'il parle, et son regard glisse discrètement de ses seins à la rondeur de son ventre qui gonfle sensuellement les jeans. Elle paraît toujours absorbée dans ses pensées et ne remarque pas que l'homme la regarde avec tendresse. Il lui sert un autre verre.

— T'as raison, Boris, j'ai un problème, finit-elle par avouer. Je suis dans le pétrin et je ne sais pas comment m'en sortir. Ça te concerne un peu, et Mateus aussi...

Une fois commencée, son histoire s'étale toute seule. En fait, pense Boris, c'est une chic fille puisqu'elle aurait pu les donner et se débarrasser définitivement de tous ses problèmes. Car c'est lui-même et Mateus qui ont un problème, même si c'est elle qui en subit les conséquences. Le gars qui la fait chanter vient à peine de commencer son manège, et il ira encore beaucoup plus loin. Boris se souvient vaguement du type en question, Juan, mais il ne sait pas au juste ce qu'il fait dans la vie. Il passait pour être marocain ou quelque chose du genre ; mais Boris se souvient qu'il avait un léger accent espagnol, peut-être même latino-américain. Un drôle de type, assez curieux et serviable, mais trop bien habillé, trop à la mode pour n'être qu'un simple étudiant. Quelqu'un lui a dit que Birgit est restée en contact avec Mateus et Boris, et le type cherche à la terroriser depuis déjà une dizaine de jours. Il a commencé par demander à parler à Mateus, mais vite il a parlé de ses besoins pressants d'argent, et a fini par faire des menaces. Birgit lui a prêté une petite somme, et le voilà qui ne décolle plus, en la pressant de payer davantage sans quoi il la dénoncera à la police.

Le gars agit seul, pense Boris. Selon Birgit, il se tient avec des étudiants français, mais il exige de la rencontrer seule pour ne pas qu'on le voie agir. Elle croit aussi que ce type sait qu'ils sont en Alsace, ou du moins il le soupçonne. Peut-être qu'il l'a appris d'un des situationnistes, l'an dernier. Comment le savoir au juste ? Paris est plein de ce genre de charognards qui rançonnent les exilés et qui s'agglutinent sur eux pour profiter de leur désespoir.

C'est donc seulement ce sale type qui empoisonne le sourire de Birgit, pense Boris, soulagé.

— Demain je te règle ça, Birgit, promis. T'as été chic de tout garder pour toi sans rien dire. Mais il ne faut pas. C'est mon problème, pas le tien. C'est aussi mieux d'agir le plus vite possible pour éviter que ça ne s'ébruite… T'as bien fait de m'appeler. Bon, ça va maintenant ? Tu ne t'occupes de rien d'autre que de finir tes études, d'accord ? Tout va se passer très bien, tu verras. Allez, il faut que je dorme. Tu viendras me chercher demain matin.

— Non, Boris, laisse-moi rester ici avec toi. C'est mieux. Ce Juan connaît mon adresse à la cité universitaire, et il me fait peur. Je me sens mieux ici. Ça ne te dérange pas ?

Il n'y a qu'un lit étroit dans le studio. Boris, habitué à dormir partout, se couche sur le tapis. Birgit est mal à l'aise d'avoir pris le lit et elle insiste pour qu'ils changent de place. Cette conversation à voix basse où elle se préoccupe de son confort dévie les pensées de l'homme et chasse son sommeil d'une curieuse façon. Les yeux fermés, il l'imagine sous la couverture et ne peut pas s'empêcher de s'attarder sur ses seins. Puis, sur ses aisselles, qu'il imagine tapissées de poils blonds très fins. Il a alors la nette impression de les caresser de son souffle comme il le faisait autrefois avec les pissenlits séchés. Elle insiste encore, assurant que le tapis n'est pas assez épais et qu'il aura froid. Boris lui répond qu'elle est adorable de s'occuper ainsi de lui, mais qu'il est habitué à dormir de cette façon. Puis il y a un long silence durant lequel il attend sa voix avec un sentiment croissant de déception. Il revoit son visage, puis ses lèvres. Un son mouillé lui fait penser qu'elle les humecte de sa langue à cause de l'air sec. Encouragée peut-être par le cliquetis du chauffage, Birgit chuchote que c'est bon d'être ainsi, sans que personne sache où ils sont. Boris se rend compte de l'angoisse qu'elle a dû ressentir ces derniers jours, et il baise en imagination ses lèvres pour mieux les mouiller.

— Boris, t'as pas froid?

Il regarde le plafond. Ses yeux habitués à l'obscurité distinguent la lumière bleue qui entre par les jalousies.

— Et toi? répond-il.

Elle se contente de pousser un soupir et bouge pour mieux s'enrouler dans la couverture.

Boris revoit son corps et, en se guidant par le son de sa respiration, il cherche à imaginer la position qu'elle a prise. Il est persuadé qu'elle s'est tournée dans sa direction. Ensuite, il voit sa tête qui pend au bord du lit et il distingue l'éclat des yeux parmi les reflets des cheveux et la tache blanche d'un sourire.

— Viens... si tu veux, chuchote-t-il.

Elle semble tressaillir mais ne bouge pas. Ils retombent dans le silence. L'homme promène ses pensées sur le corps de la femme, descendant des seins jusqu'à son ventre, et de là, par l'intérieur des cuisses, jusqu'aux genoux qu'elle a trop ronds. Il avale la salive qui lui remplit la bouche et attend.

— Tu veux, t'as froid? demande-t-elle d'une voix d'enfant.

— Viens, Birgit, j'ai froid...

Il sent sa main qui lui touche le visage, qui tâtonne à la recherche de ses lèvres et son doigt qui lui caresse ses dents. Il embrasse ce doigt et le suce en le mordant. Elle retire sa main d'un geste craintif et murmure :

— J'ai peur, Boris...

— Peur, Birgit ? De quoi as-tu peur ? Viens, couche-toi contre moi et raconte, dit-il en sortant de ses rêves, les muscles tendus. La pensée qu'ils sont en danger et qu'elle ne lui a pas tout dit chasse les autres visions de son esprit. Il se pousse pour lui faire de la place.

— Viens, et apporte la couverture.

Elle le rejoint, maladroitement, et il l'aide à s'installer. La senteur de sa peau et sa chaleur dominent toute la chambre. Boris touche son bras et remonte automatiquement vers l'aisselle pour explorer en effet une fine toison moite de sueur. Du dos de sa main, il sent le moelleux lourd de son sein à travers la blouse. Elle est couchée sur le dos et regarde le plafond, le corps raidi.

— Dis, Birgit, qu'est-ce qui ne va pas ?

Elle répond par un soupir avant de demander, toujours de la même voix enfantine :

— Tu ne me fais pas mal, n'est-ce pas, Boris ?

L'homme se baisse et embrasse délicatement ses lèvres en les léchant, puis son nez et ses yeux.

— Doucement, hein, Boris, tu me promets...

Lorsqu'il l'embrasse encore elle entrouvre ses lèvres en expirant ; il explore cette langue timide jusqu'à ce qu'elle réponde. Il déboutonne sa blouse patiemment malgré les bras qu'elle serre dans un geste faible de défense. Ses mains descendent le long du ventre charnu et s'arrêtent au nombril enfoncé entre deux collines qui se gonflent lorsqu'elle se plie en remontant les genoux. La ceinture de ses jeans disparaît alors derrière un pli profond, et l'homme doit la recoucher sur le dos pour atteindre la fermeture éclair.

— Couche-toi, Birgit. Je vais mordre ton nombril, attends...

Elle tressaille sous les chatouilles de ses lèvres, baisse la garde pendant qu'il découvre son slip, mais ses jambes restent tendues. Boris mordille et lèche son ventre sous l'élastique du slip ; de ses doigts il entrouvre ce passage et se sent aussitôt aspiré par un marécage torride. L'homme se dresse alors sur ses genoux, il lui écarte ses jambes d'un geste ferme et ordonne :

— Lève tes fesses.

Il la dépouille de son pantalon jusqu'aux jambes ; elle l'aide en bougeant les hanches.

— Viens, petite, déshabille-moi maintenant, murmure-t-il d'une voix douce en se couchant sur le dos.

Elle lui enlève sa chemise ; puis, en se battant avec sa ceinture, elle se laisse caresser les seins qui se balancent, lourdauds. Avant qu'elle ne se recouche, l'homme lui enlève son slip chargé de viscosités odorantes.

— Sois gentil, Boris, demande-t-elle une fois de plus en cherchant à refermer ses cuisses.

L'homme enjambe son corps et, à genoux, il la redresse pour l'embrasser sur la bouche. Elle se laisse faire, les yeux fermés et la respiration haletante. Il empoigne ses seins et mordille les mamelons jusqu'à entendre son haleine devenir ronronnement. Sa bouche glisse ensuite jusqu'aux rondeurs du ventre et, dépassant l'orée de ses poils, il s'ajuste pour entrouvrir ses cuisses en forçant le chemin avec son visage. L'odeur de sa compagne, sucrée et acide à la fois, gagne en puissance à mesure qu'il fouille ses chairs mouillées. L'homme remarque les soubresauts de ses hanches lorsqu'il atteint la jolie perle au fond de la coquille. Leurs corps se collent en se frottant jusqu'à ce qu'il se redresse entre ses cuisses, en la forçant avec ses genoux pour ensuite la tenir par les fesses et lui cambrer les reins...

— Non, Boris, non, gémit-elle.

Cette peur inespérée l'attendrit.

— Donne-moi tes mains, Birgit, comme ça. Viens, aide-moi à te trouver, bien doucement, mon amour.

— Ça va faire mal, Boris… Tu m'as promis… doucement. Je ne sais pas faire ça, répond-elle faiblement en
protégeant son ventre.

L'homme descend sur elle et pénètre à peine sa chair
serrée qui pourtant paraît vouloir l'aspirer. Il attend
ainsi à mi-chemin qu'elle rouvre ses yeux craintifs et
sourit alors à sa mine confuse.

— Tu vois, Birgit, je ne t'ai pas fait mal… doucement.

Il l'embrasse sur la bouche en caressant ses seins et
se laisse tirer par ce sexe étroit qui le macère à mesure
que la femme recommence ses spasmes. Maintenant
c'est d'elle-même qu'elle le fait entrer et sortir entièrement de sa chair en frottant au passage son pubis contre
le sien. Birgit a les yeux à demi fermés ; sa bouche
ouverte râle timidement des mots tendres. Elle se donne
chaque fois plus intensément en labourant son dos avec
ses ongles.

Les heures passent pendant qu'ils jouent comme des
chiots.

— Merci, Boris, finit-elle par balbutier de la même
voix de fillette. T'as été un ange. Tu m'en veux pas ?
J'avais si peur…

— T'as été adorable, Birgit, répond-il, presque endormi.

— La première fois, il y a longtemps, ça a fait si mal
que je ne pensais plus jamais le refaire… Avec toi, c'est
différent.

Cette phrase le blesse en ramenant des larmes
d'autrefois accompagnées du soupir de Clarissa : *Ah,
Boris, que ça fait mal…* Sa deuxième fois, aura-t-elle été
aussi bonne que celle de Birgit ? se demande-t-il avec un
rictus de rancune sur les lèvres.

— C'était très bon, Birgit, et je t'aime beaucoup… Ça
paraissait pas que tu avais peur…

Elle répond par un baiser sur sa joue et, se collant à
son corps, elle s'endort. Boris reste encore un long moment entre deux eaux, la tête remplie d'images et de

parfums d'amanites, de cigares, d'algues et de cachaça ; mais, surtout, avec un goût âcre au fond de la mémoire.

Boris se réveille déjà en plein jour en entendant le bruit que fait Birgit dans la cuisine où elle s'affaire à préparer le café. Il garde encore à la bouche le goût de cachaça devenu aigre, et dans le nez une odeur de bord de mer. Ses yeux suivent la jeune femme qui se déplace en slip uniquement. Ses gestes sont souples ; ses seins lourds suivent harmonieusement le mouvement de son corps, avec un instant à peine de retard, paresseux. Birgit a mûri depuis hier, pense-t-il en la comparant à un fruit. Elle s'approche avec un bol de café qu'elle tient des deux mains et le dépose à terre, croyant son compagnon endormi. Boris l'attire pour la surprendre au risque de tout renverser. Elle se laisse faire en riant et l'attire à son tour. Il la possède une fois de plus avec force, les muscles tendus et sans la ménager. Ensuite, elle l'embrasse et caresse ses cheveux comme s'il était un enfant.

Boris prépare soigneusement un paquet de morceaux de papier journal ayant la taille de billets de banque ; il les enveloppe avec l'emballage épais du colis de son père et noue fermement la ficelle autour pour que ce soit très difficile à défaire. Il explique entre-temps son plan à Birgit et cherche à la rassurer. Elle n'aura qu'un coup de téléphone à donner, pour fixer le rendez-vous. Puis elle filera à Reims, chez une de ses copines, pour quelques jours.

— Il viendra, Birgit, ne sois pas inquiète, dit-il pour faire taire ses objections. Il veut trop l'argent, il te sait craintive, et il trouvera l'endroit désert très convenable. C'est près de chez lui, et il pensera même à t'inviter, je t'assure. Sinon, j'irai moi-même chez lui. L'important, c'est que tu sois à Reims dès cet après-midi et que tu te fasses bien voir là-bas, en toute insouciance. Je m'occupe du reste. C'est promis. À ton retour, ce Juan ne sera plus à Paris, pour longtemps. Il ne cherchera plus jamais à te revoir… Si tu veux, appelle Cybelle dans deux jours pour te tranquilliser. Maintenant, efface cette nervosité pour bien jouer ton rôle au téléphone. Tu dois être craintive, hésitante, mais prête à tout ce qu'il voudra, d'accord?

Birgit prend le téléphone et s'en tire à merveille. Boris croit même reconnaître dans sa voix l'accent infantile qu'elle avait lorsqu'elle disait «non» durant la nuit. À l'autre bout du fil, Juan doit penser qu'il recevra l'argent et qu'il la baisera de surcroît. La jeune femme a la bonne idée d'ajouter qu'elle a trop peur de Mateus; Juan doit se sentir comme le sauveur et penser qu'il continuera à la protéger longtemps…

Ils se séparent sans savoir que c'est pour toujours. Boris dépose ensuite sa sacoche à la consigne de la gare de l'Est et ne garde sur lui que le couteau à lame épaisse qu'il a pris dans le chai du vignoble avant de partir. En pensant aux paroles de Mateus — «ce n'est pas un Colt mais c'est quand même de l'acier» —, il le place dans la longue poche intérieure de son parka, enroulé dans du papier. Et il se promène le restant de l'après-midi, sans but, en brodant de grands cercles parmi les ruelles, tout en évitant soigneusement les endroits où se tiennent les étudiants étrangers.

«Dommage, pense-t-il en voyant de loin l'église Notre-Dame, je voudrais bien revoir ce film de Bergman. Hier, je n'étais pas dans de bonnes dispositions, trop ballotté. Clarissa m'avait pris au dépourvu, sans défense, en pure attente; et son coup a porté. Aujourd'hui c'est différent. Birgit m'a vengé et j'ai quelque chose à faire… »

La nuit venue, il s'attarde au fond d'un restaurant arabe, porte de Montreuil, et il étire le couscous le temps qu'il faut pour attendre son heure. Il se souvient de la bouteille de cachaça bue la veille, mais il doit se contenter du rhum blanc que le garçon lui sert. Les deux paquets de Gauloises sur la table et la bruine froide lui rappellent la matinée de la veille; il se réjouit de la coïncidence. C'est comme s'il avait su qu'il aurait besoin, pas plus tard qu'aujourd'hui, d'un endroit tranquille où il ne serait pas dérangé. Le quai Saint-Bernard était encore vide cet après-midi. Pourvu qu'il le soit toujours, conclut-il en se levant.

Boris prend le métro jusqu'à la place de la Nation et, de là, il descend nonchalamment le boulevard Diderot en contrôlant l'allure de ses pas pour ne pas arriver trop tôt. Assez tôt pour surveiller les rampes d'accès et le quai du port; mais pas trop tôt pour ne pas se refroidir en attendant.

Onze heures et quart. Le Jardin des Plantes est une masse noire battue par le vent. Les rares autos passent à grande vitesse avec un sifflement sur le pavé mouillé et disparaissent au loin. En bas, la Seine a des taches ocre à cause des reflets venant de la rue. Il attend. Personne, sauf une péniche amarrée près du pont de Sully qu'il n'avait pas remarquée auparavant. Même pas de clochards ni de promeneurs de chien.

Boris descend la rampe, se cache à l'abri de la muraille et d'un tas de sable, et il attend. «S'il ne vient pas, j'irai chez lui», se dit-il avant de cesser de penser pour se concentrer sur les lieux. Il évite de regarder les lumières de l'autre rive pour ne pas se laisser distraire et passe le temps à examiner les taches sombres le long de la muraille. Une longue attente, froide, où il repense à la bouteille de cachaça et au ventre chaud de Birgit.

Minuit passé, le promeneur arrive enfin, seul et inquiet. Il inspecte les lieux avant de descendre précautionneusement jusqu'au quai en regardant de tous les côtés. Boris distingue alors ses vêtements qui tombent bien, son manteau qu'il porte ouvert, le foulard... Un beau chapeau, pense Boris pendant que l'autre dépasse son abri de sable.

— Juan!

Lorsque l'autre se retourne en sursaut, il ajoute:

— Birgit n'a pas pu venir...

Juan recule de quelques pas, visiblement surpris d'entendre cette voix d'homme; mais avant qu'il se mette à courir, Boris lui tend le paquet.

— Tiens, c'est pour vous. Vous êtes bien Juan? Birgit m'a demandé de vous le donner. Elle est très malade. Mais tout est là, vous pouvez regarder, ajoute-t-il en s'approchant à peine, le paquet tendu au bout du bras.

L'autre homme paraît se détendre un peu et s'approche pour s'emparer du paquet lorsque Boris recule à son tour.

— Vous êtes bien Juan, n'est-ce pas?

— Oui, vous voyez bien. Je suis au rendez-vous, comme promis. Je lui ai pourtant dit que je ne voulais pas d'intermédiaire...

— Excusez-moi, répond Boris avec une voix peu sûre, mais elle est vraiment malade, ce n'est pas de sa faute... Moi non plus, je ne veux rien savoir de vos affaires. Voici le paquet, dit-il en s'approchant pour que Juan puisse le prendre. Regardez donc si tout est correct; dépêchez-vous, il faut que je m'en aille...

Les paroles de Boris et l'épaisseur du paquet paraissent rassurer Juan, qui se met aussitôt à tirer sur la ficelle en surveillant son interlocuteur. Mais il se trouve maintenant le dos contre le mur; d'un saut, Boris se colle à lui et le pousse en arrière, à la pointe du couteau.

— Crie pas. Bouge pas. On va parler, calmement...

En le tenant avec rudesse mais sans trop presser le couteau, Boris l'interroge d'une voix posée.

— Ce n'est rien, je vous jure; ce n'était qu'une blague, réplique Juan sans le reconnaître. Une simple affaire de mec et de nana, je le jure! Je ne sais rien, non, rien du tout, je vous assure. J'avais parlé de Mateus comme ça, en passant, pour blaguer, c'est tout. C'est Freddy, le copain de Birgit qui m'en avait parlé avant de partir; mais je ne prenais pas ça au sérieux, je jure. Je n'ai rien contre Mateus et je m'en fiche. Les flics, je les déteste moi aussi...

Juan se calme en parlant car il croit convaincre Boris. Il s'excuse encore et nie travailler avec d'autres personnes. Il s'excuse surtout d'avoir courtisé Birgit. Une idée comme ça, bête, bête, une idée à la con, il le reconnaît. Il ne voulait pas lui faire peur, non ; il était attiré par elle, c'est tout bête. Rien d'autre. Maintenant il se sent con, con, mais con ! Et il jure encore que ce n'était rien.

— D'accord, interrompt Boris en s'approchant davantage. Maintenant, écoute.

Juan croit qu'il veut de l'argent et propose de lui en donner.

— Écoute, répète Boris en lui pressant la main sur la bouche pour mieux le tenir contre le mur.

Le visage de Juan est trop drôle : ses yeux sont attentifs, puis étonnés lorsque Boris lui enfonce le couteau, de bas en haut, d'un coup si ferme qu'il soulève le corps de sa victime. Juan tressaille, ses yeux se gonflent, sa tête s'incline de côté et un râle lui sort par les narines. Boris soutient ce regard intense tout en s'efforçant, d'un mouvement du poignet, de faire pivoter le manche de l'arme contre la poitrine pour parfaire le ravage, à la façon dont il a vu autrefois saigner les porcs. Le corps contre le mur s'amollit et s'écroule sur les genoux, puis de côté. Boris recule enfin ; baissé, en s'aidant du pan du manteau, il retire lentement la lame. Presque pas de sang.

Il fouille les poches du mort à la recherche de papiers et du portefeuille ; il s'empare d'un lourd briquet, de la montre et il lui arrache enfin une gourmette du poignet droit. La Seine reçoit ensuite le cadavre et l'arme du crime.

Boris se frotte les mains sur le sable mouillé, soigneusement, avant de remonter vers la rue, le Stetson tout plié dans la poche du parka. Il traverse le pont d'Austerlitz sous la bruine pour se perdre du côté de la Bastille.

Le matin, après avoir pris des cafés-calva et acheté encore deux paquets de Gauloises au buffet de la gare de l'Est, un voyageur fatigué embarque dans le train de huit heures en direction de Strasbourg.

## 13

Rosa l'attendait comme promis à Francfort. Elle paraissait de très bonne humeur puisqu'un poste lui avait en effet été offert au journal, et qu'elle allait pouvoir enfin mettre en pratique les notions de sémiotique qu'elle avait apprises à l'université. C'était un travail relié à la chronique des nouvelles formes d'expression artistique comme la mode, la publicité, les vidéoclips et les performances multimédia.

Tout en conduisant, elle lui parlait avec enthousiasme de ses projets, des gens importants qu'elle allait côtoyer, puis du rôle d'agent culturel et de créatrice qu'elle s'attendait à jouer.

— Car, disait-elle, dans un domaine aussi avant-gardiste, le critique est pour ainsi dire un chef d'orchestre qui réunit les talents individuels en un ensemble dépassant les limitations de chaque artiste. Une sorte de maître d'œuvre par qui l'événement nouveau voit le jour...

Boris la regardait conduire et se réjouissait qu'elle eût obtenu cet emploi fabuleux. «Rosa, pensa-t-il, serait vraiment à sa place dans un milieu sophistiqué.» Il remarqua d'ailleurs ses vêtements de style, moins militaires, et jusqu'à son maquillage qui paraissait plus accentué. Rosa avait en outre échangé son sac à dos contre une belle serviette en peau souple, griffée Gucci, encore vide, certes, mais prête à recevoir des documents culturels de la plus grande modernité. Même qu'elle disait *postmoderne*.

— Ah, Boris, tu ne sais pas tout le boulot qui m'attend, et le défi que cela constitue. Dommage que tu aies décidé de partir juste en ce moment. On aurait pu aller ensemble à Paris, dans deux semaines. La saison de la haute couture bat son plein et il s'y passe des choses... Le journal m'y envoie immédiatement pour que je m'habitue, tu vois. J'ai peur... Même si je me sens bien formée du point de vue théorique. J'ai toujours été plus ou moins en contact avec ce domaine, tu sais, la sémiotique de la modernité. Mais je me serais sentie plus confiante si tu avais été à mes côtés. Enfin tant pis, ça m'obligera à plonger immédiatement dans le feu de l'action. Peut-être que tu ne te serais pas senti à l'aise... C'est un monde très, comment dire... pas snob, non, sophistiqué. Très libre aussi, avec des personnalités à la fois éclatantes et parfois extrêmement sensibles... Ah, Boris, quelle expérience! Ici, en Allemagne, nous sommes comme des provinciaux. Ça se passe vraiment à Paris, à New York et à Milan, avec des idées folles, folles venant de la côte ouest de l'Amérique. Le Japon reste encore un grand secret, mais ils observent et absorbent. Qui sait ce qu'ils pourront concocter dans les dix prochaines années! Peut-être qu'à ton retour nous pourrons voyager ensemble, qu'en penses-tu? Puis, là-bas au Brésil, ça bouge aussi, il paraît, surtout du côté mode. On dit que les trucs tropicaux sont très prisés à Paris, à cause de leur musique. Tu promets que tu me tiens au courant dès que tu arrives, d'accord? Je pourrais très bien aller te rendre visite...

Elle parlait, parlait, sans se rendre compte que ce bavardage apaisait son compagnon d'une tout autre manière. Boris regardait les rues à la recherche des quartiers pauvres qu'il avait connus autrefois. Autour de la gare, il n'avait pas vu les ruelles remplies de cabarets et de bordels. Les grands édifices en acier et en verre paraissaient dominer la ville.

— Francfort a bien changé, dit-il. Où sont donc passés les drogués d'autrefois?

— Ils sont toujours là, répondit Rosa avec une pointe d'irritation causée par l'interruption de sa tirade. Ils se tiennent maintenant dans les jardins du centre, au milieu des grandes banques, et ils sont chaque jour plus nombreux. Désormais ils font partie du décor, partout, Boris. Chaque grande ville a son lot de freaks; c'est même la preuve que les affaires prospèrent...

Boris se tut le restant du parcours en faisant semblant de s'intéresser au paysage pendant que Rosa continuait son monologue.

Au lieu d'aller à l'hôtel comme il s'y attendait, ils logèrent dans un appartement immense, moderne jusqu'au dégoût, rempli de meubles peu confortables en acier et en pierre. Les tableaux sur les murs étaient si fades qu'ils avaient plutôt l'air de draperies. Heureusement, la propriétaire était en voyage; mais Boris dut se résigner à la compagnie d'un majordome espagnol et d'une servante turque qui regardèrent avec mépris ses manières peu raffinées.

Il réussit à convaincre Rosa de décliner l'invitation d'un de ses futurs camarades de travail pour qu'ils pussent être seuls. La soirée fut assez fade même si le *single malt* très vieux que Boris trouva dans le bar de l'appartement lui permit de ne pas sombrer dans le spleen. Rosa était fatiguée, de toute façon, et un peu survoltée à cause de son nouvel emploi. Ils firent l'amour, sans plus, juste après avoir regardé une émission de télévision très importante que Rosa ne pouvait pas manquer. Ensuite, elle tomba endormie en l'appelant *mon chou*.

Boris resta couché le temps de s'assurer qu'elle respirait profondément. Surtout, ne pas la réveiller. Tout s'était si bien passé, Rosa paraissait si absorbée que son départ s'inscrivait dans l'ordre naturel des choses. Bien pratique, pensa-t-il en se levant avec un soin extrême pour aller s'installer sur le divan, la bouteille à portée de la main.

Seul dans la pénombre, il se sentit soulagé de ne pas avoir dû servir à Rosa les explications qu'il avait préparées pour la circonstance. Bercé par le whisky délicat, il se laissa retomber dans les souvenirs.

❑

Mateus est très content du Stetson que Boris lui a ramené comme cadeau. Cybelle a passé le chapeau à la vapeur pour effacer les plis, et maintenant il le porte tout le temps, incliné sur la tête comme les anciens gangsters.

Plusieurs jours se sont écoulés depuis que Boris est revenu de Paris et tout semble oublié. Mateus est d'avis qu'il n'y aura pas de danger si Birgit garde le silence. Boris se méfie pourtant.

— C'est bien rare que les morts repêchés des eaux aient quelque chose à dire, Boris. Ce gars-là est bel et bien oublié. Encore quelques mois, et Birgit repart en Suède ; à moins que tu ne veuilles la garder pour toi. Ou immigrer chez elle. C'est ce que je ferais à ta place, mon vieux. T'as le choix entre Céline et Birgit ; qu'est-ce que tu veux encore aller chercher en Allemagne ?

Boris évite de parler de Clarissa pour ne pas mettre à nu sa blessure. Quelques jours après, il part pour Hambourg, à la recherche d'un Yougoslave qui pourra peut-être lui trouver des passeports. Mateus promet de le suivre si ça se passe bien.

❑

Boris but une grande rasade de scotch et bourra sa pipe tout en surveillant la respiration de Rosa. « Ma plus grosse erreur, je l'ai peut-être commise à ce moment-là, pensa-t-il, où j'aurais pu discuter avec Mateus. »

Il avait tenté de se convaincre que son départ précipité vers l'Allemagne n'était qu'un geste de panique provoqué par le meurtre. Mais il savait qu'il fuyait à cause d'un mariage, car le meurtre ne lui avait procuré que du plaisir. Comment dire ce genre de choses lorsqu'on est au milieu de la tempête ? Un mariage, c'est si ridicule... Entre les deux dangers, il avait alors réussi à s'esquiver et à éviter le pire, en lançant l'un contre l'autre l'amour et la haine, pour se faufiler entre ces deux extrêmes. Juan, cette canaille, était mort à la place de quelqu'un d'autre... Mais de qui au juste ? Peut-être de Boris lui-même... Une partie de sa tristesse s'était étrangement évacuée avec le plaisir d'enfoncer cette lame, pensa-t-il, de parfaite façon comme il l'avait appris à l'armée, et de voir que ça marchait. Surtout la drôle de tête que Juan avait faite devant le geste inattendu, sans pouvoir crier, les yeux bouffis et surpris... Son visage grotesque avait tellement soulagé Boris de sa souffrance qu'il avait ensuite ri la nuit entière en se baladant dans la ville pour attendre l'heure de repartir.

Boris se souvint alors de sa deuxième erreur, la plus funeste, qu'il avait aussi escamotée dans son récit à l'éditeur. Les yeux fermés, il se laissa revenir à ce boisé d'il y a longtemps, à la frontière autrichienne, pour y chercher une fois encore une issue différente.

❏

Mateus conduit la camionnette par la petite route qui serpente à travers la campagne. Boris guette. Karel, le jeune Polonais, dort en arrière dans un sac de couchage parmi les caisses. Ils ont roulé toute la nuit depuis Hambourg, et ils sont fatigués. Cette livraison est comme les précédentes, de la pure routine ; mais ensuite ils auront leurs passeports. Tout est réglé et Stan compte sur eux pour d'autres livraisons en France et dans le Pays basque. De vrais passeports portugais, avec visa de séjour et de travail.

À un tournant, Boris aperçoit des gens en uniforme à l'orée du bois qui manipulent des instruments ressemblant à des transmetteurs. Aussitôt après, ils sont dépassés par une grosse auto immatriculée à Hambourg. Ils sont encore loin du lieu de rendez-vous, mais cette double coïncidence leur paraît de trop. L'envie de croire à leurs passeports a jusqu'à présent fait taire leurs soupçons, mais elle ne suffit plus. Boris lance un simple regard à Mateus et celui-ci tourne au premier croisement pour regagner l'autoroute en direction de Salzbourg.

À quelques kilomètres de la frontière, ils hésitent. Le jour s'est levé, tout paraît moins sinistre, et ils se disent que ça n'a peut-être été qu'une panique sans fondement. Ils font alors demi-tour pour revenir au lieu convenu. Mais avant d'atteindre la sortie, depuis l'autoroute, ils peuvent apercevoir l'opération militaire au loin, avec des hélicoptères qui tournent autour du bois. Il est clair que c'est un piège, et tant pis pour les jeunes gens qui attendaient leur chargement.

Les journaux diront par la suite qu'il y a eu un mort et trois arrestations ; que les opérations se poursuivent pour ratisser les bois environnants. Il n'y a rien de sérieux à tirer de ces nouvelles puisque la police dit ce qu'elle veut et que les gens sont trop effrayés pour poser des questions. Mais c'est clair qu'ils ont été vendus.

Ils roulent toute la journée sans savoir au juste où aller. Au début, Karel paraît aussi étonné qu'eux, et il insiste pour revenir à Hambourg, chez Stan. Boris et Mateus s'y opposent, car ils croient que le Yougoslave est de mèche avec la police.

Le Polonais se plie cependant trop vite à leur point de vue, ce qui les rend encore plus méfiants à son égard. Et puis ses tremblements autour des lèvres suggèrent plus qu'un simple désarroi. En fait, pensent les deux compagnons, pourquoi Stan a-t-il tant insisté pour que ce Karel soit du voyage, puisque d'habitude ils travaillent seuls ?

Lors d'un arrêt dans les Alpes bavaroises, Boris et Mateus décident de tirer au clair la raison de la présence du Polonais. L'endroit est désert et ils ont tout le temps pour le questionner. Karel cherche à les convaincre, mais ses explications paraissent farfelues. Ce qu'il dit est surtout trop cohérent, trop bien ficelé pour être vrai. Il s'agit là d'une simple question de langage et le jeune homme a l'air si innocent... Mateus propose de ne pas le liquider sur-le-champ. Boris acquiesce avec empressement puisqu'il a encore sur le cœur le meurtre de Juan, et qu'il hésite à recommencer.

Karel disparaît à l'aube, après avoir dit qu'il allait pisser. Les deux amis inspectent alors les caisses. Au lieu d'armes et d'explosifs, elles ne contiennent que des morceaux de ferraille bien arrimés et une petite quantité d'héroïne chacune. C'était donc ça, le piège de Stan pour compromettre les gauchistes tout en gardant intact son réseau. Karel était sans aucun doute dans le coup et la police allait sûrement l'oublier. Qui sait si la police elle-même n'avait pas fourni la drogue pour l'opération ?

Il leur faut partir au plus vite. Peu après, ils abandonnent la camionnette et continuent en train jusqu'à Munich dans l'espoir de revendre la drogue à une vieille connaissance. Même au rabais, en acceptant ce qu'on leur offrira, ils auront suffisamment d'argent pour disparaître confortablement.

Le Turc, à Munich, un contact du temps où ils travaillaient en France, paraît surpris de cette quantité de drogue non annoncée. Après une longue réflexion, il accepte de les dépanner en gardant la drogue contre une bonne avance. Le reste sera payé directement aux patrons de Marseille.

Quand Boris et Mateus se quittent à Neuchâtel, ils rient encore en imaginant la surprise des Marseillais si jamais le Turc leur remet comme promis le restant du paiement pour la vente fantôme. Mateus compte retourner auprès de Cybelle et y rester en attendant que les choses se tassent. C'est ce qui semble le plus sûr, et il cherche encore à convaincre Boris de l'accompagner, mais celui-ci refuse.

Boris a l'intention d'aller vivre quelque temps à Bologne, chez des amis, pendant que son passeport est encore valable. Dès la fin de l'année universitaire, Birgit viendra le rejoindre et ils partiront chez elle, en Suède où il pourra peut-être obtenir l'asile politique.

Il descend en Italie comme un touriste, insouciant et avec de l'argent en poche. Il se sent las de cette Europe et de ces vagabondages sans but ; et il se réjouit d'aller rendre visite à ses deux amis libraires de Bologne, Gaetano et Gina, qui l'ont déjà tant de fois accueillis.

Gaetano Vescovo est un homme extrêmement raffiné et érudit. Il lui rappelle ces aristocrates italiens de vieille souche qui regardent les bêtises du monde actuel avec un sourire de sagesse, en fermant légèrement les yeux. Il est aussi de cette race de libraires qui a la passion des livres anciens et de tout ce qui est imprimé avec art. Avec Gina, sa sœur, il tient une minuscule imprimerie consacrée à la réédition d'œuvres destinées à un cercle select de connaisseurs. Gina, au contraire, est une Italienne fougueuse et emportée, robuste, à la poitrine maternelle, très émotive, qui s'est autrefois occupée de théâtre. La quarantaine bien avancée, le frère et la sœur ont l'air d'un couple heureux et bien assorti, perdus parmi leur trésor de cuirs et de vélins.

Habillé de neuf et rasé de près, Boris entre dans leur librairie vieillotte, éloignée des rues passantes du centre. L'odeur d'anciens parchemins avec une pointe d'encens et de poussière envahit ses narines aussitôt qu'il passe la porte. Des livres empilés partout, sur les étagères qui cèdent, sur les tables, par terre, ne laissent presque pas d'espace pour se déplacer. La clochette de la porte aux vitres biseautés n'a pas fait bouger Catarina, la gérante, comme ils l'appellent, qui continue à écrire sans regarder le visiteur, même si Boris croit distinguer un *buon giorno* venant du côté de son pupitre. Il fait semblant de regarder les livres jusqu'à ce que ses yeux s'habituent à la lumière faible des lieux. Rien ne presse ; il en profite pour savourer la sensation de paix solennelle qui émane de la boutique et des reliures baroques. C'est la même sensation qu'il a maintes fois ressentie dans certaines petites églises ou cimetières de campagne.

— *Il signor Gaetano Vescovo, prego*, demande-t-il d'une voix basse pour ne pas faire sursauter Catarina.

Elle répond d'un geste de la main en direction de l'arrière-boutique, sans se retourner.

Boris entrouvre la porte du fond et se laisse guider dans le couloir sombre par la senteur huileuse et sucrée d'encre de lin. Dans l'imprimerie, parmi les formidables presses à bras qui ont l'air d'engins de torture, Gina et Gaetano boivent, assis à la grande table, en compagnie d'un jeune homme. Ils paraissent fêter un événement heureux. Ils accueillent Boris chaleureusement par des poignées de main et des accolades, sans s'étonner de le voir là ; et avant même qu'il puisse s'asseoir, Gaetano lui a déjà mis un verre entre les mains. Gina, tout en essuyant des larmes, s'affaire à casser des morceaux de parmesan, pour accompagner le vin, à l'aide d'une spatule d'imprimeur. Leur excitation est cependant trop évidente et ils ne tardent pas à mettre Boris au courant.

— Giacomo, notre imprimeur, nous a trouvé une merveille, dit Gaetano avec émotion en faisant un signe de tête en direction du jeune homme. Tu vois, Boris, une chose extrêmement rare, le bonheur sur terre pour des amateurs comme nous. Du vrai vélin vergé Fabriano, d'il y a au moins cent ans ! Imagine-toi, du temps où on le faisait encore avec du coton d'Égypte ! Et conservé vierge, blanc, à peine roussi sur les bords effilochés, rugueux comme du parchemin ! Tout un lot, Boris, tout un lot…

Gaetano se dirige alors, très tendu, vers une pile de vieilles caisses en cuir contre le mur, d'où il sort soigneusement une large feuille de papier en la tenant avec les paumes, et qu'il fait vibrer en l'air pour obtenir un bruit de voile de bateau.

— Touche, Boris... attention, du dos de la main seulement... Sens le poids, sens ; n'est-ce pas sublime ?

Il redépose la feuille dans la boîte comme s'il s'agissait d'une large hostie, avant de continuer :

— Giacomo lui-même, qui est un expert, n'en croyait pas ses yeux. N'importe quel artiste donnerait une fortune pour pouvoir s'approprier un papier pareil. Tu t'imagines, Boris, les beaux petits livres reliés en cuir souple, dorés aux fers, pas sur tranche, naturellement... Tu les vois ? Un recueil de D'Annunzio pour commencer, ça va de soi. Suivi d'un album des meilleurs passages de Pitigrilli sur l'amour, très spécial, ajoute-t-il avec un clin d'œil en allumant une cigarette, pour lequel j'ai déjà quelques burins du début du siècle, et des caractères en plomb que je sais où trouver. J'ai là pour au moins une douzaine de petits bijoux de livres.

— Ah, Gaetano, interrompt Gina avec un sourire de satisfaction, tu m'as promis un Louise Labé, ne l'oublie pas, hein ? Sans parler des extraits de Lautréamont que le professeur Vanucci est en train de traduire, te souviens-tu ? C'est le papier parfait pour ces petites merveilles qu'on garde sur soi, seulement comme aide-mémoire pour les œuvres qu'on connaît par cœur. Tu ne trouves pas, Boris ?

— Mao Tsê-tung lui-même n'a pas un papier comme celui-là pour l'édition de luxe de son petit livre rouge, répond Boris en riant de leur contentement.

— Boris, t'as pas assez bu ! coupe Gaetano en le menaçant du doigt. C'est pour ça que tu blasphèmes. Tiens, bois encore de ce vin délicat pour te laver la bouche, ajoute-t-il en le servant. Parler d'un politicien en présence d'un papier digne de poètes est un sacrilège, tu le sais bien !

— Il blague, Gaetano ; tu connais Boris, interrompt Gina en offrant encore du parmesan. Mais, raconte, Boris, raconte. Oh ! mais qu'il est élégant, notre petit... As-tu volé une banque ou quoi ?

Boris se lève et tourne sur lui-même pour faire voir ses habits neufs, son déguisement bourgeois comme il les appelle. Il leur raconte ensuite une histoire vague qui finit par des vacances.

— Mais oui, je peux rester quelques jours pour bavarder, sans doute, ajoute-t-il. Peut-être même pour donner un coup de main à l'imprimerie. J'ai pris une chambre dans la petite pension toute proche, et j'attends peut-être une copine...

Les jours passent tranquillement. Boris se balade au hasard dans la ville, mais il est la plupart du temps dans l'arrière-boutique. Gaetano n'est pas pressé d'entamer son stock de papier précieux avant d'avoir rassemblé les fontes nécessaires, et il se montre tout à fait incapable de décider quels livres il imprimera.

— C'est un véritable supplice, Boris, dit-il. Il y a tant d'ouvrages merveilleux et introuvables, tant de poètes oubliés que je voudrais réveiller à nouveau... Si je me décide pour un, aussitôt deux ou trois autres me viennent à l'esprit par pure association, puis encore d'autres. Le pire, c'est que plus je recule dans le temps, plus leur nombre s'accroît. Et j'évite de penser aux Latins pour ne pas devenir fou. Tu t'imagines, un petit recueil de choix, avec les meilleures phrases des lettres de Sénèque à Lucilius, en typographie onciale taillée comme de la calligraphie des incunables... L'encre bistre et des lettrines sang de bœuf. Rien que d'y penser, je souffre de ne pas posséder ce livre, de ne pas pouvoir le caresser en le feuilletant... Ou encore, des symbolistes russes dans la traduction délicate que mon ami Jacobbi est en train de forger : Akhmatova, Blok, Mandelstam et Essenine ; le tout très dégagé, en écriture carrée et grasse, hein ? Pour te faire plaisir, je pourrais même y inclure ton lourdaud de Maïakovski ; son dernier poème seulement, tu vois lequel, pour mettre le point final d'une balle à la délicatesse de ces voix. Qu'est-ce que tu en dis ?

Gaetano verse de son vin couleur rubis, la cigarette élégamment tenue de côté pour ne pas incommoder son interlocuteur, même si celui-ci fume autant que lui, les yeux tournés vers le haut à la recherche d'inspiration. Il reprend ensuite ses rêveries, en ajoutant parfois de longs passages de poètes inconnus qu'il récite à voix basse comme s'il s'agissait d'une incantation. Boris écoute et se sent rajeunir, le corps curieusement dépouillé de toute la crasse qu'il avait accumulée pendant le temps du vagabondage. Le charme de la poésie et l'amour des livres a ici, dans cette arrière-boutique, un effet magique d'innocence essentielle qui fait paraître mesquin le reste du monde. Gina, d'un naturel plus exubérant, se révolte souvent contre la bêtise des gens et leur dédain du livre. S'arrêtant au beau milieu d'une épreuve qu'elle corrige à la pointe du crayon, elle peut déclarer qu'il faudra trouver encore plus de ce papier, qu'ils devraient plutôt commencer une nouvelle collection de livres exquis, ou encore que Gaetano oublie trop souvent d'aller exiger d'un tel ou d'un autre qu'ils financent l'entreprise.

— Mais non, Ginetta *mia*, mais non, interrompt Gaetano avec patience. Le livre est une affaire de cœur, d'amour… de sensualité, *micia mia*, tu le sais bien. Ces gens-là, ils les aiment, les livres ; mais ils ne sont pas capables de les concevoir comme nous, de les créer. Une fois qu'ils le touchent, qu'ils feuillettent un peu, là seulement ils découvrent leur amour du livre et leur désir de le posséder. C'est à nous que revient le travail de créer les livres. Tu ne peux pas leur demander de payer pour des livres qu'ils n'ont jamais touchés… Tu vois, Boris, c'est la même chose pour les livres anciens. On vient souvent m'en proposer, parfois des caisses pleines ; ou les familles m'en font venir lorsque le mort a laissé des étagères et des salles pleines de volumes. Les héritiers n'ont souvent qu'un seul souci : s'en débarrasser pour repeindre, redécorer et louer les lieux. Les livres, c'est trop intime ; ça appartient au mort, à sa passion que les autres ne sauraient partager. Je fais mon choix, très rigoureusement, et je dois à regret rejeter la plupart de ceux qu'on me propose. D'abord, je n'ai pas assez de place, tu vois ; et puis c'est ma propre collection que je crée. Je les nettoie, je les répare, je cire les reliures, je les classe à ma façon... Mais, surtout, je les distingue en les choisissant, en les laissant entrer ici parmi les autres. Du coup, ces livres deviennent différents, précieux en quelque sorte, et les connaisseurs se targuent de les découvrir à leur tour dans ma boutique. Alors seulement ils les chérissent. Voilà. C'est ma façon de faire parler de nouveau ces poètes ; ils revivent par mon choix, et c'est comme des amis qu'on libère de prison. Sont-ils vraiment autres, je me le demande... Mais ils renaissent à notre temps, c'est certain. Sans des gens comme nous, Boris, il n'y a pas de métempsycose de la parole... C'est une sorte de liturgie du baptême, mais à l'envers, pour les voix oubliées. Il ne faut donc pas se soucier outre mesure des aspects matériels, n'est-ce pas, pour ne pas compromettre le sacré qui s'y trouve. Juste ce qu'il faut de sérieux pour ne pas faire faillite et pouvoir continuer la quête... en compagnie des amis et du bon vin.

Gina est d'accord ; elle ne réagit que pour laisser exploser sa nature fougueuse, par souci de proclamer son amour des poètes qu'elle considère d'ailleurs comme ses enfants. Le frère et la sœur échangent des regards complices pleins de tendresse et, de sa voix rauque, Gina récite alors un poème qui appuie justement les paroles de Gaetano.

— C'est une ode d'un étranger comme toi, Boris, ajoute-t-elle à la fin du poème. Elle s'appelle *Usure*. Ezra Pound était un étranger qui aimait notre pays et notre langue. Dommage qu'il se soit laissé intoxiquer par notre sale politique au lieu d'être seulement poète... Je l'ai moi-même traduite, à nouveau, rien que pour moi et Gaetano. Ce poème nous fortifie tout en nous rappelant l'exil, la vraie patrie dès poètes. Pense à Ovide, à Virgile. Pense surtout à Homère : vieux, aveugle et en haillons, qui errait dans les villes étrangères en chantant les exploits virils, l'amour et les aventures... La mort. Et tous ces autres, enfermés dans leurs tombeaux de papier sur des étagères oubliées ; et les jeunes qui balbutient en quête d'un éditeur... On ne peut pas les laisser muets ! Gaetano et moi, nous aimons les débâillonner pour qu'on entende leur voix.

Les jours passent. Boris s'imbibe de poésie et se retire du monde. Il lui arrive parfois, la nuit, de jeter quelques lignes sur le papier à la recherche de cet ordre du langage. Rien que des premiers essais, encore frustes et rustiques à la fois, mais qui suffisent pour le décrocher des choses. En attendant... Le jour, il écoute Gaetano, Gina, et leur conversation avec les clients qui hantent la boutique. Parfois ce sont des types étranges, comme ce vieux Makarius, ancien saltimbanque tout en muscles qui travaille comme garçon de café, et qui collectionne des textes sur la mort. Ou encore *signor* Petrone, juge à la retraite, petite puce décharnée se déplaçant à l'aide d'une canne et qui approche des quatre-vingts ans ; mais toujours accompagné de jolies petites nièces en mini-jupe avec des bouilles de nymphettes aux culottes pas fraîches. *Signor* Petrone est amateur d'ouvrages salaces, de gravures et de clichés gaillards. Comme d'autres sybarites, cet ancien magistrat contribue substantiellement à la survie de la boutique par ses achats puisqu'il a besoin d'être seul avec le texte et ne peut jamais se contenter par conséquent d'une lecture à la sauvette.

— C'est l'âge, Boris, que veux-tu ! remarque Gina avec de la pitié dans la voix à propos de l'empressement du vieillard devant les trouvailles que Gaetano met à sa disposition.

Les défenseurs de la langue italienne abondent aussi, souvent très nationalistes, teintés de fascisme. Ils caressent avec respect les textes juridiques et les discours patriotiques reliés vert et rouge que Gaetano achète au mètre dans les successions d'avocats et de notaires. Ce sont en général des bavards grandiloquents, nostalgiques d'un passé révolu où se mélangent Mussolini, l'Abyssinie et divers Vittorio Emanuele, et qui ponctuent leurs tirades de gestes pour réarranger leurs couilles dans leurs pantalons trop serrés. Ceux-ci ne se gênent d'ailleurs pas pour rendre les étrangers et la langue anglaise responsables de toutes les souffrances de la mère patrie.

Les vrais poètes sont rares, cependant, ou du moins ils ne se font pas connaître. Il y a certes des jeunes gens qui restent à bouquiner durant des heures, et qui chipent parfois sous le nez de Catarina. Mais peu.

— Les temps sont plutôt idéologiques, regrette Gaetano. Les livres de sociologie et de psychologie, surtout ceux de socio-psychanalyse et de sexo-marxisme sont les plus demandés, m'a-t-on dit. La poésie, paraît-il, se passe dans la rue...

Et comme pour exorciser les démons de la bêtise, Gaetano enchaîne alors sur des choses plus rares:

— Tu sais, Boris, commence-t-il avec les yeux pétillants sans toutefois perdre l'élégance des gestes. Il y a une jolie traduction des *Carmina burana* dans une langue merveilleusement naïve et populaire. Ils l'ont sortie dans la pochette d'un microsillon de Carl Orff. Je crois que je pourrais publier un opuscule bien charmant avec ces chansons si je réussis à mettre la main sur des bois gravés d'époque. Qu'en penses-tu? Dans la même veine, et pour aller avec le Louise Labé que j'ai promis à Gina, pourquoi je ne sortirais pas un chansonnier de choses épicées de la plume de Rutebeuf, de Villon et de Ronsard? Je suis certain que le professeur Vanucci se ferait un plaisir de me les traduire. Mine de rien, il a une nature curieusement rabelaisienne et proustienne à la fois, ce qui est rare chez un homme de lettres... Tu vois, Boris, les idées ne manquent pas ; et elles se multiplient même à l'infini lorsque je joue à associer les textes. Par exemple, si je pense à des fragments, pourquoi ne pas mélanger ceux de Sapho avec ceux d'Héraclite, hein ? L'amour et la mort, tous les deux désincarnés, sans unité, mais si vivants... Ou encore des amours profanes, bien profanes ; tu vois ce que je veux dire ? Je connais un amateur averti qui saurait me mettre au point une collection de textes subtils, évoquant les amours virils, que je ferais accompagner de dessins à la ligne, très simples, reproduits à partir de poteries gréco-romaines et hellénistiques. Cet ami m'a un jour montré la photo d'un Ganymède au regard si évocateur qu'on n'aurait même pas besoin de titre ; rien que ce dessin aux fers dorés sur un cuir aux teintes d'un saumon vieilli... Tu imagines ? García Lorca, Miguel Hernandez, Verlaine, Rilke, quelques Michelangelo et quelques Wilde. Si l'on cherche comme il faut, même chez Pavese on pourrait trouver des propos uraniques, tu ne crois pas ? Et quel bijou ce serait... Pavese, quel poète, Boris !... Le problème de la poésie italienne est le manque d'assurance des poètes. Aujourd'hui on court un risque énorme lorsqu'on chante autre chose que le peuple ou la révolution italienne. L'amour, la solitude, la mort non héroïque, le temps qui passe, tout cela ne compte plus. Un gars comme Pavese, tu te rends compte ? Se suicider à cause d'une Américaine ! C'est le comble du mauvais goût. Même les Américains ne se suicident pas en l'honneur de leurs garces. Il fallait bien que ce soit un Italien... Dans ce pays, si t'es pas un mafioso, la crainte d'être une couille molle hantera chaque minute de ton existence. La langue italienne s'en ressent, naturellement ; et ce n'est pas la faute de l'anglais, bon Dieu ! Être poète n'est pas donné au premier venu... Ça se conquiert en se battant contre soi-même, en forçant ses propres interdits. Tu connais Bachelard ? C'est un Français, spécialiste des sciences ; ça devrait t'intéresser. Or, même en écrivant de la prose, il est aussi un des grands poètes français de notre siècle. La force d'évocation et la beauté de ses phrases sur la matière le mettent dans une catégorie à part. Bachelard a dit dans un de ses livres : *L'alcool délie la syntaxe.* Il y a dans cette affirmation une leçon profonde sur l'art poétique. Réfléchis là-dessus... Le poète est un homme qui s'arrache à un espace étroit. Son chant est toujours écorché, disloqué, mais libre. Libre, Boris ; libre et écorché à la fois. Le poète empoigne la langue et la façonne, sans demander ni la permission ni l'approbation. Surtout, il ne demande pas qu'on lui donne une langue toute faite. Le poète est un bagarreur solitaire qui se méfie des foules. Pense à Benn, toi qui aimes tant la langue allemande ; à son recueil intitulé *La morgue.* C'est presque oublié puisque c'était la voix d'un homme écorché qui continuait à chanter. Rien à voir avec le pantin Brecht qui est à la mode à cause des temps idéologiques... Je sais, Boris, tu n'es pas d'accord. Mais garde cette opinion de ton ami Gaetano quelque part dans ton cerveau. Ne te contente pas des cohérences ni des applaudissements de la foule. La poésie, c'est de l'incohérence devenue parole !

Puis, un beau jour, le facteur apporte un court billet de Birgit, sans signature ni adresse de retour, accompagné de coupures de journaux qui racontent comment Mateus a été tué en Alsace. L'assassin, un jeune Polonais, aurait avoué à la police française toutes sortes de trafics internationaux. Le nom de Robert Nowan y est cité avec son signalement.

*Ils te cherchent, mon amour. Va-t'en. Écris chez moi,* dit-elle.

❑

Étendu sur le divan, le verre à la main, Boris regardait toujours Rosa dans son sommeil en laissant les images du passé effleurer son esprit. Des images qui coulaient et glissaient sur elles-mêmes, emportées par une marée qui descendait en vidant son existence des déchets et des cadavres.

Ce fut ensuite la fuite vers la Yougoslavie et le long interrogatoire à l'ambassade d'Allemagne démocratique à Belgrade, pensa Boris en se versant un autre verre de scotch. Une fois de plus, la même bêtise du langage et des cohérences mensongères qu'on se forge lorsqu'il s'agit d'expliquer l'inexplicable. Il se souvint des questions absurdes concernant son action militaire au Brésil, ses liens avec le Parti communiste. Heureusement que les fonctionnaires se contentèrent des concepts vides d'exil et de clandestinité lorsque vint le temps d'expliquer ses vagabondages en Europe. Son passeport fut contrôlé auprès des communistes travaillant pour le gouvernement français et confirmé comme faux. Aucune question sur Mateus ni sur la drogue. Ensuite, la Bulgarie, histoire de patienter dans un pays plus sûr en attendant la réponse de Berlin-Pankow.

Il revit ses interminables journées à Sofia, en train de repasser le russe que son père n'avait pas su lui transmettre. Les livres et les livres, lus sans laisser de trace, dans le seul but de passer le temps. Le raki bulgare au goût de raisins verts, les vins trop sucrés et les fruits séchés. Lydija, l'agente de relations, qui lui rendait visite une fois par semaine dans sa chambre, bien programmée par la bureaucratie pour que le camarade Nikto ne tombât pas trop dans la mélancolie. Sa peau sentait agréablement la sueur et les pêches même si elle devait ensuite tout rapporter…

Boris se recoucha enfin à côté de Rosa pour attendre que se levât son dernier jour d'exil.

# 14

Seul dans sa rangée, les yeux rivés au hublot de l'avion à moitié vide, Boris se laissa émerveiller par la sensation du décollage. Sauf lors du transport de troupes à l'époque où il sautait en parachute et dans les deux Antonov bruyants de l'Aeroflot lors de son passage à Moscou, il n'avait jamais voyagé dans un avion moderne. L'intérieur du Boeing de la Lufthansa lui rappelait plutôt une salle de spectacles, silencieuse et élégante ; et même s'il n'arrivait pas à étendre ses longues jambes, il trouvait ce confort plus que luxueux. Les hôtesses et les stewards, qui passaient sans cesse, obséquieux et sympathiques, ajoutaient à cette impression d'irréalité. L'une d'elles s'adressa à lui dans un portugais à l'accent allemand chargé pour lui offrir des apéritifs, et revint ensuite avec un exemplaire du *Jornal do Brasil* daté de la veille, qu'il reçut comme un choc. Toujours avec le même sourire engageant et distant à la fois, l'hôtesse lui servit un double scotch et laissa deux autres petites bouteilles dans la pochette du siège, l'invitant à en réclamer d'autres encore s'il en avait envie.

L'étrange sentiment d'appréhension et d'incertitude qui l'avait assailli avant l'embarquement disparut au profit d'un bien-être nouveau. Rosa n'était plus qu'un vague souvenir se perdant déjà dans le passé. Boris se laissa glisser dans le calme agréable du fait accompli qui ne dépendait plus de sa volonté. Il débarquerait à Rio de Janeiro, voilà tout. Le même calme, pensa-t-il, que ressent celui qui est enfin arrêté après une longue chasse à l'homme, et qui suspend le jugement jusqu'à l'arrivée au poste de police.

Boris repassait dans son esprit la même question, inlassablement, mais sans angoisse désormais, comme une simple interrogation logique : « Qu'est-ce que je fais dans cet avion ? » Question complexe cependant, entièrement ouverte et vaste comme une vie. Cette formulation contenait à la fois « Qu'est-ce que je m'attends à trouver là-bas ? », et « Que suis-je en train de fuir ? » ; mais surtout « Pourquoi est-ce que je n'arrive pas à cesser de glisser en avant ? » La chute, la blessure, la dislocation et l'éclatement du corps, voilà ce à quoi il s'attendait depuis toujours et qui n'arrivait jamais. Chacun de ses gestes de rupture avait été suivi de ce même sentiment insolite d'attente d'une conséquence grave, d'une réaction quelconque venant de la matière sous forme de résistance ou de réaction. Comme un corps suspendu en l'air, il avait chaque fois expérimenté le vide de sens de l'intervalle, souvent de manière cynique et détachée, presque avec plaisir, en attendant que l'espace vertical eût fini de glisser et qu'arrivât enfin l'interruption du temps par le contact brutal avec le sol. Mais rien. Le sol s'était jusqu'à présent dérobé, les mots s'étaient avérés vides de matière, et le réel dur et sec n'avait jamais été au rendez-vous. La chute continuait, plus liquide et impalpable que verticale, mais elle se poursuivait sans lui laisser de prise.

«Qui sait, pensa-t-il, si cette fois-ci n'est pas enfin la bonne?» Pour la première fois depuis longtemps, il ressentait une grande sensation de solitude. Le saut était peut-être réel cette fois. Dehors, à la fin du voyage, il y aurait un sol dur et résistant qui le concernerait, dont il ne pourrait plus dire que c'était le pays des autres. Ni la langue des autres, ni des amours inconnues ou des espaces pour s'émerveiller. Plus maintenant.

Boris feuilleta distraitement le journal en s'attardant particulièrement aux noms des gens, à la recherche de vieilles connaissances. Il ne trouva personne. Lues en diagonale, les nouvelles sur la politique étaient dénuées de sens; ce n'était qu'un amalgame confus de sigles de nombreux partis inconnus qui s'affairaient à préparer les prochaines élections. Le leitmotiv de la réconciliation allait de pair dans chaque article avec la dette extérieure et l'effort pour augmenter les exportations. Ici et là, bien discrètement, il perçut des allusions innocentes ou picaresques à propos de l'inflation qui frôlait les cinquante pour cent par mois. Un peu absurde, difficile à comprendre car l'argent perdait ainsi toute sa valeur en moins de soixante jours, pensa-t-il, croyant à une exagération. Les photos des politiciens et des candidats montraient par ailleurs des gens bien habillés, grassouillets et souriants. Le ton des articles lui semblait d'une grandiloquence irritante, et les phrases étaient remplies de circonvolutions et d'adjectifs inhabituels dont le sens lui échappait. La page éditoriale en particulier lui parut illisible; la langue paraissait correcte, certes, mais la forme était si baroque, les allusions et les sous-entendus si nombreux, si pleins de formules stéréotypées et de nouvelles expressions que Boris eût peur d'avoir oublié sa propre langue. Un drôle de jargon, pensa-t-il, qui doit cacher une réalité bien laide. Mais c'était encore de la pure interprétation, car les pages du journal se succédaient sans aucune nouvelle alarmante. De minuscules entrefilets pouvaient cependant être un peu ambigus:

supermarchés et dépôts de grain envahis par la populace ; bandes d'enfants s'adonnant au vol et au pillage ; insécurité des touristes qui mettait en péril le succès du Club Méditerranée ; rumeurs d'épidémies démenties par les autorités sanitaires malgré les centaines de morts ; assassinats en masse d'enfants indigents... Curieusement, le cours du dollar était annoncé de diverses façons, avec des écarts de cent pour cent ou davantage selon qu'il s'agissait du cours officiel, de la vente libre ou du marché noir.

Boris apprit avec intérêt que le Parti communiste était désormais légal, et qu'il présenterait un programme social-démocrate et nationaliste en alliance avec d'autres partis bien suspects. Le nouveau secrétaire général était d'ailleurs un gars de son temps, un arriviste qui, autrefois, courait déjà les politiciens influents, cherchant à se faire remarquer.

Dans les pages culturelles, Boris trouva la même sorte de langage qu'avait utilisée Rosa pour parler de son nouveau travail. Les pages sportives, au contraire, lui parurent bien familières, sauf en ce qui avait trait aux nouveaux sports transmis par la télévision depuis les États-Unis et à la place prépondérante qu'avaient pris les coureurs automobiles.

La jolie Allemande qui parlait portugais interrompit ses rêveries en apportant le repas. Elle lui sourit gentiment lorsqu'il demanda d'autres petites bouteilles de scotch au lieu du vin, et revint avec un vrai chargement d'alcool. Boris dormait profondément un quart d'heure après le début du film.

Huit heures du matin. La chaleur torride de la ville de Rio de Janeiro accueillit le voyageur à la descente de l'avion. La piste était encore mouillée de la pluie du matin. Sous l'action du soleil, une longue traînée de vapeur s'en dégageait. La saleté dans le bâtiment de l'aéroport et les nombreuses taches de moisissure lui rappelèrent qu'il était bel et bien revenu en arrière.

Le contrôleur des passeports se borna à faire semblant de chercher son nom dans un épais cahier dont les feuilles tombaient en morceaux et, impatient devant les nombreux voyageurs qui se bousculaient, il tamponna le passeport de Boris et jeta sa carte de débarquement dans une caisse posée par terre.

Il lui fallut ensuite attendre longtemps à la douane où les valises de trois vols arrivés en même temps étaient empilées pêle-mêle. Les passagers en provenance de Paris et ceux qui venaient de New York furent obligés d'ouvrir leurs valises pour une drôle de fouille ; un échange de marchandises s'établit aussitôt entre eux et les douaniers. Les policiers des passeports s'approchaient à leur tour pour demander aussi des cadeaux et repartaient chargés de bouteilles, de flacons de parfum et de cartouches de cigarettes après avoir libéré les valises, dans une grande effusion de rires et d'accolades avec les passagers. Ici et là, des discussions plus tendues commençaient, mais vite la négociation reprenait ses droits ; dès que les autorités se sentaient satisfaites, le flot des bagages reprenait son cours. Comme Boris n'avait qu'une seule valise et qu'il n'avait rien à déclarer ni à offrir, ses livres furent éparpillés, ses vêtements secoués et il dut subir une fouille corporelle.

— Pas de télévision, de montres, de lingerie, d'appareils photographiques, de stéréos… Rien du tout ? demanda le douanier avec étonnement.

Avec un regard de mépris, il rendit à Boris sa valise pour s'intéresser aussitôt à une famille en provenance des États-Unis qui arrivait avec une bonne dizaine de gros paquets.

Dans le hall de l'aéroport, la confusion était encore plus intense. La foule des voyageurs et des familles lui paraissait bruyante et nerveuse comme dans un marché à ciel ouvert. Les porteurs et les chauffeurs de taxi accouraient pour se disputer âprement les clients, avec des cris et des gestes agressifs.

Dans le minuscule taxi qui le transportait, le chauffeur s'étonna à son tour qu'il eût si peu de bagages :

— Ils ont saisi vos affaires ?

— Non, je n'ai que cette valise…

— Vous venez pourtant de l'étranger… Vous n'avez rien apporté ? Dommage. À votre place j'aurais su quoi acheter. Le commerce des articles étrangers est très lucratif, plus encore que celui de la drogue, mon vieux. C'est le seul moyen de battre l'inflation. J'aurais apporté des vidéocassettes et des caméras vidéo… On en vend à des prix excellents, tant qu'on veut… Même les réfrigérateurs et les machines à laver.

— Mais, demanda Boris, intrigué, pourquoi les gens n'achètent pas ceux qui sont fabriqués ici ?

— Ah, mon cher ami, répondit le chauffeur en se tournant vers lui malgré le trafic intense à la sortie de l'aéroport. C'est comme ça… La crise, la conjoncture, comme ils l'appellent…

Il accéléra aussitôt en changeant de vitesse presque sans toucher à l'embrayage, et se faufila en zigzag parmi les embouteillages de l'avenue Brasil. L'odeur de marais et de pourriture flottait dans l'air lourd rempli des fumées âcres s'échappant des camions et des autobus bondés qui affluaient vers la ville. Partout le long de la voie, le spectacle de la misère était trop intense ; ils traversaient une région de favelas en pleine boue des marais, où les cabanes paraissaient flotter à la surface d'un brouillard. Les nuées d'urubus se mélangeant aux enfants rachitiques ajoutaient une note de mouvement sinistre et pourtant presque joyeux à l'ensemble.

Le chauffeur, tout en conduisant à grande vitesse, remarqua son intérêt :

— Vous n'êtes pas d'ici ?

— Si, répond Boris. Mais ça fait longtemps que je suis parti. Tout semble avoir bien changé.

— La conjoncture, je vous l'ai dit. Ça n'a rien changé, ça a seulement empiré les choses. Vous travaillez à l'étranger depuis longtemps ?

— Je travaillais...

— Ah... Si vous voulez, je crois qu'il serait mieux de prendre un hôtel au bord de la mer... Histoire de vous habituer. Le centre-ville n'est pas très sûr pour quelqu'un comme vous. Il n'est plus ce qu'il était...

— Oui, vous avez raison, mais c'est trop cher pour moi.

— Trop cher ! Avec des dollars, vous êtes riche maintenant. Si vous voulez échanger votre argent étranger, je pourrais vous arranger cela, à un très bon taux.

— Oubliez ça, fit Boris distraitement. Je n'ai pas encore été payé. Cet hôtel à la Lapa appartient à un ami, et j'y serai très bien.

— Bon, comme vous voulez. Vous êtes dans le tourisme ?

— Non, dans l'armée.

Le chauffeur parut soudain très concentré sur le trafic perturbé par une véritable inondation au milieu de l'avenue. Les véhicules allaient maintenant très lentement pour éviter de plonger dans l'eau stagnante. Des autobus en panne gisaient au milieu de la voie, entourés de femmes et d'enfants cherchant à grimper dessus pour demander l'aumône d'une manière agressive. Un attroupement compact de misérables s'était formé dans la région inondée et menaçait les occupants des automobiles. Le chauffeur fonça directement sur eux en klaxonnant et réussit à traverser la zone inondée sans se faire assaillir.

— C'est la même chose chaque fois qu'il pleut... Ils profitent des inondations pour arrêter le trafic. La nuit, c'est préférable de faire demi-tour sinon ils volent même les pneus. Ils savent qu'on vient de l'aéroport, et les touristes payent le péage sans sourciller... Mais je m'en méfie car ils rançonnent aussi les chauffeurs, les salauds.

— Et les gens savent ça ?

— Que voulez-vous, c'est l'unique voie d'accès à la ville. Si je prends les petites rues à travers les banlieues, ce sera pire encore. Ils peuvent nous tirer dessus. On a beau être armé par les temps qui courent, ça ne sert plus à rien. Tout le monde est armé ; et la police, il vaut mieux ne pas avoir affaire à elle...

Le taxi traversa ensuite une zone industrielle tout aussi délabrée, remplie de carcasses d'automobiles, de bars sordides et de terrains vagues, juste à côté d'une raffinerie de pétrole. Le choc de ces visions était trop fort, et Boris se demanda pour la première fois comment il avait pu rêver son pays de manière si désincarnée. Il commença aussi à comprendre pourquoi les militaires avaient redonné le pouvoir aux civils. Il était en effet impossible d'imaginer comment on ferait pour nettoyer toute cette pauvreté.

Les murs, les poteaux et les palissades étaient littéralement couverts d'affiches politiques et de graffiti mal tracés invitant le peuple à participer aux prochaines élections.

— Passez par l'avenue Vargas, s'il vous plaît, demanda Boris à l'approche du port. Je veux revoir le Mangue.

— Eh, monsieur ! fit le chauffeur en riant. Le canal merdeux est toujours à sa place, mais si vous cherchez autre chose, c'est peine perdue.

— Comment donc ?

— Les putes... Il n'y en a plus ! Ils ont rasé tous les bordels. Ça s'appelle maintenant la ville nouvelle... Je vois que ça fait vraiment longtemps que vous êtes parti.

— Et les putes ? demanda Boris, étonné.

— Sont partout, monsieur. La ville entière est devenue une maison de putes... Partout, sans discrimination. C'est fini, ce temps-là où on avait besoin d'aller au bordel. De toute façon, le Mangue était trop petit. C'est aussi la conjoncture. Maintenant tout le monde peut baiser sans problème, on n'a plus besoin de payer...

— C'est le canal que je veux voir…, rétorqua Boris, mal à l'aise. Comme ça, je ne sais pas pourquoi. Autrefois j'ai habité dans ce coin…

— Ah, si vous voulez. C'est la première fois que je vois un client s'intéresser au Mangue… Ça va vous coûter plus cher à cause du trafic.

— Ça fait rien. Les souvenirs d'abord.

La circulation était en effet très dense, et la fumée insupportable. Comme les véhicules allaient dans toutes les directions, pare-chocs contre pare-chocs, sans respecter les signaux, l'avance se faisait péniblement. Mais Boris avait tout le temps devant lui, et il se délectait du spectacle insolite de ces rues et de ces trottoirs remplis de gens de toutes les couleurs, mal habillés, hâtifs, se faufilant parmi les façades moisies et les devantures exagérément colorées et décrépies. Le canal Mangue coulait toujours, visqueux, égout à ciel ouvert, aux irisations verdâtres. Pendant une fraction de seconde, Boris se transporta au loin, dans la ferme marécageuse du colonel Policarpo, puis sur les plages immondes autour de Callao. Il se ressaisit aussitôt, la ville de Rio de Janeiro était trop présente, partout, sans qu'il ait besoin de s'encombrer de ses jeux de langage et de sa mémoire. Les freinages brusques, les klaxons omniprésents, les manœuvres des autobus et les secousses du taxi l'empêchaient d'ailleurs de rêver.

Juste à la fin du canal, le chauffeur tourna à droite, et Boris reconnut au loin l'immeuble sinistre de la police militaire où tant de meurtres et de tortures avaient eu lieu durant la dictature. La rue Frei Caneca, qui menait au pénitencier, ajouta une autre note funèbre à ses perceptions, même si l'agitation des rues paraissait joyeuse depuis la fenêtre du taxi. Celui-ci longea la rue Men de Sa, noire de poussière et bordée de maisons basses, jusqu'à un petit hôtel aux allures sordides dans une ruelle proche du pont des Arcos: pension Estrela da Lapa.

— Vous êtes bien sûr que c'est ici que vous voulez descendre ? fit le chauffeur réellement consterné. Je peux vous conduire ailleurs...

— C'est bien ici. C'est chez moi. Merci de la promenade.

Le chauffeur répondit par un geste d'impuissance en haussant les épaules et repartit.

Malgré la sensation agréable que lui donnait le fait de retrouver la petite auberge toujours à la même place, Boris dut réprimer une réaction de dégoût en franchissant la porte grillagée de l'enceinte. Une odeur d'urine et de chou bouilli planait dans le petit patio à ciel ouvert, rempli de plantes vertes et de cages d'oiseaux. Une mousse brunâtre engraissée par l'humidité et par le manque de soleil coulait le long des murs du vieil immeuble entouré de bâtiments plus hauts. Le linoléum du couloir très sale qui menait au comptoir de la réception donna à Boris une impression de déjà-vu.

L'homme obèse, échevelé et à moitié endormi, en maillot de corps et en pantalon de pyjama, regarda Boris d'un air méfiant lorsqu'il demanda :

— Une chambre simple. Je suis un ami de M. Machado... Est-il toujours là ?

— Machado ? Le vieux, ou moi, le jeune ?

— Le vieux, Samuel Machado.

— C'est mon père. Vous le connaissez ? D'où donc, peut-on savoir ?

— Est-il toujours là ? insista Boris.

— Oui... vous êtes un ami ou quoi ?

— Un ami.

— D'accord. Je vais l'appeler. Vous voulez une chambre pour rester ou seulement pour la journée ? Ah, vous restez longtemps ? Eh ! cria-t-il en direction d'une pièce en arrière. Eh ! oh ! fais venir le père ! Il a de la visite.

Le vieux arriva enfin du fond de la maison, à pas titubants, en se guidant à l'aide d'une canne blanche, appuyé sur le bras d'une vieille femme. Aveugle. Il mit un certain temps à se souvenir de Boris et paraissait encore incrédule de le trouver là, même si sa femme lui disait que c'était bel et bien le Boris qu'ils avaient connu autrefois.

— Lieutenant Nikto, quelle surprise! fit enfin le vieux avec ses yeux tournés vers le plafond. Après toutes ces années, qui aurait pu imaginer! Juana, apporte des bières pour qu'on fête le retour du lieutenant. Boris, pauvre toi, je te croyais mort... Laisse-moi te toucher, mon petit, pour être sûr que c'est bien toi.

Samuel Machado lui tâta le visage en posant quelques questions sur des choses du passé, cherchant à s'assurer, dans sa manière timide d'aveugle, qu'il ne se trompait pas.

— C'est bien lui, Samuel, insista sa femme. Il n'a presque pas vieilli, tu sais. Plus costaud seulement, plus grand aussi. C'est drôle comme tu as grandi...

— T'as toujours ta cicatrice à l'épaule, n'est-ce pas? Laisse-moi la tâter, Boris.

— Non, Samuel, pas à l'épaule, rétorqua Boris. À la cuisse, te souviens-tu? Ou est-ce que la mémoire te fait défaut? À la cuisse gauche, une brûlure, à cause de l'incendie que tu avais allumé toi-même ici, dans ta foutue auberge; t'as déjà oublié?

— Eh bien, t'as raison, c'est vraiment toi, le lieutenant Boris Nikto. Comment se fait-il que tu sois toujours en vie? J'étais certain que tu avais été tué. Pauvre toi... Mais toutes ces années sans nouvelles... Juana! Cette bière, c'est pour bientôt? s'écria-t-il, content, en faisant sursauter la vieille femme.

Ils passèrent le reste de l'après-midi à boire en se rappelant le temps passé. Le vieux Samuel avait une mémoire étrangement précise de certains événements et il ravivait ainsi une nostalgie que Boris avait jusqu'alors réprimée sous les décombres de sa propre vie.

— Tu sais, Boris, tes choses et tes livres, on ne les a plus. Ça n'a pas été possible de les garder pour toi. Avant même qu'on sache quoi que ce soit, les militaires sont venus fouiller la maison et ils ont presque tout emporté. Ils disaient que tu étais un assassin, un communiste, des choses du genre. Et que tu avais été tué. L'hôtel a été surveillé durant des mois après ton départ... Non, personne n'est venu demander de tes nouvelles, personne. Toutes ces années. C'est pour ça que je te croyais mort, petit. Tant de gens ont disparu sans laisser de trace... Juana a même fait dire une messe pour ton âme à l'église de la Lapa, n'est-ce pas, Juana ? Tout a tellement empiré par la suite... Ils tuaient les jeunes gens en pleine rue, sans même se soucier de les arrêter. Alors, toi... excuse-moi d'avoir cru à ta mort. Tu sais, il m'est arrivé de rêver de toi de temps à autre ; j'essayais ensuite de déchiffrer le rêve pour pouvoir jouer à la loterie en pensant que tu me donnais des indices. Voilà. Naturellement que je n'ai jamais rien gagné ; t'étais pas mort ! Pendant ce temps, tu voyageais tranquillement à l'étranger et tu pensais à nous... C'est chic de ta part, Boris, puisque je te voyais en train de pourrir dans une fosse commune. Excuse-moi. Et merci de te souvenir de moi, de ton vieil hôtel. Depuis que je ne vois plus, tu sais, les anciens amis ne me rendent pas visite, même s'ils sont vivants. Tu te souviens de la maison pleine de gens les samedis soir, lorsque Juana faisait de la morue grillée ? Tandis que toi, qui étais mort, tu te souviens de tout ça et du vieux Samuel. C'est tout de même curieux...

— Mais non, Samuel, répondit Boris en souriant. L'exil, c'est comme perdre la vue... On ne garde que les souvenirs anciens, on les chérit comme des trésors sans égard à ce qui se passe dans le présent. Voilà pourquoi je suis revenu. Ne pense pas que je suis meilleur que les autres, que ceux qui t'ont oublié. J'étais à la dérive, c'est tout ; et ta pension était ma bouée de sauvetage. C'est plutôt moi qui suis content de te trouver en vie. Pendant toutes ces années, j'ai pensé à ma chambre ici, à toi et à Juana. C'était le centre du monde dans mes souvenirs. Lorsque je sortais dans mes promenades imaginaires, c'était toujours depuis ici, et j'y revenais... À mesure que le temps passait, le cercle de mes promenades se rétrécissait ; je ne pouvais plus m'imaginer la plage, ni Copacabana ou la banlieue. Seule la Lapa et ton hôtel continuaient à apparaître nettement. La Lapa et le Mangue, figure-toi. Bizarre, n'est-ce pas ? Lorsque je rêvais de mon propre père, même s'il n'a jamais mis les pieds ici, c'est dans ton hôtel qu'il apparaissait, comme s'il habitait ici. Et toi, Samuel, c'est drôle, mais parfois tu me grondais comme si tu étais mon père. Tu vois, le monde tourne...

— Il tourne, en effet, comme l'eau dans l'évier ; mais il finit toujours par aboutir à la crépine... Lorsque je t'entends parler ainsi, Boris, j'ai l'impression que tu es devenu aveugle comme moi. Les voyants ne savent pas dire ces choses ; c'est lorsqu'on ne voit plus que la mémoire se ravive avec cette richesse...

Ils passèrent à table tout en continuant à échanger leurs souvenirs. Juana et son fils trouvaient très drôle leur façon de s'amuser comme des enfants en parlant de choses qui n'existaient plus. Boris et Samuel riaient de leurs propres histoires et on aurait dit qu'ils ne s'étaient jamais quittés.

Plus tard, lorsque Boris voulut monter dans sa chambre, lui et l'aveugle étaient passablement ivres.

— Excuse-moi de ne pas te donner ton ancienne chambre, dit le jeune Machado. Elle est occupée par M. Juarez, un journaliste, depuis plusieurs années... Pour la fiche de police, on va laisser faire, d'accord ? On dira que tu es le neveu de mon père, et les gens de la famille n'ont pas besoin d'être enregistrés... C'est plus pratique et ça évite les curieux. Comme ça, nous devenons des cousins.

Boris tituba dans l'escalier mais il se souvenait très bien de l'emplacement des chambres. Il se déshabilla sans allumer, ouvrit en grand la fenêtre et écouta longtemps le bruit sourd de la ville arrivant par le carré du ciel là-haut.

# 15

Boris se réveilla un peu avant l'aube, incommodé par la chaleur et le bruit de la ville. Il se sentait reposé mais un peu confus de se trouver ainsi dans cette chambre inconnue et familière à la fois. Toujours la même impression de déjà-vu qui ne disparaîtrait plus. Il chassa facilement le sentiment inquiétant de se trouver dans une situation sans issue, car la curiosité était plus forte.

Il ferma la fenêtre et alluma l'ampoule faible qui pendait du plafond à un fil poussiéreux. Pénétrant dans le recoin étroit qui tenait lieu à la fois de douche et de toilettes, il se réjouit de la fraîcheur du plancher de ciment. Mais il recula à la vue des nombreuses blattes qui y couraient dans toutes les directions, affolées par cette intrusion matinale. Le premier choc passé, il se baissa pour les examiner : les corps gras et poilus, aux carapaces brillantes et aux longues antennes, cherchaient refuge dans le trou d'écoulement et dans les craquelures des murs.

— *Blattella Germanica*, dit-il en pensant à une visite au musée d'histoire naturelle où il s'était entretenu avec un chercheur allemand sur cette même blatte germanique qui n'existait que sous les tropiques. Il se souvint de la pointe de fierté qu'il avait ressentie en disant que leur spécimen épinglé sur le présentoir était trop petit ; il avait alors raconté à l'entomologiste incrédule qu'au Brésil ces blattes pouvaient atteindre facilement les six ou sept centimètres.

— Eh bien, mes petites, je savais que je ne mentais pas, fit-il en souriant. Merci de votre taille. Maintenant, dégagez ! Je ne vous aimais que de loin ; c'était uniquement la nostalgie. Ça suffit comme message de bienvenue à Rio.

Et il tourna le robinet de la douche pour les faire disparaître.

Habillé de ses vêtements les plus frais, il descendit ensuite avec impatience pour gagner la rue. Juana voulut l'inviter à prendre le petit déjeuner, mais il refusa.

— Merci, Juana. Je préfère me promener. Ça fait trop longtemps que j'attends ce jour.

— Tu feras attention, Boris. Les choses ont beaucoup changé et les rues ne sont pas sûres. Laisse ici ta montre et n'apporte pas beaucoup d'argent. On tue pour presque rien maintenant... Tu vois, on doit fermer la porte de l'entrée après onze heures. Il faut sonner. Le mieux sera de dormir ailleurs plutôt que chercher à revenir durant la nuit. Souvent mon fils n'ouvre pas lorsqu'on sonne, à cause des voleurs ; c'est devenu très dangereux. Il doit avoir un revolver sous le comptoir, à portée de la main.

Juana interrompit son discours pour lui présenter un mulâtre d'âge moyen, qui descendait l'escalier en nouant maladroitement sa cravate froissée.

— Voilà le journaliste, M. Juarez, qui occupe ton ancienne chambre.

— Ça fait plaisir de vous connaître, fit Juarez. On m'a parlé de votre retour. Moi aussi je pensais que vous étiez mort. Si vous avez besoin de quelque chose, je peux peut-être vous être utile. Je suis rédacteur de chronique policière. Juana a raison, vous devez vous méfier. La ville est devenue un enfer. Vous le verrez. C'est plein de bandes armées un peu partout, surtout ces maudits enfants. Pire que des rats... On n'a plus les pauvres d'autrefois. Allez, je suis pressé. Au revoir.

— M. Juarez travaille beaucoup, ajouta Juana après le départ du journaliste. Son journal n'arrive même pas à rapporter toutes les horreurs qui se passent. Parfois il reste des jours entiers sans revenir coucher à cause de tous les crimes. Fais attention Boris, d'accord ?

Boris descendit la rue Riachuelo en direction de la place Lapa avec une telle sensation de fraîcheur dans les jambes qu'il avait envie de courir. Le flot des automobiles était très dense, mais son attention fut attirée plutôt par les trottoirs bondés de vie. Les gens marchaient très vite, affairés, sans se regarder, en enjambant avec des sauts élégants les nombreux groupes de misérables emmitouflés qui dormaient par terre, collés les uns aux autres parmi les feuilles de journaux et les boîtes en carton. Il y avait des centaines et des centaines de clochards, tout au long des rues, en groupes, parfois enlacés, ou des familles entières avec des bébés, entassés les uns contre les autres comme du bétail.

Les passants ne semblaient pas voir cette foule étalée à terre. Boris remarqua, étonné, que ces misérables faisaient partie du décor ou qu'ils étaient de simples obstacles inertes aux yeux des gens. Parmi ces masses humaines endormies, même les jeunes femmes aux poitrines découvertes ou aux cuisses à l'air ne semblaient pas attirer l'attention. D'autres, se réveillant péniblement, cherchaient en vain à demander la charité en exhibant leurs bébés maigres ou leurs plaies. Une puanteur pénétrante entourait ces masses humaines d'où coulaient ici et là des rigoles d'urine.

Tout en suivant le flot des gens et même si un malaise profond accompagnait son regard, Boris ne pouvait pas s'empêcher d'examiner les misérables qu'il croisait en chemin. Bien vite cependant, il se rendit compte que ces gens par terre, à leur tour, ne le remarquaient pas. C'étaient deux mondes distincts : celui des passants et celui des misérables, et ils ne paraissaient pas se toucher. Si les clochards tendaient la main pour demander l'aumône, leur regard restait brouillé, sans aucun espoir, vide comme celui des comateux. Même les clients des bars affairés à manger et à boire ne paraissaient pas déranger les grappes humaines affamées. Et personne ne s'étonnait de ce spectacle insolite.

Peu avant d'arriver à la place Lapa, Boris passa devant un magasin d'instruments de musique encore fermé, mais dont les cuivres et les guitares brillaient derrière les devantures grillagées. Il se souvint aussitôt de Mateus et se mit à la recherche d'un salon de barbier qui devait se trouver dans les environs. Il y en avait un, en effet, et Boris se promit d'y retourner pour tenter de rendre un service posthume à son camarade.

Il suivit la rue des cinémas en jouant à se souvenir du nom des endroits par lesquels il passait. Il se rendit compte que sa mémoire était assez vive ; il avait suffi de se mettre dans la situation, et voilà que tout retombait en place sans aucun effort de sa part. Des expressions oubliées depuis longtemps réapparaissaient spontanément venant de nulle part, ou encore des dictons, des obscénités et toutes sortes d'autres souvenirs qui l'enveloppaient de la même façon que les odeurs et les bruits de la ville.

La masse humaine demeurait cependant étrangère. Non seulement les centaines de clochards de tous les âges, mais aussi les passants lui paraissaient bizarres. Il avait perdu l'habitude de cette variété de couleurs et de types raciaux, de formes de crânes et de visages. Les signes de la misère en particulier étaient trop frappants, comme les bouches édentées, les estropiés, les vêtements trop usés, les corps rachitiques et surtout, curieusement, le nombre infime de ceux qui portaient des lunettes. Il y avait en outre cette impression d'agitation agressive, d'irritation constante comme si toute cette foule fuyait un danger quelconque ou si tout le monde cherchait à sortir en même temps par une porte trop étroite. Boris n'éprouvait pas de plaisir au milieu de cette marée humaine, bien au contraire. Au lieu de la sensation de protection que cet anonymat aurait dû lui procurer, il ressentait plutôt une sorte d'étouffement. Pire encore, il avait la nette impression qu'il était un étranger dans cette ville, et que cela était évident aux yeux de tous ceux qu'il croisait. Pour la première fois de sa vie, il ne savait pas comment passer inaperçu face à ce monde étrange qui ne cessait d'attirer son regard même si les autres avaient l'air de ne rien regarder.

« Trop de réalité d'un coup, pensa-t-il, trop de nature humaine, d'arbres, d'odeurs, de mouvement. J'avais perdu l'habitude, c'est tout. Du calme, ne pas tirer de conclusion hâtive… Ces gens ne savent pas qui je suis, ils ne savent pas ce qui se passe dans ma tête… »

Il entra dans un petit bar et commanda un petit déjeuner ordinaire, debout au comptoir comme les autres clients. L'accent du serveur lui parut drôle et il chercha à se détendre en écoutant les conversations sur le football. Mais son regard ne cessait pas de fouiller ce qui l'entourait, incapable de s'adapter à la nonchalance des yeux des autres. Il scrutait tout seul, même si Boris cherchait à ne rien fixer. Tout lui semblait étonnamment singulier, d'une originalité frappante, depuis les couleurs des bouteilles jusqu'aux chiures de mouche qui tapissaient les images sur les murs. Les tables, les lampes, les visages des gens et leurs mimiques, tout enfin l'absorbait non pas comme des éléments totalement nouveaux, mais plutôt comme de vieilles choses soudainement devenues insolites. Comme un monde familier se transformant de manière inquiétante d'un moment à l'autre, et qui ne cessait de se modifier sous la forme d'exagérations grotesques. Le langage environnant aussi lui semblait artificiel, et même les paroles sortant de sa bouche lui laissaient un arrière-goût de représentation théâtrale, d'imposture. Ce qui le frappait le plus, c'étaient les mimiques et les gestes des gens. Par un effet perceptif insolite qu'il n'arrivait pas à s'expliquer, les expressions humaines perdaient de leur vivacité naturelle et paraissaient devenir cireuses, presque au ralenti, lui laissant prévoir les formes qu'elles allaient prendre comme s'il s'agissait de masques en pâte à modeler. Le résultat était assez caricatural par moments, sans jamais perdre tout à fait son aspect troublant de bouffonnerie d'horreur.

Boris s'attarda encore au bar, commanda un autre café et des cigarettes, rassuré de regarder le monde depuis ce poste d'observation où il commençait à se sentir confortable. L'idée lui vint à l'esprit que, pour une fois, c'étaient les autres qui cherchaient à se dissimuler par des manœuvres de camouflage, à la façon d'insectes, pour qu'il ne puisse pas les atteindre. Mais il finit par sourire en se rendant compte qu'il attribuait aux gens ses propres artifices habituels. L'effet d'étrangeté ne faisait que s'accentuer à mesure qu'il tentait de le comprendre.

Un peu rassuré par ces pensées, Boris traversa ensuite la place Carioca remplie de marchands ambulants criards et de badauds. La présence de la foule l'irritait désormais physiquement à cause de la chaleur du jour et de l'air enfumé. Il chercha refuge dans les rues latérales, mais là encore il était impossible de se dérober à la masse compacte des passants. Ses narines, rendues trop sensibles par l'aseptisation européenne, s'offensaient de l'odeur agressive des corps en sueur et des parfums trop sucrés qui flottaient dans l'air. D'un mouvement d'impatience il s'épongea le front et s'aperçut qu'il transpirait lui aussi, que sa chemise était trempe et que ses pieds nageaient dans les souliers au cuir trop épais.

Ses yeux, devenus autonomes, attirés par toutes les visions nouvelles, produisaient une sorte de nausée à cause du mouvement de la marche qui les empêchait de se fixer. Tout allait à une trop grande vitesse et Boris se sentait en quelque sorte gorgé de réalité.

À force de marcher, il s'habituait à ces diverses sensations, et l'impression de menace cédait le pas à celle d'une pure diversité. Il s'agissait seulement de ne pas fuir, de ne pas se laisser aller à la panique et de continuer à marcher, quoi qu'il arrivât. Il fallait s'efforcer de passer au moins une journée dans ce bain de foule ; la première serait la plus difficile, il le savait.

Boris continua ainsi à se promener sans but dans la ville, se laissant guider au hasard des rues par la fantaisie de ses pas. Le spectacle devenait fascinant à mesure qu'il se calmait ; c'était comme la relecture d'un livre qu'il avait trop aimé dans sa jeunesse. Ayant vécu et vieilli, il s'amusait maintenant à redécouvrir la naïveté même de son regard antérieur, et alors le jeune homme qu'il avait été revenait un peu à la surface. Une émotion attendrissante s'emparait de lui à la découverte de lieux que le temps avait laissés intacts, ou presque, comme une simple clôture rouillée, un portail sculpté qu'il avait autrefois admiré, les vieux arbres qui paraissaient toujours les mêmes ou le simple emplacement d'un kiosque à journaux. Ces vestiges matériels de sa jeunesse avaient alors bien plus d'importance que la présence humaine, et Boris oubliait jusqu'aux grappes de misère qui bougeaient le long des trottoirs. Ici et là, certes, une plaie plus colorée, un moignon bizarre ou des enfants particulièrement déformés et souffrants attiraient encore son attention. Ou les fillettes impubères qui s'offraient aux passants avec des gestes lubriques appris par imitation, et d'autres toutes jeunes qui pourtant allaitaient déjà des avortons affamés...

La bière froide et les sardines grillées du bar qui se trouvait en face de son ancienne faculté lui parurent délicieuses malgré la tragédie de la rue.

Boris visita ensuite une cour à déchets située au milieu d'un pâté d'édifices qu'il connaissait depuis sa jeunesse et constata que le temps avait bien épargné ce coin d'ordures et d'humidité. La crasse coulant le long des parois lui parut plus épaisse, les monceaux de débris semblaient plus abandonnés et puants, mais l'ambiance était la même. La petite boulangerie où il avait l'habitude d'acheter des gâteaux n'existait plus. Les portes des maisons étaient barricadées et le grillage des fenêtres rouillait avec d'épaisses excroissances ferrugineuses. Les clochards habitaient toujours l'endroit, par familles entières maintenant, avec un grand nombre de bébés cachectiques pataugeant dans la boue noire à la recherche des débris jetés par les fenêtres des appartements.

Comme des rats, en effet, pensa Boris avec un sentiment de honte à la vue de ces petites bêtes qui occupaient désormais l'enclos à la place des rats. Ils étaient moins agressifs, plus pathétiques, surtout plus lents que les rongeurs, avec leurs yeux dans le vague et leur bouche hagarde, incapables de se défendre.

De retour au soleil des rues, il replongea dans la foule qui allait dans toutes les directions. Boris ne put s'empêcher de se demander où allaient tous ces gens, ce qu'ils faisaient la journée durant et comment ils gagnaient leur vie. Il est vrai que les immeubles étaient pleins, ainsi que les bars et les restaurants, les magasins et les autobus.

La foule, pensa-t-il, cette masse dense d'humanité se déplaçant au soleil, voilà la nouveauté à laquelle il se sentait étranger. Il avait perdu l'habitude des êtres humains en grappes épaisses, de cette furie pour survivre et de cette promiscuité animale. Il constata en outre qu'il commençait à éprouver une sorte de répugnance morale envers ces misérables qui poussaient partout, une sorte de mépris devant leur apathie et leur renoncement... Pourquoi restaient-ils ainsi passifs, acceptant de s'exposer comme de simples carcasses ? Pourquoi cette absence de révolte ?

Pris d'un malaise soudain, Boris sauta dans un autobus pour s'éloigner de ce spectacle. Les quartiers du sud, Copacabana, la plage, les demeures riches, voilà ce qu'il lui fallait pour exorciser ces visions.

Fuir là-bas, n'était-ce pas ce qu'il faisait autrefois lorsqu'il était jeune et écœuré de sa condition précaire, de son quotidien médiocre ? Il avait en effet l'habitude de chercher refuge dans les quartiers cossus, ombragés, qui sentaient bon, rien que pour se donner l'illusion de participer du regard à cette vie oisive et dorée des nantis. Par contre, durant toutes ses années d'exil, sa patrie s'était incarnée uniquement dans des images de rues pauvres et de gens simples. Mais la mémoire ne garde que les côtés dépouillés, essentiels et bien articulés des choses, pour en faire un récit confortable, sans les mauvaises odeurs ni cette agressivité palpable. Il avait évacué de ses souvenirs le regard de ces enfants malades pour ne garder que les images tendres. Et voilà que les murs suintants et les clochards de son enfance retrouvaient une matérialité aux exhalations offensantes, insupportables.

Par la fenêtre de l'autobus arrivait un vent presque frais accompagné d'images plaisantes de rues et de jardins aux détails brouillés par la vitesse. Les yeux ne réussissaient plus à discerner la crasse, et la ville regagnait ainsi un peu de l'abstraction de ses souvenirs, pleine de couleurs. Les jardins de la place Gloria, au loin, lui parurent d'une beauté printanière, et la mer entourant les immenses rochers perdit soudain ses rides huileuses et sa surface sale. Il se souvint alors de ses journées chaudes sur les pierres du remblai couvertes de moules, au milieu d'une eau très claire où il faisait bon plonger. Les cadavres et les viols qu'il avait vus autrefois restèrent cependant discrètement sous la surface pour ne pas déranger le paysage.

Les favelas, vues de loin, avaient tout de même quelque chose de pittoresque. L'autobus filait ensuite le long du jardin botanique et du Jockey Club dans un quartier envahi par les jardins boisés qui entouraient les belles maisons et les immeubles de luxe. La ville avait changé ici aussi, mais elle gardait le même charme qu'autrefois. Boris avait l'impression de regarder ces images depuis un siège de cinéma, et il ne pouvait pas se cacher l'étrange désir que ce voyage ne s'arrêtât pas.

«Je ne peux fuir ici comme dans un cauchemar, simplement en ouvrant les yeux, se dit-il enfin; ni oublier le film en sortant de la salle. J'y suis, et cette réalité est la mienne. Il me faut m'habituer, c'est tout.»

Arrivé au terminus, il dut se retenir pour ne pas reprendre aussitôt l'autobus en sens inverse et aller se cacher dans sa chambre d'hôtel. Il se promena un peu dans les rues rassurantes de ces quartiers riches. Les immeubles faisant face à la mer étaient toujours à leur place, plus propres et modernes que jamais, avec les mêmes salons derrière leurs fenêtres panoramiques, les autos luxueuses garées devant les portes, les mêmes jolies filles revenant de la plage. Il est vrai que de petits changements pouvaient être visibles lorsque le visiteur faisait un certain effort : les portes des immeubles étaient désormais protégées par des grilles épaisses, parfois blindées, et la plupart des gardiens étaient ostensiblement armés. Voilà du nouveau, qui rendait l'exclusion d'autrefois plus radicale encore à mesure que le reste de la ville se décomposait.

Au retour, l'autobus traversa Copacabana, devenue une véritable marée humaine grouillante parmi les immeubles délabrés, tapissés d'affiches et hérissés d'antennes, qui lui rappelaient les images des villes d'Orient. Chez les passagers, il put voir de près la même crainte agressive, la nervosité des gestes et les rictus d'alerte accompagnés d'une fatigue immense. Au moins, Boris s'était habitué aux manœuvres abruptes du chauffeur, et ne perdait plus son équilibre lors des nombreux freinages et accélérations brusques que celui-ci faisait pour avancer parmi la masse de piétons et de véhicules. Son regard gagnait aussi en acuité en s'accoutumant à tout ce qu'il voyait. Même au loin, Boris pouvait désormais percevoir des détails réalistes dans le paysage, qui lui rendaient un peu de la fourmilière agressive prête à dévorer ses rêves. Mais il s'en détachait à mesure qu'il traversait intact cette première journée difficile.

Le soir, de retour à la Lapa, Boris replongea au milieu des rues avec moins d'angoisse. La lumière morne des réverbères et celle, bleuâtre, des enseignes lumineuses le protégeaient en noyant la masse humaine et en effaçant les contours. Sa tête trop pleine d'images était passée de la confusion à un état de vide semblable à l'ivresse et, dans son ventre, une sorte de nausée lui coupait l'appétit. L'impression d'absurdité était telle qu'il arrivait à en sourire, amer et amusé à la fois, en pensant qu'il ne disposait plus d'un espace idéal où trouver refuge. Il était bel et bien arrivé chez lui, de retour à la boue. « Le Mangue, pensa-t-il, a fini par triompher et s'étaler sur toute la ville. Et me voilà enfin attrapé, malgré les vingt années qu'a duré ma fuite. Il faut que je nage, que j'attende, que j'apprenne à nouveau toutes ces choses… »

Il mangea à la hâte au comptoir d'un bar en s'aidant d'une bière pour réussir à avaler. Puis, armé d'une bouteille de cachaça, il regagna sa chambre pour lutter contre la nuit.

# 16

Boris avait réagi au choc des premiers jours par une répulsion physique doublée d'un profond sentiment d'échec. La même question revenait sans cesse à son esprit: «Qu'est-ce que je fais ici?» Tout ce qui l'entourait paraissait étranger, distant, enveloppé dans une ambiance cauchemardesque et sordide. À mesure que son désespoir cédait la place au cynisme, l'absurdité de sa situation devenait plus évidente et ravivait la question. Il se promettait d'attendre encore un peu pour s'habituer davantage et trouver ainsi un sens à sa présence, sans toutefois y croire vraiment. Depuis qu'il avait évoqué le mot «déréliction», celui-ci l'accompagnait comme une ombre en jetant une étrange lumière sur toute son existence.

Chaque soir, de retour de ses promenades à la recherche des lieux d'autrefois, il devait se contenter de la même amertume, des mêmes déceptions. Sa ville ne l'avait pas attendu, pas plus qu'elle n'avait suivi les méandres de sa mémoire. Son développement chaotique avait plutôt l'air d'une infection nécrosique. Tout était si radicalement transformé qu'il lui était parfois difficile de retrouver le tracé même de certaines rues. Ses points de repère étaient souvent devenus des ruines ou des terrains vagues assaillis par les déchets et les constructions sauvages, à moitié finies et déjà surpeuplées. Les banlieues pauvres en particulier s'étaient transformées en agglutinations grouillantes aux allures de favelas, pour accueillir les marées humaines repoussées vers les villes par la misère des campagnes. Tous ces gens restaient sur place, incapables d'aller plus loin ni de revenir en arrière, stagnants, tentant de survivre par une activité incessante et insensée autour de la grande ville, menaçants comme des armées en déroute. Et toujours sans travail, puisque le miracle promis par les militaires ne s'était matérialisé que pour eux-mêmes et les trusts étrangers.

Ses incursions dans les quartiers cossus étaient moins dépaysantes mais plus frustrantes. La richesse y régnait comme jamais auparavant, et protégée désormais par des légions d'hommes armés, de murs électrifiés, de chiens dressés et de caméras mobiles. Les gens sortaient uniquement en automobile, les vitres fermées, les portières verrouillées et avec des chauffeurs aux allures de robots. La guerre larvaire y était très évidente puisque la moindre colline était hérissée de cabanes, et les favelas d'autrefois communiquaient désormais les unes avec les autres par des excroissances sans cesse grandissantes. L'omniprésence de policiers armés jusqu'aux dents et vaquant à leurs propres affaires ajoutait une note supplémentaire de terreur. Plusieurs favelas étaient par ailleurs devenues des sortes de républiques autonomes aux mains des trafiquants associés aux forces de l'ordre ; la devise d'exportation y prenait un sens bien tropical : autrefois le café, maintenant la cocaïne et la marijuana. Pourquoi pas ? se demandaient les plus désabusés.

Boris se terrait donc très souvent dans sa chambre pour arriver à digérer cette réalité nouvelle.

La rencontre avec l'éditeur brésilien dont lui avait parlé Albrecht ne lui fut d'aucun secours. Ce Carlos Veigas était l'un des grands éditeurs du pays, avec des contacts universitaires, des entrées chez des politiciens et surtout dans les milieux de la télévision. Mais tout un monde le séparait des vrais amateurs des lettres tels que Boris en avait connus à l'étranger.

— Nous vivons dans un pays de merde, monsieur Nikto, commença-t-il dans son bureau ultramoderne qui était surtout le siège de son agence de publicité. Je publie uniquement des livres commandés par les écoles et payés d'avance, ça va de soi. Tel ou tel best-seller américain, des histoires de sexe ou d'aventures... Avec le progrès du féminisme, les histoires roses épicées reviennent à la mode puisque les femmes se mettent à lire. Mais le cul, monsieur Nikto, le cul et la violence sont mes meilleurs arguments de vente. Lorsque la situation ambiante s'approche de la loi naturelle, comme c'est le cas de la nôtre, les pulsions de base prennent le haut du pavé. J'ai publié des livres révolutionnaires dans le passé parce que c'était la mode. Même de la poésie, figurez-vous! Ensuite, dans le temps des militaires, j'ai vendu beaucoup d'ouvrages chrétiens à saveur légèrement gauchiste. Tout ça, c'est fini. Seule la littérature américaine marche un peu, en particulier les livres dont on a tiré des films. Il y a peu d'espoir pour des trucs allemands, voyez-vous... La poésie, alors, c'est chose du passé; à moins que ce ne soit des paroles de samba, conclut-il en riant.

— Et cette grande librairie du centre-ville, la Civilização, où a-t-elle déménagé? demanda Boris.

— Fermée par les militaires... Les propriétaires ont essayé de recommencer, mais ils ont fait faillite. Le livre n'est plus à la mode, et son seul salut se trouve dans les supermarchés et les drugstores. Avec l'essor de notre télévision — soit dit en passant et sans fausse modestie, l'une des plus puissantes du monde —, la culture a changé de médium pour devenir définitivement électronique. C'est d'ailleurs une forme radicale de démocratisation. Moi-même, je m'occupe presque uniquement de télévision ; l'édition de livres n'est qu'un vestige romantique... On reprend nos classiques sous la forme de feuilletons ; leur succès est tel que nous les exportons actuellement dans tous les pays d'Europe.

Il assura Boris de son amitié et se mit à sa disposition pour recevoir en son nom les versements qu'il recevrait d'Allemagne.

— Ne vous inquiétez pas, monsieur Nikto, je vous remettrai l'argent en marks. Maintenant on ne change notre argent en cruzeiros qu'à la dernière minute à cause de l'inflation. Le taux de change se modifie deux fois par jour. On peut parfois profiter de certaines aubaines formidables... Pour ce qui est des livres, je suis en pourparler avec Albrecht Kammer en ce moment pour quelques titres, surtout des reportages. Il aura sûrement besoin de vos traductions.

L'éditeur se fit par contre très rassurant au sujet de l'amnistie :

— Vos histoires anciennes sont pour ainsi dire oubliées. Albrecht m'avait demandé d'enquêter à ce sujet en prévision de votre retour au pays. Mon comptable, qui a ses entrées chez les militaires, m'assure que tout est en ordre... Non, il n'y a pas de réponse précise, ce qui veut dire que ça va bien. Votre procès militaire a été classé depuis longtemps, et je suis certain que vos anciens camarades d'uniforme sont tous à la retraite. Voyez-vous, durant toutes ces années, les militaires se sont découvert un penchant naturel pour les affaires ; les plus actifs sont maintenant des conseillers économiques d'entreprises et de politiciens. Les actions militaires ont ainsi perdu leur sens et leur importance... À moins que ce ne soient des vindictes personnelles ; mais dans ce cas vous êtes meilleur juge que moi. De toute façon, le temps a passé et les choses ont changé dans notre pays ; même si votre passé vous paraît important, il reste un passé révolu. Sans vouloir vous froisser, les souvenirs paraissent vivants seulement lorsqu'on est loin. Les gens ici s'occupent plutôt de l'avenir. Votre affaire d'autrefois n'en a été qu'une parmi des centaines d'autres, et l'heure est à la réconciliation. La merde dans laquelle les militaires ont laissé le pays est si grande qu'ils cherchent seulement à se faire oublier. Je vous obtiendrai une nouvelle carte d'identité, et par conséquent une nouvelle identité ; cela vous mettra complètement à l'abri des regards indiscrets. Il ne vous manquera que les papiers militaires mais, à notre âge, il est bien rare qu'on doive les produire. Martin Niemand, c'est bien le nouveau nom que vous avez choisi ? D'accord. Ce n'est qu'une précaution supplémentaire, vous n'avez pas réellement besoin de vous en servir. Allez, monsieur Nikto, et soyez le bienvenu au pays... Peut-être que je trouverai le temps d'aller assister à votre conférence à l'institut Goethe, le mois prochain. Albrecht s'est fait un devoir de tout organiser, et je crois que votre public va beaucoup apprécier. Ce n'est pas tous les jours qu'un Brésilien devient un poète allemand ! Cette rencontre sera un excellent tremplin pour vous trouver des entrées dans les universités... Ça tombe bien puisque la langue allemande est en franc progrès chez nous, à cause des échanges commerciaux ; les patrons de Daimler Benz et de Volkswagen sont des piliers de l'institut Goethe. Vous serez courtisé par les gens d'affaires, vous verrez. Allez, à la prochaine !

Boris partit avec quelques adresses de gens qu'il avait connus autrefois, mais qu'il ne comptait pas rencontrer. Du moins, pas tout de suite.

Les jours passaient sans que Boris se décidât pour une activité quelconque. Il avait entre-temps appris à mieux s'orienter et son malaise avait diminué, mais il visitait moins avidement la ville. Il s'était enfin rendu compte que cette ville était une ville étrangère à ses yeux, qu'il ne pourrait pas s'y adapter, quoi qu'il fît. Au contraire des autres villes étrangères où il s'était si facilement déguisé, celle-ci se dérobait par le fait même qu'elle avait été sa ville, qu'elle enfermait son passé plein de remords, de regrets et de rancunes. Elle risquait à chaque moment de l'emprisonner dans une matérialité visqueuse contre laquelle il se sentait impuissant puisque trop concerné. Et cet attachement même le rebutait et l'attirait d'une façon dangereuse.

« En Europe, pensait-il, loin de ce bourbier et de cette humanité tangible, c'était bien facile d'être solidaire. Il suffisait d'une décision intellectuelle, purement théorique et aseptisée, et voilà, on était de gauche. Mais ici, par où commencer ? Comment ferait-on pour nettoyer tous ces bébés rachitiques qui poussent comme de la vermine, pour les soigner et les nourrir ? Que faire pour sauver ces légions d'enfants qui ne savent rien faire d'autre que voler et tuer ? Des rats, pire que des rats, a dit Juarez. Faut-il les gazer et recommencer à neuf comme le préconisent les gens ? Moi-même, j'étais solidaire des pauvres, mais je n'étais pas obligé de les côtoyer… Qu'est-ce que cela veut dire, être solidaire au milieu de ce champ d'horreur ? »

Des questions sans réponse, du genre de celles qu'il avait autrefois tant aimées. Maintenant, au milieu de la ville, cette absence même d'issue paralysait sa pensée plutôt que de l'exciter. En réfléchissant plus intensément au fossé qui sépare le langage et la vie, il lui arrivait parfois d'éprouver de la tendresse au souvenir de ce fou de Spieltrieb. Mais ces réflexions ne lui étaient d'aucun secours dans la vie de tous les jours… Son regard prenait souvent, et bien malgré lui, des allures de plus en plus anthropologiques, voire même zoologiques, et c'est pour cela qu'il commençait à éviter de sortir.

Boris écoutait les souvenirs du vieux Samuel Machado des après-midi durant. Celui-ci, devenu aveugle, pouvait aisément se détourner de la ville actuelle pour se consacrer à une sorte de ville ancienne, perdue dans les souvenirs et qui ressemblait passablement à celle rêvée par Boris.

— C'étaient des temps très agréables, autrefois, mon cher Boris ; tu t'en souviens, n'est-ce pas ? Tous les bars et les cabarets remplis de belles filles, les bons restaurants et les salles de billard où on était toujours certain de trouver une bonne conversation...

Le vieux commençait ses histoires en brossant un cadre précis, rassurant ; ensuite, il pouvait prendre n'importe quelle direction puisque les coins étaient déjà arrondis par ce même cadre, et il ne risquait pas de se contredire. Il insistait d'ailleurs pour obtenir l'approbation de son interlocuteur, comme s'il avait peur du regard de l'autre ou de tomber dans le ridicule. Une fois la complicité de Boris gagnée, Samuel s'abandonnait alors aux plaisirs d'une mémoire soucieuse d'harmonie, embellie et gracieuse. En l'écoutant raconter, Boris gagnait une conscience aiguë de ses propres illusions, de ses propres fabulations. Sa poésie elle-même était ainsi mise en question à la lumière de ce genre de constatations. D'ailleurs, il n'avait pas écrit une seule ligne depuis son départ de Rostock.

Machado n'était pas un aussi bon conteur que Mateus. Ses histoires reprenaient souvent celles des autres, avec des formules stéréotypées et des issues quelconques. L'intérêt venait cependant du fait que, en devenant aveugle, le vieux avait donné à sa propre vie un caractère aventureux et romantique qu'elle n'avait jamais possédée du temps qu'il était voyant. Boris se souvenait très bien à quel point Machado était casanier, toujours méfiant à l'égard des vagabonds, des femmes et des cabarets, et extrêmement soumis à son épouse Juana. Or, dans sa fabulation nouvelle, à l'aide de toutes les histoires et des exploits qu'il avait entendus au long de sa vie paisible d'aubergiste, il devenait soudain un véritable bohème. Cette identité nouvelle qu'il ne confiait qu'à Boris paraissait le satisfaire davantage que la lumière perdue.

En écoutant ce rebut des récits des autres, Boris se souvint de ce qu'il avait entendu de la bouche d'un professeur en Italie : *On ne fait pas de livres sur la réalité ; les livres ne parlent que d'autres livres.* Cela l'aidait à mieux comprendre sa propre mythologie brésilienne qu'il s'était construite durant ses années d'exil. Il lui arrivait alors de maudire des romanciers latino-américains qu'il jugeait pourtant sympathiques, et qui avaient meublé sa nostalgie d'un monde de gens solidaires, combattants, bons vivants et presque innocents, baignés de musique et de poésie... Cet espace mythique lui avait servi de refuge pour passer au travers du déracinement, et il avait fini par y croire. Il se trouvait maintenant à Rio, obligé d'écouter les mensonges d'un fabulateur aveugle pour oublier la cruauté des rues... Mais les histoires de ces auteurs lui avaient autrefois paru si belles, les mulâtresses lui avaient tellement manqué lorsqu'il les lisait en allemand, qu'à diverses reprises il avait failli aller au consulat pour demander son extradition...

Et Boris eut tout d'un coup honte de ces pensées : sa propre poésie n'avait-elle pas justement séduit les Allemands à cause de sa sensualité et de ses débordements tropicaux ?

Pour se venger, mais aussi dans un but d'expérimentation sémantique, sans méchanceté, Boris tenta de s'immiscer dans les récits du vieux Machado.

— À propos, commença-t-il un jour, j'ai connu en Europe un homme qui s'appelait Mateus. C'était un habitué de la Lapa du bon vieux temps, un type assez dangereux... Tu le connais ?

— Non, répondit le vieux Machado, ou du moins je ne me souviens pas... Il y avait tant de gens qui se prétendaient familiers de la Lapa...

— Lui, c'était un gars sérieux, je peux te l'assurer. Il m'a raconté l'histoire d'une dame juive qui tenait une maison close près d'ici, dans la montée du couvent. Une qui est repartie dans son pays.

— Mais oui, naturellement que je la connaissais. Madame... comment c'était donc son nom ? Quelque chose d'étranger, je ne me souviens pas bien. C'était une femme remarquable, et belle comme seules ces Juives savent l'être. Blanche comme de la crème, avec une chevelure blonde et avec un accent à vous faire bander un macchabée... Naturellement, madame...

— Ce camarade m'a parlé d'une affaire houleuse, de ces trucs qui peuvent finir en meurtre. C'était une sorte de passion, avec un hôtelier du coin... En t'entendant parler d'elle, Samuel, je me suis demandé si tu n'étais pas impliqué dans cette affaire, ou du moins un témoin intime. Ai-je tort ?

Le vieux garda un silence respectueux en plissant ses yeux éteints et en balançant la tête, certainement pour laisser passer le moment où il craignait le ridicule, mais peut-être aussi pour que les images se formassent dans son esprit. Ensuite, avec un sourire taquin et à voix basse :

— Il vaut mieux de ne pas parler de ça, Boris ; ma femme est un véritable dragon de jalousie... Mais je peux t'assurer que ton ami n'avait pas tort. C'était une affaire vraiment houleuse. Tu sais, j'étais un homme prompt et très passionné autrefois. Plus d'un bavard a eu sa bouche clouée par mes taloches... J'étais plus jeune, pas très réfléchi... Tout cela, c'est du passé ; et il ne faut pas remuer le passé, conclut-il avec un sourire d'immense satisfaction.

Ils burent en silence, chacun très content de soi, même si Boris se sentait un peu mal à l'aise d'avoir utilisé Mateus pour faire une farce. Il s'était d'ailleurs promis de rendre un dernier service à l'ami, mais avait jusqu'à présent ajourné l'entreprise, de peur que ce ne fût encore un rêve défait.

Puis, soudain il demanda :

— Samuel, tu connais sans doute un salon de barbier situé près du magasin de musique Filarmonia da Lapa, non ?

— Il y en a plusieurs, du moins il y en avait plusieurs dans mon temps, répondit Machado en s'efforçant de voir clair dans ses souvenirs.

— Je pense à un dénommé Alfombra, Sirigaito Alfombra, barbier et musicien. Tu le connais ?

— Bien sûr que je le connais ! Tout le monde ici connaît maître Sirigaito. Il est toujours là, j'en suis certain. C'est lui qui me rasait autrefois. Maintenant, ma femme préfère le faire de ses propres mains ; tu sais comment elle est... Mais Sirigaito travaille toujours, j'en suis presque sûr. Au rasoir qui chante, tu ne peux pas te tromper. Mon fils te montrera l'endroit. Maître Sirigaito est un excellent barbier et un homme d'une grande culture.

— Je dois passer le voir, pour lui donner un message d'un de ses amis. Un de ces jours, rien ne presse...

Un soir, quelques semaines après l'arrivée de Boris, le vieux Samuel aborda un thème plus délicat avec son hôte :

— Excuse-moi, Boris, commença-t-il après quelques considérations sur les femmes du passé. Tu vois, ce n'est pas tant moi que cela préoccupe, mais mon épouse elle-même y a pensé... On se souvient que tu avais autrefois beaucoup de visites galantes, toujours de très jolies demoiselles... Depuis que tu es revenu, on te voit si renfermé, si solitaire... On croirait parfois que tu es triste.

— Ce n'est que le dépaysement, Samuel, fit Boris pour couper court à l'interrogatoire.

— Pas que je veuille m'immiscer... Mais parfois une compagnie féminine au lit facilite le sommeil, je n'ai pas besoin de te le rappeler, continua le vieillard. Moi-même, malgré l'âge, je n'arrive jamais à m'endormir sans m'amuser un peu... Une simple question d'habitude...

Machado ne voulait pas être indiscret mais simplement aider son hôte, auquel il semblait de plus en plus attaché. Il est vrai que Boris vivait trop renfermé, et les gens de l'hôtel avaient peut-être remarqué qu'il était souvent taciturne. Juarez l'avait déjà invité une ou deux fois à sortir, mais sans succès. Peut-être aussi que les bouteilles vides dans la poubelle de sa chambre commençaient à inquiéter les gens. Et puis il mangeait peu, à la sauvette, et sa charpente commençait à paraître quelque peu osseuse et angulaire à travers la chemise. M^me Machado trouvait que cela lui allait bien, que ça faisait romantique, mais elle l'avertissait parfois qu'il ne fallait pas dépasser une certaine mesure.

Un soir, alors qu'il allait monter dans sa chambre de bonne heure, disposé à lire, le jeune Machado lui demanda s'il ne voulait pas une fille pour la nuit. Sans trop savoir pourquoi, Boris répondit par l'affirmative.

— Quelle sorte de fille tu aimes ? demanda-t-il.

— Jolies… pas trop bavardes, fit-il.

Une heure plus tard, Boris fut interrompu dans sa lecture par quelqu'un qui frappait à la porte. Se souvenant de la proposition du fils Machado, il se leva, content, alla ouvrir et se trouva en présence d'une petite fille souriante. Aussi maquillée que le sont les enfants durant le carnaval, elle pouvait avoir tout au plus dix ans.

— Monsieur Boris, c'est moi, Linda. M. Machado m'a dit de monter…

Boris, trop étonné pour comprendre, se contenta de regarder l'enfant sans rien dire et avec un début d'appréhension.

— Je peux entrer ? demanda-t-elle en franchissant le seuil.

Boris s'écarta pour lui laisser le passage et ferma la porte. La fillette paraissait très à l'aise et souriait en s'asseyant sur le lit.

— Mon Dieu, vous avez tant de livres ! fit-elle en jetant un regard circulaire dans la pièce. Vous êtes professeur ?

— Non, répondit-il, confus et sans savoir au juste ce qu'il fallait faire.

— Je sais lire, un peu ; et je sais écrire mon nom. C'est M. Juarez qui m'a appris. Lui aussi, il a des livres, et une télévision.

Ils restèrent en silence à se regarder. Elle souriait ; puis, remarquant le malaise de Boris, elle lui demanda s'il voulait qu'elle se déshabillât tout de suite.

— Non, tu restes habillée.

— Vous savez, finit-elle par dire, je suis venue pour vous plaire. M. Machado a dit que vous alliez m'aimer. Si vous voulez, je peux rester toute la nuit... Vous n'avez pas de télévision... je peux allumer la radio ? Et elle se leva d'un bond infantile, alla se coller au poste de radio et se mit aussitôt à tourner le bouton sans arriver à se décider. Boris remarquait maintenant ses petites jambes maigrichonnes qui semblaient flotter au milieu de la jupe trop courte. Pas de seins. Les ongles rongés étaient recouverts d'un vernis rouge écaillé qui faisait tout de même ressortir les menottes effilées. Les cheveux légèrement crépus se gonflaient naturellement sans avoir été peignés. Ses yeux étaient d'un vert jauni. Derrière ses lèvres épaisses, ses dents trop petites mais encore saines trahissaient une dentition récente qu'elle mettait en relief en souriant et en avançant la langue.

— Comment tu t'appelles ?

— Linda, comme ma mère.

— Quel âge as-tu, Linda ?

— Bientôt dix-sept, fit-elle sans le regarder et avec une moue de contrariété. J'ai toujours été plus petite que les autres... Vous me trouvez jolie ?

— Oui, Linda, je te trouve comme ton nom, très jolie.

Elle répondit par un sourire de contentement et s'approcha de sa chaise avec des mouvements exagérément lents comme dans les dessins animés. Elle vint se coller contre lui et dit :

— Vous aussi, je vous trouve beau. Vous allez me faire un tas de choses, je parie… Je vais vous montrer…

Boris eut un mouvement de recul lorsqu'elle se mit à genoux et il la tint par les épaules, sans rien dire, se bornant à contempler la petite bouille d'enfant avec un sentiment profond de mélancolie. Elle posa son visage sur ses jambes et attendit sans rien dire.

La tête de l'homme était entièrement vide ; pas d'images, pas de phrases, rien. Son corps détendu devint extrêmement pesant, et il remarqua la pression du dossier sur son dos, comme si le meuble se pressait contre lui pour le soutenir. Seule l'amertume dans sa bouche lui rappelait la vie. La vie et les enfants qu'il n'avait pas eus.

Comme elle cherchait à atteindre son corps, il ordonna :

— Non, petite…

— Vous avez pas envie ?

— Non, pas envie… Reste ainsi et ne dis rien, tu veux ?

L'enfant, ne sachant pas comment réagir dans une telle situation, essaya encore ses sourires en montrant sa petite langue. Comme l'homme lui souriait avec tendresse, elle demanda :

— Je peux me coucher ? Vous pouvez me prendre, vous savez ; je sais mieux faire que les vieilles…

— Non, Linda ! Puis, avec regret à la vue de ses yeux baissés et de son rictus de frayeur : Non… Je te trouve jolie mais je suis trop vieux pour ça, tu vois… Non, je ne suis pas fâché. C'est que tu es trop jeune. Je fais ça avec des femmes… Je te trouve belle, ce n'est pas ça le problème. Je ne suis pas habitué, voilà tout.

— M. Machado ne va pas être content ; il va encore dire que c'est de ma faute. S'il vous plaît, laissez-moi au moins faire un peu…, implora-t-elle avec une moue de déception.

— Non, Linda, je m'occupe de Machado. On ne lui dira rien. Tiens, voilà de l'argent, fit-il en tendant les billets qu'elle accepta avec avidité. C'est assez? Bien, maintenant tu t'en vas.

— Monsieur, merci beaucoup. Je peux revenir demain, si vous voulez. Vous aimez les petits garçons... Je peux venir avec mon petit frère, balbutia-t-elle avec hésitation.

— Tu as un petit frère?

— Oui, il est petit et très propre. Il s'appelle Cassula. Mais il ne faut pas lui faire de mal, il est encore trop petit. On peut jouer ensemble, mais il ne faut pas le prendre... Si vous voulez, on vient ensemble et vous allez avoir envie de moi...

Boris ferma les yeux avec une lassitude extrême, puis demanda:

— Machado fait aussi monter ton petit frère?

— Parfois... pas toujours. Il faut que ce soit avec moi ou avec un autre garçon. Tout seul, il est encore trop petit et va se mettre à crier. Une fois, un monsieur lui a fait mal et il a fait pipi partout.

— Tu t'en vas, Linda. Voici encore de l'argent. Tu achèteras un gâteau pour ton petit frère. Ne dis rien à Machado; je m'occupe de lui. Adieu. Non, pas de baiser, adieu.

Il ferma la porte et éteignit la radio, puis la lumière. Il se versa un verre d'alcool et alluma une cigarette pour chasser le brouillard qui avait enveloppé son cerveau. Il entendit la voix d'Olga qui lui disait, un jour où, à la piscine de Rostock, ils regardaient les petits enfants qui jouaient dans l'eau: *Je voudrais que tu me fasses d'abord une fille... après tu me fais un garçon et nous aurons un beau couple, comme nous deux, veux-tu? Une fille, c'est très malin, ça sait séduire de milliers de façons.*

Il se versa encore à boire et resta à fumer dans l'obscurité, fasciné par la braise de la cigarette qu'il faisait tourner en l'air pour dessiner des cercles lumineux. Peu à peu, le sentiment d'horreur qu'il avait réprimé en présence de la fillette s'estompa. En s'aidant de l'image d'Olga, il revit les centaines et les centaines d'enfants qui jouaient dans les parcs de Rostock. Parmi eux, il y avait des petits Noirs d'Afrique, des petits Cubains basanés, des Hindous et des Vietnamiens qui se détachaient joliment parmi la blondeur des petits Allemands. Des enfants heureux qui faisaient de drôles de têtes en se taquinant, qui sautaient et se poussaient sans rien devoir à personne... Ils apprenaient à nager à la piscine, et les adultes étaient là pour s'occuper uniquement de leur bien-être...

Un tremblement violent secoua Boris, sa gorge se tordit et il sentit les larmes couler sur son visage parmi les sanglots et les frissons. Déréliction...

La nuit entière ne fut qu'une longue agonie de cauchemars et d'images obsédantes où les misérables des trottoirs se mélangeaient avec les blattes, se figeant, épinglés sur les présentoirs des musées étrangers. Des légions d'enfants rachitiques avançaient, agressifs, pour mordre les passants dont les pieds étaient pris dans une boue visqueuse de sang et d'excréments. L'ivresse imprimait à son esprit un balancement de navire dans une mer bitumineuse ; et dans la gorge, sans cesse, une amertume corrosive qui menaçait d'éclore en vomissures, mais qui replongeait dans les entrailles pour tourmenter les intestins. Toute la nuit, incapable de retrouver le goût du cynisme, l'homme se laissa ballotter sans port d'attache ni bouée de sauvetage, entre la colère et le désespoir, profondément seul.

La fraîcheur de l'aube lui apporta enfin un sommeil lourd, duquel il ressortit vers les dix heures, avec la tête étrangement claire. Les blattes l'accueillirent comme chaque matin ; tout comme l'eau froide de la douche et la lumière du soleil, elles étaient la garantie qu'il était encore vivant.

Le jeune Machado, derrière le comptoir, le salua paresseusement.

— Bonjour Boris... Excuse-moi pour la fille d'hier. Elle n'était pas à ton goût ?

— Non, répondit-il sèchement. Tu me parles d'une fille et tu m'envoies une enfant. Ça marche pas...

— Excuse-moi... Linda est pourtant la meilleure, la plus propre aussi. En tout cas, c'est elle qui a les meilleurs clients. On n'a jamais de plainte... Je voulais seulement rendre service.

— Voyons, Machado... Encore une enfant. Et puis son petit frère, est-ce possible ?

— Écoute, Boris, je ne suis pour rien dans ces affaires. C'est la vie qui a changé... Une fille comme Linda, elle a de la veine d'avoir de bons clients. Cassula aussi, car au moins il peut manger. Tu sais, dans la rue, c'est bien pire...

Mais il ne put finir sa phrase puisque Linda descendait les escaliers en compagnie de Juarez. Celui-ci, toujours pressé, salua Boris au passage.

— Bonjour monsieur, fit la petite avec un sourire taquin avant de gagner la porte de la rue.

# 17

Le soir, Boris arriva au salon alors que les barbiers s'apprêtaient déjà à fermer boutique. Il s'adressa au plus costaud des trois, celui dont la carrure ressemblait le plus à celle de son ami Mateus.

— Bonsoir, monsieur. Je cherche maître Alfombra, Sirigaito Alfombra.

Cette phrase figea le mouvement des deux premiers barbiers, qui parurent surpris. Boris remarqua que le troisième, un petit chauve qui se tenait au fond du salon, ne semblait pas l'avoir entendu et continuait à battre le rasoir sur la bande de cuir d'un air absent.

— Vous cherchez…? répondit enfin son interlocuteur en feignant une curiosité obséquieuse.

— M. Alfombra… Samuel Machado, celui de la pension Estrela da Lapa, m'a dit qu'il travaillait ici.

— Ah, Machado… L'aveugle ou le fils?

— L'aveugle, Samuel.

— Ah, le vieux Machado... je vois. Non, maître Alfombra n'est pas là... Ça fait longtemps que Machado ne vient plus se faire raser, vous savez... bien longtemps, ajouta-t-il tout en manipulant distraitement ses outils comme s'il cherchait à se souvenir de quelqu'un. Est-ce qu'il se porte bien ?

— Qui, Machado ? demanda Boris.

— Oui, il paraissait bien malade la dernière fois que je l'ai vu...

— Non, il a l'air en bonne santé. Il se porte bien.

— Vous êtes de ses amis, je suppose, continua le barbier en l'examinant discrètement.

— Une simple connaissance. Mais c'est plutôt M. Alfombra que je cherche. Savez-vous où je peux le trouver ?

— Hum... C'est difficile à dire. Est-ce urgent ?

— Non, non. Je voulais uniquement lui faire un message. Si jamais vous le voyez, dites-lui, s'il vous plaît, qu'un ami de Mateus veut le voir. Je loge chez Machado ; mais je ne sais pas pour combien de temps.

— Mateus ? Quel Mateus ? demanda d'une voix grave et sans se retourner le petit barbier qui aiguisait toujours son rasoir.

— Mateus Alfombra, le caporal Alfombra, répondit Boris automatiquement, étonné de cette voix.

Le barbier, dans la cinquantaine avancée, maigre et chauve, très petit, lui fit un signe de la main du fond du salon en l'invitant à prendre place sur sa chaise.

— Merci, dit Boris, je ne viens pas pour me faire raser...

— Venez ! Peut-être que, pendant que je vous rase, mes amis pourront aller voir si celui que vous cherchez n'est pas dans les parages. D'habitude il se pointe à cette heure-ci pour boire un coup avec les amis. Venez, insista-t-il de sa voix calme mais habitué à se faire obéir.

Boris s'approcha et s'assit. Le petit homme déploya la large serviette sur ses épaules avec un soin excessif pour la plier sous ses aisselles et sur la ceinture, professionnellement, pour ne pas salir le client. Boris se détendit sur la chaise confortable pendant que le barbier s'adressait à ses collègues:

— Allez voir si Alfombra n'est pas là, voulez-vous?

Puis, en se retournant vers Boris qui tendait son cou au blaireau savonneux, il ajouta:

— Cet Alfombra est un peu musicien, n'est-ce pas? Il vient parfois dans le magasin de musique juste à côté.

Le barbier entama le rasage d'une main ferme et avec expertise, pendant que le client rêvassait en cherchant à se souvenir de la dernière fois qu'il s'était fait raser par un vrai barbier. Soudain, il sentit la main de l'homme faire pression sur son front pour l'écraser contre l'appuie-tête; le rasoir s'arrêta perpendiculairement à sa gorge et de sa voix grave le barbier lui dit:

— Voilà, il est temps de parler de ce Mateus…

Boris, interdit, perçut le visage du petit homme qui le regardait sévèrement dans la glace, et il remarqua aussi la présence de quelqu'un d'autre à côté de la chaise, prêt à intervenir. Les muscles tendus et figés, il chercha son souffle avant de répondre, presque dans un râle:

— Mateus Alfombra, un ami… vous le connaissiez?

— Peut-être. Continuez, je vous en prie, rétorqua le barbier en pressant toujours sa tête. Mais faites attention à ne pas trop bouger puisqu'un accident est vite arrivé, n'est-ce pas? ajouta-t-il avec autorité.

— C'était un ami, reprit Boris lentement tout en sentant son cœur qui battait la chamade. Nous avons fait route ensemble durant des années… Je suis venu donner de ses nouvelles à son oncle, voilà tout.

La pression sur son front se détendit; le rasoir resta cependant immobile et perpendiculaire. Boris sentit des mains commencer à fouiller sa poitrine depuis l'arrière de la chaise, mais ce geste fut aussitôt interrompu par les paroles du barbier:

— Laissez faire, camarade. M. le client n'est pas armé. Tâtez plutôt les mollets, on ne sait jamais…

Et il ajouta en souriant:

— Parfois on porte un couteau, histoire de peler un fruit, ou un rasoir pour se raser en chemin.

L'autre homme s'exécuta, mais ne trouva rien.

— Bien, reprit le barbier. Vous voulez me parler de mon neveu. Sauf qu'il est mort depuis plus de vingt ans et que je n'aime pas les fantômes.

Boris se détendit enfin et, souriant au plafond, il dit:

— C'est donc maître Sirigaito qui me tâte du rasoir… Mateus trouverait ça bien drôle. C'était un grand ami. Mort, malheureusement. Mais il a vécu bien plus que vous ne pensez… En tout cas, quelques années de plus; en France.

Boris hésita, interrompit son récit et suggéra qu'il serait mieux qu'ils parlassent seul à seul.

— Allez-y, mon cher, répondit le barbier avec dans la voix une raucité nouvelle. Ici, nous sommes entre amis. Le salon est déjà fermé et personne ne viendra nous déranger. Vous avez toute la nuit s'il le faut.

Boris ferma les yeux et raconta, sans même se rendre compte que le rasoir avait recommencé à raser avec la précision de tout à l'heure, depuis la gorge jusqu'aux joues. Une brûlure sur la peau du cou vint interrompre momentanément ses paroles.

— Excusez-moi, dit le barbier. Ce n'est que de la lotion astringente sur une petite entaille que j'ai faite par mégarde, tantôt… Vous comprendrez, sans doute, que ma main était un peu tendue. Mais continuez, je vous en prie.

Boris reprit son récit pendant que Sirigaito lui coupait les cheveux.

Ils sortirent ensuite tous les deux pour aller s'attabler dans un bar très sombre, sur une montée aux maisons délabrées. Ils burent des bières jusqu'au milieu de la nuit pendant que Boris continuait à raconter. Leur conversation se poursuivit dans une sorte d'arrière-boutique crasseuse et enfumée où ils mangèrent un délicieux bouilli de poissons, très épicé, qui fut curieusement accompagné d'un scotch de bonne marque. Le barbier paraissait d'ailleurs être un connaisseur, et le petit serveur en guenilles lui apporta à la fin du repas une bouteille exquise.

— Ah ! s'exclama Sirigaito. Goûte-moi ce *malt*, Boris. Je suis certain que tu ne le connaissais pas. Dommage, vraiment dommage que vous n'ayez pas été en Angleterre... Le seul endroit où l'on sait boire avec distinction. Mais Mateus était trop amateur de cachaça, je me souviens. Tiens, fit-il en tendant un verre plein. C'est le moment de déguster. Mais, de grâce, Boris, ne t'arrête pas. Continue ton histoire.

Ils burent encore et continuèrent à boire dans d'autres endroits où le barbier avait l'air d'être respecté. Ce fut une très longue nuit, une sorte de récit vivant où les deux compagnons paraissaient ne plus toucher terre, mais voler dans le temps et dans l'espace sans tenir compte des lieux ni des gens qu'ils croisaient. Si fantastique qu'à la fin ce n'était plus le petit barbier mais Mateus lui-même qui accompagnait Boris parmi les rêveries.

Ce dernier se réveilla alors que la matinée était déjà bien avancée, dans une chambre remplie de vêtements aux couleurs vives accrochés un peu partout. Il était dans le lit d'une jolie mulâtresse, grassouillette et souriante, qui, penchée sur lui, cherchait à le tirer du sommeil en balançant ses seins sur son visage.

— Eh, le vieux ! fit-elle dans un éclat de rire devant son étonnement. Quel sommeil ! Tu baises en dormant et tu penses que je n'ai que ça à faire ? Au boulot, monsieur... J'ai tout ça à coudre, allez, debout ! Si tu veux, reviens ce soir. Mais ne viens pas éméché, parce que tu me dois des caresses, d'accord ? Maintenant, debout, le dormeur...

Boris s'habilla, but une tasse de café et se laissa embrasser tout en découvrant les rondeurs fermes que la fille pressait contre lui.

— Tu reviens, d'accord ? Sirigaito n'est pas jaloux. Je t'attends, gringo dormeur...

Il descendit, sous la pluie, la longue pente sinueuse où coulait un égout en forme de ruisseau. Des enfants presque nus s'affairaient, en criant et en se poussant, à suivre les brindilles qui flottaient sur les eaux sales. Sa tête était légère malgré l'alcool et il repassait les événements de la veille avec un plaisir énorme. Ce Sirigaito, quel type sympathique ! pensa-t-il.

À l'hôtel, le vieux Machado l'attendait pour lui dire que maître Sirigaito demandait de ses nouvelles. En fait, la veille, quelqu'un était venu pour questionner le propriétaire de l'auberge et s'assurer que Boris était bel et bien celui qu'il disait être. Boris prit une douche et se coucha.

Le soir venu, Sirigaito l'invita chez lui pour continuer la conversation. Le barbier habitait une vieille maison sur la colline surplombant la Lapa, assez proche d'ailleurs de l'endroit où Boris s'était réveillé le matin.

— Cela m'a fait un grand bien de t'écouter hier, Boris. J'avais toujours cru que Mateus était mort durant le coup d'État, et je craignais qu'il eût été torturé. Tu sais, c'était une horreur à cette époque, surtout pour les gens simples et pour les militaires sans grade. Je suis content de savoir qu'il a visité le monde et qu'il parlait d'autres langues. C'est triste de penser qu'il est mort bêtement, mais mieux vaut que ce soit d'une balle, n'est-ce pas ? Ton histoire lui a redonné vie, à mon Mateus, et je te suis très reconnaissant. Si t'as besoin de quelque chose, n'importe quoi, je suis à ton service. En t'écoutant, c'est comme si j'écoutais Mateus lui-même. Alors, je te considère comme mon neveu, d'accord ?

Ils furent reçus par une grosse Portugaise au visage encore joli malgré les nombreux plis de sa chair ferme.

— Maria de Lourdes, ma patronne, fit Sirigaito en appliquant une tape sur les larges fesses de la femme. C'est toute une bonne femme, mon petit, un beau morceau de femelle. Maria est la meilleure cuisinière de la ville, et c'est ma mignonne...

Maria de Lourdes sourit, visiblement ravie du compliment, tout en baissant les yeux avec respect malgré sa bonne tête de plus que le petit barbier.

Une fois qu'ils furent assis au salon sur des fauteuils râpés mais confortables, Sirigaito servit du scotch en vantant la qualité des diverses bouteilles qui s'étalaient sur l'étagère d'un meuble vitré.

— Tu sais, petit, dit-il, le seul avantage de la dictature a été la libéralisation des marchandises étrangères. Maintenant, un connaisseur en *malts* comme moi peut se fournir sans crainte de se faire refiler des bouteilles trafiquées. Autrefois, je pouvais passer des mois et des mois sans boire à cause des restrictions à l'importation. Mais je te dis, Boris, c'est bien le seul avantage. Tout le reste est pire. Ce pays est devenu un enfer et je comprends ton désarroi. D'ailleurs, je me demande ce que tu es venu chercher ici après tant d'années...

— Moi aussi, je me le demande. Je crois que ça a été une erreur. Ce retour a bousillé mes rêves et je cherche à savoir quoi faire.

— Dis, reprit Sirigaito à voix basse. J'ai fait enquête auprès de Machado, ça t'ennuie pas ? Il a même montré ton passeport à l'ami qui lui a rendu visite en mon nom... Après tout, n'est-ce pas, ta carte d'identité porte un autre nom. Je comprends bien ces choses et je t'approuve. Mais, tu vois, le récit d'hier m'a bouleversé, et je me demandais quel était ton but en revenant dans ce pays de merde.

— Je ne le sais pas moi-même, Sirigaito. On peut dire que j'ai échoué ici. Mateus me disait la même chose. Puis le temps a passé, les souvenirs sont devenus si jolis, et je me suis laissé attirer. Je commence à peine à me remettre du choc que j'ai eu en voyant tant de misère et de mépris… C'est idiot, mais je me sens comme dans un piège, sans savoir quoi faire et sans l'envie d'entreprendre rien qui vaille.

— J'écoutais hier ton histoire et j'ai eu l'impression que tu avais des comptes à régler. Est-ce possible ?

— Je le pensais aussi, répondit Boris après une gorgée de scotch. J'en étais même certain. Une fois arrivé ici, je me suis rendu compte que je ne m'étais jamais senti aussi étranger. Je cherche, je m'efforce, mais en vain. Incapable de trouver ces comptes en suspens qui m'ont amené jusqu'ici. C'est un drôle de sentiment, tu peux me croire.

Ils continuèrent à boire et à fumer. Plus tard, ils s'attablèrent pour déguster la fameuse morue grillée de Maria qu'avait tant vantée le barbier. C'était très bon, en effet, même si Boris se régalait davantage avec les paroles de Sirigaito. Celui-ci frôlait la soixantaine, sans doute, mais son esprit paraissait aussi vif que son corps ou que sa main tenant le rasoir. En outre, ses propos montraient un intérêt authentique pour la situation de Boris, comme s'il se délectait de cette occasion unique de comprendre une autre existence. Pour le simple plaisir de comprendre. Chacune de ses questions rigoureuses et très pertinentes permettait à son interlocuteur de mieux préciser sa propre réflexion. Jamais cependant Boris ne sentit la moindre pointe d'optimisme naïf ou d'encouragement. La logique du barbier était même troublante, avec une vitalité d'associations lui permettant de dégager une vision d'ensemble sans cependant avoir recours à aucune prémisse déguisée. Mateus lui avait parlé de cette habileté de son oncle, qu'il décrivait comme un homme de grand savoir. Mais lorsqu'on l'écoutait en personne, l'homme était bien plus complexe et frôlait la sagesse.

— Je suis moi-même poète, reprit Sirigaito en savourant une nouvelle bouchée. J'écris des sambas ; surtout la musique, mais aussi les paroles. Des choses simples, au goût du peuple, pour les aider à danser et à s'amuser. Je le fais depuis longtemps ; si longtemps que je me suis fait beaucoup d'ennemis, figure-toi. Au début, ce n'était que la police. Ensuite, les militaires, dont la bêtise est si profonde qu'elle les pousse à se méfier de chaque parole qui n'est pas inscrite dans l'hymne national. C'était normal qu'ils soient mes ennemis, car je ne respecte que les gens libres. Leur patriotisme et leurs discours n'avaient d'égal que leur ignorance et leur bestialité. Imagine, Boris, ces brutes prétentieuses, main dans la main avec la police la plus corrompue, farcie de criminels et de pervers, chacun cherchant à s'enrichir le plus vite possible. Puis les industriels, les avocats, les journalistes et toute la cohorte des intellectuels qui leur léchaient le cul… tu auras alors une petite idée de ce que le peuple a dû souffrir. Ils ont eu vingt ans pour ravager le pays de tout ce qui était sain. Tout y est passé, depuis le respect envers les enfants, la musique, les forêts, tout, sans compter le carnaval qu'ils ont enfermé dans une sorte d'asile, un camp de concentration qu'ils appellent le « Sambadrôme ». Rien que pour les touristes. C'est l'œuvre d'un de nos grands architectes, un type de gauche, figure-toi. Le peuple, il ne danse plus. Les riches payent pour participer aux défilés et les pauvres en sont réduits à être de simples figurants de cette bacchanale.

Sirigaito prenait une nouvelle bouchée accompagnée d'une gorgée de scotch et son regard se perdait au loin pour mieux contempler la vision d'horreur. Ou il allumait un de ses minces cigares en disant que c'était pour mieux parfumer la morue grillée, pour la laisser se reposer l'espace de quelques bouffées de tabac. Et il reprenait ensuite le récit, calmement, comme s'il s'agissait d'une simple constatation.

— Un artiste, tu l'imagines, est alors l'objet de toutes les convoitises simplement parce qu'il n'a pas besoin d'eux. Des menaces, aussi. Tu vois, je ne sais même plus reconnaître un homme de bien, et ta gorge a failli goûter à mon rasoir uniquement parce que je me méfie de ceux qui me rendent visite. La ville est devenue une jungle ; les misérables et les déracinés sont la proie la plus facile. Des solitaires comme nous, des artistes. Il nous faut désormais porter une arme. La parole et la musique ne suffisent plus. Hélas ! je commence à me sentir un peu vieux… La nature humaine, Boris, dans tout ce qu'elle a de purement animal, revient à la surface dans cette misère, humiliée et désireuse de vengeance devant tant de mépris et d'ostentation. On a beau penser à la vanité dont nous parle Salomon, les muscles se raidissent et les poings cherchent à cogner… C'est inévitable, ne fût-ce que pour se sentir encore un peu humain avant de sombrer dans l'animalité la plus abjecte. Cette violence dans les rues, ce n'est même plus de la révolte ; c'est du pur désespoir. C'est alors qu'elle est la plus gratuite et la plus stupide.

Maria débarrassa la table pour faire place au café et aux bouteilles de Sirigaito. Elle le fit avec des regards intenses d'amour et de gratitude pour son homme qui faisait ainsi preuve de tant de sagesse. Boris se demanda à son tour d'où pouvait venir cette qualité de langage et ce détachement stoïque de la part d'un simple barbier.

— C'est curieux, Sirigaito… Même si Mateus m'avait vanté ta sagesse, je ne suis pas moins étonné de t'entendre. Après tout, les conversations dans un salon de barbier ne forment pas nécessairement l'esprit.

— Pourtant si, mon petit, répondit-il avec un sourire après une longue réflexion. Si, pour étonnant que ça puisse paraître. Mais il ne faut pas se borner à écouter bêtement ni à parler par pure réaction. Tu vois, je n'ai pas fait d'études, mais j'ai tout de même étudié. Par un hasard quelconque, très tôt dans ma vie, j'ai découvert le plaisir du langage. Comme ça, sans d'autre but que de suivre les méandres du discours, et j'ai été attentif à cette beauté. Tout le monde parle, mais seuls les poètes sont vraiment sensibles à cette sagesse contenue dans le langage parlé. Par exemple, tu sais certainement qu'on ne peut pas dire n'importe quoi. Ça s'apprend à l'école, n'est-ce pas ? Or, j'ai découvert cela tout seul, comme un enfant qui découvre le monde et la matérialité des choses. Il y a, vois-tu, un monde et une sorte de matérialité du langage, avec ses lois, ses couleurs, ses limites, ses dangers et ses plaisirs. Pendant que les autres parlaient comme de simples promeneurs, je découvrais la physique des mots, par moi-même, rien qu'en jouant. Et puis, bien sûr, j'ai lu ; et là encore, au lieu de simplement lire pour m'abrutir, j'ai préféré explorer la lecture comme on explore la vie des gens ou le corps des femmes. Un chemin délicieux... Armé de ce regard pour voir le langage, je me formais par le simple fait d'écouter les gens, par la lecture et par le désir de dire les choses du monde. C'est un jeu formidable, que celui de mettre en rapport direct les choses et les mots ; on finit par voir les choses avec une vision tout à fait originale, et le même jeu se fait ensuite pour le langage. Peut-être que tu as parcouru le même chemin par d'autres moyens, comme chaque amant de la parole. Cette manière de voir en se servant du langage nous détache curieusement du réel brut ; celui-ci devient alors trop pâle, fade. Et cela fait de nous des errants parcourant la Terre, tu ne trouves pas ? Voilà, à mon avis, le véritable péché originel, celui qui nous imprime la marque de Caïn et nous chasse à jamais vers l'est de l'Éden : la parole, qui change les choses du monde en pensée. Voilà ce qui menaçait Dieu. Ce n'était certainement pas le sexe, comme le veulent les curés, puisque seulement un dieu infiniment sensuel aurait pu tailler la merveille qu'est un sexe de femme... Il avait peur de notre parole, qui nous libère de lui et du moment présent. Chaque poète est un bâtard et un révolutionnaire, un fils de Satan, de Prométhée et de tant d'autres déracinés. Mais, hélas ! le réel nous intéresse trop peu pour qu'on cherche à le transformer. On nous poursuit à cause de la parole, disent-ils… Sauf que la parole seule ne fait pas bouger les choses. Il faut encore qu'on l'écoute. Mais les gens n'ont pas appris à écouter… Alors, on parle entre nous, on s'amuse entre solitaires et vagabonds, et la vie continue sans qu'on ait vraiment de prise sur elle. Tu vois, on est des bannis, des exilés qui chantent en exil et qui ne menacent en rien ceux qui sont restés au pays des choses concrètes. Non seulement les poètes, mais aussi tous ces rêveurs qui vivent dans un monde de langage et de symboles sont des bannis. Tiens, Che Guevara par exemple. Ses journaux de campagne sont des documents précieux pour qui veut comprendre l'âme du poète. Le gars ne voulait pas vaincre, non… il voulait la bagarre, l'aventure, le rêve. Tant et si bien qu'il ne s'est pas occupé des faits ni de ceux qui l'entouraient. Il y a laissé sa peau et il est devenu un mythe, justement parce que son épopée se situait dans une sphère autre que celle de l'homme du commun.

Ils burent encore et la conversation prit d'autres directions, plus terre à terre, et Sirigaito en profita pour instruire Boris sur la réalité concrète de la ville. Après de longs silences, le barbier savait relancer la réflexion par de simples questions qui permettaient à son interlocuteur de saisir d'autres questions encore, celles-ci apparemment éloignées du thème, mais combien en harmonie avec l'esprit de leur recherche.

— Mon père est mort, répondit Boris. Pendant que j'étais à l'étranger. Je ne l'ai su qu'après des mois, par la lettre d'une ancienne amie. Mais j'ignore les détails. Un de ces jours, je compte la rencontrer et j'en saurai un peu plus… Je crois qu'il était heureux. Il a pu voyager à nouveau à l'aide de mes lettres, et il semblait content de me savoir au large. D'ailleurs, je l'ai toujours connu en train de refaire mentalement ses propres errances par le biais des cartes géographiques et de la simple imagination… Lorsque j'étais jeune, son attitude détachée m'avait causé une sorte de carence, d'autant plus que je savais que nous avions des choses en commun. Ses silences m'avaient laissé sur ma faim. Je méprisais son plaisir de faire un travail que je voyais comme stéréotypé... Maintenant que j'ai vieilli, je me rends compte que nous sommes de la même trempe, semblables. Et il me manque...

— Tu devrais aller voir sa tombe, répliqua pensivement Sirigaito. Rien que pour rendre hommage à ce qui de lui n'est pas enterré là-bas, à ce qui n'est pas mortel, tu vois ? Peut-être même boire un verre de vodka de son pays en sa compagnie... Je ne crois pas à l'au-delà, mais cette visite servirait peut-être à t'apaiser. Tu pourrais aussi lui raconter quelques histoires intimes, du genre que tu n'as pas écrites dans tes lettres, rien que pour lui ; pas au mort mais à celui qui est dans ton esprit, qui vit dans tes sentiments...

— J'y pense, répondit Boris, ému. J'irai dès que j'aurai mis un peu d'ordre dans mes pensées. D'ailleurs, puisque tu le mentionnes, je crois que je n'y suis pas encore allé parce que je ne sais toujours pas quoi lui répondre si jamais il me pose la même question que tu m'as posée... «Qu'est-ce que tu fais dans cette merde ? » Cela m'a aussi fait hésiter avant de venir te rencontrer ; je pensais à Mateus et j'étais sûr que tu me demanderais la même chose.

— Tu n'as pas d'anciens amis, des camarades, rien ?

— Après plus de vingt ans, je ne crois pas qu'on puisse dire qu'on connaît quelqu'un. Et puis je crains qu'on ne me demande ce que j'ai fait de mon exil, où j'étais pendant toutes ces années, à quoi cela a servi...

— C'est la question que tu te poses toi-même.

— Oui et non, Sirigaito. Les choses m'apparaissent plus confuses... Je me pose, certes, ce genre de questions, comme chacun de nous. Mais elles ne me dérangent pas beaucoup. Je me suis fait à cette incertitude, et je crois même qu'elle m'aide à bouger. Mais lorsqu'on m'interroge, la question semble venir d'un autre monde que le mien, d'un monde où la cohérence est essentielle, où il faut expliquer la signification de l'existence... Je me sens impuissant car je n'ai pas de motifs clairs à offrir en guise de réponse. Tout ce qui me vient à l'esprit, c'est : j'ai vagabondé, j'ai vu des choses et j'ai rêvé.

Sirigaito alla chercher une autre bouteille et invita Boris à se rincer la bouche avant de goûter à la nouvelle boisson.

— Voici un *single malt* rare, Boris, très concentré et imprégné de tourbe. Il vient d'une petite île au nord de l'Écosse. Il secouera la poussière de ton imagination tant ses fragrances sont nordiques, tu verras... Cherche un peu, cependant, et l'odeur dans ton nez aura en outre une petite parcelle tropicale de champignons. Tiens, découvre-le toi-même. Il m'a l'air d'être aussi tiraillé que ta propre existence.

Sirigaito garda le silence pour laisser à Boris le soin de découvrir ce que la boisson avait de pertinent à lui dire. Sans le questionner davantage pour ne pas rompre le charme des sensations imaginaires, il dévia ensuite la conversation sur l'Angleterre.

— Après tout, je suis content que, Mateus et toi, vous n'ayez pas été en Grande-Bretagne. C'est mieux ainsi... Ce dont j'ai entendu parler était parfois si éloigné de mes rêves que c'en était dérangeant, figure-toi. Je connais d'ailleurs le pays seulement à travers ses scotchs. Le reste vient de ce que j'ai pu glaner concernant l'esprit aristocratique, un certain détachement et une certaine rigueur des mœurs que j'apprécie particulièrement. Leurs femmes aussi, qui me font rêver. Ces belles juments osseuses, à la peau très blanche et aux manières réservées... Doivent être de vraies furies au champ d'honneur, n'est-ce pas ? La littérature anglaise est d'ailleurs farcie d'histoires galantes et de nervosités charnelles comme celles de Lady Chatterley. Tout ça fait rêver, naturellement. Et, sans être du nombre des élus, je rêvais à mon tour pour fuir ma condition. La reine est d'ailleurs l'objet privilégié de mes fantaisies, je l'avoue volontiers ; et plus d'une mulâtresse doit ma fougue aux fantaisies concernant Sa Majesté... Autrefois, quand j'étais plus jeune, et plus préoccupé de ces choses, la déshabiller en imagination était un véritable supplice. Je pouvais me débattre avec les innombrables couches soyeuses qu'elle défendait farouchement tout en souriant et en s'exclamant avec son accent britannique. Puis, gagnant du terrain et la sentant défaillir, l'assaut des forteresses m'apparaissait comme une défloration, tant ses donjons étaient serrés et impénétrables. Et avec quelle majesté se déclarait-elle enfin vaincue, les magnifiques cuisses s'ouvrant comme le Tower Bridge pour que la Tamise se transforme en nef de l'abbaye de Westminster. En bombant son ventre formidable aux odeurs de tourbe écossaise, elle me recevait alors dans ses appartements intimes, poilus sur chair d'albâtre, en implorant : *God ! Save the queen !* Quelle femme sublime, n'est-ce pas ? Je souffre d'être un simple Brésilien, de ne pas être assujetti aux caprices d'une pareille créature, conclut-il avec un sourire de nostalgie.

— Eh bien, Sirigaito, tu es un aristocrate dans l'âme, fit Boris sans trop savoir comment réagir aux étranges fantaisies du barbier. Pour un artiste populaire, cela doit être difficile de tout concilier...

— Non, reprit Sirigaito avec un large sourire. Il n'y a là rien de difficile. Chaque artiste est un aristocrate qui s'ignore, ou qui ne se l'avoue pas. Je ne fais que me construire des mondes pour mieux rêver. Cette Angleterre à moi n'a rien à voir avec la réalité ; ce n'est que mon lieu de fuite lorsque la vie me blesse. Voilà pourquoi je ne cherche pas à la comparer avec le pays réel... Quoique, en ce qui concerne la reine, je souffre réellement de ne pas l'avoir connue dans un combat singulier. J'ai vraiment une grande admiration pour elle... Elle me plaît comme femme. Les fantaisies en sont une conséquence innocente, automatique pour ainsi dire. Je suis même certain que beaucoup d'hommes de valeur ressentent le même regret de ne pas l'avoir comme compagne... Partout dans le monde, des Blancs comme des Noirs ou des Asiatiques, n'en déplaise aux mentalités racistes. J'avais autrefois un grand ami, un mulâtre costaud et vraisemblablement bien membré, qui aurait fait un excellent époux royal s'il était né de sang princier. La progéniture de sa majesté se serait certainement mieux portée avec une goutte de couleur, et la descendance ne serait pas plongée dans ces scandales qui accablent la pauvre mère aujourd'hui... Tout ça pour te dire, Boris, que l'artiste est le seul responsable de ses créations mentales. L'artiste est un solitaire et un aristocrate même s'il n'a aucun respect envers la noblesse. Regarde les romans de Gorky, par exemple. Le héros sort de la masse, certes, mais il en sort. Voilà pourquoi il est unique. La masse est là seulement pour le mettre en valeur. Parfois je me demande s'il n'épouse pas la cause des faibles par pur orgueil devant les puissants, et par vanité de se montrer généreux. Pense à un type comme Job, dans la Bible ; même au Christ, tiens. Ils n'avaient pas besoin du peuple. S'ils plongeaient les mains dans la merde, c'était surtout parce qu'ils avaient la conviction profonde qu'ils n'en seraient pas souillés... Tu vois, Boris, à force de réfléchir j'en arrive à me demander si l'artiste engagé ne serait pas tout simplement un aristocrate mal à l'aise dans sa propre liberté. Qu'en penses-tu ? Il y a le côté bagarreur aussi, avec ce je ne sais quoi de contestataire qui le pousse à s'en prendre aux forts pour être certain d'avoir un combat à sa taille. Comme Gorky. Dès que les prolos ont pris le pouvoir, il a été banni en Italie ; les grands et les petits bourgeois pouvaient alors s'affubler de titres révolutionnaires sans craindre le ridicule.

De sa voix calme et grave, le barbier tissait ainsi les méandres complexes d'un filet destiné à attraper d'étranges poissons. Cette pensée libre, sans le fardeau des habitudes universitaires, fascinait Boris. Celui-ci se laissait flotter sans se rendre tout de suite compte que tout cela le concernait personnellement, que Sirigaito ne perdait jamais de vue qu'il dialoguait avec un homme tourmenté par des questions.

— Tu vois, Boris, il n'y a pas de honte à se sentir étranger dans son propre pays... En fin de compte, c'est quoi, une patrie, sinon l'endroit où on est libre de rêver et de découvrir sa nature... Ton père, par exemple, d'après ce que tu m'en as dit, était un étranger, et bien dans sa peau. Tu aurais tort de vouloir te détruire uniquement à cause du fait que t'es né ici. Tu n'as plus de famille ici, le pays a changé, il n'y a rien qui te retienne... Mais tu retournes à la merde par simple souci de cohérence ! Et tu t'accables avec cette horreur comme si c'était de ta faute. Regarde bien dans le passé. Toi et Mateus, vous avez semé le trouble et vous avez failli y laisser votre peau parce qu'il vous fallait une excuse, c'est tout. Ensuite, vous étiez condamnés à être libres. Ta seule attache est l'imaginaire tropical que, de toute façon, tu as hérité de ton père, pas du Brésil. Ton Brésil n'a jamais existé que dans ta propre tête... Tout comme mon Angleterre. Tu te vois vivre encore ici ?

— Non, avoua Boris avec étonnement devant cette certitude qui s'imposait à son esprit. Je me sentirais toujours comme un immigrant, comme l'a été mon père.

— Voilà. Ton monde tropical est un monde symbolique. Ça me fait penser aux amours impossibles, celles qui produisent de beaux poèmes... Baiser, Boris, n'a jamais inspiré aucun poète. Seule la nostalgie des choses qui n'ont jamais été est source de création. Sinon, on devra faire comme ces pauvres écrivains russes qui vantaient les mérites et les beautés des turbines et des usines... De la pure propagande ! Dans le monde du langage, seuls les mots et le discours comptent. Le rêve devient la réalité ; et l'on se contente de rêver que le réel se transforme, tout en sachant que ce n'est qu'un rêve... L'artiste inverse le sens des choses, et voilà pourquoi il est déraciné. Les autres, ceux qui ne rêvent pas, c'est à eux d'écouter les artistes pour tenter de transformer le réel qui les confine à la stérilité.

— Et toi, Sirigaito, comment fais-tu devant cette ville qui ne te laisse pas de point de fuite ?

— Tu oublies que je ne suis pas parti et que je n'ai pas eu de père immigrant. Je me suis construit malgré la ville ; mes chansons et les gens qui dansent au carnaval sont le monde symbolique qui m'attire, mon imaginaire... On doit s'adapter, arrondir les coins. Tiens, il m'arrive souvent de faire des chansons qui ne marchent pas, ou qu'on censure ; ou, pire encore, que personne ne comprend. Il y a deux ans, par exemple, j'ai fait tout un thème musical sur les voyages d'Ulysse pour une école de samba. Une merveille ! La police l'a censuré en disant que le personnage était communiste. Mes amis n'ont pas aimé puisqu'ils n'avaient jamais entendu parler de cet Ulysse, qu'ils ont par ailleurs qualifié de gringo réactionnaire. Enfin, les journalistes m'ont accusé d'avoir plagié un ancien film italien avec Rossana Podesta et Victor Mature dans le rôle principal : *Les aventures de Maciste et d'Ulysse* !

— Mais encore, Sirigaito, comment fais-tu pour survivre sans devenir fou ?

— C'est tout bête, répondit-il avec un sourire taquin. Je reviens au salon et je m'efforce de bien travailler. Une barbe bien faite, un rasoir bien aiguisé ; et puis la satisfaction d'être respecté par mes amis et craint par mes ennemis. Cela suffit. La ville de Rio, le Brésil, je m'en contrefous... Je ne cherche même pas à les critiquer, voilà le secret. Je poursuis mon voyage...

— Oui, je vois... Je t'écoute et mon propre dilemme se clarifie. C'est en fait la poursuite de mon propre voyage qui fait problème, cette ouverture... Jusqu'à présent, je me sentais confortable à l'idée que j'avais un pays, quelque part, ailleurs. Je dois apprendre dorénavant à vivre sans cette excuse.

— Même que, ajouta Sirigaito en baissant la voix, cette décision t'aiderait à visiter la ville sans la peur de te faire bouffer. Tes anciennes connaissances aussi, tu pourrais les rencontrer par pur plaisir, pour apprécier le ravage du temps sur leurs personnes, sans chercher à juger. Tu es libre d'aller et venir, et eux ne sont pas responsables de l'état du monde. Il m'est arrivé à moi aussi de juger par culpabilité... Cela ne fait que bloquer les avenues de la compréhension... Mais, goûte-moi maintenant cette autre bouteille, Boris: c'est plus corsé et encore plus parfumé, tu verras, ajouta-t-il en offrant un nouveau verre.

Il se faisait tard. Sirigaito finit de fumer son cigare et fit un signe à Maria de Lourdes pour lui faire remarquer que leur invité s'apprêtait à partir. Elle se souvint alors de quelque chose à finir à la cuisine et s'excusa, en faisant ses adieux. Une fois qu'ils furent seuls, Sirigaito versa un dernier verre.

— Allez, un petit dernier pour le chemin. Berenice, la couturière, t'attend. C'est juste à côté. À la santé de Boris, citoyen du monde, fit-il en levant son verre. Puis sur le ton de la confidence: Tu sais, mon petit, le Brésil était déjà ton espace étroit autrefois, avant même que tu aies goûté au vent du large; pas étonnant qu'il soit devenu beaucoup plus étroit depuis que tu es devenu libre... Tu ne dois rien à personne d'autre qu'à toi-même. N'est-ce pas ce que te disait ton copain Mateus Alfombra ?

Une fois à la porte, il ajouta d'un ton paternel:

— Excuse-moi de te le dire, mais prends ça comme venant de la part d'un oncle expérimenté: la Clarissa dont tu m'as parlé hier, arrange-toi pour la baiser... Il n'y a pas de femme qui vaille tant de rêves, surtout après vingt ans... Sans rancune, d'accord ?

Boris descendit lentement la pente sans savoir au juste s'il avait envie de coucher cette nuit avec Berenice. Sa tête était claire et il se sentait bien, mais cette longue conversation réclamait la solitude pour mûrir et gagner sa véritable valeur. Hélas! la réalité n'était pas du même avis : la mulâtresse l'attendait à sa fenêtre comme si elle savait qu'il allait passer à ce moment-là.

— Salut, le gringo dormeur, fit-elle d'une voix chantante. La porte est ouverte. Viens payer ce que tu me dois...

Boris ferma la porte derrière lui et pénétra dans un étroit couloir, sombre, se laissant guider par les murs craquelés et par l'odeur pénétrante de fritures et de parfum bon marché. Le logis lui parut frais, moins humide que la rue. La lumière rouge d'une petite veilleuse lui indiqua l'entrée de la chambre : il reconnut les tissus et les robes jetés pêle-mêle. La fille était toujours penchée à la fenêtre. Il s'approcha et entendit le rire clair qu'elle laissa échapper en tournant la tête.

— Cherche pas le lit, gringo, t'as beaucoup de boulot à faire.

Boris toucha ses hanches et sentit la chair nue qu'elle avait chaude et sèche. Ses mains descendirent le long des larges fesses et remontèrent vers le centre des cuisses pour frôler le sexe. Puis, allant sous la blouse, il caressa ses flancs ronds et sentit la lourdeur des seins qu'elle avait appuyés contre le cadre de la fenêtre. D'un mouvement gracieux de reptile, elle arqua les reins, frotta les fesses contre son corps en entrouvrant les cuisses et soupira :

— Colle-toi, gringo, viens... Je pensais à toi. Touche voir comme je me suis chauffée en t'attendant, toute mouillée... J'espère que tu as de l'appétit. La casserole est brûlante et le ragoût est épicé.

L'homme glissa les mains entre ses fesses en écartant à peine les chairs, et ses doigts se retrouvèrent plongés dans une sauce bienfaisante, aux exhalations d'herbes et de femelle. Les poils raides glissaient, huileux, entre ses caresses, facilitant l'exploration des gouffres aux ventouses avides. Il y plongea les deux mains en enlaçant le corps charnu de Berenice et laissa ses doigts couler davantage vers les profondeurs bouillantes. Elle se borna à rire en cambrant encore plus son corps pour lui faciliter l'accès, sans toutefois bouger de sa place à la fenêtre, se donnant à regarder à la nuit comme si elle était seule. Un jeu délicieux et charmant à la fois puisque Boris s'imaginait la scène depuis la rue : une femme somnolente et lasse qui tout simplement ne pouvait pas trouver le sommeil... Ses doigts se mirent alors à pétrir les surfaces moites et la chair dodue pendant qu'elle gémissait un chant ponctué de soupirs et de frissons... Le temps qu'il fallut... Il la tint pressée contre le mur pendant que ses cuisses ouvertes paraissaient défaillir en secousses extrêmes, puis il laissa son corps mouillé de sueur couler par terre avec l'indolence d'un mollusque.

L'homme ferma la fenêtre et s'étendit sur le lit dans une espèce de transe.

Elle vint peu après le rejoindre, alanguie et sensuelle, pour le déshabiller avec un soin minutieux, en explorant son corps avec ses ongles, ses lèvres et surtout ses mamelons. Sa langue goulue tourmenta le mâle en se dérobant chaque fois qu'il tentait de l'emprisonner. Le rire clair de la femme le ramenait à la surface pour le priver des spasmes qu'il sentait imminents, et de sa voix taquine elle ordonnait, avant de poursuivre :

— Non, gringo... sois pas trop gourmand, gringo paresseux...

L'homme subit longuement, péniblement les assauts moelleux de cette compagne vorace. Il la sentit gémir, blêmir, frémir parmi les secousses puis rire encore, comme si elle nageait dans un bassin entourée d'anguilles avides. La lutte dura ; l'homme se débattait dans une vase glissante, cherchant à s'agripper aux chairs et la blessant à son tour. Il se donna enfin lorsqu'elle décida, d'elle-même, de venir le cueillir de manière formidable et rebelle.

Les yeux fermés, Boris imagina les mouvements ronds et lents de la mulâtresse se dirigeant vers la salle de bains. La sonorité fraîche qu'elle émit en urinant le plongea en des rêveries mouillées. L'odeur sucrée de la cachaça lui fit ensuite penser aux gâteaux de son enfance. Ils restèrent couchés, à boire et à fumer dans le silence de la pièce.

Plus tard, apaisée et pleine de tendresse, Berenice revint au corps de l'homme et l'agaça par des caresses subtiles pour qu'il l'explorât davantage en regardant ses chairs. Elle le fit en jouant, en feignant une pudeur juvénile et en gémissant des craintes et des fantaisies. Ce qu'elle avait tantôt réussi avec son corps, la mulâtresse l'obtenait désormais par la force des mots, et d'une manière si réelle que Boris se laissa entraîner dans un délicieux viol imaginaire d'une jeune fille perverse. Le sentant disposé à jouer, Berenice déploya son art en se débattant, en perdant le contrôle et en balbutiant, en suppliant d'une voix apeurée et en le poussant vers des caresses plus fortes, vers des assauts plus intimes qu'elle s'amusait à déjouer avec le soin d'une comédienne… Profitant de la vigueur nouvelle issue de ses propres artifices, et sans cesser de le prier par des négations plaintives, Berenice lui fit ainsi découvrir des régions de son désir qu'il n'avait pas encore visitées.

Ils jouèrent de la sorte, chacun dans son propre monde mais complice des simulacres de l'autre, des deux solitudes qui se rejoignaient, durant tout le reste de la nuit.

# 18

Boris allait mieux. Les conversations nocturnes avec Sirigaito lui permettaient de comprendre sa propre situation et il retrouvait presque son regard détaché d'autrefois. La ville restait toujours une sorte de blessure contre laquelle il se défendait mal ; l'attrait de l'exploration gagnait cependant du terrain, même si c'en était celle de l'horreur.

Berenice était pour beaucoup dans ses dispositions nouvelles. La mulâtresse avait une vie indépendante, qu'elle menait avec désinvolture. Leurs rencontres ne concernaient que leurs corps, les jeux et le repos. Boris ne savait pas grand-chose d'elle, tant la mulâtresse était discrète et jalouse de son intimité. Ses travaux de couture avaient l'air d'être très importants et elle gagnait convenablement pour ses besoins. Si Berenice acceptait de l'argent en riant, cela paraissait plutôt une nouvelle forme de jeu puisqu'elle n'en réclamait jamais. Il était d'ailleurs bien évident qu'elle avait d'autres amants, ce qui ne faisait qu'ajouter un zeste supplémentaire de gratuité à leur relation.

Après avoir quitté le lit de Berenice au matin, Boris descendait la pente vers son hôtel avec l'esprit limpide, le corps détendu et le sourire aux lèvres, presque nettoyé de sa nostalgie corrosive. Son regard gagnait ainsi, naturellement, une objectivité bienfaisante même si la cruauté des choses apparaissait alors dans toute son exubérance.

Ce fut dans cet état d'esprit qu'il prononça sa conférence à l'institut Goethe, dans un auditorium très moderne, devant des gens riches, des diplomates, des intellectuels, des gens d'affaires et une foule d'épouses excitées.

Le directeur vint l'accueillir en personne pour le présenter à une cohorte de femmes chic, heureuses de se montrer bronzées dans leurs décolletés à une matinée culturelle. Plusieurs ne cachèrent d'ailleurs pas leur ravissement de voir le poète encore jeune et bien bâti ; par leur façon de s'adresser à lui en anglais ou en allemand, Boris comprit aussi qu'elles ignoraient tout de ses origines. Les autres invités paraissaient aussi ignorer le reste, depuis sa poésie jusqu'au fait qu'il venait de l'autre Allemagne. Lorsqu'il répondait en portugais, au grand soulagement de ses interlocutrices, jeunes et moins jeunes, on louait haut et fort son bel accent et la précision de sa langue, en lui demandant où il avait pu apprendre à si bien parler.

— Dans le lit d'une mulâtresse, madame…, avoua-t-il sans sourciller à une jeune créature qui, pensive, parut trouver cette réponse intellectuelle et invitante à la fois.

L'ambiance était bien différente de celle des universités allemandes et s'approchait plutôt de celle d'un défilé de mode. Même les jeunes gens, qui pouvaient être des étudiants, se distinguaient par leurs manières snobs et par leurs habits de style. Boris comprit aussitôt que ce n'était qu'une occasion mondaine pour réunir un public select. On s'y souciait d'ailleurs passablement peu de langue ou de littérature.

Durant les présentations d'usage, le directeur signala expressément la présence de dames et de messieurs dignes de mention et appartenant soit à la haute société, soit à des sociétés plus sérieuses, comme la Daimler-Benz du Brésil, la Mannesmann du Brésil et d'autres encore, dont aussi des françaises, des anglaises et des nord-américaines, toutes aussi du Brésil, naturellement. Boris, quant à lui, fut annoncé comme étant un écrivain brésilien d'origine germanique, qui vivait à l'étranger depuis plusieurs années, et qui « nous revient maintenant pour nous faire profiter d'une œuvre subtile dont les cercles universitaires européens reconnaissent l'immense valeur ».

Le directeur lui avait auparavant demandé, bien diplomatiquement, de ne pas dépasser les trois quarts d'heure, et de n'utiliser l'allemand que pour une courte lecture d'extraits de poèmes.

Boris s'exécuta sans haine ni désir de briller, décontracté comme s'il parlait à des étudiants. Il aborda le thème des méandres du langage et des écueils de la mémoire dans la rêverie de l'écrivain loin de son pays. Des exemples concrets, inventés de toutes pièces sur le moment, lui permirent de préciser l'absurdité de certaines nostalgies lorsqu'on utilise le monde lyrique d'une langue étrangère, et il conclut en parlant de l'impossibilité de tout traduire. De jolis visages dans l'audience l'amenèrent à des pointes d'esprit malgré la sensation croissante de lassitude qu'il éprouvait devant l'inutilité de ses propres paroles. Il récita enfin quelques poèmes, choisis surtout pour leur rythme et leur brièveté.

Les applaudissements furent d'autant plus chaleureux que son intervention n'avait pas été trop longue. Deux ou trois questions, soit idiotes, soit mal formulées, suivies de réponses simples accompagnées d'un sourire, et le tout était bouclé.

On se rendit alors dans un salon, où le buffet copieux et les garçons offrant du vin furent assaillis avec allégresse. L'ambiance devint très agitée, presque étouffante. Boris fut alors présenté à d'innombrables personnes dont il ne conserva ensuite aucun souvenir, à des belles femmes qu'il ne réussit pas à garder auprès de lui, mais surtout à d'autres qui, collants, s'évertuaient à l'entretenir de questions infiniment ennuyeuses. Il reçut des invitations vagues pour donner des conférences à divers endroits, pour aller à des réceptions et à des vernissages. Un général en civil, accompagné d'une large matrone au décolleté généreux, lui demanda s'il était disponible pour venir discourir à l'école militaire sur la situation des pays communistes. Deux postes de traducteur commercial lui furent offerts sur-le-champ par des messieurs bien placés dans la sphère des finances. Une dame un peu passée, qui avait des brins de caviar entre les dents, lui assura en mâchant que son mari serait en mesure de l'aider à se placer ; Boris n'avait qu'à lui téléphoner et à venir souper chez elle un de ces jours, en tête à tête, pour mieux se connaître. Des voix insistantes regrettaient que ses livres ne fussent pas traduits en portugais et, faute de mieux, il signa des autographes sur des serviettes en papier et des cartes d'invitation. Quelques jeunes femmes, particulièrement les moins jolies, aussi bien que des matrones parfois entreprenantes, lui assurèrent qu'elles adoraient la poésie et les poètes en général. Une de ces créatures, d'une maigreur inquiétante, s'accrocha longuement pour lui dire combien elle appréciait sa poésie, qu'elle caractérisait à la fois de diaphane et de cérébrale même si elle avouait que ses connaissances en allemand étaient nulles :

— Mais je parle l'anglais, monsieur Nikto... Comme les deux langues ont des racines communes, le sentiment passe quand même, n'est-ce pas ? ajouta-t-elle d'un air empesé. J'adore Rilke, vous savez... Je le trouve aussi très cérébral. Comme d'ailleurs Khalil Gibran et d'autres arabes... Vous ne connaissez pas? Ah, c'est superbe, génial! La même force qu'un Saint-John Perse ou qu'un Vinicius de Moraes. Très pénétrant... Vinicius aussi était diplomate. Vous devez vous connaître, naturellement! La poésie musulmane me semble d'ailleurs d'une force évocatrice...

Boris ressentit un début de malaise, duquel il chercha à se défendre en fixant attentivement la figure de la jeune femme. Le nez démesurément mis en valeur par le visage d'anorexique de son interlocutrice se mit alors à bouger comme un bec d'oiseau, menaçant, tout proche de ses yeux. Ses clavicules animées par une sorte de frénésie se détachaient des côtes protubérantes cherchant à rompre la peau jaunâtre de sa poitrine à la hauteur du sternum. Cette vision s'accompagna d'une nausée intense, et Boris vit soudain, clairement, ce corps rachitique mû par un cerveau bouffi se déchirer de bas en haut, le long de la ligne médiane, écartelé par la pénétration colossale d'un minaret bandé comme un boudin. Il chercha en vain à détourner le regard, mais le brouhaha des voix, le cliquetis des verres et des bijoux, l'intensité narcotique des parfums fermentant dans la sueur ne firent qu'accentuer son accès de fièvre. Les visages tout autour apparaissaient comme des masques en caoutchouc, hideux, remplis de chairs putrescentes, aux dents et aux langues disproportionnés, lubriques et voraces à la fois. Un restant de conscience l'informa de la crispation de ses muscles, de l'accélération de son cœur et il sentit les gouttelettes froides qui perlaient sur son front. Telle une bête traquée, il se mit en position de défense pour faire face à une orgie de rats et de bouches. Ses mains visèrent le cou décharné de cette menace la plus proche, qui parlait, parlait, parlait... Lorsque, soudain, une voix grave et joyeuse vint le libérer de sa transe:

— Mon cher Nikto, venez!

C'était l'éditeur Carlos Veigas qui le tirait littéralement par le bras, d'une main ferme, en direction du balcon. Livide et haletant, Boris se laissa emporter et se sentit revivre en respirant l'air frais du dehors. Il secoua la tête pour chasser les visions d'horreur, but d'une seule gorgée le gin tonic qu'une main lui avait offert et se frotta enfin le front avec un cube de glace.

— Vous avez l'air blême, remarqua Veigas. Vous sentez-vous bien ? Oui, certes, trop étouffant. Surtout trop de femelles en rut, mon cher Nikto. C'est chaque fois la même chose lorsqu'un poète a une apparence virile... De la culture, elles ne retiennent que le cul ! Allez, un petit moment encore. Prenons un peu d'air et ensuite je vous sors d'ici en toute discrétion.

— Oui, répondit Boris, c'est la chaleur. Je manque d'air... Tous ces parfums. Je crois que j'ai perdu l'habitude.

— Pourtant, elles se parfument beaucoup en Europe, non ?

— Je ne sais pas... À vrai dire je ne me souviens plus. C'est surtout l'effet de foule qui me dérange. Je vis un peu isolé...

— Justement, Nikto, je voulais vous parler de cet isolement. Il faudra sortir davantage pour vous habituer. Ici, au Goethe, ce n'est rien comparativement aux réceptions du Musée d'Art moderne ou du Yacht Club. Le public est le même, riche, obtus et prétentieux, mais c'est notre seule chance de faire des contacts intéressants. À propos, je compte vous obtenir des invitations pour un vernissage prochain, tout ce qu'il y a de plus officiel, avec des ministres et des cadres bien placés. Quelques-uns de vos anciens camarades d'études réclament votre présence... Je ne savais pas que vous étiez si bien pistonné... C'est très bien, continuez comme ça. L'important, maintenant, c'est de réclamer votre place dans le processus de démocratisation. La semaine dernière, en parlant de vous, j'ai appris que Luciano Campos était du nombre de vos amis.

L'éditeur continua à parler de façon enthousiaste, cherchant à l'intéresser par la mention de diverses personnes qu'il avait autrefois connues et qui paraissaient bien placées en politique. Mais Boris ne retenait que des mots isolés, des noms au hasard, des bribes de phrases sans aucune signification. Son regard se promenait distraitement entre les nuages floconneux sillonnant le ciel pendant que sa peau se rafraîchissait sous l'effet du vent. Les automobiles au loin ressemblaient à celles d'un manège et, vue depuis le balcon, la ville était joyeuse et colorée. Les jardins boisés de ce quartier calme lui rappelaient des scènes de voyages en Allemagne, même si le tumulte des voix dans le salon avait un caractère stridulant typiquement tropical.

Boris fut enfin arraché de sa rêverie par l'éditeur qui cherchait à capter son attention en lui tenant le bras avec familiarité. Il insistait toujours sur les contacts qu'il faudrait établir le plus vite possible à cause des prochaines élections et des nouvelles possibilités offertes par celles-ci.

— Les intellectuels et les artistes accourent, Nikto. Bien vite, les bonnes places seront prises, les bonnes sinécures distribuées, et il ne restera plus rien. Luciano Campos tient à vous placer. Vous vous souvenez de lui, n'est-ce pas?

— Vous dites?

— Si, le fils du sénateur Campos, qui est proche des militaires. Le fils, Luciano, continue la carrière du père après avoir servi longtemps dans le corps diplomatique. C'était notre meilleur homme à Washington durant toute la période militaire. Pour le moment, il joue un rôle discret, mais tout le monde le consulte car il a la confiance du FMI. Avec notre dette extérieure astronomique, les économistes sont devenus la véritable garantie du développement.

— Luciano Campos... Oui, c'est vrai. Comme ça, il est devenu important...

— Très important. Son passé de gauchiste est même une garantie supplémentaire, une condition *sine qua non* pour la nouvelle ouverture politique. Il ne s'est d'ailleurs pas compromis avec les militaires puisqu'il était aux États-Unis. Alors, c'est l'homme de la situation. En fait, Nikto, tout le monde était de gauche durant la dictature. Ou tout au moins social-démocrate. D'ailleurs, c'est le Parti social-démocrate qui a soutenu toute notre politique depuis vingt ans; c'est lui qui a négocié le retour au pouvoir des civils, en s'adjoignant les meilleurs éléments des forces armées. Vous voyez, les choses ont bien changé. L'important, c'est de refaire les contacts; on se souvient encore de vous comme militant et intellectuel. Dans quelques mois, tout aura été distribué. Souvenez-vous de notre devise chrétienne: beaucoup d'appelés, peu d'élus.

Boris se retint de demander des nouvelles de Clarissa puisqu'il éprouvait une sorte d'inconfort à la pensée que Luciano et elle se souvenaient encore de lui. Mais aussi parce qu'il ne savait pas jusqu'à quel point le cynisme de l'éditeur était authentique. L'homme parlait sans la moindre gêne et avec une telle assurance que son opportunisme paraissait relever de la pure bêtise; de cette ignorance infatuée que Boris avait déjà perçue chez d'autres hommes d'affaires pour qui le Brésil n'était qu'une grande famille, sans problèmes majeurs.

« Voilà qu'on redistribue l'héritage, pensa-t-il, et on cherche à me mettre dans le coup en croyant que je ne suis venu que pour ça. »

L'éditeur réussit enfin à le tirer de la réception, et lui offrit de le déposer au centre-ville. Dans son auto, il continua à insister, mais d'un ton presque paternel, sincèrement attentionné.

— Il faut vous habituer à ces jeux de société, vous rendre plus visible, mon cher. Ce serait bien d'écrire quelques articles pour paver un peu la voie à une nomination. Vous êtes devenu tout un personnage, avec un passé de militant; l'exil, la littérature et, surtout, votre renommée en Europe. Les autres ont surtout végété à

Paris ou bien ils ont vécu de rentes à Moscou, sans rien faire. Alors, il faut que cela pèse dans la balance, n'est-ce pas? Sans parler de votre connaissance des langues étrangères. C'est devenu un atout de taille dans le monde de l'exportation. La culture, Nikto, je n'ai pas besoin de vous le rappeler, est le tapis rouge idéal pour nos délégations commerciales. Ça ennoblit les affaires... J'en sais quelque chose. Il m'arrive de publier des trucs sans aucun intérêt, entièrement subventionnés, juste parce que les politiciens veulent faire plaisir à leurs partenaires étrangers en montrant qu'on s'intéresse à leur culture. Parfois, on me paie l'édition entière, mais on ne réclame que quelques centaines d'exemplaires pour les exhiber dans les rencontres, pour les envoyer aux bibliothèques étrangères et aux consulats... De cette façon, je ne gaspille pas de papier! Et puisqu'on parle d'écologie, vous ne pouvez pas vous imaginer comment notre image écologique est devenue importante dans les affaires internationales. C'en est une vraie manie chez les étrangers, en particulier les Allemands et les Scandinaves. Les Américains, au contraire, restent pragmatiques comme ils l'ont toujours été, et s'en fichent. Mais les autres! Il y a sans cesse des emmerdes avec les groupes écologiques. Tant qu'on vend des armes à l'Irak et à l'Inde, tout va bien, même si les Américains en vendent à l'Iran et au Pakistan et que ces idiots-là se massacrent entre eux. De toute façon, l'argent revient dans le même coffre puisque nos compagnies sont des filiales des leurs, voyez-vous. Mais dès que les Indiens d'ici sont chassés de leurs terres, c'est tout un tollé. Je vous dis, Nikto, avec l'aide à l'UNITA, il meurt plus de gens en Angola en une semaine que d'Indiens ici en un an. Ça ne fait rien. Les nègres, c'est des nègres, tandis que les Indiens, c'est une espèce menacée; ça fait écologique et très joli dans les émissions des télés étrangères. Mais que voulez-vous? Le progrès a toujours été ainsi, et nous avons notre retard à rattraper, voilà tout. Heureusement qu'il y a la culture pour nous aider ; c'est notre grand atout. Nous avons une culture joyeuse, de fêtes, de musique, de soleil et de bonne cuisine. C'est l'idéal pour attirer les touristes. Ce pays pourrait devenir un énorme Club Méditerranée, j'en suis persuadé, et en peu de temps. Il faudrait seulement mettre un peu d'ordre, un peu de limites à la paresse et à la convoitise du peuple qui nous condamnent au sous-développement. Regardez cette criminalité rampante ! La drogue rapporte des devises, c'est bien certain, mais ça effraie les touristes riches. Ce qu'il nous faut faire désormais, c'est rassurer, rassurer avant tout. Après, les touristes vont venir. Et pour rassurer, Nikto, rien de mieux que la culture ! Regardez les États-Unis... Ils ont leurs ghettos, ils sont plus racistes que nous ; mais ils rassurent !

Cette longue tirade paraissait en effet rassurer l'éditeur sur l'état de la nation, et celui-ci se souvint alors qu'il fallait aussi rassurer Boris.

— Luciano m'a parlé de quelque chose pour vous aux affaires étrangères, Nikto ; d'un secrétariat de consulat, un truc de ce genre. Je trouve qu'il a raison de vouloir vous trouver quelque chose de discret... Entre nous, après que j'ai obtenu votre carte d'identité, même avec un nom différent, ça s'est su dans certains milieux...

— Vous voulez dire ?

— Je ne veux rien dire de précis, rien. N'ayez aucune inquiétude. Il n'y a rien d'officiel. Mais, vous connaissez certains militaires, combien ils sont vindicatifs... Je suis persuadé que ce ne sont que des rumeurs. De toute façon, un poste à l'étranger vous conviendrait à merveille ! Le rôle d'agent culturel est fait sur mesure pour votre personne, et Albrecht serait très content de vous avoir à ses côtés en Allemagne.

L'éditeur le déposa au centre-ville avec d'autres encouragements et en promettant de lui laisser des messages à son hôtel.

Se mettre au diapason des temps nouveaux, adapter ses valeurs, voilà justement ce que Boris n'arrivait pas à faire. Il avait conservé, bien vivant dans sa mémoire, le souvenir opiniâtre d'un monde passé ; et celui-ci l'empêchait désormais de regarder le présent avec des yeux nouveaux. Plus moyen de redevenir flexible, de faire des compromis. Les autres s'étaient adaptés lentement à la misère qui bouffait le pays comme une lèpre, et ils avaient tous l'excuse de la dictature et de la conjoncture. Mais lui, qui avait débarqué avec ses rêves intacts, comment ferait-il sans la barbe bien faite de Sirigaito ou les lentilles de Spinoza ? Il pensait aux crayons du vieux Spieltrieb comme un exemple grotesque à ne pas suivre, mais il ne lui restait rien d'autre. Le réel était dorénavant dans son chemin avec une évidence inédite, obsédante, et, sans une médiation quelconque, il finirait par commettre des gestes désespérés. Sa propre conscience du temps se trouvait aussi bouleversée. Il ne subsistait rien du confort antérieur issu du renversement du passé en présent, et chaque jour nouveau arrivait sans demander sa permission ni s'encombrer de ses propres penchants passéistes. L'homme de l'ailleurs se trouvait donc en plein bourbier, sans défense, et se débattait avec la cruelle évidence que son avenir n'avait été qu'un revenir. Et s'il était très à l'aise avec la fabulation, il avait désappris à mentir.

Partager le gâteau politique, prendre sa place, réclamer des avantages, voilà la seule solution. Mais, avec le mensonge, Boris avait aussi désappris à goûter la vie et le moment présent. Comment dire cela aux compagnons d'autrefois sinon par la violence ? Comment aller se prélasser sur les plages si, déjà jeune, il avait préféré s'occuper de l'avenir ? À moins de s'avouer qu'il avait perdu ces vingt années comme un simple idiot, à poursuivre des chimères.

Boris se tournait vers la poésie, mais celle-ci restait muette. On ne chante pas la blatte ou le rat avec les accords d'un Walt Whitman lorsqu'ils sont en train de vous mordre. Les véritables pustules, les anus qui saignent et le regard de la faim se laissent mal décrire comme la charogne de Baudelaire. L'exil et la nostalgie, comment les dire si l'on n'en a jamais souffert comme Ovide ou Hikmet? L'amour non plus, il ne fait pas de vers lorsqu'on ne l'a jamais perdu. Il restait l'errance, les horizons lointains et cette soif de voyage pour nier la mort. Aussi l'amour des langues étrangères, des femmes des autres, le sentiment bienfaisant de liberté dans la solitude en passant devant les maisons de ceux qui étaient enfermés dans leurs existences fades, étouffantes et circulaires. Mais c'étaient là les thèmes d'un homme libre, qui ne s'encombre pas avec le réel, qui se targue de ne pas être responsable de ce qu'il croise...

Boris se débattait ainsi avec une nouvelle forme d'art poétique pendant que les feuilles de papier restaient irrémédiablement vides. Chacune de ses tentatives pour toucher le réel par le langage était voué à l'échec puisque les mots et les phrases ne sont pas des choses, mais de simples véhicules de pensée. Ils exigent la présence d'images mentales chez le lecteur pour accomplir leur tâche. Et si les gens du pays paraissaient complètement blindés face à l'horreur des rues, le lecteur étranger, lui, n'aurait jamais assez d'intensité ni d'empathie pour s'approcher de ce tumulte. Et puis, qui donc dans tout l'univers s'intéressait vraiment à ce que vivait M. Boris Nikto, effarouché face à ce même réel dont il avait toujours dit tant de bien?

D'autres fois il s'exerçait à manier les mots par pur défi formel, en laissant de côté la morale, histoire de voir si son outil était à la hauteur de la richesse luxuriante de cette nature extérieure. Après tout, Benn l'avait fait à l'égard du cadavre; Trakl avait décrit la désolation des champs de bataille; Verhaeren, la folie; et Blake, l'extravagance mystique. Tel un biologiste plongeant dans un foisonnement bactérien, Boris cherchait alors à ratisser les images à l'aide des vers, mais il n'obtenait rien d'autre que des agglutinations sans syntaxe ; puis, une fois les superlatifs épuisés, il buttait contre la pauvreté d'évocation des adjectifs et la misère du lexique.

« Voilà, se disait-il au bout de longues séances de combat : le langage n'est qu'un produit humain pour des circonstances humaines. Le réel est indicible lorsqu'il dépasse un certain seuil d'intensité. Le langage cède alors inévitablement la place à l'horreur, à l'émerveillement ou au silence des extases. »

Il se souvenait clairement des paroles d'un vieux communiste juif qu'il avait autrefois fréquenté. C'était un homme d'une grande érudition et un combattant rempli d'humanisme. Mais après son expérience à Auschwitz, cet intellectuel avait abandonné tout engagement politique pour se consacrer à l'étude du grec ancien et de l'hébreu. Boris lui demanda un jour pourquoi il avait cessé d'écrire au profit uniquement de la lecture des vieux textes. L'homme lui avait alors répondu calmement mais avec une passion lumineuse dans le regard :

— Parce que je sais désormais qu'on ne peut pas tout dire... Quelque part dans l'Antiquité, on a perdu le don de recréer le langage à mesure qu'on a enrichi la cruauté humaine. Je m'efforce d'en savoir davantage.

Certains jours, Boris rentrait de ses promenades avec la tête pleine d'images bien découpées, de scènes claires, prêt pour le travail de mise en forme verbale. Du moins, il le croyait après avoir exercé son œil à la précision et à la froideur de type photographique. Les mots ne répondaient pourtant pas. S'il lâchait la plume, l'imaginaire restituait alors aussitôt ce qu'il avait vu, avec une force inouïe. Dès qu'il cherchait à le dire, la barrière insurmontable d'une incompatibilité se manifestait toujours. Il cherchait à la contourner en oubliant les images, se laissant guider uniquement par la dynamique propre à la parole, comme celui qui, dans un labyrinthe, abandonne le schème mental pour se fier aux mouvements instinctuels du corps propre. En vain. Impossible de traduire les choses sans tomber dans les lieux communs les plus concrets ou dans la pure juxtaposition agrammaticale. L'homme du langage se retrouvait ainsi muet, même s'il cherchait désespérément à parler.

C'était là une expérience analogue à celles qu'il avait autrefois connues lorsqu'il visitait l'hôpital neurologique de Rostock en compagnie de son ami le professeur Ruppert Dubbez. Celui-ci, chef de clinique dans le service des patients ayant perdu la parole, était un médecin de la vieille école, sophistiqué, aux champs d'intérêts variés et lui-même homme de lettres. Plus encore que les lésions neurologiques sous-jacentes, son thème de prédilection était celui des transformations linguistiques et de la conscience chez ses malades.

— Les causes du déficit sont multiples, Nikto, mais cela n'a aucune importance, répondait-il après la visite de certains patients intéressants qu'il tenait à lui montrer. La lésion est là. Ensuite, le champ linguistique se détériore selon une loi bien intéressante qui se caractérise par la dissolution des couches les plus complexes de la conscience, avec préservation des substrata moins évolués. Le malade régresse des niveaux abstraits aux niveaux concrets de la pensée. La chute peut parfois être imperceptible aux yeux d'un observateur peu averti puisque le sujet continue à garder l'usage de la parole pour les besoins de la vie courante. Il n'aura perdu que les raffinements, les dentelles de la pensée conceptuelle et classificatoire. Souvent, ils peuvent compenser si bien par la mémoire que cela ne se remarque pas. Pourtant, ils ont régressé dans l'échelle humaine. Leur langage n'est plus le même instrument opérationnel et imaginaire qu'il était auparavant. La compréhension de la prose peut même être intacte ; mais il n'y a plus de sens poétique. La métaphore, le symbolisme, les envolées allégoriques et fictives, ainsi que les subtilités du temps disparaissent au profit d'un attachement concret aux choses, souvent aux choses immédiates et au vécu actuel. Ces gens savent encore comment ils s'appellent, ils reconnaissent toujours leurs proches, et s'ils sont bien entraînés à une tâche peu complexe, ils peuvent même reprendre leur travail. Mais l'élan vital, la volition, cette capacité de transcender l'immédiateté des choses sont perdus à jamais. Ils croient être eux-mêmes, sans se rendre compte qu'ils sont devenus autres ; celui qu'ils étaient avant l'accident cérébral est irrémédiablement mort.

Le professeur Dubbez avait une série de tests pour s'aider dans son diagnostic. Mais dès que son patient était un intellectuel ou, mieux encore, un homme de lettres, il s'évertuait à pénétrer dans les méandres du déficit, si minime fût-il, pour documenter la viscosité de l'imaginaire et les ravages sur le champ de conscience du malade.

— Vois-tu, Nikto, disait-il, les grands aphasiques ont encore un cerveau qui paraît relativement bien préservé. Pour ce qui est de leur logiciel mental, cependant, ce ne sont presque plus des êtres humains. Leur conscience est devenue autre, et ils ne sont plus les mêmes, n'en déplaise à leur état civil. Cela s'observe aussi dans le peu de contrôle qu'ils ont sur leurs états émotionnels ; ils se laissent aller à des paniques soudaines devant la nouveauté et à des colères dangereuses devant la contrariété. Leur penchant concret est tel qu'ils ne peuvent plus penser le réel comme autre que celui qu'il est ; ils perdent la capacité de prévoir ou de créer des stratégies. D'où leur manque de flexibilité. La même chose se passe chez les enfants présentant une aphasie congénitale. Certains prétendent qu'ils sont intelligents puisqu'ils réussissent toujours certaines épreuves non verbales. Mais ce n'est plus de l'intelligence humaine. Ce ne sont que des primates plus évolués que les grands singes, et bien moins humains que certains idiots. Parfois, leur entourage les oblige à faire tant de singeries que les pauvres diables frôlent le ridicule au lieu de vivre paisiblement. Je crois que les troubles de la conscience qu'on appelle «autistiques» obéissent à une dynamique linguistique analogue.

Cette curiosité du professeur Dubbez avait permis à Boris de se familiariser avec divers cas. Chacun de ces patients, en effet, ne pouvait plus traduire la richesse du réel en mots. Leur parole, lorsqu'elle subsistait, était devenue un simple instrument de communication immédiate, aux images pauvres, inflexible et peu propice à toute activité ludique.

— Les êtres humains sont infiniment fragiles, Nikto, et infiniment différents les uns des autres. Un rien détruit l'humain en eux. Dès qu'on avance vers les couches les plus raffinées de l'esprit, il devient difficile de parler de l'être humain en général. Ces patients ont malheureusement perdu une partie essentielle de leur essence humaine. Ils deviennent de simples robots parlants, incapables des plaisirs les plus subtils de notre espèce. Pour eux, plus de jeu complexe, plus d'humour ni d'ironie. Ils sont collés à ce qui se présente à leurs sensations immédiates. Dans leur esprit, un pain est un pain, une pierre est une pierre, point final. Un pain, c'est pour manger et une pierre, c'est dur. Même lancer une pierre exige déjà un minimum de conscience du temps futur et la capacité de former des stratégies. C'est pour cela que souvent ils vont préférer cogner avec leurs poings plutôt que de se servir d'un projectile. En outre, curieusement, lorsqu'ils sont d'un âge mûr, la quarantaine dépassée, il leur arrive de perdre aussi l'appétit sexuel. Comme d'ailleurs tous les mammifères vieillissants. Même s'ils étaient autrefois de bons baiseurs... Le coït, Nikto, passé la prime jeunesse, dépend plus de l'imagination que de la prostate! Le désir est donc un fait poétique, crois-moi; c'est un vieux bouc qui te le dit, concluait-il avec des yeux rêveurs en caressant sa belle barbe blanche.

Ils sortaient ensuite dans le parc de l'hôpital pour se promener en fumant la pipe. Dubbez dirigeait invariablement la conversation sur la poésie.

— L'existence même de la poésie est un véritable mystère, Nikto. As-tu déjà réfléchi là-dessus ? La plupart des humains n'y ont pas accès. Non pas qu'ils soient malades, non... Le malade ne me sert que d'analogie pour penser cette réalité impalpable que j'appelle « le logiciel linguistique », cette chose étrange qui permet à notre cerveau de penser. Les malades représentent les cas extrêmes, lorsque le logiciel fait défaut ou vient à perdre de sa précision.

— Pourquoi les autres, les normaux, n'ont donc pas accès à la poésie ?

— Justement, c'est eux le problème. Chez le malade, c'est la machine qui se détraque, le *hardware* comme l'appellent les cybernéticiens. Le logiciel se perd alors dans les méandres des neurones et doit céder de sa complexité puisque le système est devenu moins sophistiqué. Il dépendra alors surtout des réseaux de mémoire, qui sont des dépôts plus concrets, moins opérationnels. Dans le cerveau intact, en bas âge, nous constatons la présence de l'aptitude génétiquement déterminée et spécifique à recevoir des logiciels humains, dont surtout le langage. Or, si le langage tarde à s'implanter à cause d'une carence sensorielle ou environnementale, le cerveau perdra cette aptitude à le recevoir, en peu de temps. Une fois qu'on a dépassé un certain âge, c'est fini, les possibilités linguistiques normales, même si l'on applique les meilleures méthodes de réhabilitation. Voilà, Nikto : le cerveau ne peut pas attendre longtemps avant d'être chargé. Cela est déterminé par l'espèce, indépendamment de la culture.

— Les enfants défavorisés, alors..., se risqua Boris.

— Fichus. J'ai eu l'occasion de pousser ces investigations en Angola et au Mozambique avec une équipe de linguistes cubains. Ces enfants vont parler, certes, mais ils ne pourront pas atteindre des niveaux supérieurs d'abstraction ni de créativité. C'est un véritable génocide, qui contribue à maintenir les pauvres au plus bas de l'échelle sociale. Les expériences d'alphabétisation d'adultes démontrent la même impossibilité de récupérer intégralement les stimulations perdues en bas âge.

Dubbez, qui discourait de manière si froide, était par ailleurs d'une sensibilité profonde lorsqu'il abordait les thèmes sociaux. Il pouvait alors dévier ses propos vers les hordes affamées d'enfants victimes de la guerre et qui étaient devenus sauvages dans les campagnes africaines; ceux-ci, disait-il, reconstituaient spontanément des hiérarchies animales à peine appuyées par un langage semi-articulé.

— Ces enfants, Nikto, sont l'unique et le véritable visage de la guerre. Les bombardements n'en sont que le côté spectaculaire. C'est après les combats que la guerre commence, avec la destruction du tissu social suivie d'une barbarie qu'on ne peut pas soigner. Ces Africains, lorsqu'on les montre à la télévision, paraissent en effet bien primitifs. Mais il faut se souvenir comment ils étaient avant les guerres, comment ils savaient s'organiser dans une culture complexe dont l'étiquette était souvent bien plus articulée et syntaxique que celle de nos métropoles. Et puis, leur langage! Quelle source inépuisable de symbolisme et de poésie! Voilà ce que détruisent les bombes des capitalistes, ceux de droite comme ceux de gauche... J'ai pu autrefois rencontrer des hommes qui étaient capables de réciter toute la mythologie de leur village perdu, avec la liturgie des fêtes et la hiérarchie de chaque famille. De véritables encyclopédies poétiques. Ils savaient en outre transmettre cette capacité de poétiser... Tu ne me crois pas? Ça se transmet et ça s'enseigne, Boris, je l'ai vu. Si nous perdons la capacité de poétiser, ou tout au moins celle de comprendre la poésie, tu peux chercher la cause dans l'enfance, dans notre façon d'éduquer les tout-petits à n'utiliser le langage que pour obtenir des effets pratiques. Les contes de fées qu'on lisait aux enfants, tu te souviens ? C'était la pédagogie de l'émerveillement. Relis Grimm, surtout. Presque rien n'y est explicité. Le récit y est de nature poétique, pour laisser à celui qui l'écoute ou qui le lit le soin de créer son propre monde. Les mots y sont moins le véhicule de messages que les déclencheurs de syntaxes symboliques nouvelles. Voilà l'essence de la poésie. Tandis que, maintenant, chacun attend déjà de recevoir l'idée toute cuite dans le cerveau ; l'on se retrouve alors avec des hordes de robots bavards et incapables de penser par leurs propres moyens.

— Dis, Ruppert, tout cela est bien fascinant ; mais ça ressemble drôlement à ce que fait la propagande, tu ne trouves pas ? Il y a là une faille…

— Pas du tout, Boris. La ressemblance apparente cache une différence fondamentale. La propagande fonctionne par messages fermés, par contenus peu opérationnels, fallacieux, qui s'imposent à l'esprit comme une boue visqueuse. Son unique but est de contenter notre paresse intellectuelle devant une réalité trop complexe. La propagande vise à rendre le réel simple, cohérent, confortable et univoque. C'est noir sur blanc, le bien et le mal, les bons et les méchants, les purs et les impurs… On n'est alors plus dans le réel mais bien dans le mythe. Souviens-toi de nos slogans nazis. Si jamais tu as fréquenté un seul Juif, un seul, dans son intimité, tu sais qu'on ne peut pas parler du Juif en général. Surtout les Juifs, qui sont d'une complexité remarquable ! Le nègre non plus n'existe pas, pas plus que le prolétaire, la mère, la femme ou le meurtrier. Ce ne sont que des stéréotypes. Et justement, le propre de la détérioration cérébrale est de nous priver de la pensée symbolique au profit des schèmes génériques. L'aphasique lui-même n'existe pas en général, quoique le déficit tende à les diminuer tous, à les éloigner du logiciel parfait. Seuls les idiots se sentent à l'aise avec les pensées toutes faites de la propagande. Par contre, il reste le mystère de l'attitude de ceux qui, tout en n'étant pas des idiots, trouvent quand même plus agréable de réfléchir comme s'ils l'étaient.

Le professeur Dubbez se perdait parfois dans ses propres pensées après ces longues tirades, et il arrivait qu'ils se quittassent sans épuiser les arguments. D'autres fois, il se lançait dans la description d'anciens malades, des blessés de guerre ou des victimes des geôles nazies qu'il avait connus au long de sa pratique. Ses descriptions des types humains dévoilaient plus profondément encore la véritable nature de son sens clinique. Il ne se contentait jamais de rester à la surface des choses ou des êtres.

— Descendre plus profondément, Nikto. Seul le dermatologue se contente de la peau. Même là, il se trompe car on gratte les eczémas selon notre personnalité profonde, avec plaisir ou irritation, souvent les deux à la fois. Parfois même avec une pointe de défi comme le faisait Job, d'orgueil. L'être humain est infiniment plus complexe et nous n'arriverons jamais à le cerner. De toute façon, chaque neurologue et chaque logicien te le confirmeront, nous n'arriverons jamais à comprendre le cerveau puisqu'un système logique ne peut pas s'inclure lui-même. Les paradoxes sont d'ailleurs des exemples de ces tentatives fallacieuses d'auto-inclusion. Nous resterons éternellement en dehors de nous-mêmes, comme des créatures faisant partie d'un système dont la richesse d'ensemble les dépasse... C'est là qu'intervient la poésie. Elle ne vise pas à répondre à des questions. Elle permet de capter ce que notre cerveau ne peut pas absorber en prose: sans rien décortiquer, sans rien simplifier ni rien perdre. Le poème nous redonne la complexité du monde et des sentiments, l'émerveillement de cette richesse que nous ne faisons qu'effleurer. Même lorsqu'elle est de l'ordre de l'horreur. Nous atteignons alors un registre supérieur de symbolisation, comme le font les mathématiciens à l'égard de la physique; mais la poésie est bien plus riche que les mathématiques puisque les champs sémantiques qu'elle mobilise sont presque infinis. Par la rupture de la syntaxe discursive, le poète touche des ensembles qui dépassent les limites mêmes du discours. Il englobe alors des réalités qui sont accessibles seulement à un cerveau mobilisant à la fois la raison, le sentiment, la conscience de l'espace, du temps et de soi-même. Extrêmement complexe... Tu retrouves là le mythe que le pauvre Hegel a eu la prétention de rationaliser sous le nom de dialectique. Balivernes, je t'assure! Hölderlin, au contraire, réalise cette complexité dans ses vers, et la transmet... Malheureusement avec cette flexibilité magique qu'on ne retrouve que chez les cerveaux au bord de la folie, juste avant qu'ils ne plongent dans l'idiotie la plus totale... Parfois un simple mot, du fait des césures et des rythmes qui l'accompagnent, est capable de déclencher un univers humain tout entier, statique et dynamique à la fois, passé et futur, solitaire et collectif... Voilà un instrument trop raffiné de connaissance. La poésie exige des natures robustes et complexes, sinon on retombe dans le désespoir devant la petitesse de notre condition individuelle. Lorsque la prose n'est plus d'aucun secours, il faut empoigner la poésie... On se retrouvera alors, hélas! la plupart du temps seul, car ce registre n'est accessible qu'à de très rares individus.

— Et si l'on n'arrive pas, malgré tout, à mettre en vers ce qui nous accable? demanda un jour Boris.

— On restera comme ces aphasiques, coupés du langage, et qui doivent subir l'assaut des émotions comme de simples victimes, comme des mammifères blessés. Ou encore comme les schizophrènes qui, sans avoir été Hölderlin, sont tombés dans la stupeur avant d'avoir touché au sublime... La plupart du temps, cependant, on se blinde contre le réel et, s'aidant de la mauvaise foi, on régresse pour se contenter du monde simplifié et confortable des mots d'ordre, des manchettes des journaux et de la propagande. Mais une chose est certaine, Boris, ce n'est jamais ni la faute du réel ni celle de la poésie. Souvent, c'est le poète qui vieillit et s'embourgeoise, conclut-il avec un éclat de rire entrecoupé d'un accès de toux à cause de la fumée qu'il faisait sortir de sa pipe comme une vieille locomotive.

Le souvenir de ces conversations avec son vieil ami Dubbez prenait souvent la place de l'écriture poétique, mais n'était d'aucun secours devant son désarroi. Une nouvelle question surgissait quand même : était-ce le pays ou lui-même, le véritable étranger ? Ou encore, de manière moins compromettante : c'est quoi au juste, le fait d'être étranger ?

La vraie question, celle qu'il cherchait à éluder, était là, derrière toutes les autres, se déguisant sans cesse comme une danseuse aux mille voiles et offrant sa brillante certitude sous la forme de nombreux mirages : c'est quoi au juste un Boris Nikto qui vieillit ? Et elle mettait aussi en question toutes les autres questions, dont celle de l'écriture elle-même. Boris avait jusqu'alors prétendu que son art était un reflet du réel, une sorte de traduction de la vie palpable en formes verbales. Voilà qui était très confortable puisque les aspects moraux se trouvaient alors parfaitement escamotés. Même si les autres ne voulaient pas l'écouter, il avait fait sa part. Cependant, le réel ne se laissait plus dire par ses mots, ses jeux formels perdaient leur sens, et l'homme se retrouvait seul et désarmé. Même sa poésie antérieure se trouvait ainsi mise en question. Qu'avaient-ils compris de ses paroles, tous ces lecteurs allemands qui l'avaient déclaré poète ? Sûrement peu de choses puisque leurs mondes imaginaires étaient trop éloignés de cette réalité tropicale que Boris lui-même n'arrivait plus à comprendre. Le certitude d'avoir si peu transmis, si peu communiqué, le blessait désormais avec une ironie grotesque en rejetant tout le langage dans le registre de la farce. Certes, si peu de choses passaient par le langage, celui-ci n'était alors qu'un simple procédé d'édulcoration du réel pour mieux aider à l'oublier, une forme de narcotique en fin de compte...

Tard dans la nuit, la nouvelle bouteille déjà à moitié vidée, après que Boris eut tourné et retourné tous ces arguments sans aboutir à rien, les paroles du vieux professeur Dubbez lui revenaient à l'esprit en le fouettant comme un éclat de rire : *Souvent, c'est le poète qui vieillit ou s'embourgeoise !*

# 19

— Tu imagines, dit la femme à son mari avec un sourire, il m'a fallu insister beaucoup, prier presque, sinon il ne serait pas venu. J'ai même dû refuser de lui dire où est la sépulture de son père !

Puis, se tournant vers Boris avec une moue de reproche :

— Et quand je pense que ça fait des mois que tu es arrivé ! Pas une seule nouvelle... Quand on m'a dit que tu avais fait une conférence à l'institut Goethe, j'ai cru que c'était une blague de mauvais goût !

En pleine matinée, assis dans l'énorme véranda du duplex surplombant la mer, pendant que la bonne en uniforme servait des cocktails et des amuse-gueule, Boris se croyait tout à fait dans un autre pays. Le visage de Monica n'avait presque pas changé. Sauf que, maintenant, avec ses chairs pleines débordant du mince costume de plage, sa peau bronzée et ses manières détendues, elle n'avait plus rien de l'étudiante nerveuse et pâlotte qu'il avait rencontrée autrefois à Paris.

— Laisse-le, Monica, répliqua Ricardo. C'est toujours long à s'adapter lorsqu'on revient de loin. Peut-être qu'il avait des copines à aller voir, de vieux cas à régler, n'est-ce pas ? ajouta-t-il avec un clin d'œil. Au fait, ça fait plus de vingt ans, non ?

— Tout à fait, répondit Boris. Ce quartier-ci, par exemple, n'existait pas dans mon temps. C'était une plage déserte, la Barra da Tijuca, où seuls venaient les pêcheurs solitaires et les amoureux qui voulaient se baigner nus.

— Le progrès a été immense, vois-tu, fit Ricardo en indiquant les énormes buildings à l'architecture futuriste, entourés de jardins et de voies rapides. C'est la même conception que Brasília : une ville moderne, planifiée dans le moindre détail, bien protégée des assauts des favelas et de la populace, mais au bord de la mer. Une mer propre, où il fait bon se baigner, sans les égouts à ciel ouvert qu'on voyait à Copacabana. Surtout avec le strict minimum de transports en commun pour éviter l'invasion. L'autoroute nous relie à Rio en moins de deux. Regarde les collines… rien que de la forêt bien gardée. Les habitations populaires sont loin et, ici, pas question de constructions illégales. Il était temps d'occuper ces plages désertes. Copacabana devenait une véritable jungle, et menacée de tous les bords par les favelas. Impossible d'y vivre…

— Si Ricardo parle ainsi de ce quartier, c'est parce qu'il a aidé à le construire depuis le début, interrompit Monica. C'est comme si c'était son propre terrain de jeux.

— C'est vrai, reprit-il. Autrefois, je me sentais humilié lorsque les collègues étrangers venaient chez moi, attirés par notre architecture. Il y avait Brasília, perdue au centre du pays et sans vie ; mais Rio n'était qu'un ramassis chaotique. C'est tout autre chose, maintenant. Cette portion de littoral jusqu'à Santos est bien protégée. On parle même de la possibilité d'y installer un Club Méditerranée plus au sud, avec facilité d'accès pour ceux qui viendront de São Paulo. Il fallait qu'on fasse quelque chose pour sauver ce qui restait de notre forêt du littoral. On attend d'ailleurs l'aval de l'UNESCO pour déclarer cette région « trésor de l'humanité ». C'est l'unique façon de la sauver de la surpopulation... L'écologie a beau être à la mode en Europe, Boris, ici au Brésil nous sommes encore entourés de sauvages. Tu te souviens, sans doute, du parc magnifique qui bordait le Gavea Country Club, avec ses immenses étendues gazonnées pour le polo et le golf, n'est-ce pas ? Tu te rappelles ? C'était très beau, je t'assure. Tout cela est désormais menacé par une énorme favela qui s'est formée par l'agglutination de deux ou trois anciennes favelas. La forêt, tu imagines, ils l'ont brûlée. Et les égouts descendent les pentes pour polluer le Country Club. C'est si violent que même l'armée n'ose pas y entrer. Criminalité, trafic de drogue et d'armes, tout y passe ; et main dans la main avec la police... Ah, ce que les militaires ont laissé faire, Boris ! Le pire de la dictature n'a pas été la répression ni les tortures, je t'assure. Leur pire crime, à mon avis, a été de ne rien faire pour mettre de l'ordre dans le pays, changer la mentalité... Pourtant, ils ont eu le temps et les moyens. Regarde le Chili. D'accord, il y a eu des excès. Mais là-bas au moins, ils ont créé une fierté nationale, ils ont modernisé le pays ; même les communistes le reconnaissent. Tandis qu'ici les militaires se sont bornés à voler et à patronner le laissez-faire.

Ricardo, un homme dans la quarantaine et aux allures de sportif, était pourtant jovial et sympathique. Visiblement, sa conception de la ville ne dépassait pas un mélange de Singapour et de Disney World, mais Boris ne sentait pas de haine dans ses propos. Rien que de l'ignorance. Après tout, pensa Boris, il était architecte, et les favelas avaient toujours été une plaie dans les lubies architectoniques du tiers monde. Ce n'était là qu'une autre facette du problème avec lequel lui-même se débattait en matière de poésie : forme et contenu. Pas moyen de s'en sortir lorsque la réalité s'évertuait à déborder un seuil critique d'opulence et de fertilité.

Boris les écoutait parler en se contentant de sourire, car il ne savait quoi leur dire. Mais il était content d'être venu. Cette visite dans un autre monde lui changeait les idées comme des espèces de vacances. Et puis l'endroit était vraiment magnifique.

Monica manifestait par ailleurs un contentement si exubérant qu'il avait été un peu étonné, au début, lorsqu'il l'avait entendue parler à son mari de leur courte rencontre à Paris. Elle y avait mis une telle familiarité et tant de détails que le moment qu'ils avaient passé ensemble autrefois paraissait avoir duré des mois et des mois, avec des aspects intimes et presque amoureux. Boris avait aussi cru percevoir dans ses propos un brin de reproche à peine voilé le concernant. En outre, lorsqu'elle parlait des rares lettres qu'il avait envoyées à son père, Monica s'exprimait avec une grande tendresse, comme si Boris était une sorte de jeune frère.

Ces impressions étaient d'autant plus étranges qu'ils ne s'étaient connus que très brièvement au temps de l'université, et que, là encore, ils n'avaient jamais partagé aucune intimité. Même le fait qu'elle connaissait son père n'était que le fruit d'un pur hasard, pensa Boris. Monica avouait d'ailleurs ne rien savoir de précis sur le vieil homme, sauf son adresse et le fait qu'il vivait, juste avant son décès, en compagnie d'une vieille femme.

— Je ne peux pas t'en dire plus, Boris, ajouta-t-elle. C'était un vieux sympathique mais très renfermé. Il m'arrivait de le voir lorsque j'allais en visite chez une de mes tantes qui habitait le même village. C'est elle qui m'a appris sa mort. Sa vieille compagne voulait que je t'avertisse, et c'est alors que je t'ai envoyé cette lettre un peu au hasard, adressée à l'université de Rostock. Qu'est-ce que je pouvais faire d'autre ? Tu n'avais jamais mis d'adresse de retour ; seul le papier portant l'en-tête de l'université dans une de tes lettres nous permettait d'espérer te joindre... C'était complètement farfelu de ta part !

— Je ne crois pas que mon père ait jamais voulu répondre à mes lettres. Durant plus d'un an, il a eu une adresse à Bologne pour le faire, et il n'a jamais écrit. Non, je savais qu'il se contentait de voyager par personne interposée. Dans mes lettres, je lui créais de très beaux voyages pour lui faire plaisir, c'est tout.

— En tout cas, reconnut-elle, il paraissait chérir énormément tes lettres. C'est vrai qu'il ne faisait pas de reproche, mais qui sait ? Toi aussi, Boris, tu es parfois si énigmatique, si différent des autres gens qu'on a presque envie de te croire. Tu ne t'ennuyais pas de lui ?

— Je ne sais pas, répondit-il après une longue réflexion. Sûrement pas comme les gens s'ennuient de leurs familles. Nos rapports ont toujours été distants ; il s'agissait plutôt d'une affinité pour ainsi dire intellectuelle... Mais ta lettre m'a fait du bien, même si elle m'a beaucoup surpris. La seule lettre que j'ai jamais reçue d'ici. Je me souviendrai toujours du bibliothécaire de l'université qui me l'a donnée... Il y avait là, à cette époque, un réel climat de méfiance ; la censure l'avait ouverte et il m'avait fallu signer un reçu officiel. J'ai beaucoup apprécié la façon jolie que tu as prise pour me raconter sa mort.

— Est-ce ma lettre qui t'a encouragé à revenir ? demanda-t-elle en baissant la voix.

— Non, je n'y pensais pas encore à ce moment-là. C'est venu un an après, quand on m'a appris l'amnistie.

— Venez, on passe à table, interrompit Ricardo. Ça nous changera des propos tristes. Et puis, toi, Monica, arrête de questionner Boris de cette façon ; sinon il ne voudra plus revenir chez nous. Ces choses personnelles, on les garde pour soi. Allez, on mange. Rien ne sert d'attendre Luiza et Junior. Les adolescents, tu sais, Boris, une fois qu'ils sont avec les copains, ils oublient tout.

La table était mise avec un luxe qui surprit Boris. Des cristaux, des couverts modernes en argent massif, une nappe magnifique, sans parler du service assuré par deux bonnes en uniforme qui s'adressaient à Monica d'une manière très humble. Ricardo déboucha des bouteilles de bordeaux importé qu'il dut mettre dans la glace puisque la température ambiante approchait les trente degrés.

Boris, qui n'avait pas l'habitude de ce genre de repas, dut se défendre âprement de la sollicitude de Monica pour éviter d'être littéralement gavé.

— Il faut te réhabituer puisque tu es de retour au Brésil, dit-elle. Je me souviens comme on mangeait peu à Paris. En Europe de l'Est, alors, ça devait être la disette. D'ailleurs, tu es très maigre, Boris... À propos, où est-ce que tu loges au juste ? Sûrement qu'on ne te nourrit pas comme il faut !

Boris décrivit rapidement son hôtel, ajoutant que le propriétaire était un ami de longue date, et qu'il n'y était que provisoirement.

— Mais Boris, la Lapa ! interrompit Ricardo avec étonnement. C'est un endroit dangereux... On t'a mal conseillé. Si tu veux, je peux te trouver immédiatement quelque chose près d'ici. T'as pas d'auto, c'est vrai... Alors, à Ipanema. Tu seras beaucoup mieux, plus en sécurité, et proche du milieu artistique.

— C'est vrai, Boris, ajouta Monica. On ne te laissera plus disparaître. Si, si, je te trouverai moi-même un bon appartement et je trouverai aussi une bonne pour te tenir maison. En attendant, tu peux manger ici, avec nous...

— Merci, je vous assure, fit Boris en riant de leur empressement. C'est très pratique où je suis ; je peux faire des contacts avec mon éditeur... Je vous le dis, ce n'est que provisoire. Bientôt je trouverai quelque chose d'autre.

— Près de la mer, c'est bien mieux. Mais évite Copacabana !

Les mets se succédaient, aggravant la lourdeur causée par le vin dans une telle chaleur. Ricardo continuait à décrire tous les progrès du pays, et chaque fois sa compagnie immobilière y participait d'une façon ou d'une autre, avec des projets en cours dans plusieurs grandes villes.

— Avec la démocratisation, les grandes banques étrangères se sentent à l'aise pour financer les grands travaux d'infrastructure domiciliaire de haut standing. Ils en profitent, c'est naturel, puisque leurs hommes d'affaires et leurs industriels sont derrière ces investissements. Mais ils nous laissent une bonne marge de profit ; c'est donnant, donnant. Si seulement on trouvait le moyen d'apaiser un tant soit peu ce climat social, tout au moins de contenir la criminalité dans certains secteurs bien circonscrits, alors, notre avenir serait assuré.

— Et toi, Boris, tu nous racontes un peu ce que tu fais ? demanda Monica entre deux bouchées de fraises à la crème.

— Bien, pas grand-chose jusqu'à présent, commença-t-il en cherchant à rester le plus vague possible. C'est encore des espèces de vacances, tu vois. Il y a des projets en cours, des traductions, des coéditions avec l'Allemagne, des cours à l'université... Plein de choses. Mais j'attends encore avant de plonger. Je devrais retourner en Allemagne dans quelques mois pour en discuter...

— Mais tu es vraiment revenu, n'est-ce pas ? Maintenant, c'est bien fini, l'exil... Tu reviens pour de bon. Il faut qu'on puisse lire tes livres, Boris. C'est drôle de te savoir poète. Mais je comprends. Tes lettres étaient tellement belles...

— Oui, sans doute. Ce n'est qu'une question de temps, pour bien choisir avant de me lancer. Et toi, Monica, raconte-moi ce que tu fais.

— Bien, je pratique, j'enseigne un peu, c'est tout.

— En quelle spécialité ?

— Un peu de tout. Tu sais, la médecine ici n'est pas si spécialisée qu'à l'étranger. Ma pratique est très diversifiée. Un peu de neurologie, beaucoup de dermatologie et de médecine interne. Je fais aussi de la psychothérapie.

— Ah! s'étonna Boris, tu es aussi psychiatre?

— Ici, chaque médecin fait un peu de tout. Par exemple, je travaille à l'hôpital du Leblon, où j'ai pas mal d'accidentés de la route. Mais je pratique surtout en clinique privée, avec d'autres associés: médecine interne et dermatologie plastique. Notre clinique est spécialisée en chirurgie plastique. Là, je fais aussi un peu de psychothérapie: couples, problèmes existentiels, tout ça. C'est tellement demandé, si tu savais! On a l'impression que les gens mènent une vie de plus en plus démente, qu'ils sont terrorisés et agressifs, sans valeurs auxquelles s'accrocher. Dans les hôpitaux publics, la situation est si misérable qu'il est devenu impossible de faire quoi que ce soit. Alors on se retranche dans les cliniques privées... Il faudrait que tu viennes visiter notre clinique. C'est l'une des plus modernes du continent, un véritable petit hôpital privé comme on en trouve en Amérique du Nord. C'est Ricardo qui l'a construite. Notre service de plastie a une réputation internationale.

— Pas toujours enviable, ajouta Ricardo en riant. Surtout depuis que les travelos brésiliens attaquent les putes en France.

— Tais-toi, répliqua Monica en feignant la colère. Il veut parler des transsexuels qu'on opère. Ce n'est pas vrai qu'ils viennent tous de notre clinique. On en fait, beaucoup même, puisque cela permet d'expérimenter. Mais Ricardo ne pense qu'à eux et il oublie le reste. Par exemple, les actrices et les épouses de politiciens importants qui viennent chez nous, on n'en parle jamais, mais ça compte davantage pour la réputation. Même les hommes se mettent de plus en plus à soigner leur corps.

La conversation prit ensuite le ton léger des après-repas copieux. La suggestion de faire une promenade sur la plage fut mise de côté et bientôt Boris put conclure que c'était l'heure de partir s'il voulait éviter la tombée de la nuit.

— Je te dépose, fit Monica d'un ton distrait. Je suis de garde à la clinique. C'est sur mon chemin.

Ils partirent enfin, non sans que Boris eût fait des promesses de revenir, de les laisser lui trouver un appartement et surtout de ne plus disparaître. Après qu'il eut déployé beaucoup de tact pour décliner l'invitation à passer une fin de semaine à la campagne, Ricardo déclara qu'il l'emmènerait à la pêche en haute mer le dimanche suivant.

La limousine moderne roulait silencieusement, toutes les vitres fermées ; le paysage teinté de gris et adouci par l'air conditionné prit ainsi des allures irréelles. Au premier carrefour, Monica bifurqua vers le sud.

— Je vais te montrer un peu cette partie de la ville que tu ne connais pas. On a du temps.

— Tu ne crains pas de revenir ensuite en pleine nuit ? demanda Boris.

— Non, répondit-elle. Je dois rester cette nuit à la clinique. Je dors là-bas lorsqu'il se fait tard. On est très bien organisés. C'est vrai qu'il est dangereux de conduire seule. Ricardo m'a mis un revolver dans la boîte à gants, mais je ne saurais m'en servir. L'important c'est de ne pas s'arrêter…

L'auto filait à travers les buildings et les jardins, puis le long de la plage. La lumière rose de la fin de l'après-midi donnait au paysage un teint tirant sur le sépia qui rappelait les photos anciennes. Tout paraissait beau et paisible, à quelques kilomètres à peine de la ville sauvage. Boris se laissait transporter sans penser à rien.

— J'étais si contente lorsque tu m'as appelée, tu ne peux pas savoir… Fâchée aussi, naturellement, à cause du temps que tu as mis pour le faire. Mais je te pardonne… et je me sens vraiment soulagée. Tu sais, Boris, j'ai beaucoup pensé à toi toutes ces années.

— À moi ? demanda-t-il, hésitant.

— Oui, tu m'as aidée à vivre… Même s'il m'est arrivé de te haïr, fit-elle en riant.

— Ah bon, à cause de mon père ?

— Non, à cause de toi. De ton silence, de ton oubli.

Boris attendit sans rien comprendre à cette tournure étrange qu'elle imprimait à la conversation.

— Tu te souviens de notre rencontre à Paris ? Je m'attendais à te revoir. Je m'attendais à ce que tu m'appelles, c'est tout. Mais, rien… Tu as disparu sans laisser de trace, en me laissant là, toute seule.

— Mais, Monica, je ne comprends pas. Tu n'as rien dit. Si je me souviens bien, tu paraissais même pressée…

— C'est bête, je le sais, finit-elle par répondre avec un soupir. J'ai eu peur. Les Brésiliens disaient que tu avais disparu, que la police te cherchait, ces choses… Tu vois, c'est de ces histoires qui n'arrivent que lorsqu'on est à l'étranger, seul… Je me réjouissais tellement de t'apporter le colis de ton père. J'avais imaginé la scène de notre rencontre et j'attendais. Je me disais qu'on se reverrait souvent, voilà. Je crois que j'étais un peu amoureuse de toi depuis le temps de la fac. Mais toi, comme d'habitude, tu ne voyais rien. Et puis je me sentais seule, fatiguée et étrangère dans cette ville grise… où je n'étais allée que dans l'espoir de te rencontrer. Alors, tu imagines, mes fantaisies se sont tournées en déception.

— C'est très émouvant ce que tu me dis là, Monica, finit-il par dire après un très long silence. Joli et triste à la fois… après tout ce temps. Je me souviens avec tendresse de notre rencontre. Tu étais maigre, l'air très sérieux et pas mal tendue. J'ai pensé que tu voulais partir le plus vite possible… Tu n'as rien laissé voir de tes sentiments. De mon côté, j'avais perdu l'habitude des rencontres intimes, et je me disais qu'il ne fallait pas t'encombrer avec ma présence. Je me souviens d'avoir eu envie de t'entendre parler davantage du Brésil ; mais seulement après que tu as été partie. J'avais la nette impression que j'étais de trop, et que tu cherchais à couper court à la rencontre. Ça fait si longtemps… Je peux me tromper. Mais je suis certain que tu n'as pas exprimé ce dont tu parles.

— Peut-être que j'étais trop intimidée de te voir en personne ; depuis des années, tu étais dans mes pensées. Mon Boris était presque devenu une partie de moi-même, avec une complicité infinie. Soudain, tu étais là, face à moi, trop réel, presque une trahison. C'était mon Boris et quelqu'un d'autre. Tu avais l'air d'un vrai bandit. Lorsque nous nous sommes quittés, je croyais qu'on se reverrait et que j'irais en Italie avec toi. J'étais si heureuse ! Tu sais, depuis ton départ du Brésil, les gens se souvenaient de toi avec une aura de mystère. D'abord, je t'ai cru mort… Je me souviens d'avoir pleuré lorsqu'on m'a raconté que les militaires t'avaient eu. C'est bête à dire, mais mon attachement a commencé sous la forme de deuil. T'étais si jeune, si fou…

— Allons, Monica, tu blagues, rétorqua Boris dans l'espoir qu'elle cessât le jeu. Tu ne m'avais jamais fait le moindre signe auparavant.

— C'est vrai, reprit-elle avec un enthousiasme inusité. Je t'ai découvert en apprenant ta mort. Avant ça, je me bornais à être jalouse de Clarissa, sans penser plus loin. Une fois mort, tu m'es devenu… je ne sais pas comment le dire. C'est idiot, je sais… Tout ça pour te dire que j'ai beaucoup pensé à toi, et pas toujours avec tendresse, balbutia-t-elle d'une voix cassée.

Boris regardait droit devant, cherchant ainsi à oublier les larmes qu'il sentait couler le long du visage de cette femme, si proches et si lointaines malgré l'isolement artificiel de l'automobile. Elle avait ralenti et se moucha bruyamment à l'aide de kleenex qu'elle jeta ensuite dans une sorte de poubelle convenablement dissimulée dans l'accoudoir en cuir. La même place discrète produisit ensuite un paquet de cigarettes. Monica en alluma une en silence avant d'en offrir une à Boris, chacun droit sur son siège, sans se regarder. Elle reprit ensuite son monologue.

Boris entendait le murmure de sa voix comme si celle-ci venait de loin. Curieusement, cependant, les vibrations de l'air dans sa gorge étaient très distinctes, et cela lui donnait en même temps l'impression qu'elle lui parlait à l'oreille. Le son de ses paroles avait des accents mélancoliques, chatoyants, sans la moindre trace d'ironie. Il regarda ses mains fermes posées sur le volant, son visage qui fixait la route avec un éclat dans les yeux. Il descendit ensuite vers ses seins, et plus bas encore pour contempler ses cuisses bronzées, charnues, que la robe courte laissait entièrement à découvert. L'idée lui vint à l'esprit, non sans une pointe d'amertume, qu'il n'avait absolument rien ressenti de cette tendresse amoureuse qu'elle décrivait avec une telle précision. Une sensation d'étrangeté se glissa simultanément dans ses pensées puisque cette femme mûre, robuste et si sûre d'elle-même n'avait rien à voir avec la jeune fille ardente de son récit. Et pourtant, la même jeune fille paraissait être toujours là, entre eux, tapie quelque part dans le temps, à défier le ridicule pour le pousser à son tour dans les brumes du passé.

Lorsque cessèrent les buildings et que l'avenue devint une route, Monica fit demi-tour pour prendre la voie opposée, sans se laisser dévier de ses propos.

— C'est par ma tante que j'ai appris l'existence de ton père. Au début, j'étais seulement ravie de te savoir vivant. Un peu inquiète aussi, mais seulement le temps de m'assurer que personne d'autre ne te savait à l'étranger. Tous te croyaient mort. C'était alors très bon de t'avoir tout entier à moi, de te protéger des regards indiscrets. Ça faisait conte de fées… J'avais l'excuse d'aller rendre visite à ton père, et c'était comme si je participais un peu à tes voyages. Nous sommes devenus des amis en quelque sorte et, comme il était persuadé que j'étais ton amoureuse, c'est devenu un peu vrai... Ton père était un vieil homme très charmant, surtout lorsqu'il racontait ce que tu lui écrivais. Ensuite, il attendait mes visites et me lisait tes lettres, non sans s'excuser à chaque fois du fait qu'il n'y avait pas un mot à mon sujet. Tous les deux, on se disait que cette discrétion de ta part était une précaution contre la censure... Il classait tes lettres et il marquait tous les endroits que tu avais visités dans un énorme atlas. Peut-être que tu trouves cela idiot, puéril ; mais c'était ma façon de passer au travers des premières années de la dictature. Tout au commencement, je n'étais pas dupe ; ce n'était qu'une lueur d'espoir qui me permettait ensuite de vaquer à mes occupations au jour le jour, à continuer mes études... J'ai fini par m'y habituer. Je n'avais par ailleurs besoin de personne puisque j'attendais quelqu'un... Voilà pourquoi j'étais si déçue lorsque tu ne m'as pas invitée à te rejoindre en Italie. Tu avais quelqu'un ?

— Arrête, Monica, veux-tu ? Je ne sais pas quoi te dire... Je ressens des choses confuses en t'entendant parler comme ça. Mais je ne comprends rien. Nous nous connaissions à peine... Tu me mets face à un rêve très beau. Mais c'est ton rêve, pas le mien. Je te suis reconnaissant de ce que tu as fait pour mon père. Toute cette histoire, Monica, c'est comme si tu l'avais inventée dans le seul but de me confondre. Ce n'est pas moi qui suis dans ton histoire, tu ne le comprends pas ?

— Mais si, Boris. Ne m'en veux pas. J'ai attendu si longtemps pour te la raconter... Je ne cherche pas à te mettre mal à l'aise, pas du tout. Et je sais bien que ce n'est pas de ta faute. Mais, que veux-tu ? Il me faut quand même te raconter, si ce n'est que pour te dire combien tu m'as aidée à être heureuse. Tu es la seule personne au monde à qui je puisse le dire.

— Tu as l'air heureuse avec ton mari...

— Très heureuse, Boris, rassure-toi. Toutes ces années, ça ne m'a fait que du bien de penser à toi. De toute façon, tu ne peux rien contre la tendresse que j'éprouve à ton égard. Il y a des choses qu'on ne peut pas contrôler. Si ça peut te consoler, dis-toi que je t'avais adopté comme une sorte de grand frère romantique... À Paris, je t'ai désiré et j'en ai eu peur. Il y avait quelque chose d'étrange dans ton regard ce jour-là, d'étrange et de fascinant à la fois. Je me suis alors mise à attendre de tes nouvelles en me disant que ce n'était pas si grave d'être seule à Paris puisque tu étais mon copain. J'écrivais à ton père ; et comme il m'envoyait des messages pour toi, je t'attendais... Cela m'a permis de passer quinze mois bien paisibles en France, et je n'avais plus peur. La rage aussi m'a été d'un grand support, et je compatissais avec ton père en te blâmant comme un amant infidèle. Parce que je te désirais. Et cette sensation pleine de frissons m'a permis de faire la paix avec ma nature. Lorsque j'ai rencontré Ricardo, j'étais prête. Tu vois ?

— Est-ce que j'étais tendre lorsqu'on faisait l'amour ? demanda Boris à brûle-pourpoint dans le but de rompre le charme mélancolique de ses propos.

— Tu as toujours été merveilleux, répondit-elle avec un sourire. Tu étais un ourson adorable. Tout à l'heure, en te regardant à table, j'étais certaine de ne rien avoir inventé. J'ai même eu peur que Ricardo ne soit jaloux... Je suis vraiment contente que tu sois là, que ton exil soit enfin chose du passé... Je te suis reconnaissante de m'avoir fait vivre de si beaux rêves, et j'éprouvais de l'angoisse en te sachant seul, si loin, sans que je puisse t'aider. Maintenant, je n'éprouve plus de rancune devant le souvenir de tous ces endroits merveilleux que tu as visités sans moi. Égoïste !

L'auto longeait maintenant la plage d'Ipanema. Le soleil couchant derrière les montagnes dorait le sable d'une lumière presque cuivrée. Ici et là, des baigneurs retardataires s'apprêtaient à partir alors que les parties de football battaient leur plein. La mer, aux teintes d'un gris sombre, métallique, paraissait jonchée de minuscules grains de soleil rouge.

— Depuis que j'ai lu les descriptions que tu faisais dans les lettres à ton père, plus jamais la mer n'a été la même à mes yeux.

— Tu as lu mes lettres?

— Oui, qu'est-ce que tu penses? Lorsque je suis revenue de Paris, j'ai aussitôt repris contact avec ton père. Nous étions déjà amis. C'est lui qui m'a mis au courant de tes voyages. Ah, Boris, je te haïssais à cette époque, mon Dieu que je te haïssais! Je me promettais même de ne plus aller voir ton père car tes lettres me laissaient trop nostalgique. La rancune, surtout, de te savoir égoïste, seul dans de merveilleux endroits, pendant que, moi, j'étais de retour en pleine répression de la dictature. Ton père me passait tes lettres dans l'ordre chronologique et il se faisait toujours un plaisir de me montrer tes parcours dans son atlas. Tes descriptions de Venise m'ont particulièrement blessée puisque je pensais que nous aurions pu y être ensemble. Ensuite, à mesure que tu t'éloignais, j'oubliais la rancune pour me délecter de tes descriptions. La côte dalmatienne, avec tous ces villages fortifiés, Dubrovnik... Je me suis procuré des revues sur tous ces endroits, mais les photos n'étaient jamais aussi belles. Tu racontais d'une façon si vivante! On pouvait te suivre à Istanbul, à l'intérieur de la grande mosquée, à Odessa, dans l'Europe entière. Mais le plus merveilleux, c'étaient tes longs séjours. Tu as vraiment été très veinard d'avoir eu toutes ces occasions. Cela avait l'air d'un rêve. Les ruines de Troie à l'embouchure des Dardanelles où tu as été avec l'expédition allemande, tu te souviens? Moi, je me souviens, Boris. Tu regardais l'Europe de l'autre côté et tu pensais au Brésil. C'était si beau! Quelques mois encore, et voilà qu'arrivait une nouvelle lettre qui nous plongeait dans un monde fabuleux. On faisait des paris, mais c'était impossible de deviner où tu serais, ce que tu nous raconterais à chaque retour en Allemagne. On savait seulement que ce serait un endroit fascinant. Je ne sais pas s'ils étaient vraiment fascinants, ces endroits, ou si c'était ta façon de raconter... Mais je suis persuadée que non. La route du Pont, par exemple, en Turquie, d'où tu nous avais raconté à ta façon les voyages de Jason, tu te souviens ? Un médecin libanais m'a assuré qu'elle était tout à fait comme tu l'avais décrite. Il connaissait bien la région de l'Ararat et la frontière avec l'Arménie. Lorsque je lui ai raconté ce que tu avais écrit dans ta lettre, il a failli pleurer de nostalgie, figure-toi. Tout enfin... Tu avais décrit d'une façon si drôle tes promenades en compagnie de ton copain Max, celui que tu appelais le Vert, tu te souviens, chez les marchands de tapis de Kaboul. Et puis, cette route de montagne, dangereuse, si abrupte, et le col pour gagner le Pākistān. Karāchi... avec ses foules d'hommes, et pas une seule femme dans les rues brûlantes, où même les corbeaux tombaient des arbres, épuisés. Ta solitude, si triste au milieu de cette ville énorme... Le soir, lorsque j'arrivais à la maison, je recopiais de mémoire certains passages pour ne pas les oublier. Chacune de tes lettres me permettait de m'évader. Je vivais dans l'attente de l'appel de ton père en espérant qu'à la prochaine lettre tu enverrais enfin une adresse. Mais rien... Je devais me contenter des descriptions, du papier et de ta belle écriture. Tu ne disais rien de toi dans tes lettres ; il me fallait deviner tes sentiments et toutes tes émotions derrière les images. Je comprends que tu ne voulais pas inquiéter ton père, mais quand même... En fait, il adorait tes lettres. Parfois il retraçait tes voyages d'une manière si personnelle, en changeant les parcours et faisant tant d'hypothèses que c'était comme s'il voyageait lui-même en ta compagnie. Ça m'irritait de le voir si près de toi, ou si loin de tout. La même nature que toi... Il ne s'en faisait pas le moins du monde de ne pas pouvoir t'écrire, et il trouvait que c'était mieux ainsi. Des fois, pour me consoler, il déduisait que certaines phrases des plus jolies m'étaient adressées personnellement, pour m'assurer que tu pensais à moi. C'était bien gentil de sa part. Surtout vers la fin, lorsqu'il était presque aveugle... Je le soupçonnais de t'envoyer des nouvelles en cachette ; cela me rendait très jalouse. Un jour, j'avais tant insisté qu'il a fini par promettre de t'envoyer un mot pour te demander une adresse de retour. Mais je savais qu'il mentait. En fait, comment savais-tu qu'il recevait tes lettres, qu'il était toujours vivant ?

Boris se contenta de hausser les épaules puisqu'il ne pouvait rien répondre. Quoi dire au juste, si tout cela n'avait été qu'un jeu qu'il avait joué tout seul ? Comment raconter la vérité, si celle-ci était si petite comparée au pouvoir de la fantaisie ?

— Vous deux, vous aviez une façon spéciale de communiquer qui m'excluait... Votre manière de voyager était semblable, même votre façon de penser. J'avais la nette impression que tu racontais justement ce qu'il voulait savoir. À des milliers de kilomètres de distance, tu savais exactement la question qu'il se poserait pour bien se figurer les environs du port ou le quartier des putes de Mombasa, de Dar Es-Salaam. Chaque détail précis lui permettait de continuer ton voyage. Je ne comprenais jamais pourquoi tu t'étais attardé sur telle ou telle broutille apparemment sans aucune importance. Au vieux, c'était justement ce qu'il lui fallait pour ensuite m'expliquer le reste. Je me demandais aussi ce que tu faisais dans tous ces voyages. Tes histoires de commerce, d'échanges culturels ne cadraient pas très bien avec ce genre de destinations exotiques. Lui, il ne se posait pas de question ; pour toute réponse, il se bornait à me regarder de manière complice. Parfois il évoquait des guerres civiles, des transferts de renseignements, des missions délicates, sans jamais toutefois m'en donner les détails. J'étais certaine qu'il en savait plus, et je repartais, très fâchée contre vos affaires d'hommes desquelles j'étais exclue. Mais je languissais, et dès qu'il recevait une autre lettre, j'étais de nouveau transportée. Surtout ces années où tu as été tant de fois en Indonésie. Des endroits de rêve que je suivais aussi sur les cartes, et qui fascinaient Ricardo aussitôt que je l'ai connu : Surabaya, Makasar, Samannda et tant d'autres... Je savais que Suharto menait là-bas une répression sauvage contre les communistes, et je me faisais du souci pour ta sécurité. Toi, tu te fichais de tout, comme si tu n'étais qu'un guide touristique. Rien de personnel, rien de tes sentiments, rien de tes buts. Ni même sur les femmes que tu aimais. Il fallait fouiller, décortiquer chaque phrase, scruter chaque atmosphère à la recherche de toi. Des fois, c'était facile pourtant. Tu te souviens comme tu étais triste en descendant cette rivière, en Thaïlande, près de Bangkok ? Comment s'appelle-t-elle au juste ?

— Meinam, répondit-il si automatiquement qu'il en fut lui-même surpris.

— Voilà, Meinam... C'était si beau ! Tu décrivais la grande pagode et la couleur de plomb de la rivière ; une tristesse si grande perçait dans tes paroles même si tu voulais la cacher. Ton père aussi s'en est rendu compte. Tu vois, tu te souviens encore du nom de la rivière.

— Oui, je m'en souviens, fit-il de façon pensive. Je m'en souviens parce qu'en fait je n'étais pas censé être là. Je m'en suis rendu compte après coup, mais la lettre était déjà partie.

— Je ne comprends pas.

— La Thaïlande n'était plus le Siam. Avec la guerre du Vietnam, c'était devenu une des principales bases des Américains. Alors, un gars de l'Allemagne démocratique n'avait rien à faire là. Je m'en suis aperçu après coup... C'est pour ça que le nom de la rivière est resté gravé dans mon esprit.

— Tu courais des risque inutiles, Boris.

— Pas tant que ça, reprit-il sans cependant finir sa phrase car il n'avait pas encore décidé s'il allait ou non détruire toutes ses fantaisies de voyages.

Et il sourit à la pensée que cette descente de rivière avait été tirée d'une nouvelle anglaise du temps où la Meinam débouchait encore sur le golfe du Siam. Peut-être que la pagode avait été détruite depuis le siècle dernier. Une erreur idiote, qui s'était glissée dans la lettre par pur accident, du fait que la nouvelle de Conrad était à son tour inspirée d'un épisode à bord du *Cutty Sark*. Ce soir-là, à Rostock, où il avait écrit une fois de plus des voyages imaginaires pour faire rêver son père, on venait justement de lui faire cadeau d'une bouteille de Cutty Sark... Le titre de l'histoire — *The Secret Sharer* — avait aussi joué dans cette méprise, car Boris était persuadé que son père n'était pas complètement dupe de ses étranges voyages. Mais, une fois le jeu commencé sous le prétexte de donner des nouvelles à son père, pour lui montrer qu'il était toujours vivant, il y avait pris goût. Ensuite, se guidant par l'image mentale de l'atlas de son père, il n'avait fait que suivre les souvenirs de ce que le vieux lui avait autrefois raconté de ses lectures et de ses propres fantaisies de voyages.

— Monica, reprit-il avec un soupir au bout d'un long silence. Je ne sais toujours pas quoi te dire. Tout cela me laisse confus... Triste, attendri, je ne sais pas, incapable de réagir... Avec l'envie de t'embrasser même en sachant que tu n'existes pas. Peut-être que tu as ressenti quelque chose de semblable en lisant mes lettres. C'est très agréable... Voilà tout ce que je peux te dire; tu me fais me sentir en paix.

L'auto pénétra dans le tunnel pour gagner la plage Botafogo, en plein trafic de la fin du jour. Monica conduisait d'une main ferme, sans se laisser ébranler par les propos de Boris.

— D'un seul coup, tu viens de me redonner tout un passé que j'avais enfoui dans l'oubli. Tu l'enrobes d'un amour si gracieux, si éloigné de la vraie vie... Avec une générosité étrange, qui n'est pas entièrement innocente. Dis, Monica, comment veux-tu que je réagisse à ce que tu viens de me dire? À quoi est-ce que tu t'attends?

— Je ne le sais pas moi-même, Boris. Je te l'ai dit plus pour toi que pour moi. Je voudrais que tu restes ici, que je puisse être ton amie, ta sœur, si tu veux…

— Une sœur, Monica ?

— Oui, une petite sœur, une amie, la femme qui t'a tant aimé. Surtout, que tu ne repartes plus jamais. Je sens encore la même chose étrange dans ton regard, dans tes paroles. Mais, cette fois, je ne veux plus te perdre. Je sais que c'est bête, mais ma tendresse est devenue maternelle avec le temps, et maintenant je pense à toi comme à un petit frère.

— Tes fantaisies, Monica, ne sont pas celles d'une grande sœur… Tu finirais par vouloir faire des bêtises, tu ne crois pas ?

— Non, répondit-elle avec un large sourire. Rassure-toi. J'ai beaucoup vieilli. Et je te l'ai déjà dit, Ricardo et moi, nous sommes très heureux. Lui aussi, il a une grande admiration pour toi. Contre les fantaisies, là, on n'y peut rien ; mais je sais faire la différence, tu peux en être sûr. D'ailleurs, il ne me déplairait pas que tu en aies, des fantaisies, toi aussi, en pensant à moi. Plus elles seront torrides, plus tu me rendras fière. Je te garantis que ça en restera là. Tu m'as déjà trop donné, plus que n'importe qui… Je vais être très jalouse de tes copines, et je souhaite que tu les choisisses bien. De toute façon, elles n'auront jamais ce que j'ai eu de toi. Cela fait de nous d'excellents complices, tu ne trouves pas ?

— D'accord… Ça me tranquillise, Monica. Moi aussi, j'ai beaucoup vieilli. Curieusement, la réalité me trouble. Il m'est de plus en plus difficile de sortir de ma solitude pour entrer en contact avec les gens…

— Boris, tu as toujours été un vieux garçon ! Ne t'inquiète pas, je ne chercherai pas à t'envahir. Tout ce que je t'ai dit est vrai, et tu dois me croire. J'ai appris à t'aimer à distance.

— Bien, ça me plaît… Je vois qu'on se ressemble un peu. Peut-être même que la relation de frère et sœur nous va bien après tout.

— Tu vois, Boris, c'est justement ce que je pensais en voyant la joie immense qu'avait ton père en lisant tes lettres. Une fois la jalousie passée, lorsque j'ai été mariée et que j'ai eu mes enfants, j'ai enfin pu comprendre votre relation. Je me suis aussi attachée à ton père ; c'était très attendrissant de le voir, très vieux et si content lorsqu'il cherchait péniblement ses marques dans l'atlas. Jusqu'à sa mort... Tu lui as fait autant de bien qu'à moi. L'attitude de ton père m'a appris à respecter ta solitude. Je sais désormais qu'il y a là une grande richesse, que je ne dois pas la déranger. Cela me rappelle l'histoire de la poule aux œufs d'or, et je ne veux pas te perdre. Je te promets d'être une sœur très discrète.

Lorsqu'ils arrivèrent devant la plage Flamengo, à la hauteur de l'hôtel Gloria, Boris lui demanda de s'arrêter. Elle gara l'auto.

— C'est bien ici, Monica. Je préfère marcher un peu.

— Tu veux pas que je sache où tu habites ?

— Ce n'est pas ça. Je t'appellerai pour te donner le numéro de téléphone, promis. Je prends le risque d'avoir une sœur. Maintenant, il faut que tu me dises où il est enterré, et qui je dois remercier pour les funérailles...

Monica lui tendit alors une enveloppe :

— Tout est écrit là-dedans, tu ne pourras pas te tromper. Quant à remercier, ce n'est pas moi. Sa vieille compagne, Julieta, a tout arrangé.

— Julieta ?

— Oui, Julieta. Tu la connais, je crois. Elle était votre voisine quand tu étais petit.

— Julieta ! Ce n'est pas possible. Le vieux ne pouvait pas la sentir, Julieta... Ça doit en être une autre.

— Non, c'est la même. Après ton départ, lorsqu'il a déménagé à la campagne, elle l'a suivi, pour continuer à être sa voisine, tu vois ? Ils n'habitaient pas ensemble, mais une fois j'ai failli les surprendre au lit. Tu parles d'une voisine... C'est elle qui a tout arrangé. Je ne l'ai appris qu'après l'enterrement. Elle voulait que ce soit discret parce qu'il s'était tué... Ah! excuse-moi, Boris. Ah! mon chéri, excuse-moi, tu ne savais pas... Ah! Boris, que je suis stupide! Pardonne-moi... Mais non, il n'a pas souffert... Il était malade, c'est tout. Et il ne voulait pas souffrir... à son âge. Dès qu'il a su qu'il était malade, il s'est décidé. Julieta te racontera, sûrement.

— Merci encore, Monica. Ne t'inquiète pas, je te donne de mes nouvelles, dit-il en lui tendant la main.

Monica se pencha, le regardant dans les yeux, et offrit ses lèvres. Sa main tira la sienne et lui fit caresser ses seins. Impossible de ne pas l'embrasser comme elle le voulait, longuement, ni d'éviter ses dents qui mordaient avec tendresse. Il caressa ses seins lourds, sa main descendit entre ses cuisses, et il se détacha enfin, même si elle tentait de le retenir.

— Boris...

— Salut, Monica, ma sœur! À bientôt.

## 20

Boris ne connaissait pas le village indiqué dans le billet de Monica ; c'était un endroit perdu, quelque part au delà de la plaine de Caxias. Les indications, pourtant remplies de détails, étaient celles de quelqu'un qui était habitué à s'y rendre, et laissaient en blanc les questions les plus importantes. La ville d'Embarié était sur la carte ; Boris y trouverait le cimetière. Mais Julieta habitait ailleurs, dans une ancienne ferme lotie, à la Taquara, aux chemins entremêlés, sans noms de rues ni numéros civiques, sûrement squattée au milieu de la forêt et des marécages.

Sirigaito, saisi de la question, fut péremptoire :

— Tu n'y arriveras pas seul. J'ai un ami qui peut te dépanner. S'il ne connaît pas l'endroit, il trouvera le moyen de s'orienter. Pindoca est le meilleur chauffeur de taxi de Rio. Tu lui paies la journée et il fera plus que te transporter ; tu vivras une expérience inoubliable. Et puis, entre nous, s'il y a de la casse, c'est l'homme qu'il te faut. Cette région-là, Boris, c'est un véritable coupe-gorge. Je me demande même pourquoi un homme sérieux comme ton père vivait là-bas. Autrefois, c'était la campagne. Maintenant... Dis, as-tu une arme ? Si, si, il faut y penser... Pindoca te prêtera un outil en bonnes conditions.

Quelques jours après, Boris partit de très bonne heure le matin avec le chauffeur. C'était en effet un type sympathique qui paraissait se réjouir de cette expédition. Maria de Lourdes, la femme de Sirigaito, leur avait préparé un paquet de nourriture, et Boris, suivant les conseils de Sirigaito, s'était procuré une bouteille de vodka russe, une boîte de harengs salés et quelques cigares.

— On ne va pas voir la sépulture de son père juste comme ça, Boris, avait insisté Sirigaito. On y va pour communier. Le vieux s'attend à ça, sinon pas la peine d'y aller. Bien sûr, je ne crois pas à tout cela, aux morts ni aux esprits. Mais c'est une question de dignité... Et puis, on ne sait jamais. Si tu veux lui rendre hommage, autant que ce soit dans les règles. Tu verras, il va vraiment se réjouir. Allez !

Le jour venait à peine de se lever et la journée s'annonçait très chaude. Une sorte de vapeur montait du pavé des rues encore vides, irisant la lumière rose. Le taxi avançait à bonne vitesse, et l'air qui rentrait par les fenêtres ouvertes inondait les narines d'odeurs multiples où le moisi, le pourri et les excréments prédominaient encore sur les gaz d'échappement.

— C'est bon de rouler ainsi, de sentir la ville au matin ! s'exclama Pindoca. Je déteste devoir fermer les vitres... Ça me rend claustrophobe. Ma climatisation ne fonctionne pas très bien, non plus. La nuit, à moins de garder le revolver tout le temps sur le volant, c'est trop dangereux. Les gens font n'importe quoi pour voler un peu d'argent, jusqu'à se jeter sur le chauffeur avec un rasoir. Impossible de s'arrêter, même aux feux rouges... Autrefois, c'était un charme de conduire la nuit. On voyait toutes sortes de choses intéressantes, on faisait de ces rencontres... Une fois, un gars est entré dans mon taxi en compagnie de deux filles. C'était courant qu'on prenne des couples, tu sais, qui voulaient faire l'amour en toute tranquillité. Les mœurs étaient moins libres et nous, les chauffeurs de taxi, on jouait le rôle des motels d'aujourd'hui. Le gars nous payait la course au tarif baise, et voilà qu'on partait en promenade en évitant les avenues éclairées, par de petits chemins romantiques, sans trop de tournants ni d'arrêts. C'était vraiment charmant d'entendre les jeux des clients, surtout quand le mec devait encore convaincre la fille, qu'il n'avait pas encore discuté en profondeur avec elle... Quelle diplomatie, quel savoir-faire les hommes avaient dans ce temps-là pour détendre leur compagne, pour lui faire oublier la présence du chauffeur! Une vraie merveille. Ou encore quand la fille était vierge et qu'elle avait peur. Tu ne peux pas imaginer ce qu'on ressentait, ici, penché sur le volant, en entendant la fille balbutier, prier le mec pour qu'il aille plutôt dans le derrière, qu'elle préférait dans les fesses, que non, que ce serait mieux... Il fallait avoir des mains d'acier pour ne pas perdre le contrôle du véhicule. C'est alors, seulement, qu'on pouvait se dire un vrai chauffeur! Sans parler de la discrétion nécessaire au métier. Un chauffeur qui se respectait ne regardait jamais dans le rétroviseur. Des yeux qui se croisent dans une situation pareille, c'est fatal pour la plupart des érections. Ça pouvait aussi inhiber la fille d'un seul coup; et voilà perdus, qui sait, des jours ou des semaines d'un travail assidu, de petits baisers, de promesses, de soupers et même de cadeaux... D'ailleurs, souvent on n'avait pas besoin de regarder puisque, au contraire d'un vrai lit, une banquette arrière rend bavard; ça mobilise le langage à cause de l'exiguïté des lieux et du côté hasardeux des positions. Il faut qu'ils s'entraident. Même si le chauffeur se soucie d'éviter les rues cahoteuses, on n'est jamais à l'abri d'un nid de poule ou d'un égout mal fermé au moment crucial, particulièrement dans les ruelles sombres. Il faut ainsi une collaboration étroite, de la coordination, et cela implique la communication verbale, forcément. Les mots sont aussi de mise lorsqu'il fait trop sombre. Ils donnent de l'emphase aux caresses quand on a peu de temps pour s'occuper des corps, quand ça presse... Le chauffeur le plus discret n'est tout de même pas sourd. Un brin d'imagination et d'expérience personnelle suffit pour qu'on se figure ce qui se passe dans notre dos. Parfois, l'absence de perception visuelle peut même être une source de stimulation puisque l'imagination compense alors avec de ces méandres... Des souvenirs nous viennent à l'esprit, ou encore diverses situations passées se mélangent entre elles pour en créer de nouvelles. C'est toute une expérience, mon ami, tout un monde qui s'est perdu avec cette libéralisation bête des choses sexuelles.

Ils roulaient sur l'avenue Vargas à la hauteur du Mangue. La surface des eaux boueuses avait l'éclat de taches d'huile et scintillait avec une multitude de bulles gazeuses produites par la chaleur sur la pourriture. Les bâtiments délabrés, les ruelles remplies de déchets et le goudron craquelé paraissaient se réveiller péniblement d'un sommeil lourd, intoxiqué. L'odeur de méthane devenait plus distincte, et les masses de mendiants étendus un peu partout donnaient à l'ensemble une impression de catastrophe.

— Alors, je disais, continua le chauffeur, le gars est monté dans mon taxi avec deux filles. Deux sœurs, imagine-toi. Son amoureuse, et la plus jeune qui leur servait de chaperon. Il m'a expliqué son problème et j'ai démarré ; le couple en arrière, la fillette en avant. On a roulé durant des heures... C'est mon plus beau souvenir de jeunesse. Il leur fallait beaucoup de pourparlers puisque c'était la première fois qu'ils se trouvaient ainsi, sans la petite au milieu. Alors, tu vois, on a eu droit à tout ce qu'il y a de plus beau, depuis le commencement, à partir des baisers jusqu'aux touchers des seins, des cuisses, les caresses, cette exploration délicate et si émouvante... Sachant que le temps était limité, la fille ne se défendait que le strict minimum. Mais il ne fallait surtout pas que la petite sœur pense qu'elle cédait sans combat. Une représentation du tonnerre... Puis, une fois l'intimité acquise, les bonnes choses goûtées en commun, il restait encore au mec à la convaincre que derrière, c'était permis. Que ce n'était rien, qu'elle resterait vierge tout en lui donnant une preuve supplémentaire de son amour, que ça ne ferait pas mal du tout et que personne ne saurait... La fille n'était pas contre. Mais comme sa petite sœur était à mes côtés, il serait peut-être mieux de laisser les fesses pour un autre voyage. Ils parlaient en chuchotant sans s'arrêter de s'encourager, et c'en était pire. La jeune sœur se tortillait depuis déjà un bon moment, les yeux fermés, la bouche ouverte, les mains entre les jambes, avec une respiration d'asthmatique. Plus ils parlementaient en arrière, plus la petite souffrait des spasmes qui lui secouaient le corps. Elle faisait pitié, je t'assure. Même si c'était contre mes principes, ce fut plus fort que moi. En changeant la vitesse, je lui ai frôlé les genoux, ce qui l'a encouragée à s'approcher. En moins de deux, elle était collée à moi, le levier de vitesse entre ses cuisses, et elle chevauchait ma main. C'est dans un instant pareil qu'on voit la qualité du chauffeur, lorsque le contrôle du véhicule doit aller de pair avec des manœuvres délicates. Pour ne pas compromettre la sécurité des passagers, je me suis quand même résigné à me garer dans une ruelle paisible. Et là, par le simple pouvoir des paroles d'un seul mec, deux mecs ont reçu de magnifiques preuves d'affection, chacun sur sa banquette... Un des plus beaux souvenirs, conclut-il avec un long soupir.

Boris ne put s'empêcher de rire devant le sérieux du chauffeur.

— Tu ne l'as plus revue, ta petite? demanda-t-il pour relancer Pindoca.

— Hélas! si, et combien de fois! Je t'ai dit que c'était un beau souvenir, mais j'ai oublié de dire que c'est aussi un des plus pénibles. D'ailleurs, seules les cicatrices trouvent vraiment grâce aux yeux de la mémoire. En vieillissant, on reste toujours seul avec nos échecs... J'ai beau faire des efforts, mes meilleurs réussites me paraissent fades, elles perdent du lustre dès qu'un bel échec se pointe dans le souvenir... Le mec est revenu dans mon taxi, plusieurs fois puisqu'il avait déjà confiance en moi. Sauf qu'il est toujours revenu avec la jeune sœur. Même qu'il m'a remercié du travail bien fait. Mais c'était lui qui buvait au goulot que j'avais débouché avec tant d'élégance. La grande sœur... J'ai pourtant bien demandé qu'il l'amène aussi. Mais elle était devenue trop jalouse depuis qu'il avait découvert la petite et ne voulait plus rien savoir. J'ai dû me contenter de les promener tout en rêvant de l'aînée, puisque c'est d'elle que je m'étais entiché. Son théâtre avait été si noble... Tandis que la petite, elle n'avait que le feu au cul, rien d'autre. Mais le client était un primaire, sans aucune sensibilité; et ensuite nos voyages étaient bien courts, totalement dépourvus de charme et de poésie. Peut-être qu'ils se sont mariés... Parfois, je me surprends à rêver de la grande sœur, tu sais, qui doit être à l'approche de la quarantaine: elle serait vieille fille, amère, quelque part dans la ville... Et je me dis que cette vie est vraiment cruelle, conclut-il avec un éclat de rire.

À la sortie du port, le taxi prit l'avenue Brasil et aussitôt ils furent enveloppés par la puanteur des marais et les émanations de la raffinerie au bord de la route. Les tuyaux rouillés et les énormes réservoirs rapiécés d'où coulaient des huiles épaisses, brillants sous le feu des torches d'échappement, avaient l'air d'une menace. Le brouillard du matin était devenu une brume couleur bistre qui cachait le soleil comme un baldaquin malodorant. Les masures au stuc rongé par les vapeurs corrosives se réveillaient péniblement en déversant des badauds au torse nu, indolents, ainsi que des essaims d'enfants moroses. Le trafic se faisait plus dense, agressif, rempli de camions et d'autobus bondés d'ouvriers.

Devant un cimetière adjacent à une favela sur pilotis, en plein marais, le chauffeur reprit :

— Une chance que ton vieux n'est pas enterré ici. C'est un dépotoir d'ordures rempli de rats, complètement inondé à la marée montante ; même les tombes se mettent à flotter. De la vermine partout. C'est aussi très dangereux pour les passants. La nuit, il arrive qu'ils fassent payer un péage aux autos... Avec de vrais policiers en charge, puisque c'est aussi un centre de trafic et de prostitution d'homosexuels. Tu devrais voir le cortège d'autos et les files de travestis. Très coloré... Le matin, sur la boue des marais, les urubus ont le temps de se délecter avant que la police ait eu le temps de charger tous les cadavres, les *jambons* comme les gens les appellent.

— Jambons ? demanda Boris. Dans mon temps on ne les appelait pas comme ça.

— Si, je t'assure. L'appellation est ancienne, pour dire la viande froide. Sauf qu'autrefois il y en avait moins, les gens n'en parlaient pas avec autant de familiarité. Comme Rio de Janeiro détient maintenant le record mondial des assassinats, on préfère dire jambons, plutôt que cadavres. Ça fait moins misérable. Le peuple a un talent naturel pour créer un langage qui facilite la vie, qui lui permet de survivre sans tomber dans le désespoir. Malheureusement, chaque nouveau jour dépasse les pires prévisions, et bientôt même les poètes ne pourront plus parler de ce qui existe.

— Comment ça ? demanda Boris, intéressé.

— Autrefois, les mots voulaient encore dire quelque chose. On faisait des paroles de samba, par exemple, et les gens comprenaient ce qu'elles voulaient leur dire.

Plus maintenant. Mais tu sais certainement cela, n'est-ce pas? Sirigaito m'a dit que tu es poète.

— Oui, j'écris un peu. Toi aussi, Pindoca, tu écris des poèmes et des paroles de musique, n'est-ce pas?

— Pas de vrais poèmes. Ceux-là, je les garde pour moi. Personne ne les comprendrait. Il est vrai que je fais des paroles pour des sambas, mais ce n'est pas de la poésie. Ce ne sont que des rythmes pour aider la mélodie. Et puis, c'est si éloigné de la réalité de tous les jours que c'est comme si je parlais de choses disparues à jamais. Les gens se fichent d'ailleurs du sens. Ils chantent n'importe quoi. C'est ainsi. Les significations sont toutes corrompues et les mots sont des enveloppes vides. Les mots... C'était ma passion. J'ai commencé par les mots croisés et je suis devenu un excellent cruciverbiste. Plus j'apprenais, cependant, moins les mots croisés ou le scrabble m'intéressaient. Je voulais davantage. J'ai potassé des dictionnaires, je t'assure, pour tenter de découvrir le sens des mots. Je croyais qu'on pourrait les transmettre, ces significations, et qu'elles auraient sur les autres le même impact qu'elles avaient sur moi. Il m'arrivait même d'être emmerdant puisque la tâche m'apparaissait noble: aider les gens à penser, à s'améliorer, à s'entraider pour combattre la souffrance, tu vois le genre? Une illusion comme une autre, celle d'une poésie qui servirait non seulement à mieux dire les choses, mais aussi à réveiller de la torpeur ambiante... Qui parlerait aussi aux femmes en leur faisant ouvrir grand les jambes, pourquoi pas? Les créatures font aussi partie de la réalité.

À ce moment-là, ils dépassaient justement l'échangeur menant à l'aéroport, le seul endroit un peu soigné de la route. Boris pensa avec regret au jour de son arrivée et ne put se cacher le sentiment de rage qu'il éprouvait devant ce désir idiot de parader pour attirer les touristes. Plusieurs familles campaient sur les bandes de gazon séparant les deux voies et les enfants profitaient des bouchons pour assaillir les automobiles et chercher à vendre des fruits.

— Tu vois, Boris, c'est tous les jours le même cauchemar. Pire encore, en effet, puisqu'on n'arrive pas à se réveiller.

Au bout de quelques manœuvres pour dégager le taxi, le chauffeur reprit :

— Sirigaito m'a parlé de toi. Il m'a dit que tu étais revenu au pays dans le but de te dépayser. Est-ce possible ?

— Non, Pindoca, par nostalgie. Mais je ne pourrais pas te dire ce qu'était au juste cette nostalgie. Je croyais que j'avais un pays, et j'ai voulu le visiter. C'est un peu la même chose que ce que tu viens de dire à propos des mots et des choses. Je crois que je suis resté trop longtemps à l'étranger, seul avec mes mots, mes poèmes et les souvenirs d'autrefois. Maintenant, je me rends compte que je parlais dans le vide.

— Tu ignorais sûrement ce qui se passe ici, sinon tu ne serais pas revenu. Regarde ces enfants maigres : même les urubus n'en veulent pas. Les ordures des riches contiennent plus de nourriture que ces petits paquets d'os. Le progrès dont ils parlaient tant a tué l'avenir de la majorité du peuple. Les gens vivotent, ils tournent en rond en espérant un miracle quelconque qui ne vient jamais. Et comme ils voient les riches, ils cherchent à les imiter en paradant pour se faire voir, ou en supplantant coûte que coûte le voisin, avec violence s'il le faut. Cela ne comble pas le vide ; le désespoir est toujours là, qui guette. Ils n'ont plus envie de rien changer parce qu'ils sont trop enfoncés pour se rendre compte de leur misère... Alors, forcément, les mots perdent leur sens. Autrefois, on voulait d'un soulier qu'il soit confortable, durable et, pourquoi pas, beau de surcroît. Aujourd'hui, il lui suffit d'être d'une marque à la mode ; ça le fera beau même s'il est laid ; désirable, même s'il fait mal aux pieds et s'il ne dure que quelques semaines. Tu comprends ce que je veux dire ? Le sens des choses s'est complètement renversé, et d'une manière irréversible. Le poète reste ainsi seul avec des mots vides, sans aucune emprise sur les choses. Un simple cruciverbiste ! Cela m'accable puisque j'ai justement épuisé le champ des mots croisés et que je m'attendais à ce que la poésie m'amène plus loin... Trop tard.

— Tu vis, pourtant, se risqua Boris. Et j'ai l'impression que tu n'es pas désespéré... Lorsque tu racontes tes histoires, par exemple, il y a quelque chose qui passe, non ?

— Je vis, bien sûr, comment faire autrement ? J'ai appris à me défendre par la force de l'habitude. Ça ne veut pas dire que je sois d'accord. Mais je vis de plus en plus solitaire, comme d'ailleurs tous ceux qui ont encore un brin d'esprit. L'être humain a une capacité d'adaptation infinie ! Ce qui m'effraie le plus, tu sais, c'est la perte d'humanité, le sentiment d'impuissance, le fait que je m'en fiche. Il m'arrive de me battre pour survivre, et aussi de tuer ceux qui m'assaillent. Les plus misérables... Je n'éprouve même plus de remords, figure-toi. Lorsqu'on en arrive à ce stade, comment s'inquiéter encore de la valeur des mots, comment faire pour ne pas se perdre dans la brutalité ? Je fais toujours des sambas, les gens m'invitent et me respectent, mais le feu ne brûle plus... Ce qui m'amuse, c'est de me promener en taxi, de défier la jungle comme si c'était un pur sport ; comme ces riches qui vont en Afrique pour avoir la sensation qu'ils sont vivants en tuant les bêtes féroces.

Ils roulaient maintenant à l'orée de Caxias, où Pindoca comptait se renseigner sur leur destination. C'était une ville de taudis et de ruelles encombrées de camions, de marchandises, avec des marchés anarchiques et une foule désoccupée déambulant parmi les décombres. Une foule énorme, dont le mouvement et les couleurs pouvaient donner une vague impression de labeur, mais qui pourtant n'allait nulle part, se bornant à tourner en rond dans l'attente d'une aumône, d'un coup quelconque ou d'une bricole d'occasion. Le trafic extrêmement dense dans les rues étroites permettait de distinguer le détail d'une misère aussi morale que physique sous la chaleur étouffante. Boris pensa aux descriptions des villes africaines que lui faisait son ami Dubbez et qu'il avait utilisées dans les lettres à son père. À part la variété des couleurs de peau et de types physiques, c'était tout à fait comme dans les faubourgs de Mombasa ou de Nairobi, peut-être plus sordide encore. Pourtant, ses lettres avaient fasciné Monica et Ricardo à cause de l'exotisme qu'elles véhiculaient. Serait-il qu'ils avaient désappris à voir et à mettre les choses en mots ?

— Je vais laisser l'auto dans ce garage, le temps d'aller prendre un café et de nous informer, indiqua Pindoca. C'est plus sûr. Dans la boîte à gants, il y a une arme pour toi. C'est petit, tu peux la mettre dans la poche de ta veste… T'en fais pas ; beaucoup de gens ici sont armés.

Boris prit le paquet enveloppé dans du papier journal et examina le revolver tout neuf. Taurus, calibre 38, canon court ; un vrai bijou.

— Joli, n'est-ce pas ? Simple précaution par les temps qui courent. Moi aussi, j'en porte un. C'est plus important pour un chauffeur que le permis de conduire, fit-il avec un sourire.

Le bar regorgeait de clients ; des chauffeurs d'autobus et de camion pour la plupart. C'était un endroit assez propre, spacieux et aéré par des ventilateurs au plafond. Les gens buvaient de la bière, ils prenaient leur petit déjeuner ou jouaient aux cartes ; d'autres restaient simplement assis à regarder le mouvement de la rue. Une bonne odeur de fritures flottait dans l'air. À cause des chemises ouvertes, Boris remarqua que plusieurs étaient en effet armés, et qu'ils ne cherchaient aucunement à le cacher. Malgré ça, ou grâce à ça, l'ambiance paraissait bien paisible. Une fois encore, la comparaison avec les bars des Blancs dans les villages africains frappa son imagination, d'autant plus que les passants évitaient soigneusement les lieux et que les clients semblaient appartenir à une confrérie sélecte. Des ivrognes dormaient sur le trottoir, mais les familles de mendiants se tenaient à une distance respectueuse, sans chercher à perturber la paix du bar.

Leur arrivée fut ainsi accueillie par des regards directs, dirigés en particulier sur Boris dont la stature ne passait jamais inaperçue. Une fois Pindoca reconnu par ses amis et les présentations faites, l'intérêt des autres clients disparut et l'atmosphère de nonchalance se réinstalla.

Leur destination éveilla une certaine curiosité chez quelques-uns qui paraissaient étonnés qu'on ait envie d'aller à Embarié.

— C'est une bourgade sans aucun intérêt, un simple trou, fit remarquer l'un des chauffeurs. La Taquara est une espèce de favela le long du chemin qui revient sur la grande route, en pleine brousse. Lorsqu'il pleut, c'est un marécage.

— Ah, le cimetière! s'exclama un autre. C'est un endroit très fréquenté ici, le seul lieu de rendez-vous de ces pauvres gens. Vous y allez pour visiter ou pour montrer le chemin à quelqu'un?

Une fois qu'ils furent assurés qu'il s'agissait bel et bien d'une simple visite funèbre, et que c'était le tombeau du père de Boris, le ton revint au sérieux, même un peu solennel. La mort d'un proche ou, mieux encore, une obligation envers un esprit avait le pouvoir de rendre les gens bien attentifs; d'autant plus que ce Boris avait l'air un peu étranger et qu'il n'avait pas vu son père depuis des années.

— Et le compagnon cherche quelqu'un en particulier? se risqua un autre chauffeur en croyant que Boris venait pour se venger.

— Non, c'est seulement pour aller voir la sépulture, pour lui rendre un dernier hommage, précisa Pindoca sans cependant le convaincre. Le vieux est mort depuis longtemps, seul... Mon ami veut aller à la Taquara pour remercier les gens qui se sont occupés de lui, des funérailles.

Un silence d'incrédulité et de respect accompagna les échanges discrets de regards, et l'on abandonna le sujet.

Les deux hommes finirent de prendre leur café et se préparaient à partir lorsqu'un des amis de Pindoca crut encore bon d'offrir de les accompagner, si jamais ils avaient besoin, pour donner un coup de main, car à trois c'était parfois mieux...

De retour au taxi, Pindoca parut devoir mettre bien au clair la situation :

— Sirigaito m'a dit que c'était seulement pour aller voir la sépulture... C'est bien ça ?

Boris le rassura en riant, étonné tout de même de ces changements dans les mœurs :

— Dis donc, c'est devenu pire que le Far West !

— La vie d'un homme ne vaut plus rien, Boris. Souvent, les gens vont consulter les morts dans l'unique but de savoir comment les venger. Surtout des types comme toi, qui viennent de loin avec des dettes à payer ou des besognes inachevées. C'est bien rare qu'on voit des gens retourner à ce merdier par pure nostalgie... Laisse-moi te dire une autre chose : les romantiques n'ont jamais ta carrure et ne contrôlent pas le barillet d'un revolver comme tu l'as fait tout à l'heure.

Ils reprirent l'autoroute qui traversait les marais salants du fond de la baie Guanabara. Les pluies et la chaleur avaient donné aux hautes herbes une couleur verte éblouissante. Boris pensa aux jeunes champs de seigle d'Allemagne ; aussitôt, le souvenir d'Olga, qui l'habitait depuis déjà plusieurs semaines, se fit sentir de nouveau, accompagné d'une tendresse chagrine. «Curieux contraste, pensa-t-il, entre cette chaleur suffocante et la brise de là-bas ; mais avec la même odeur iodée. Autrefois, cette senteur marine me transportait ici ;

maintenant, elle me renvoie à la mer Baltique... Olga, Clarissa, ce ne sont peut-être que des étoiles qui me servent à naviguer. Mais, le port; y a-t-il un port véritable, ou n'est-ce que l'ailleurs?»

Pindoca interrompit sa rêverie:

— Ton père, Boris, qu'est-ce qu'il faisait dans cette région? Le sais-tu?

— Pas vraiment. Il travaillait à l'usine de l'armée et nous habitions la région de Deodoro quand j'étais petit. Je crois qu'il a voulu se retirer à la campagne; peut-être qu'Embarié était encore la campagne dans les années soixante. En tout cas, c'est sûrement tout ce qu'il a pu s'offrir avec sa pension. Mais je n'en sais pas plus puisque j'étais déjà à l'étranger.

— Comment faisais-tu pour lui écrire? Il n'y a pas de courrier qui vient jusqu'ici.

— J'écrivais à son usine dans l'espoir qu'ils sachent comment le joindre. C'était un vieil ouvrier très respecté; et, en tant qu'étranger, les gens ne devaient pas être étonnés qu'il reçoive des lettres d'Europe. Je n'ai jamais écrit de choses personnelles, de toute façon. Seulement des récits de voyages, de jolies histoires que j'inventais pour le faire rêver et pour qu'il sache que j'étais toujours vivant. Au début, je m'arrangeais pour les faire poster depuis la Suisse; ensuite, par des amis en Allemagne.

— Pourquoi? Tu ne voulais pas qu'il sache ton adresse?

— Non. Je ne voulais surtout pas le compromettre dans l'usine en mêlant son nom au mien. Je suis parti d'ici un peu brouillé avec l'armée. Là où j'étais, en Allemagne démocratique, ils n'ont jamais eu de relations avec le Brésil. Avec Cuba, la Corée du Nord et le Vietnam, c'était le seul autre pays expressément interdit dans les passeports brésiliens. Ne me demande pas pourquoi. Pour faire plaisir aux Américains, sûrement.

— Est-ce que tu l'aimais, ton vieux?

— Je ne sais pas... J'étais attaché aux souvenirs que je gardais de lui. Lorsqu'on vit loin du pays, la mémoire nous joue de drôles de tours. Des choses sans importance ou des choses auxquelles on était jusqu'alors indifférent prennent des significations inattendues ; elles reviennent enrobées dans une sorte de vague à l'âme et on est pris au dépourvu, comme si on était devenu un petit enfant. J'avais beau cultiver certaines rages, m'efforcer de garder vivant un désir de vengeance, même de justice... En vain. Seule une solitude langoureuse faisait surface, proche du cafard, sans mobiliser les muscles pour le combat. Je me sentais sans défense contre cette sorte de sentiments. Tu vois, les souvenirs de ce pays me sont devenus tellement précieux durant l'exil, que je les ai embellis au point de créer un endroit idéal... C'était presque délirant.

— Ou de la poésie pure, ajouta Pindoca d'un air pensif.

Embarié avait l'allure d'un village détruit par une catastrophe. Les bâtiments abîmés par le temps étaient entourés de baraques en boue séchée, aux toits de chaume. Quelques habitants oisifs circulaient ici et là, l'air endormi, au bord de la route non pavée, malgré la matinée déjà avancée. La poussière laissée par les véhicules s'était déposée sur les maisons et sur les rares arbres de façon à égaliser les couleurs et peut-être à figer les habitants. Pas de commerces ni de centre-ville à proprement parler ; rien que de pauvres étals de fruits, d'herbes et d'articles pour la macumba. Surtout, pas de clients. Une vieille église solitaire en stuc craquelé contrastait avec plusieurs longues cabanes en forme de hangar, décorées de drapeaux et d'inscriptions, qui abritaient les cultes reformés aux noms bizarres : *Baptistes de la Rédemption, Pentecôtistes de la fin du monde* et, plus prosaïquement, *Les fans de la Bible, La vraie parole vraie* et *Les gardiens de but du Christ.* Leurs constructions inachevées, aux toits de tôle galvanisée et aux ouvertures de fenêtres recouvertes de sacs de jute, avaient le cachet d'un certain modernisme. Même les bars paraissaient vides de clients, comme si la population s'était enfuie à cause d'un tremblement de terre.

Le passage du taxi attira des regards endormis et aux bouches ouvertes, et fit se sauver quelques poules maigres ; mais les chiens hagards, accablés par la chaleur, n'aboyèrent pas. Pindoca avançait lentement pour bien s'orienter et il finit par demander de l'aide puisque les chemins parmi les masures n'étaient pas carrossables et que rien dans cette désolation ne ressemblait à un vrai cimetière. La femme interrogée se borna à indiquer la route d'un geste de la main.

Ils roulèrent encore plus d'un kilomètre après les dernières maisons avant d'apercevoir, en plein champ, des murs en ruine dont les trous étaient comblés par un semblant de clôture barbelée. Des croix et des tombeaux peints à la chaux s'effritaient paisiblement au soleil.

— Bon, voilà le cimetière, s'exclama Pindoca, soulagé. J'avais peur qu'il ne soit au centre du village. Ici, au moins, les morts sont tranquilles. Maintenant, la Taquara ne doit pas être loin.

— Curieux, fit Boris en regardant au loin. Ils s'entassent tous là-bas, les uns sur les autres, et leur cimetière est si bien placé, isolé au milieu des champs en friche...

— La peur des morts... C'est bien rare que les vivants aiment ce genre de compagnie. Surtout ici. T'as remarqué la quantité d'églises bibliques ? Ça aussi, c'est du nouveau au pays. Les Américains nous envoient tous leurs prédicateurs pour aider à combattre les idées subversives. Leur nombre ne cesse d'augmenter depuis le début de la dictature. Il y en a partout, même en Amazonie... Les pauvres adorent ça. Je trouve cette manière d'envahir bien plus indécente qu'une invasion militaire. Tu sais qu'ils ont des dizaines de stations de radio, et un émetteur de télévision aux Caraïbes qui atteint tout le continent ? Ce sont les pauvres qui payent ; les patrons de ces sectes trouvent encore le moyen d'enrichir leurs centrales aux États-Unis. Même la macumba, qui cède du terrain devant leur avance; les vrais curés, eux, ils n'ont aucune chance. La nuit, dans les bidonvilles et les banlieues, on entend leurs chants comme si c'était la fin du monde.

Après une vingtaine de minutes sur une route pleine de trous, une odeur pénétrante de purin au soleil suggéra qu'un bâtiment au loin pouvait être une porcherie. Cette apparition soudaine éveilla Pindoca d'une curieuse façon.

— Tiens, Boris! Si on s'achetait un porc et qu'on le ramenait à Rio? s'exclama-t-il.

— Un porc? Pourquoi un porc?

— Comme ça... D'abord, ce sera pas cher. Ensuite, tu vois, c'est de bon augure d'acheter un porc lorsqu'on va rendre visite à un défunt. Ça porte bonheur. Les gens disent que le mort se réjouit du fait qu'on lui offre à manger, et qu'il choisit lui-même le porc. C'est une marque de respect. Je suis sûr que ton vieux aimait manger du porc; tout le monde aime le porc. Ce sera une affaire de quelques minutes à peine, et le propriétaire pourra nous renseigner sur la Taquara, d'accord?

— Oui, fit Boris sans comprendre le rapport. Si tu veux... Mais, tu ne penses pas qu'il fait un peu trop chaud pour transporter de la viande?

— Pas de problème. Si un porc s'annonce de lui-même, c'est ton vieux qui l'aura choisi pour nous. Sinon, on laisse faire. Le cas échéant, et s'il y a un frigo, on reviendra le chercher après la visite, sur le chemin du retour.

Cette idée paraissait remplir le chauffeur de contentement, et il chantait une samba aux paroles ayant trait aux cochons lorsqu'il bifurqua sur le chemin de la porcherie.

Un Noir déjà vieux, très gros et aux mouvements lents, les accueillit au beau milieu d'un nuage de mouches et d'une puanteur saisissante. Pindoca lui exposa son projet ; le Noir parut aussitôt comprendre et acquiesça de sa voix aiguë en ajoutant qu'en effet, depuis l'aube, un des porcs s'était mis à s'agiter d'une manière inhabituelle comme s'il savait que son tour était arrivé.

— Voilà ! s'exclama le chauffeur en regardant Boris de manière significative. Tu vois bien que j'avais raison...

L'enclos contenait une douzaine de porcs pataugeant dans une boue noirâtre. Le porc en question, à la peau tachetée, parut à Boris tout à fait comme les autres même si le propriétaire s'évertuait à voir là un comportement insolite. En moins de deux, Pindoca remarqua à son tour que ce porc avait en effet tendance à détourner son regard, comme s'il cherchait à passer inaperçu ou même à changer de sujet.

— Regarde-le, Boris, sans qu'il s'en rende compte. Fais comme si tu ne le voyais pas... Là, tu vois, c'est comme s'il voulait siffler pour nous faire accroire que cela ne le concerne pas, qu'il n'est pas nerveux... Tu vois comme il fait semblant, ce porc ? Il sait très bien que c'est lui qu'on vient chercher. Le salaud, regarde la façon qu'il a de s'esquiver, de pousser les autres en avant, de jouer à se cacher, ni vu ni connu... Je suis persuadé que ton vieux va goûter de la viande fraîche tout à l'heure ; avec cette cachaça étrangère que tu lui apportes, ça va être un festin. Il doit se lécher les babines, ton vieux.

— C'est un bel animal, déclara le Noir. L'homme qui l'a choisi devait sûrement avoir un sacré caractère. Ce porc a toujours cherché à s'enfuir, depuis qu'il est petit ; il n'aime pas être enfermé.

Pindoca fit un clin d'œil à Boris et approuva aussitôt le choix. Ils se mirent d'accord sur le prix de l'animal et du travail de dépeçage. Ce n'était en effet pas cher pour une telle quantité de viande. Un acompte fut donné ; ils payeraient le restant plus tard, au retour. Le Noir leur assura que son frigo au kérosène serait capable de refroidir la carcasse en quelques heures, suffisamment pour qu'elle supporte le voyage.

— Veux-tu le tuer ? suggéra Pindoca. Ton vieux serait sans doute fier de toi.

Boris refusa en prétextant que le Noir ferait un meilleur travail.

Deux autres employés, en plus d'une vieille femme, vinrent aider le Noir à attraper l'animal ; même à plusieurs, ce ne fut pas une tâche facile. « Là, pensa Boris, le porc se rend bien compte qu'on en veut à sa peau. » Le combat de la bête et la façon de s'esquiver, au contraire, renforçaient la décision de Pindoca et celui-ci se réjouissait déjà des rôtis et des côtelettes qu'il mangerait les jours suivants.

— Tu peux pas savoir, Boris. En ville, ce serait impossible de trouver un porc pareil. Il doit peser dans les cent kilos ! Vois-tu, un porc choisi par un esprit, c'est sûr qu'il est sain… Les esprits n'aiment pas la vermine parce qu'ils l'ont connue de près. Regarde-moi cette beauté !

Une fois l'animal attaché, le Noir le bénit en l'aspergeant de cachaça et en récitant des formules rituelles. Après avoir fait un signe de croix, il lui enfonça une longue lame sous l'aisselle gauche en faisant tournoyer la main pour bien réussir la saignée. Ensuite, à l'aide d'une massue, il fracassa l'arrière du crâne de la bête pour faire cesser ses gémissements de nourrisson.

La scène dérangea passablement Boris à cause de certains souvenirs précis qu'elle raviva dans son esprit, mais il réussit à ne pas le montrer.

La Taquara se trouvait tout près de la porcherie. Il ne restait aucun vestige de l'ancienne ferme lotie puisque les cabanes s'agglutinaient les unes contre les autres dans une sorte d'amas compact. Les rues étaient aussi envahies de bicoques ; parfois, de simples branches posées en forme de tentes et recouvertes de paille ou de palmes tenaient lieu de logis. Les foyers à ciel ouvert crachant une fumée blanchâtre et la nuée d'enfants cachectiques donnaient à l'endroit une étrange apparence de vie. Les gros arbres de la végétation originale avaient été réduits à de simples troncs qui pourrissaient debout parmi les buissons de manioc et la vase du marais. Ici et là, d'énormes fourneaux de terre empilée en forme de cône, servant à la fabrication du charbon de bois, laissaient échapper une fumée jaunâtre et malodorante. Les essaims de mouches grasses, aux teintes métalliques, dominaient l'atmosphère et s'acharnaient sur les innombrables tas d'excréments qui tachetaient chaque coin de terrain inoccupé. Les habitants, plus apathiques encore que ceux d'Embarié, vivaient dans un état de semi-nudité, comme une vaste tribu.

— Dis donc, Boris, balbutia Pindoca, ce n'est pas possible que ton père ait vécu ici, bordel !

— Je ne sais pas… je me demande si nous sommes au bon endroit. Cette amie, Monica, elle m'a dit qu'il avait autrefois une jolie petite maison entourée d'orangers… Elle m'a bien averti que l'endroit avait changé après sa mort… C'est pire qu'une favela, mon Dieu. Il paraît que ces gens ont occupé le lotissement et qu'ils ont fait fuir les habitants…

— Oui, fit Pindoca sans quitter des yeux le chemin qui menaçait à chaque instant d'engloutir le taxi. Peut-être que les petits propriétaires ne pouvaient pas se défendre contre leur invasion… Les terrains en friche qu'on a vus tout à l'heure appartiennent sûrement à de grandes compagnies ou à des gens puissants. Ces gens-là, ils font exterminer les squatters sur leurs terres, à la mitraillette… Les gens de ces petits lots étaient sûrement divisés, ils n'ont pas su se faire respecter. Ou ils ont laissé les premiers venus s'installer, par pitié, puisqu'ils ne venaient que pendant les vacances… Lorsqu'ils s'en sont rendu compte, le mal était fait. Ces terres-là ne valent plus un sou. Que veux-tu faire de tous ces misérables ? On ne peut pas les tuer, tous d'un seul coup… T'as remarqué comment les terrains étaient déboisés depuis Embarié? Voilà, du charbon de bois. Ils survivent comme des fourmis.

Ils longèrent plusieurs véritables maisons en brique, piètres témoins ravagés de l'ancien lotissement. Elles tombaient maintenant en ruine; des toits en tuile s'échappait la fumée de foyers improvisés, et les fenêtres béantes ne conservaient que des traces des anciennes vitres. Entourés de huttes, ces bâtiments ressemblaient à des carcasses de bêtes assaillies par la vermine, évidés et infestés. Tout à fait comme le ravage des fourmis, sans cependant l'activité laborieuse des insectes.

Julieta habitait une de ces ruines. Suivant le plan dessiné par Monica, Boris et Pindoca finirent par trouver l'endroit. Plus de trace de la clôture en poteaux de granit ni des orangers. Seule l'ancienne pergola était encore debout; celle-ci, recouverte désormais de paille et de tôles de zinc, était devenue une masure parmi les autres avec un cachet surnaturel de colonnes et de bancs en pierre. Sur les pylônes d'un château d'eau effondré, ils pouvaient distinguer une cabane en bois en équilibre précaire, où picoraient des poules. Une partie du terrain était recouverte d'eau stagnante en provenance d'anciens égouts à ciel ouvert; des enfants pataugeaient non sans allégresse dans cette mare dont la surface était recouverte d'algues d'un vert laitue magnifique. Les restes du portail écroulé supportaient encore un bougainvillier touffu qui s'entêtait opiniâtrement à fleurir.

Leur arrivée eut l'effet de réveiller tout le voisinage. Les enfants coururent avertir Julieta, qui les accueillit avec le sourire, en compagnie d'autres personnes. La vieille femme, maigre mais encore vive, semblait avoir un certain ascendant sur les autres, et cette visite impromptue accentuait passablement son importance. Elle reconnut Boris et, curieusement, aussi Pindoca, que pourtant elle n'avait jamais rencontré. Mais elle s'adressait au chauffeur en l'appelant Nivaldo, ce qui ne le dérangeait aucunement.

— Bario, mon petit, tu t'es souvenu de la vieille Julieta ! s'exclama-t-elle en l'embrassant selon le rite de la macumba, avec des coups d'épaule et des crachats par terre. Quelle bonne chose que tu sois revenu ! Et en compagnie du chauffeur Nivaldo ! On pourra encore se promener en auto. Mon Dieu, ça faisait si longtemps que tu ne venais plus avec ton taxi, Nivaldo. Demetrio, ton père, tu te souviens, Bario, il se promenait toujours avec Nivaldo quand il allait à Caxias... Dis, Nivaldo, t'as vraiment pas changé, t'as l'air d'un jeune homme ! Mais, venez, entrez, ne restons pas au soleil.

La maisonnette s'écroulait sous le poids des tuiles que les traverses pourries ne supportaient qu'à moitié. Une puanteur indescriptible y régnait. Julieta ordonna que l'on déplaçât les planches tenant lieu de volets pour faire entrer la lumière. Des nattes posées un peu partout, à même les pierres du sol, servaient de couche à une foule de gens, la plupart encore endormis. Au centre de ce qui avait autrefois été une cuisine, trônait maintenant la carcasse d'un frigidaire habilement trouée pour servir de foyer. Un tuyau en tôle accroché à une fenêtre tenait lieu de cheminée. Du manioc cuisait sur les braises avec un pétillement de brindilles en illuminant de ses éclats les fétiches pendus aux murs.

Pindoca eut un grand succès lorsqu'il offrit à Julieta le sac en jute contenant les entrailles et une partie du cuir du porc.

— Merci, Nivaldo, t'es toujours aussi gentil. Dommage que Demetrio ne soit pas parmi nous. Tu te souviens comme il raffolait de la viande de porc ? On va s'en occuper immédiatement. Si c'est un porc choisi par Demetrio lui-même, la viande est certainement sacrée.

Plusieurs des personnes présentes se signèrent à leur tour, et le feu fut ravivé avec des blocs de charbon, en préparation de la fête.

Boris et Pindoca durent déployer beaucoup d'efforts pour réussir à partir sans participer au repas ni prendre du café. Ils promirent de boire au cimetière pendant que Julieta et les autres mangeraient les bas morceaux grillés, que ce serait mieux ainsi, comme une double commémoration en hommage au vieux. Pindoca mentionna, à leur décharge, qu'il leur fallait partir au cimetière sans tarder, sinon le sang du porc qu'ils transportaient dans une bouteille de bière caillerait et ne pourrait plus imbiber convenablement la terre de la sépulture. Ce dernier argument parut convaincre même Julieta, qui se lamentait amèrement du fait que Boris n'était pas revenu pour vivre avec eux.

— C'est dommage, Bario, que tu t'en ailles si vite. J'ai promis à Demetrio de t'héberger dès que tu serais de retour. Ici, c'est aussi chez toi, ne l'oublie pas. Ce n'est pas aussi beau que du temps de ton père, avec tous ces gens ici. Mais, que veux-tu ? Je suis vieille, et les gens de ma famille sont venus pour m'aider…

— Je sais bien, Julieta, répondit Boris. Mais je suis venu expressément pour rendre visite au vieux. Je resterai lors d'un prochain voyage, d'accord ? Aujourd'hui, c'est seulement pour t'apporter de la viande et de l'argent ; et puis, pour que tu me dises où il est enterré.

— Merci beaucoup, fit-elle, étonnée à la vue du rouleau de billets qu'il lui tendait. Merci, ça va nous aider… Comme tu vois, la parentèle est nombreuse. Les besoins sont si grands depuis que Demetrio est parti. Il nous a quittés d'une façon si inattendue… Merci à toi aussi, Nivaldo, de penser encore à nous. Le vieux va être bien content de votre visite, vous verrez. La sépulture est au fond du cimetière, à l'orée des champs. C'est le coin des suicidés, séparé des autres ; mais le curé l'a béni comme il faut, vous pouvez me croire. Après que ta fiancée a acheté la pierre et la croix, j'ai peint moi-même le nom de ton père, en lettres rouges. Tu ne peux pas te tromper.

Au moment de partir, Boris se souvint de lui demander s'il ne restait pas quelque chose appartenant à son père, des lettres, n'importe quoi.

— Mais bien sûr, Bario, j'allais oublier. J'ai promis à ton père de te donner sa boîte avec ses choses. Heureusement que tu t'en es souvenu. Tu sais, Demetrio vient encore hanter la maison dans la nuit du vendredi, pour réclamer sa boîte. Ça va enfin nous délivrer... Il mène un train d'enfer qui nous empêche parfois de dormir. Nous avons même pensé aller enterrer la sacrée boîte dans sa sépulture, tant il fait de menaces. J'attendais pour la donner à ta fiancée, mais elle n'est plus revenue...

Sous l'ordre de Julieta, un des enfants entra dans la chambre et revint en tenant une boîte noire à bout de bras, comme s'il s'agissait d'un objet sacré, dangereux.

C'était un coffre en bois, grand, mais visiblement pas très lourd, à la serrure défoncée et au couvercle tordu par l'humidité, attaché avec une ficelle.

— Tu verras, Bario, le vieux n'a pas laissé grand-chose... Il était pauvre. Et il avait donné tous ses outils de travail à d'anciens camarades qui venaient lui rendre visite. Les vêtements, tu vois, on s'en est servis, pour pas gaspiller. La corde, c'est bien dommage, mais la police n'a pas voulu la rendre. Ça valait beaucoup d'argent.

— La corde ?

— Oui, la corde avec laquelle il s'est pendu... Il était malade et il ne voyait plus. Si tranquille, cherchant toujours à ne déranger personne, il est allé se pendre à un arbre. C'était un vendredi de pleine lune. Il ne souffrait pas ; en tout cas, il ne se plaignait jamais. On voyait pourtant que son heure approchait, par l'odeur qu'il dégageait. On sent ces choses... J'aurais bien voulu conserver la corde ; tu sais combien cela porte chance. C'est bon pour appeler les morts. Dommage que je n'aie même pas un petit bout pour t'en donner. Les policiers l'ont sûrement vendue... L'arbre, je ne me souviens plus ; c'était quelque part par là, avant que les gens viennent construire...

Boris la rassura en disant qu'il se contentait de la boîte. Il était heureux de la voir entourée ainsi de sa nombreuse famille, ajouta-t-il, car c'était bon de savoir que la maison servait toujours. Il promit de revenir et d'apporter encore de l'argent. Julieta pouvait dormir tranquille, il dirait à son père de ne plus venir hanter la maison. Pindoca leur assura à tous qu'ils pouvaient toujours faire venir d'autres membres de la famille, que plus on était nombreux mieux c'était pour fêter et pour changer de femme la nuit.

Ces paroles drôles apaisèrent tout le monde et les deux hommes purent enfin partir, soulagés à l'idée de se retrouver loin de cet enfer.

Une fois en chemin, Pindoca ne put résister :

— Excuse-moi, Boris... Cette Julieta, c'était la copine de ton vieux ?

— Eh oui ! Je ne le savais pas. Le plus bizarre, Pindoca, tu ne me croiras pas, mais elle était très jolie autrefois. C'était notre voisine quand j'étais petit. Ma mère était morte, et je vivais seul avec le vieux. Elle, de son côté, avait expulsé son mari de la maison, et vivait aussi seule. Elle tentait toujours de venir fouiner chez nous, sous toutes sortes de prétextes, mais mon père la tenait à distance. Je me souviens qu'il semblait ne pas pouvoir la supporter ; mais, au contraire, tu vois...

— Mine de rien, ton vieux se la farcissait, en toute discrétion... C'est tout de même drôle, la vie !

Il fut en effet facile de trouver la sépulture au fond du cimetière puisque c'était la seule qui portait des traces d'une peinture rouge se décollant par morceaux. L'inscription était pourtant encore lisible : *Demetrio Nicto, père de Borio, mort en 1983.*

— C'est bien ton père ? demanda Pindoca, incrédule.

— Sans aucun doute, répondit Boris. Le pauvre, les gens n'ont jamais été capables de dire correctement son vrai nom. Le mien non plus, tu vois ? Je suis devenu Borio à cause de la façon dont il prononçait le diminutif russe de Boris. C'est comme ça, Pindoca. Lorsqu'on change de pays, la première chose qu'on perd, c'est son vrai nom. Ça ne fait rien. Tu vois qu'ils l'ont quand même enterré comme il faut.

Ils s'assirent sur la dalle de ciment déjà effritée, au milieu des hautes herbes. Les autres sépultures s'étaient enfoncées dans la terre, quelques-unes complètement disparues ou éventrées par le temps. Dans cet endroit isolé, totalement désert, régnait une grande tranquillité. Aucune tombe ne portait de trace de visite récente.

Pindoca proposa un toast. Boris ouvrit la bouteille de vodka et ils burent à la santé du mort. Le chauffeur versa ensuite une large rasade autour du socle et y ajouta le sang du porc qu'il avait apporté pour l'occasion. Ils mangèrent ensuite quelques-unes des choses que la femme de Sirigaito avait préparées, avec des harengs salés, en arrosant le tout de bière chaude.

Le soleil du début de l'après-midi était d'une force terrible, il faisait extrêmement chaud, mais les deux hommes souriaient, contents, sans savoir au juste pourquoi.

— Et ta mère ? demanda Pindoca.

— Ma mère, je ne l'ai pas connue. Elle n'a pas compté dans ma vie. Le vieux n'en parlait jamais…

— Il est pas mal ici, ton vieux, finit par dire Pindoca en regardant le paysage. Personne viendra le déranger… Tu ne trouves pas ? J'ai eu peur pour ton père lorsque j'ai vu Embarié ; quand l'idée m'est venue d'acheter un porc, j'ai cru que c'était lui-même qui me demandait de l'aide pour sortir d'ici. Chez la vieille, tout à l'heure, j'y ai encore pensé, et j'allais te proposer qu'on déterre ses os pour le ramener à Rio dans le coffre de l'auto. Plus maintenant… Peut-être qu'il voulait seulement te voir, et que, dans le fond, il est bien ici. Qu'en penses-tu ? Ou que, en te voyant passer sur la route, il s'est dit qu'il mangerait bien un peu de sang de porc pour aller avec ta vodka, non ?

— Je ne sais pas… Je trouve aussi que c'est un bel endroit, paisible. Sa sépulture va finir par disparaître comme les autres… Dis, Pindoca, tu crois vraiment à ces choses sur les morts ?

— Quelles choses ?

— Ces histoires de choisir le porc, d'appeler les gens la nuit… Pour moi, ça n'a pas de sens.

— Qu'est-ce qu'on doit croire au juste ? demanda le chauffeur après avoir réfléchi longuement en regardant les sépultures. Moi non plus, je n'en sais rien. Si tu poses la question d'une manière si abrupte, et que ça m'oblige à penser, ma réponse sera non. Je n'arrive pas à envisager ma mort autrement que comme la fin. Mais souvent je me laisse aller aux habitudes des gens, aux croyances ; je trouve que ces mœurs sont jolies… Qu'enfin, c'est bien d'être venu ici avec toi, aujourd'hui. Et, tant qu'à venir regarder cette dalle de ciment, autant qu'on se fasse un peu d'histoire, et qu'on mette aussi ton vieux dans le coup, avec des désirs comme les nôtres. Ça le rend un peu vivant, ça nous fait de la compagnie et notre visite a l'air moins idiote… Et puis, on n'en sait rien, Boris, personne n'est jamais revenu de l'autre côté, n'est-ce pas ? Ce porc me donnait la nette impression de vouloir se cacher de nos regards. Pourquoi ce ne serait pas vrai ? J'arrive alors à le croire. Je t'assure, s'il s'agissait d'un mort un peu plus jeune, j'irais moi-même à Embarié chercher une petite pute mignonne pour qu'elle vienne pisser sur la sépulture.

— Comment ça, pisser ? s'étonna Boris.

— Mais oui, j'en ai déjà vu en d'autres occasions, et je peux te dire que c'est vraiment joli. Tu lui sers à boire, deux ou trois bières, puis tu l'amènes. Arrivée ici, elle baise la dalle et se met toute nue, pour que le mort se rince l'œil avec un morceau de chair fraîche. On boit encore une bière, et on attend qu'elle se torde les cuisses d'envie. Lorsqu'elle n'en peut plus, elle s'assoit sur la sépulture en arquant les reins pour un meilleur contact, le petit con et le petit cul collés contre la pierre… Tu vois la scène ? Il fait chaud, elle se concentre, les yeux fermés, la tête vers le haut, toute paisible... Soudain, tu aperçois un début de sourire sur son visage, même sa langue, et tu entends le chuintement de la pisse comme une source bienfaisante pour abreuver le mort, le faire tâter à la vie... Parfois c'est si bon que la petite pétouille de plaisir ; et alors, s'il y a vraiment un silence religieux, certaines personnes disent être capables d'entendre un bruit sourd contre les planches pourries du cercueil. Des érections qui viennent de l'au-delà, ni plus ni moins... Est-ce vrai ou n'est-ce que de la superstition ? En tout cas, c'est incontestablement très respectueux pour le mort, voilà. C'est mieux que des prières ou des messes qui n'améliorent en rien sa condition. Tu vois ce que je veux dire ? Lorsqu'on lui rend hommage de si belle façon, c'est certain qu'on l'aimait sans hypocrisie de son vivant. C'est une manière de le garder vivant ; en tout cas, un peu vivant, en contact avec les bonnes choses de ce monde... Je ne sais rien sur les morts ; mais si j'étais mort, je préférerais avoir la fraîcheur d'un cul mouillé de fille plutôt que d'être aspergé d'eau bénite, pas toi ?

Ils continuèrent à boire et à manger en silence, chacun perdu dans ses pensées, cogitant certainement sur la vie et la mort, la bêtise des choses et du temps qui passe. Le reste de la vodka, des harengs et des provisions fut répandu autour de la tombe pour le profit du vieux Dmitri. Pindoca rapporta de l'auto une calebasse fermée, que Maria de Lourdes avait fait bénir dans la macumba et qui devait être déposée sur la dalle.

— Un simple hommage de Sirigaito et de sa femme, expliqua Pindoca, rien de très surnaturel. Maintenant, une pincée de tabac, dit-il en allumant un cigare pour que le défunt pût fumer en leur compagnie. Rien ne vaut un peu de tabac après un bon repas... À propos, il était fumeur, ton vieux ? Bon, voilà. S'il n'aimait pas le tabac, tu sais, il y a toujours moyen d'échanger avec un copain... La mort est une espèce de prison, et les morts doivent s'échanger les rares cadeaux qu'ils reçoivent des vivants. Comme en tôle, tout à fait. Sauf qu'il y a des hommes et des femmes ensemble, ce qui est plus sain. Ça doit même se sauter pas mal, les morts, car ils n'ont plus nos préjugés. Même les anges, je t'assure ; avec tous les pervers qu'il y a maintenant, les anges doivent être maniérés à force de se faire enculer.

Activées par l'alcool, les idées en volutes et les fantaisies de Pindoca se mirent à fuser. Bientôt, les deux hommes riaient des histoires drôles que le chauffeur connaissait par dizaines. Il s'adressa ensuite avec beaucoup de familiarité au père de Boris, lui décrivant l'état merdique de son ancienne maison et le congratulant de son départ bien calculé avant l'arrivée de la vermine. Boris interrogea à son tour le mort sur ses rapports avec Julieta et taquina le vieux à propos de la ruse dont il avait fait preuve en gardant secrète sa relation avec la voisine. Il lui parla de ses lettres et il eut l'impression qu'ils riaient ensemble de tous les clins d'œil aux romans d'autrefois qu'il y avait mis pour s'amuser. Il lui raconta ensuite des choses tristes, surtout son désarroi devant ce pays où il se sentait toujours étranger.

L'après-midi passa ainsi agréablement pour les trois hommes, même si le soleil ne projetait que deux ombres. Au moment du départ, Boris avait le cœur léger et il ressentait une intimité nouvelle avec ce père jusqu'alors si distant. Ils ne se dirent pas adieu car, au lieu des os, le fils emmenait désormais l'esprit du vieux avec lui. Ils voyageraient ensemble, sans plus devoir s'écrire, et ils boiraient ensemble, partout, loin de cette plaine maudite et de ce soleil accablant.

Le soir, seul dans sa chambre d'hôtel, Boris se décida enfin à ouvrir la boîte laissée par son père. Il avait hésité longuement, se contentant de boire, de fumer et de laisser son imagination survoler cette journée magique. Il s'était même demandé s'il devait l'ouvrir, cette boîte qui contenait peut-être des traces d'un passé qu'il venait justement de transformer à son avantage en décidant, assis sur la sépulture, que désormais le vieux le suivrait partout comme un copain de chaque heure. La boîte ficelée et muette l'attirait cependant comme une réponse longtemps attendue.

Elle était à moitié vide et son contenu lui parut des plus hétéroclites. Il se réjouit d'abord d'y retrouver ses lettres bien ficelées. Il y avait aussi une vieille Bible en allemand et un dictionnaire portugais-allemand édité au Portugal. Boris examina ensuite avec émotion le passeport Nansen de son père, émis par le gouvernement brésilien, mais de couleur jaune, avec la mention de la Convention des réfugiés de la Croix-Rouge et de la Société des Nations, et le tampon agressif : *APATRIDE*. La page suivante contenait la photo brunie et presque effacée d'un jeune homme blond aux yeux étonnés, qui ressemblait étrangement à Boris : *Dmitri Waldemarich Nikto, né à Salacgriva, Livonie germanique, le 28 février 1900. Parents originaires de Vyborg, en Carélie, actuellement zone de guerre occupée par le gouvernement finnois. Métier : mécanicien-ajusteur. Accepté comme réfugié à Genève, le 10 janvier 1937.* Sa carte d'identité, agrafée à la couverture du passeport, n'était qu'une masse informe et ne révélerait plus jamais rien. De vieilles photos décolorées par le temps et l'humidité ne montraient que des silhouettes vagues, spectrales. Deux dentiers ébréchés. Une pipe très usée, à l'embout mordu, sûrement par les mêmes dentiers, ainsi qu'un briquet d'ancien modèle, en laiton, entièrement recouvert par le vert-de-gris. Une paire de lunettes de lecture en acier, dont l'un des verres était cassé. Une vieille plume encrassée d'encre séchée, un bout de crayon rouge et un vieux carnet de notes, corrodé et illisible. Enveloppés dans un papier huilé, Boris découvrit son ancien jeu d'échecs en acier, complètement rouillé, ainsi qu'un objet vert-de-grisé et oxydé qu'il reconnut aussitôt comme étant la machine à vapeur miniature qui l'avait tant fasciné dans son enfance. Enfin, tout au fond, plié en deux et sans ses couvertures, le vieil atlas ayant servi de guide à ses propres voyages imaginaires.

Boris se versa un nouveau verre. Il se perdit alors dans la contemplation de ces objets étalés sur le lit comme un message chiffré, définitivement tronqué, dont il ne trouverait jamais le sens original. Le vieux n'avait pas reçu ses dernières lettres ; parmi celles qui restaient, deux n'étaient pas de la main de Boris. Celles-ci, datées d'avant sa propre naissance, étaient écrites dans une écriture ancienne et avaient tant pâli qu'il était impossible de les comprendre. Enfin, une enveloppe sans destinataire contenait un simple billet écrit par son père, sans date et en langue allemande :

*Cher Boris, j'espère que tu liras cette lettre et que tu es en bonne santé. Je n'ai pas eu la chance de t'attendre. Ne me juge pas. La souffrance était grande, mes yeux me lâchaient et il ne faisait plus bon me réveiller le matin. Julieta m'a promis de te donner une boîte avec mes choses et ces lettres. C'est tout ce que je peux te laisser. Je veux te dire que ma vie a été bonne et que tes voyages m'ont ravi le cœur. Merci d'avoir pensé à moi avec tant d'amour, mon fils. Il est bon de te savoir loin d'ici. Au contraire de ce que je te disais autrefois, le psaume 90 n'a pas raison. Continue tes voyages sans t'arrêter et garde un bon souvenir de ton père, Dmitri.*

## 21

Boris fit d'étranges rencontres dans les jours qui suivirent la visite au cimetière. D'autant plus étranges qu'il se sentait désormais libéré de ses attaches au pays et de ses scrupules envers les gens.

Ce sentiment nouveau de légèreté était-il la conséquence du billet de son père? Ou était-ce l'impact de l'énigmatique contenu de la boîte noire, vraisemblablement maintes fois pillée de tout ce qu'elle avait renfermé ayant une quelconque valeur? Boris avait pris l'habitude d'étaler ces objets hétéroclites pour méditer sur le sens de ce qu'il avait postulé être un message laissé par son père. Tel un protolinguiste devant une inscription inconnue et tronquée, il se penchait sur le mystère de ces signes qui résumaient toute une longue vie. Il s'efforçait justement d'imaginer les objets absents de la boîte, ceux qui avaient éveillé la convoitise des autres gens. En effet, se disait-il, le contenu était trop mince pour un si vaste contenant; la serrure et le couvercle défoncés, la ficelle, tout cela ne cadrait pas avec la méticulosité de son père. Passé le premier moment de déception devant la pauvreté de ces vestiges, il en avait conclu que le contenu ne pouvait être que fragmentaire. C'était l'hypothèse la plus plausible compte tenu des indices, mais aussi de la misère qui régnait chez Julieta. L'histoire du fantôme qui hantait la maison pour ravoir sa boîte suggérait aussi un brin de culpabilité chez la pauvre femme.

Dmitri pouvait tout simplement avoir été sénile. Cette piste était cependant en contradiction avec son billet, avec les derniers itinéraires de voyages bien indiqués sur l'atlas, et enfin avec le suicide. La perte de la mémoire, se disait Boris, s'accompagne en effet rarement d'un souci de respect personnel et de conscience de soi qui conduit à ce geste. Était-il désespéré ? Il l'aurait alors laissé transparaître dans son billet...

Boris chercha le psaume 90 dans la Bible luthérienne qu'il connaissait par ailleurs très bien, et trouva le verset 10, le préféré de son père, souligné de rouge et avec un point d'interrogation sur la marge : *Notre vie dure soixante-dix ans, et lorsqu'elle est longue, quatre-vingts ans ; et lorsqu'elle a eu de la valeur, elle n'a été que souffrance et travail.*

Souffrance et travail pourraient bien définir la vie de son père, pensa-t-il. Pourquoi alors, au moment d'affronter son dieu, avait-il décidé de critiquer cette définition de l'existence qui l'avait aidé tout au long de sa vie ? Le suicide n'est pas si grave dans la religion réformée et, de toute façon, Dmitri n'avait jamais été très religieux. Il citait le psaume pour se justifier, voilà tout. Boris était porté à y voir plutôt un bilan de sagesse et un aveu selon lequel, dans le fond, les voyages l'avaient plus diverti que sa vie d'efforts. D'ailleurs, non seulement il paraissait se divertir aussi en travaillant, mais il avait toujours encouragé les vagabondages de son fils.

Le seul autre passage souligné dans la Bible avait renforcé cette conviction chez Boris. Feuilletant au hasard les pages, il y découvrit, à son grand étonnement, que les versets 15 et 16 du chapitre 3 de l'Apocalypse de Jean étaient aussi soulignés en rouge, mais marqués d'un point d'exclamation : *Je connais ta valeur, que tu n'es ni froid ni chaud. Ah, si tu étais froid ou chaud ! Parce que tu es tiède, ni froid ni chaud, je te cracherai de ma bouche.*

La suite de ce chapitre parlait de l'aveuglement moral qui consiste à s'attacher à la sécurité matérielle et à la routine des choses. Sûrement que son père avait souligné ce passage pour lui-même puisqu'il n'en avait pas fait mention dans son billet. Les deux marques devaient d'ailleurs avoir le même sens que celui qu'elles ont dans les livres d'échecs, pensa Boris en se souvenant que Dmitri avait l'habitude de se divertir avec des problèmes d'échecs.

En étudiant attentivement le texte, Boris trouva encore deux autres points d'exclamation au chapitre 2, où il était question de l'abandon de ses premiers amours et de ses conduites de jeunesse au profit du travail et de la patience. Voilà bien le sens des réflexions du père à la fin de ses jours ; voilà pourquoi il encourageait son fils à poursuivre ses voyages. Aucun doute là-dessus, conclut Boris en constatant, après de nombreux examens, qu'il s'agissait des seuls passages mis en relief par le même bout de crayon rouge, celui qui subsistait dans la boîte.

Une fois le sens du message compris, les objets gagnaient une signification univoque. Peut-être que certains d'entre eux avaient été subtilisés à cause de leur valeur matérielle ; mais leur absence même renforçait le caractère de ce que l'ensemble voulait transmettre. En effet, remarqua Boris, le vieux avait pris soin d'y inclure aussi des objets dont la totale absence de valeur témoignerait de ce sens premier de détachement envers les choses. Dmitri savait sûrement que sa boîte serait pillée ; l'absence de choses importantes constituait déjà une leçon suffisante. Le jouet et le jeu d'échecs parlaient d'eux-mêmes, tout comme les photos effacées. Les dentiers pour mordre la pipe, le sens du large et l'âme d'enfant! En guise de patrie, un passeport Nansen qui assurait qu'il était citoyen du monde. Et d'anciennes lettres d'amour pour marquer la nostalgie.

Était-ce vraiment ce sens-là, ou Boris avait-il une fois encore fabulé pour justifier ses propres sentiments? Cette question n'avait en fait plus d'importance depuis la visite au cimetière. Désormais, seules comptaient les bonnes justifications. Car, se dit-il, le bougainvillier pourrirait avant que la dalle de ciment ne s'enfonçât comme celles des autres sépultures; ses fleurs rouges n'avaient été qu'un dernier clin d'œil du vieux Dmitri, ou peut-être étaient-elles l'objet de valeur qui manquait dans la boîte noire.

Durant ces journées de réflexion, Boris s'était amusé à se promener dans la ville pour bien fixer dans sa mémoire tous les changements survenus. Il ne s'encombrait plus avec le regret ou la nostalgie de son temps de jeunesse, mais cherchait plutôt à comparer et à s'orienter à nouveau dans le réel tel qu'il était. L'idée de la survie et du risque paraissait le préoccuper d'une façon nouvelle depuis qu'il avait appris à bien s'orienter et à passer inaperçu. Pindoca avait insisté pour lui vendre le revolver; armé, Boris se sentait plus à l'aise quand il visitait certains lieux plus dangereux. La ville gagnait ainsi en surface; et s'il revenait chaque fois déçu de ces excursions, il pouvait quand même dire qu'il avait arpenté les lieux de son enfance.

Deux ou trois sorties dans des favelas en compagnie de Sirigaito et de Pindoca, pour assister à des entraînements d'écoles de samba, lui avaient laissé la nette impression que le peuple tout entier vivait dans la terreur; et les victimes étaient toujours les plus démunis. Les clochards et les enfants abandonnés, en particulier, faisaient l'objet d'une assiduité constante de la part de la police et des gangs de rue. Juarez, le journaliste, l'avait invité à accompagner le photographe de son journal dans les rondes nocturnes pour que Boris pût se faire une idée plus concrète de ce dont ils parlaient. Durant deux nuits consécutives à bord de la camionnette du journal, il avait vu plus d'une douzaine de *jambons* criblés de balles, parfois en groupes et attachés par des menottes. Lorsqu'il s'agissait de bagarres ou de querelles conjugales, les belligérants fuyaient, terrorisés, dès l'arrivée de la police, et les victimes pouvaient recevoir des raclées au gourdin de la part des forces de l'ordre uniquement parce qu'elles n'avaient pas su disparaître à temps.

Le va-et-vient dans les commissariats de police des banlieues les plus chaudes avait des allures de véritable carnaval. Les putes et les travestis s'empilaient dans les salles d'attente ; les flics choisissaient les plus beaux, à qui ils offraient leur protection, et les autres étaient sommés de disparaître pour ne pas finir comme *jambons*. Tous ces gens devaient cependant payer pour pouvoir subsister puisque la police contrôlait entièrement la ville et les trafics. Des grappes d'enfants, des blessés, des victimes de toutes sortes, mais aucun criminel dans ces lieux.

Ses excursions ne lui permettaient pas de saisir l'esprit véritable de la ville. Boris se rendait à l'évidence qu'il n'existait plus, comme autrefois, une seule ville divisée en classes sociales ou en quartiers riches et pauvres. Tout était désormais confondu ; il y avait plusieurs villes totalement distinctes, hostiles les unes envers les autres, chacune avec sa langue, ses mœurs et ses lois. Curieusement, un habitant de la favela pouvait être infiniment plus riche qu'un citoyen de la classe moyenne ; d'autant plus riche que son pouvoir ressemblait à celui d'un dictateur africain : bestial et illimité à l'intérieur de ses frontières, avec ses concubines, ses serviteurs, ses automobiles de luxe, sa cour de justice et son armée privée. Souvent, d'ailleurs, ces caïds étaient d'anciens membres des forces de l'ordre ou de l'armée, avec lesquelles ils continuaient à maintenir de bons rapports. D'autres, des propriétaires fonciers dans la favela, pourtant squattée par définition, détenaient plus de pouvoir administratif et avaient un meilleur chiffre d'affaires que beaucoup d'honnêtes commerçants. Cette immense sarabande tournait cependant sans anicroche, bien huilée et avec l'assentiment général.

Lorsque Boris posait des questions pour mieux comprendre cette ville qui lui échappait, on lui répondait tout bonnement que c'était ainsi, depuis toujours, et personne ne paraissait se souvenir que cela avait pu être autrement. On s'étonnait même qu'il posât ce genre de question puisque la réponse était si évidente : la conjoncture. Cette conjoncture, une sorte d'être abstrait et impondérable, incluait d'ailleurs d'innombrables autres êtres mythiques en son sein, comme le miracle économique, la dette extérieure, la subversion communiste, l'état de la nation, le Fonds monétaire international, la paresse du peuple, les trous noirs et la couche d'ozone, les trésors du Vatican, l'ingérence des groupes écologistes étrangers, le péril jaune, les maladies étrangères et la libération des femmes. Parfois, on ajoutait aussi le manque de couilles hérité de la colonisation lusitaine, la fin prochaine du monde, l'étalon or et l'or de Moscou, l'homosexualité, le contrôle des naissances, les multinationales, les ovnis ou simplement le dévergondage. Tous étaient cependant d'accord sur le fait que le Brésil était un pays formidable, le futur cellier du monde. D'ailleurs, les chanteurs, les hommes de science hors pair, les joueurs de football, le cul des femmes et les coureurs automobiles en étaient la preuve vivante.

C'était à la fois très dense et très vague comme explication d'ensemble. Là encore, Boris devait se rendre à l'évidence qu'il était resté trop longtemps à l'étranger et que son esprit avait perdu la flexibilité nécessaire pour saisir les réalités tropicales. Non seulement son langage était inadéquat, mais il était devenu emmerdant.

Boris s'était décommandé pour la pêche en haute mer et il avait ignoré les messages téléphoniques pressants que Monica avait laissés à son hôtel. Il avait besoin de laisser décanter ses impressions du voyage à Embarié avant de la rencontrer de nouveau. Ses balades en ville l'avaient par ailleurs occupé durant quelques semaines, et ses soirées avaient été consacrées à de longs bavardages avec Sirigaito, suivis parfois de jeux avec Berenice.

Un beau matin, lorsqu'il arriva à l'hôtel après une de ces nuits en compagnie de la mulâtresse, le jeune Machado l'attendait excité, avec le message d'une dame qu'il qualifiait de très délicieuse. Monica s'était arrangée pour découvrir son hôtel et elle était venue en personne afin de réclamer un rendez-vous urgent, indispensable.

— Elle a dit que c'était une question de vie ou de mort, Boris... Si tu me permets le commentaire, cette femme est folle de toi et rien ne l'arrêtera. Elle a failli faire un scandale parce que je ne voulais pas ouvrir ta chambre. Excuse-moi, mais j'ai dû la laisser y jeter un coup d'œil pour la rassurer. En ma présence... Sinon, elle refusait de partir. Et puis, la grosse limousine à la porte, la jupe au ras du cul et un de ces décolletés! Nerveuse... Elle a fait des menaces, en disant que si quelqu'un touchait à toi, il arriverait un malheur. J'ai essayé de lui dire qu'ici tu es comme en famille; mais elle ne m'a pas cru.

— C'est ma petite sœur, répondit Boris en souriant devant l'étonnement du jeune homme, qui s'excusait maladroitement. Mais t'as bien fait de ne pas la laisser envahir ma chambre. Elle est fouineuse, la petite. Merci, Machado.

Au téléphone, Boris trouva Monica bien calme, sans aucune trace de l'empressement décrit par Machado. Il s'excusa en disant qu'il avait préféré attendre d'être allé au cimetière avant de l'appeler, mais elle ne paraissait pas fâchée. Elle lui dit qu'elle aussi avait été très prise ces dernières semaines, et elle s'excusa à son tour de ne pas avoir pu lui consacrer plus de temps. Mais il se trouvait justement qu'elle n'avait rien à faire le lendemain, et elle insista pour lui donner rendez-vous au bar d'un hôtel à Ipanema, afin qu'ils pussent s'entretenir de plusieurs choses.

— Non, dit-elle, rien de trop pressant. Je voulais avoir de tes nouvelles, c'est tout. Te raconter aussi des choses... Nous aurons toute la journée pour bavarder. Ciao!

Le bar de l'hôtel en question était un endroit magnifique, avec vue sur la plage, et étonnamment désert. Monica l'attendait déjà, dans une espèce de niche à l'écart, assise confortablement sur un vaste fauteuil et ravissante dans une robe minuscule. En s'approchant d'elle, et à la vue de son sourire mouillé, Boris se réjouit de l'existence du lit de Berenice. Leur conversation avait alors de meilleures chances de rester purement fraternelle.

Monica fut ravie de recevoir le paquet de lettres et l'atlas qu'elle avait tant convoités et qu'elle pensait perdus à jamais.

— C'est un cadeau pour toi, Monica. Mon père les a laissés pour toi. Je ne saurais qu'en faire. Garde-les, si cela te fait plaisir; sinon tu peux les détruire. Mais promets-moi de ne jamais les publier, d'accord? Ce sont des choses intimes, que de toute façon je n'ai pas signées. Tu seras la seule à savoir que je les ai écrites.

Monica était trop heureuse et promettait sans réfléchir. Boris avait quand même pris la précaution de déchirer les enveloppes et de détruire deux ou trois des lettres qu'il jugeait trop confidentielles.

— Les enveloppes! Tu ne les as pas gardées? Il y avait de si jolis timbres, fit-elle en cherchant nerveusement.

— Hélas, non. Mon père les avait laissées comme ça avant sa mort, simplement ficelées, et je ne suis pas certain que Julieta les ait conservées toutes. Elle m'a donné quelques objets laissés par le vieux, des choses sans aucune importance. Rien qui vaille la peine d'être gardé. Sauf la vieille Bible...

— Merci, Boris, ces lettres sont vraiment très importantes pour moi. Tu m'as aussi promis de me raconter tes voyages, tu te souviens ? J'attends cela avec impatience, tu peux pas savoir !

La matinée passa pendant qu'ils buvaient en parlant de choses banales et que les garçons, silencieux, apportaient d'autres verres. Boris lui raconta sa visite à Julieta et l'état de misère qu'il avait trouvé là-bas. Monica ne fut pas étonnée ; elle avait vu le début de l'invasion et pouvait très bien imaginer la suite. Il commença à parler de ses promenades en ville, mais elle paraissait distraite, sans aucune envie d'en savoir plus long, et finit même par le blâmer de perdre son temps avec ces choses horribles et d'être resté si longtemps sans donner de ses nouvelles. Bientôt, elle ne put contenir davantage son irritation :

— Tes propos, Boris, sont d'un ennui, d'un ennui, mais d'un ennui... chéri. Regarde la mer, le sable, les gens qui se baignent. Tu ne trouves pas ça plus beau que toujours parler des pauvres ? On dirait que tu es revenu au pays dans le seul but de tout critiquer, de fermer les yeux sur ces belles choses. Ce n'est pas comme ça que tu pourras t'adapter, mon chéri. Tu te souviens comme c'était tout le temps gris en Europe ? Alors, Boris, ne gâche pas notre rencontre... Tu m'as fait poiroter des semaines et des semaines ; j'ai eu peur qu'il te soit arrivé quelque chose, ou que tu sois reparti. Tu me dois une belle journée, veux-tu ?

Boris lui raconta alors la visite au cimetière, l'achat du porc et les libations en hommage à son père. Elle trouva ça un peu plus drôle, même si cela lui paraissait d'un grand manque de respect et d'un mysticisme de mauvais goût. Il s'abstint quand même d'entrer dans le détail des fantaisies du chauffeur, puisque quelque chose dans le comportement de Monica lui disait d'éviter ce genre de sujets. Il y avait en outre une familiarité déconcertante dans la façon qu'elle avait de le toucher en parlant, et la proximité de son corps parfumé commençait à lui faire un certain effet.

Monica lui raconta brièvement la carrière de quelques-uns de leurs anciens camarades du temps de l'université, plus précisément de ceux qui étaient bien placés en politique ou dans les affaires. Elle ne savait rien des autres. L'éditeur Veigas fut à son tour mentionné, ainsi qu'un professeur de l'université catholique qui voulait à tout prix aider Boris à se placer.

— Les gens veulent te voir, mon chéri. On ne comprend pas pourquoi tu te caches. On a besoin de gens comme toi pour les prochaines élections, pour aider à résoudre justement cette sorte de problèmes qui semblent tant t'intéresser.

— Oublie ça, Monica, répondit-il en riant. La politique me dégoûte plus encore que la misère, je te l'ai déjà dit. Je ne crois pas qu'il y ait des gens vraiment désireux de changer ce pays. Tu sais, Mao Tsê-tung ou Fidel Castro eux-mêmes ne seraient pas à la hauteur de la tâche. Alors oublie-moi.

— Il y a plusieurs ouvertures, Boris, pas seulement en politique. Je pensais plutôt à l'enseignement ; à la diplomatie, puisque tu as cette manie de voyager. Les gens ne demandent qu'à te rendre service. Par exemple, Luciano Campos, l'ex-mari de Clarissa, tu t'en souviens ?

— Non, qui est-ce ? fit Boris en faisant semblant de l'avoir vraiment oublié.

— Mais si, Clarissa, je t'avais raconté à Paris qu'elle s'était mariée, tu ne te souviens plus ? Ils ont divorcé. Luciano est très important aux Affaires étrangères, et il voulait te rencontrer. D'ailleurs, avant que j'oublie, la semaine prochaine, tu es invité à une petite réception chez lui. Rien que des amis, très informel. Je lui ai promis que tu viendrais, d'accord ?

— Donc, ils ont divorcé...

— Oui, ça fait déjà quelques années. Luciano s'est remarié avec une Américaine ; une fille adorable, tu verras. Clarissa, non. Tu sais, Clarissa est une de mes meilleures amies, et elle aussi a envie de te voir. Je lui ai promis qu'on se rencontrera un de ces jours. Vous étiez amoureux l'un de l'autre, n'est-ce pas ?

Boris ne comprenait plus rien à ce manège. Monica avait tout l'air de vouloir le séduire, le garder pour elle malgré l'excuse d'être sa petite sœur ; et voilà qu'elle remettait Clarissa sur le tapis, prête à leur arranger une rencontre. Bien étrange. Peut-être, se dit-il, qu'il se trompait sur ses véritables intentions. Et il la laissa parler tout en acceptant ce rendez-vous.

Ils mangèrent ensuite au restaurant de l'hôtel sans d'autres signes de séduction ni d'irritation. Monica avait un don naturel pour être agréable lorsqu'elle s'y mettait. Peu à peu, cependant, durant la conversation, elle dévoila avec beaucoup de diplomatie plusieurs autres projets de rencontres et il devenait évident qu'elle avait la ferme intention d'adopter Boris et de l'obliger à oublier ses idées idiotes et sa fréquentation des pauvres.

— On va penser à te trouver quelque chose de mieux que cet hôtel, n'est-ce pas ? Boris, je me suis arrêtée en passant pour te laisser un petit mot, et j'ai trouvé l'endroit effrayant. C'est très mal famé, on n'y est pas en sécurité ; et, excuse-moi de te le dire, ça pue. Ce n'est pas un endroit pour toi, mon chéri. Je vais m'en occuper.

Dans l'ascenseur, naturellement, elle réclama, avant qu'ils ne se quittent, un autre baiser fraternel qui dura presque dix étages.

— Ça m'aurait fait plaisir de te déposer, Boris. Dommage. Mais n'oublie pas la réception chez les Campos. Tout le monde t'attend. Ciao, mon chéri. Appelle-moi.


Le jour suivant, au centre-ville, alors qu'il attendait pour traverser une rue, Boris remarqua qu'il était observé par un vieil homme. Celui-ci l'aborda sur l'autre trottoir de façon très cordiale. Boris ne le reconnut pas immédiatement, mais, après quelques mots, il se rendit compte qu'il s'agissait de l'un de ses anciens professeurs de l'université. Curieusement, l'homme paraissait tout ignorer de son passé depuis le coup d'État, et il le croyait encore à l'armée.

— Ça fait changement de vous voir ainsi en civil, Boris. Ce n'est pas encore la retraite, je suppose ? Et que faites-vous maintenant ?

— Je me promène, professeur… professeur Mansour, n'est-ce pas ? Voilà, je me promène, tout simplement. Ça fait plaisir de vous revoir. Vous êtes sûrement à la retraite, vous…

— En apparence uniquement, répondit-il. Je continue toujours mes recherches ; et j'avance à grands pas maintenant que j'ai tout mon temps. Mais venez, Boris, sortons du soleil et allons boire quelque chose, voulez-vous ? Il est bien rare qu'on rencontre un ancien étudiant. À propos, vous n'avez pas enseigné ! Ah, ces militaires ! Ils m'ont ravi quelques-uns de mes meilleurs étudiants.

Ils s'attablèrent dans l'un de ces nouveaux milk-bars de style américain, tout en plastique et en chromes, à l'odeur sucrée, qui vendaient des glaces et des gâteaux. Le professeur se réjouissait d'avance de son milk-shake et il regrettait que Boris préférât s'en tenir à un simple café dans un endroit aussi spécialisé.

— Dommage pour vous, jeune homme. Je peux vous assurer que c'est la meilleure glace en ville. Je me souviens que vous avez toujours été têtu. J'imagine que votre carrière militaire n'a fait qu'empirer cette disposition naturelle. Dites donc, vous devez être au moins général ?

— Non, professeur, je suis civil, depuis déjà quelques années. La carrière militaire ne m'intéressait pas tant que ça.

— Ah, je croyais…

— Je reviens de l'étranger. D'un long séjour en Allemagne. Langues germaniques, affaires internationales…

— Ah bon! Pourtant vous avez cessé de venir aux cours à cause de l'armée, non? Vous n'allez pas me dire que vous avez abandonné les mathématiques pour la diplomatie!

— L'étude des langues, la littérature… Le temps a passé, professeur. Mais parlez-moi plutôt de vous.

Le professeur Mansour, autrefois communiste, était à la retraite depuis déjà quelques années; mais il ne savait rien des changements qui s'étaient produits depuis le coup d'État, et il s'intéressait peu aux autres professeurs. Selon lui, tout continuait comme avant. Boris avait la nette impression que le vieux n'avait pas remarqué que leur dernière rencontre remontait à il y avait plus de vingt ans. Il parlait comme si ça avait été la veille.

— Donc, vous continuez vos recherches, fit Boris, découragé et se préparant à partir. Toujours dans le cadre universitaire?

— Pas du tout, vous le savez bien. L'université n'est pas la place pour ce genre de recherches. Vous vous en souvenez, sans doute, puisqu'on avait discuté la question à diverses reprises dans ce bar infect où vous vous teniez, juste en face de la faculté. Ce n'est pas possible que vous ayez oublié, une chose si fondamentale…

— Attendez un peu, professeur Mansour. Je me souviens que vous veniez prendre une bière avec nous à cette époque. C'était avant votre passion pour le milk-shake.

— Et à l'époque où vous étiez encore passionné d'algèbre, Boris. Pourvu que la bière n'ait pas tué vos passions. Alors, vous avez oublié?

— On parlait de tant de choses… Vous étiez au parti, il y avait les agitations, le marxisme, la dialectique d'Engels, les débats entre Lénine et Mach…

— Le théorème de Fermat, mon fils, le théorème!

— Ah… oui… mais vaguement. Le théorème, ça fait si longtemps…

— Je vois bien que l'armée a tué votre curiosité mathématique. Vous avez oublié le dernier théorème de Fermat ! Pas moi, figurez-vous. J'y travaille toujours. Et j'avance à grands pas. C'est bien une drôle de coïncidence de vous retrouver justement en ce moment où j'arrive au seuil de la solution. Voyez-vous, c'est la persévérance, rien d'autre. Vous, par exemple, vous étiez extrêmement doué pour la pensée algébrique. Mais il vous manquait la persévérance. L'armée a fait une excellente acquisition, je n'en doute pas. Mais c'est peu comparativement à ce que vous auriez pu faire, ne trouvez-vous pas ? Ces histoires de langues et de littérature conviennent plutôt aux filles en attente d'un mari.

— Si vous me parliez davantage de ce théorème, pour me rafraîchir la mémoire, demanda Boris, curieux. À cette époque-là, vous n'étiez pas aussi passionné que maintenant, si je me souviens bien. C'était plutôt le Parti communiste qui vous absorbait. Vous étiez membre du comité régional, n'est-ce pas ?

— Bah, de vieilles bêtises ! C'était le thème à la mode, très difficile de s'y soustraire. Mais je travaillais déjà au théorème même si ce n'était pas la peine d'en parler. Une fois les militaires au pouvoir, une paix intense s'est installée à la faculté. Il est vrai qu'ils m'ont un peu embêté au commencement, rien de plus. J'ai alors pu me consacrer sérieusement à mes recherches, persévérer sans être dérangé par les sirènes politiques ; et me voilà maintenant à la veille de la solution.

— Bien, professeur, cela paraît vous rajeunir.

— Rajeunir, c'est peu dire, Boris. Ce sera un fait marquant dans l'univers des sciences. Dommage que la femme d'Alfred Nobel le trompait avec le plus grand mathématicien de son temps et que, par pure jalousie, il n'a pas voulu qu'il y ait un Nobel de mathématiques. Sinon, je vous assure… Je serais dans la course !

— Ça alors, professeur, dit Boris, incapable de ne pas l'encourager. Je crois même avoir entendu parler de ce Fermat récemment en Europe. N'était-il pas très ancien ?

— On en parle et on n'arrête pas d'en parler, Boris. Depuis sa mort, les mathématiciens ne font pas autre chose. Pierre de Fermat était en effet un contemporain de Descartes ; un avocat, figurez-vous. Mais quel mathématicien ! Son dernier théorème, c'est ainsi qu'on l'appelle parmi les connaisseurs, est le plus illustre problème sans solution des mathématiques. La Société royale à Londres offre d'ailleurs un prix fabuleux à celui qui arrivera à le résoudre. En livres sterling, ni plus ni moins. C'est bien, n'est-ce pas ? Aussi aristocratique que le Nobel, qui est donné en couronnes suédoises. Non pas en vils dollars... Qu'en pensez-vous ?

— Je ne sais pas quoi vous dire, professeur. Ce fameux théorème, de quoi parle-t-il ?

— Mon fils, quel dommage l'armée a fait à votre cerveau ! Écoutez-moi bien. Pierre de Fermat, un bon jour, à la fin de sa vie, était en train de feuilleter le *Arithmetica* de Diophante, vous savez lequel, le Grec, précurseur de l'algèbre. Comme ça, pour son plaisir, certainement, puisque Fermat était bien plus avancé que Diophante. Alors, par pure oisiveté, il a gribouillé une petite équation dans la marge du livre, et il a affirmé, de sa propre écriture, que cette équation n'est jamais vérifiable pour aucune valeur en nombres naturels. Aussi simple que ça. Il a ajouté que l'espace dans la marge était trop étroit pour prouver son affirmation mais qu'il connaissait une merveilleuse preuve... Merveilleuse de surcroît ! Évidement qu'il savait la prouver, sinon comment aurait-il créé une équation impossible ? Voilà. Ensuite, il a sûrement dégusté un bon verre de vin et il a abandonné cette idée. C'était trop simple pour son cerveau. Une équation jolie comme tout, élégante comme une nymphe. Je vais vous l'écrire, attendez, ici, sur cette serviette en papier.

Et il gribouilla :

$\sim \exists\ w,x,y,z[(x+1)^{w+3} + (y+1)^{w+3} = (z+1)^{w+3}]$

— Voilà, reprit le professeur après avoir écrit l'équation. Cela veut tout simplement dire, mon fils, qu'il n'y a aucune valeur existante en nombres naturels pour les variables w, x, y et z qui pourront jamais, j'insiste, jamais satisfaire cette équation. Plus simplement, elle est la suivante :

$(x+1)^{w+3} + (y+1)^{w+3} = (z+1)^{w+3}$

Le professeur regarda longuement la serviette avant de reprendre son explication :

— D'un charme français ! Ça a l'air facile, n'est-ce pas ? Eh bien non, Boris, pas du tout. Non seulement personne n'a jamais été capable de trouver sa merveilleuse preuve — ce qui était un simple jeu pour ce sacré Fermat — mais, surtout, même à l'aide des ordinateurs les plus puissants, en cherchant tous les numéros imaginables, on n'a pas été capable de contredire son affirmation. Le petit bijou est vrai ! Modeste, il n'a pas jugé bon de la publier. Ce sont les grands mathématiciens qui l'ont baptisée du nom de « dernier théorème de Fermat ». Lorsque je pense qu'il la connaissait, cette preuve... Les meilleurs mathématiciens depuis lui se sont attaqués au problème et n'ont rien découvert. La somme du prix s'accroît sans cesse dans les voûtes de la Banque d'Angleterre, en livres sterling, pendant que l'esprit de Fermat se rit de nos piètres efforts.

— Si je comprends bien, commença Boris, vous allez être bientôt riche.

— Ce n'est pas l'argent qui me préoccupe, mon fils, croyez-moi. Même si un petit coussin de sécurité me ferait du bien dans cette inflation galopante, je l'avoue. Cela me permettrait enfin de faire un voyage à l'étranger, un séjour à Paris, pour boire un verre de ces bordeaux dont j'ai tant entendu parler. C'est l'honneur surtout qui me stimule. Pas des honneurs quelconques... L'honneur de fréquenter les mêmes sphères que Fermat, de pouvoir me considérer comme un de ses camarades spirituels. Tout ici est tellement mesquin, concret qu'un homme comme moi se sent à l'étroit. Ensuite, et à l'aide de ce même Fermat, j'ai conçu le projet de laisser mon nom dans les livres. Rien de très important, un petit détail à peine. Vous connaissez sûrement la conjecture de Goldbach, n'est-ce pas ? Il avait émis l'hypothèse que chaque nombre pair plus grand que 2 est la somme de deux nombres premiers. J'ai la prétention de le prouver mathématiquement. Non pas que ce soit important, mais plutôt pour mettre fin au gaspillage de tous ces ordinateurs qui cherchent à prouver le contraire par de simples additions. Ce ne sera plus la conjecture de Goldbach mais bien le théorème de Mansour. J'hésite encore, il est vrai, entre deux directions. Je l'appellerai soit le théorème de Mansour, soit la preuve d'Elias Mansour. Qu'en pensez-vous ?

— Hum, fit Boris en réfléchissant. Je crois que « théorème de Mansour » est plus joli, plus élégant. Moins personnel aussi, pour suggérer le même détachement que celui de Fermat, un certain dédain des choses concrètes. La preuve me semble impliquer un vague désir de prouver, un certain volontarisme qui pourrait aussi contenir soit de l'hésitation, soit de l'effort ; un vague souhait de convaincre. On s'éloignerait alors de la certitude abstraite, de ce qui distingue la preuve mathématique de la preuve idéologique...

— Vous avez tout à fait raison. Je reconnais là des séquelles d'un passé politique de mauvais augure, une sorte de tendance au prosélytisme que j'ai surmontée à force de beaucoup de méditation, et qui revient parfois aux moments de doute. C'est vrai... Le théorème de Mansour ! Mansour est d'ailleurs un nom arabe, vous savez ? Autrefois illustre... Ici, ce n'est qu'un nom de commerçants, et cela m'a toujours un peu accablé. Je n'ai rien contre le commerce ; sauf que le calcul peut mener beaucoup plus loin que le simple troc, beaucoup plus haut.

Boris commençait à trouver la conversation intéressante puisqu'elle rejoignait d'une certaine façon ses propres questions. Il insista donc pour ramener son interlocuteur au passé même s'il avait ressenti chez lui une grande pudeur à cet égard.

— Dites-moi, professeur Mansour, pourrais-je vous demander de m'expliquer quelque chose ? Voyez-vous, le temps a passé et je reviens au pays un peu malgré moi. Tout a tellement changé que je trouve difficile de m'orienter. Une réponse de votre part m'aiderait certainement dans mes propres réflexions.

— Bien sûr, mon fils, si c'est dans mes moyens.

— Voilà, professeur. Je ne pose pas cette question par désir de connaître vos motifs, mais pour m'orienter sur les miens. C'est alors avec tout mon respect... Je me souviens que vous étiez autrefois un théoricien important du parti, et j'avoue que vos cours sur le marxisme-léninisme m'ont plus influencé que vos cours sur l'algèbre. Non, laissez-moi finir, vous verrez ce qui me préoccupe. Vous étiez donc un philosophe de grande renommée. Je me rappelle que vous jouissiez même du respect de Don Irineu, le jésuite, ce qui n'est pas peu dire.

— C'était un mathématicien, ne l'oubliez pas. Il est devenu thomiste et il est entré dans les ordres à Paris, à la suite d'une révélation subite, miraculeuse, lorsqu'il préparait un doctorat sur le calcul différentiel. Mais c'était avant tout un mathématicien. Le plus réactionnaire de tous, peut-être, mais aussi un homme d'une grande culture, Don Irineu.

— Je ne le savais pas... Vous étiez aussi très engagé dans la politique active, et je me serais attendu à vous trouver aujourd'hui plutôt comme candidat au Sénat. Jamais comme chercheur solitaire. Comment avez-vous fait pour tolérer la réalité autour de vous, pour arriver à vous consacrer au théorème de Fermat ? Le marxisme d'autrefois...

— Ne m'en parlez pas, Boris. Je pourrais vous poser la même question, qui serait presque la réciproque de celle que vous vous posez. Comment avez-vous fait pour préférer l'uniforme à l'algèbre ?

— ... ?

— Quant au marxisme, mon fils, je ne lui ai jamais attribué vraiment une valeur scientifique quelconque. Je m'efforçais d'y croire, c'est tout. Je n'ai pas eu de révélation comme Don Irineu, et ce vague à l'âme est très inconfortable. J'avais mes certitudes mathématiques, mais elles étaient peu efficaces devant la misère du peuple, devant la famine ou les enfants maigres. D'autant plus maigres et misérables que la présence des riches les mettait en valeur par simple comparaison arithmétique. Cette souffrance-là me blessait ; je cherchais une certitude morale, un guide pour l'action. Une simple religion à laquelle m'accrocher, voilà. Je savais déjà qu'on ne peut rien prouver avec des algorithmes. Kurt Gödel l'avait bien démontré et il s'était attiré les foudres des communistes avec son fameux théorème de l'imprévisibilité. En m'efforçant de croire au matérialisme historique, je cherchais une foi confortable même si tout essai de prévision historique est une idiotie. Si on ne peut pas déduire de lui-même un système aussi simple que l'arithmétique, l'histoire alors... J'étais plus jeune, plus futé que les professeurs d'histoire et de philosophie. Tout en sachant que c'était faux, j'étais en mesure de mieux expliquer pour me donner l'impression que j'y croyais. Le catéchisme n'est jamais aussi bien transmis que lorsqu'il est enseigné par des curés sceptiques, libres penseurs. Voilà. Ensuite, lorsque la possibilité de combattre avait disparu, que les militaires détenaient solidement le pouvoir, ce n'était plus de ma responsabilité. En moins de deux, le souvenir du théorème de Gödel a repris le dessus et je n'ai plus jamais répété de fallacies historicistes. Si vous voulez le fond de ma pensée, Hegel était un petit con. Lénine n'était qu'un journaliste qui s'essayait maladroitement en politique. Marx était honnête, mais il voulait trop prouver son point de vue, justifier son action auprès des pauvres ; sûrement par pudeur envers sa propre pitié. Aujourd'hui, je préfère les anarchistes, qui aiment le peuple avec une haine viscérale et émotive de la misère, sans chercher à s'excuser derrière une théorie. Ou, mieux encore, les vrais démocrates qui cherchent à combattre la misère dans le même esprit qui pousse les femmes à traquer la poussière et les saletés, par souci d'ordre et d'hygiène. Ces gens-là sont moins emmerdants et plus efficaces en fin de compte. De toute façon, n'importe quelle théorie de la pure cohérence est foutue d'avance. Gödel l'a démontré une fois pour toutes.

— Tout cela me paraît un peu trop abstrait, professeur. Vous attribuez votre virage existentiel à un simple théorème...

— Pas si simple que ça, Boris. Laissez-moi d'abord m'excuser sincèrement si j'ai été pour quelque chose, et je crains que ce ne soit le cas, dans vos choix existentiels. Je le regrette profondément pour vous... C'était votre propre risque. Si vous avez été charmé par les marxistes au point de choisir la carrière militaire, c'est que vous étiez plus malade que vous n'en aviez l'air. Malgré tous vos galons, je peux vous assurer qu'être militaire est un choix existentiel des plus imbéciles... Non, laissez-moi continuer puisque c'est vous qui avez commencé. Alors, Boris, lorsqu'on est mal à l'aise devant l'absurdité de la vie, on peut soit l'affronter, soit se cacher derrière des systèmes figés. Quand je parlais du marxisme, c'était pour m'aider dans un moment difficile, dans une situation de combat, où j'avais besoin d'une armure pour me protéger. Ça diminue la liberté de mouvements, mais ça protège des blessures, rien de plus. Si vous avez compris qu'il vous fallait à tout prix des certitudes et des cohérences, vous n'étiez qu'un vil formaliste, et ça ne m'étonne pas que vous ayez cherché à vous cacher de l'existence en enfilant un uniforme. Tout est rempli d'incohérences, et cela fait le charme d'être vivant.

Voyez-vous, même un roman, qui pourtant a l'air d'avoir une cohérence interne, un fatalisme téléologique, même là les choses se passent selon une intuition qui échappe à la logique de l'auteur. Les personnages gagnent une vie propre, et c'est alors qu'ils ressemblent à ceux de la vraie vie. Vouloir tout contrôler pour éviter l'angoisse est une attitude de larbin... Le simple théorème, comme vous l'avez appelé, cette merveille que Kurt Gödel avait créée à l'âge de vingt-cinq ans pour démolir toutes les lubies formalistes, ce théorème-là parle justement de la liberté. Je récapitule. Il prouve qu'on ne peut pas garantir la vérité d'un ensemble par la simple et bête computation formelle, algorithmique. Certaines procédures d'intuition y sont toujours agissantes, et elles ne découlent pas de l'axiomatique mais bien de la liberté de l'homme, de l'initiative ludique qu'on n'arrive pas à expliquer; de son impondérable ingénuité. Voilà le hic, Boris. À partir d'un principe simple, la pure cohérence ne suffit pas pour développer quelque chose de vivant. Il faut aussi le risque. Et l'on n'est jamais certain de la bonne stratégie. Les ordinateurs sont des automates, ils fonctionnent avec des algorithmes. Pas le cerveau humain. Seuls les bureaucrates ne l'ont pas compris. Je souhaite, du fond de mon cœur, que vous puissiez un jour visiter un de ces prétendus pays socialistes. Votre rigidité martiale se trouverait ébranlée devant tant de certitudes métaphysiques et de préjugés... Voilà le sens du petit théorème, mon fils. Je regrette profondément ne pas avoir eu cette conversation avec vous dans ce bar infect d'autrefois. Votre vie aurait sûrement été plus aventureuse... Je le regrette vraiment.

Puis, en remarquant le sourire chaleureux de son interlocuteur, le professeur ajouta :

— Il n'est peut-être pas encore trop tard. Les risques, les coups de tête, ce sont eux le sel de la vie. Allez, Boris, un peu plus de créativité dans votre existence ! Donnez libre cours à vos intuitions, à vos folies, à vos désirs, mon garçon. Prenez des initiatives même lorsque vous n'arrivez pas à vous justifier. On ne vit qu'une seule fois… Allez, si l'envie vous prend de lâcher un peu votre caserne, venez me rendre visite. Rien qu'en fantaisies de voyages, je crois avoir assez de munition pour déchirer votre uniforme.

Les politiciens vieillissent mais ne se ressemblent pas, pensa Boris au milieu de la soirée de fête lorsqu'il se retrouva seul, au jardin, durant un court moment de répit. Monica, dont le mari venait à peine d'arriver, l'avait chaperonné depuis le début comme s'il était une sorte de trophée. Elle l'avait présenté à chacun des invités, elle avait alimenté des conversations ennuyeuses avec son sourire séducteur et s'était montrée presque impertinente dans ses suggestions d'emplois et de possibles pistons.

Plusieurs de leurs anciens camarades d'université étaient présents, pour la plupart méconnaissables. Haut placés dans la finance, la magistrature et le journalisme, ils ressemblaient tout à fait aux ennemis d'autrefois. Le même langage, les mêmes combines, à la seule différence que c'était en plus moderne, en million de dollars et avec une totale absence de jargon populiste. On parlait crédits à l'exportation, écologie et informatisation comme l'on avait auparavant parlé non-alignement, réforme agraire, nationalisations et alphabétisation. Rien n'avait été réalisé des anciens rêves, et Boris soupçonnait fort qu'on ne réaliserait pas non plus ceux de maintenant. C'étaient les mots vides de la théorie de Pindoca.

Les femmes étaient étonnamment plus minces que par le passé, plus osées et particulièrement gourmandes. Il remarqua de nombreux nez rapetissés, tous semblables ; et à la vue de tant de décolletés débordants de chair ferme et de certaines paupières très tirées qui n'enveloppaient plus entièrement les globes oculaires, on ne pouvait s'empêcher de penser que la clinique de Monica faisait des affaires en or.

Luciano, l'ex-mari de Clarissa, l'avait abordé de façon très cordiale. Ses manières discrètes et adoucies par la fréquentation des Américains étaient sympathiques, avec un petit fond mélancolique, comme si tout autour n'était qu'une corvée pénible qu'il s'efforçait d'exécuter élégamment. Sa jeune épouse, une jolie Américaine souriante, ne parlait pas un mot de portugais, et elle avait un grand succès. Lui et Boris échangèrent rapidement quelques propos, mais furent interrompus tant de fois qu'il devint impossible de continuer. Luciano insista quand même pour qu'ils trouvassent un moment libre puisqu'il tenait à lui parler de certains projets.

— On a des plans, et tu en fais partie, Boris. Monica m'a appris que tu es là depuis quelque temps déjà. Il faut qu'on se voie, le plus tôt possible. Mais pas ici. J'y tiens.

— D'accord, répondit Boris. Je t'appelle aussitôt après le carnaval.

— J'ai appris tes succès en Allemagne, dit-il en changeant de sujet. Excellent, Boris, excellent ! Il paraît que tu as tes entrées tant à l'ouest qu'à l'est. C'est bien rare.

— Qui t'a raconté ces histoires ?

— Carlos Veigas, le publicitaire. Il a des contacts en Allemagne et il est enthousiaste lorsqu'il parle de tes succès.

— Ne le crois pas, Luciano. Il veut seulement me placer, c'est tout, comme on place une patate chaude. Il n'a jamais lu un seul de mes livres.

— C'est donc vrai que tu écris. Bon, c'est ça le plus important. Nous sommes dans une période d'ouverture internationale, tu le sais. Mais en matière de culture, à part la musique, il n'y a pas grand-chose. Ce n'est donc pas le moment d'être modeste. On se reparlera de tout ça avec plus de détails dans une meilleure occasion. À propos, es-tu bien installé, il ne te manque rien ? Si t'as besoin d'être plus tranquille, on peut te trouver quelque chose à la campagne, ou sur une plage loin d'ici. Plus discret, tu vois, plus intime… J'attends ton appel, c'est important. On pourra discuter de ta situation actuelle et arranger les choses.

— Quelles choses?

— Veigas ne t'en a pas parlé? Ta situation militaire, mon vieux.

— Je ne comprends pas, quelle situation? Il y a l'amnistie, non?

— Si, pour ça il n'y a pas de problème. Mais, Boris, tu es déserteur…, dit-il en baissant la voix. C'est toujours un délit militaire. On ne peut pas tout changer d'un seul coup. Mais ce n'est pas grave… Je peux régler ton cas avec une décharge spéciale, dans quelque temps. Il faudra la formalité d'un procès; ça, on ne peut pas l'éviter. Sinon, ce serait le bordel. Depuis que Monica m'en a parlé, j'ai mis les procureurs du gouvernement sur cette affaire. Les délits à caractère politique, c'est une chose, mais la désertion… Tu vois tous les soldats qui s'en iraient chez eux simplement parce qu'il y a eu une amnistie? Tu étais officier. Même en Europe, tu étais toujours officier. Il y a eu des rapports sur tes agissements là-bas qui compliquent un peu la simple désertion. Tu es encore officier des forces armées, mon vieux. Il te faut une décharge. Cherche donc à être discret pour le moment, c'est tout. Les papiers que Veigas t'a donnés sont bons; tu peux attendre sans inquiétude si tu restes discret. Mais il faut aussi préparer un procès militaire. Fais pas cette tête, Boris! Leurs cours martiales ont leurs propres règles, mais nous négocions donnant, donnant. Il y a bien des policiers et des militaires qui ont fait des trucs dégueulasses; alors ils ont tout intérêt à échanger les bons procédés. C'est comme si c'était déjà fait; mais tu dois te plier aux règles du jeu. Tu ne trouveras aucun travail sans un dossier militaire en ordre. Allez, je m'en occupe, c'est promis. Appelle-moi et on mangera ensemble.

Seul dans le jardin, Boris se maîtrisait pour ne pas laisser échapper sa colère. Procès militaire, pétition respectueuse devant ces imbéciles prétentieux et, comble de l'ironie, se faire échanger contre un tortionnaire. La belle histoire. Amnistie, mon cul !

Au lieu de le paralyser, la question de la survie, une fois de plus, le rajeunissait comme une gâchette bien huilée. Il se promena encore un peu dans ce jardin touffu comme une forêt, histoire de bien se calmer. Il alla ensuite rejoindre l'éditeur Veigas qui lui paraissait le meilleur pion dans cet échiquier. Ils se dirent juste quelques mots pour se donner rendez-vous et Boris quitta discrètement la réception.

Lorsqu'il arriva à l'hôtel, tard dans la nuit, Machado lui remit une lettre d'Olga. Ils s'étaient déjà envoyé des billets par l'intermédiaire d'Albrecht, mais c'était la première fois qu'elle répondait de manière détaillée.

*Boris,*

*Cette année nous avons un hiver tardif. Il n'a pas fait froid en décembre ; la lande était seulement grise, avec des brouillards tristes qui me faisaient penser à toi lorsque tu rentrais comme une ombre de tes longues promenades. À la nouvelle année, un vent sibérien a tout givré, l'espace d'une nuit. Le soleil faisait alors scintiller les choses comme du cristal dans une lumière opaque. On aurait dit un arbre de Noël. La neige est venue ensuite durant plusieurs jours. Maintenant, tout est blanc, égalisé et arrondi. Les brouillards de la mer commencent à revenir, moins tristement. Peut-être qu'avec le dégel le monde continuera à tourner comme avant. N'empêche que, chaque matin, j'ai le même plaisir de jeune fille en scrutant la brume à la recherche d'une silhouette...*

*Je travaille bien. Mes derniers dessins aux teintes grises ont curieusement été appréciés pour leur « gaieté ». Cela m'a fait rire puisqu'ils avaient été inspirés par la lande à la fin de l'automne, lorsque j'étais un peu triste. C'est drôle, n'est-ce pas, le contraste entre ce qu'on fait et ce que les autres perçoivent ?*

*La vie continue comme tu l'as laissée, très calme. Le maçon est venu réparer les tuiles du toit comme tu avais dit, et il en a profité pour améliorer quelque chose dans la cheminée. J'empile ton courrier et les livres qu'on t'envoie sur ta table de travail. J'ai retrouvé cette pipe ronde que tu cherchais avant de partir. Merci de l'avoir oubliée dans ta vieille sacoche. Toutes deux sont désormais à côté de ma planche à dessin et me regardent travailler en attendant d'autres promenades.*

*Les éditions Aufbau ont enfin publié ton dernier livre, et sans coupures malgré son épaisseur. C'est une présentation très jolie qui comprend cinq gravures du vieux Bjorg. Tu t'en souviens, ces aquatintes délicates, couleur bistre, qu'il t'avait montrées l'an dernier ? Les poèmes sont sublimes ; c'est une expérience émouvante de les lire en imaginant ta voix. Les critiques, par contre, ne le voient pas de la même façon. Ils ne te descendent pas ouvertement, mais suggèrent la présence d'influences qu'ils jugeraient néfastes n'eût été tes origines étrangères. On dit qu'il faut te mettre dans un contexte, qu'il y a là, et je cite, « des éléments relevant d'un individualisme et d'une âme vagabonde éloignée encore des idéaux de solidarité prolétarienne, et qui se cherche toujours ». Ton copain de la faculté à Berlin t'excuse en accusant l'impérialisme de t'avoir obligé « à parcourir le monde sans port d'attache ». On te compare à Trakl, à Benn et, attention, à Pasternak, pour mettre en garde le lecteur naïf. Je suis certaine que cette comparaison te fera grand plaisir et te procurera de vrais admirateurs.*

*Tu vois, Boris, le temps passe, rien de nouveau ne se passe mais la vie continue. J'espère que tu te portes bien et je suis contente de te savoir heureux. Tes lettres peuplent la lande de tes pas et mon corps de ta chaleur. Ta voix me permet d'imaginer ton sourire à la sortie des brouillards. Olga.*

## 22

La ville se préparait au carnaval. Les décorations d'une beauté avant-gardiste, géométriques et aux couleurs vives, poussaient subitement un peu partout comme des champignons de bandes dessinées. Une sorte de frénésie infantile gagnait l'esprit des plus moroses et faisait ajourner les projets les plus pressants, les plus essentiels. La vie paraissait s'interrompre devant cet événement mythique qui mobilisait les corps et les cœurs avec une allégresse de désespoir. Les petites cabanes d'une fragilité toute provisoire, aux teintes criardes, faisaient leur apparition aux coins des rues, offrant masques, serpentins et confettis au beau milieu des clochards et des grappes d'enfants endormis.

— Le carnaval n'est plus celui qu'il était, regrettait le vieux Machado de l'hôtel. Tu verras, Boris, les gens ne dansent plus dans la ville comme autrefois. C'est devenu une fête pour les riches, où il ne faut pas effrayer les touristes. Dans les rues, la foule misérable sautille sur place, cherchant à singer un carnaval inexistant; et ils s'entre-tuent de rage. Tout ce que les pauvres inventent finit par leur échapper... Les dames chic défilent désormais en compagnie des nègres pour se dire brésiliennes devant les caméras de la télé. D'ailleurs, la plupart des gens restent chez eux, devant la télévision, et l'image qu'on a du pays est vraiment formidable.

— Machado, ton passéisme est aveugle comme toi, répondait Boris. C'est peut-être comme tu le dis, mais je me souviens des carnavals du passé. Les pauvres ne me paraissaient pas si heureux que ça. Ils travaillaient comme des bêtes l'année entière pour payer leurs déguisements minables et n'en tiraient aucun profit.

— C'est vrai, Boris. Les gens ont toujours souffert. Au moins, ils dansaient et s'amusaient dans les rues, ça, tu ne peux pas le nier. C'était une illusion de bonheur, d'accord. Mais les corps se divertissaient, les jambes se fatiguaient, et on côtoyait de belles femmes, non?

Sirigaito et Pindoca paraissaient tout aussi déçus du nouveau carnaval d'exportation, même s'ils avaient une fois de plus composé des sambas.

Berenice, au contraire, ne tenait pas en place d'excitation. Elle allait défiler avec une simple ficelle dans la raie des fesses pour soutenir le minuscule bâtonnet qui lui cachait à peine les lèvres du vagin, son *fil dentaire* comme on l'appelait. Les poils pubiens rasés de près, son sexe était râpeux au contact; elle n'avait pas voulu écouter Boris, qui lui suggérait de simplement teindre sa toison et se dire déguisée en Argonaute.

— Je te comprends pas, Boris, disait-elle durant les accalmies de leurs ébats. Regarde-moi cette belle petite chatte souriante. Il y a des mecs qui deviendraient fous de pouvoir la lécher ainsi imberbe, comme celle d'une fillette. Tu sais, certains vieux peuvent même payer cher pour que je me rase... Et toi, un simple gringo, tu dis que c'est rêche et tu la délaisses. Penses-tu que c'est différent de ta barbe lorsque tu me grattes entre les seins? Non, mon amour, pas de toison dorée. Ça serait moins à la mode, trop pudique. Ça me ferait ressembler à ces gringas délavées, à la peau moche et aux poils transparents... Tu regrettes peut-être une de ces blanches sans sel? Je trouve que tu as mauvais goût. Une mulâtresse rasée, c'est plus chic. Les gars de la télé le savent; ils braquent leurs caméras sur les chattes les plus grimaçantes. Même pas besoin de remuer les fesses, même mes seins ne font pas le poids devant ce sourire vertical. Rien à faire, Boris; attends après le carnaval, veux-tu?

Berenice se levait pour essayer une fois de plus les minuscules cache-sexe, incapable de décider lequel mettrait le mieux en valeur son bijou.

— Tu ne sais pas de quoi tu parles, reprenait-elle devant le miroir. Ça n'a l'air de rien mais c'est tout un supplice... Les premières heures, ça va encore. Le pire, c'est lorsque ça rentre en dedans à cause de la sueur. Danser avec ce truc te faisant branlette, ça écorche puis ça brûle. Pire que des feuilles d'orties. Mais que veux-tu? Aujourd'hui, une fille n'a pas le choix. Les travelos se font opérer et deviennent si beaux qu'on ne peut plus en rester aux bikinis. Il nous faut faire des coquetteries, minauder la chatte pour montrer qu'on est une vraie femme, sinon les touristes ne regardent même pas... Tu sais, l'an dernier j'ai vendu mon *fil dentaire* à un touriste américain pour une poignée de dollars. Il en a acheté plusieurs à la fin du défilé; il les voulait bien trempés, le salaud. Tu me croiras pas, mais les travelos avaient plus de succès avec les leurs. Le gringo préférait leurs corps osseux, musclés, avec leurs beaux tétons tout ronds... Ah, Boris, si tu étais riche, je ne refuserais pas que tu me payes une de ces opérations, tu vois laquelle? Pour durcir les seins et faire maigrir les cuisses... C'est bien dur d'être une fille!

— Quelle horreur, Berenice, ce ne serait plus toi!

— Naturellement que j'aimerais ça! Je serais toujours la même Berenice, en mieux, plus jolie. Toi, par exemple, quand tu parles, tu dis les mêmes choses que moi ; mais en plus joli parce que tu es instruit. Ce n'est pas différent, mais ça paraît mieux. Pour les tétons, c'est la même histoire. Regarde les filles dans toutes les revues, surtout les étrangères. Il y en a des noires aussi, depuis un certain temps. Des gringas noires ! Qu'est-ce qu'ils ne vont pas inventer ! Elles sont si belles... On dirait des travelos. Tu penserais même pas qu'elles ont une chatte, tellement elles sont minces. Moi-même, j'aurais envie de les enculer ! Pourquoi alors tu ne veux pas que je m'améliore ? T'es jaloux ?

— Pauvre de toi, Berenice. Tu perdrais alors tous tes amis, tes protecteurs. Ces corps maigres font trop penser à la misère ; tu ne trouves pas qu'il y en a assez dans les rues ?

— Non ! Je me ferais très maigre et je laisserais seulement les tétons énormes, pointus, durs comme des ballons. Les fesses, ce n'est plus à la mode. Tu sais, Michael Jackson, le chanteur américain ? C'est un garçon très beau, qui chante et qui danse comme Elvis Presley, mais en plus mince. Il a un petit nez comme je voudrais... On dit que ça coûte une fortune.

— J'ai une amie médecin, Berenice. Peut-être que je pourrais t'arranger ça, dit-il en riant.

— C'est vrai, Boris mon amour ? demanda-t-elle, incrédule. Tu ferais ça pour ta Berenice ? Ah, mon gringo chéri, je serais si heureuse ! Je le dirai à personne... C'est si beau, les travelos !

— Il y a un nom pour ce péché, Berenice. Cela s'appelle la simonie. C'est vouloir détruire ou avilir les choses sacrées, ou les œuvres d'art...

— Ce n'est pas un péché, Boris, que de vouloir être belle, ressembler aux Américaines ! Il n'y a rien de sacré là-dedans... Les femmes sont devenues moins belles après que les étrangers ont inventé les travelos, voilà. C'est le progrès, on n'y peut rien. Tu te moques parce que tu es un mec, que le con ne te démangera pas des semaines et des semaines après le carnaval !

Il était bien difficile de la calmer après de telles discussions.


Boris n'avait aucune envie de rester à Rio pendant le carnaval. Il se disait qu'il y avait des limites, qu'il avait assez vu de grotesque et de sordide. Monica et Ricardo l'avaient invité à venir les rejoindre dans leur maison de campagne, qui était d'ailleurs, il l'avait compris, la même cachette proposée par Luciano pour qu'il se fît discret. Il trouva une bonne excuse pour refuser l'invitation.

Un heureux hasard vint cependant à son aide. Au cours de la réception donnée par Luciano, Boris avait fait la connaissance d'un vieux peintre, Gilberto Dias, qui lui avait paru non seulement sympathique mais aussi conscient de la bêtise ambiante. Ils avaient échangé quelques blagues et commentaires acides sur les autres invités, mais en étaient restés là, sans plus. Quelques jours après, par pure oisiveté, Boris alla visiter son exposition.

La galerie était prestigieuse, et les prix tout à fait déraisonnables. Gilberto paraissait être un peintre célèbre. Les énormes tableaux éclataient en couleurs vives et en formes sensuelles, avec des rythmes répétitifs mais assez plaisants. En se promenant devant ces peintures, Boris avait l'impression d'être dans un monde étranger et lumineux comme celui des photos des dépliants touristiques qui vantent les beautés tropicales; sans détails, un peu flous et très panoramiques. Un monde beau et apaisant, sans commune mesure avec la réalité des rues. La lumière de la ville était cependant là, merveilleusement rendue, comme si l'artiste avait simplement déguisé l'horreur sous des apparences végétales et voluptueuses.

Boris s'apprêtait à quitter la galerie lorsqu'arriva le peintre en personne. Celui-ci l'accueillit chaleureusement et l'invita aussitôt à prendre une bière dans un bar des environs. Ils y restèrent jusque tard dans la nuit, plongés dans une conversation très détendue, sans but précis. Gilberto Dias avait, lui aussi, passé des années à l'étranger, et il pouvait comprendre le dépaysement ressenti par Boris.

— Moi non plus, je ne sais pas pourquoi je suis revenu, dit-il en cherchant à se souvenir. Peut-être simplement parce que je ne pouvais pas m'habituer à l'hiver. Je grelottais toujours à Paris ; en Hollande, c'était pire, à cause de l'humidité. Une fois de retour, ma famille m'a gâté d'une telle façon que j'ai oublié de me poser cette question... Souvent, je regrette ce retour. Non pas que je vive moins bien ici, au contraire. Je suis riche, je vends facilement tout ce que je fais et je jouis d'une renommée dont je n'aurais pas pu rêver en Europe. C'est étrange que tu me poses cette question ; elle me semble si familière... Ce qui me manque le plus ici, c'est la distance nécessaire pour pouvoir créer, la transcendance envers les choses. La réalité brute — la nature, mais aussi les gens — est si massive, si accaparante que le cerveau n'a pas de détachement pour arriver à la formuler... L'art est la reprise du réel par l'artiste, pour mieux l'humaniser. Pas moyen de créer lorsqu'on bout avec la soupe...

— Pourtant, tes tableaux sont très beaux, répliqua Boris.

— Je me contente de répéter des formes, de suivre les courants, comme un simple créateur de prêt-à-porter... L'expérience d'endroits plus sophistiqués et le savoir-faire du métier suffisent lorsqu'on n'a plus besoin de se battre. Et comme j'intègre des matériaux locaux, j'ai une touche écologique qui me distingue. Cela suffit, vois-tu, pour rester à la surface.

Ce cynisme ne semblait pas affecté. Boris crut y percevoir des restes d'une authentique tristesse qui se manifestait sous la forme d'un renoncement bien sage, doublé d'un mépris certain de ce monde snob qui le faisait vivre.

— Tu veux dire que tu travailles comme un décorateur d'intérieurs ? demanda Boris avec sympathie.

— Tout à fait. Il m'arrive souvent de décorer directement les murs de résidences ou de halls d'entrée. Les artistes du passé devaient se contenter des mêmes commandes. Seulement, ils créaient aussi des œuvres solitaires dans leurs ateliers, des trucs formidables. Hélas ! je n'y arrive pas ; j'y ai renoncé depuis plusieurs années.

— Je ne te suis pas. Tu dis que tu as renoncé à ton activité créatrice ? Comment vit-on ensuite ?

— Très bien, comme tout le monde, répondit Gilberto spontanément. Peut-être que, dans mon cas, l'art n'était pas une véritable passion… Comment le savoir ? Mais je vis plus sereinement depuis que je ne ressens plus l'urgence de créer. Je me contente des choses comme elles sont, et les gens y voient de la maturité. Il ne servirait à rien de leur dire qu'il n'y a plus rien d'artistique dans cette entreprise. Les amateurs d'art sont souvent bien plus snobs que les artistes ; lorsqu'on ne leur dit rien, ils se forgent leurs propres explications pour continuer leur parade… Le plus difficile, tu as raison de l'avoir demandé tout à l'heure, le plus pénible est cette misère qui nous encercle, cette inhumanité. Il m'est arrivé de vouloir la peindre, ne serait-ce que pour l'exorciser, ou y compatir. Impossible de le faire.

— Pourquoi donc ?

— Trop réaliste, ça sortait indécent… Peut-être que je compatissais peu, ou que ma réaction était trop rationnelle, je ne sais pas ; ça restait concret. Tu vois, une plaie, deux plaies, trois plaies… Ça se répète en variations de couleurs et on finit par retomber dans l'abstraction. C'est trop présent, et la peinture ne sert à rien pour alléger leurs souffrances. Ça peut donner bonne conscience pendant un certain temps, ça finit quand même par être stéréotypé. La même chose pour les femmes, les fleurs, les paysages, les rictus de douleur ou de rage, tout enfin. Même les natures mortes sont ici plus vivantes que dans les tableaux... Il m'a fallu donc apprendre à vivre heureux sans regarder autour de moi puisque je n'ai pas la même abnégation que mère Teresa. C'est difficile, mais on s'y fait, je t'assure. La perception a le don de filtrer les sensations qui se répètent ; elle finit par les ignorer. Le choc est seulement pénible au début...

— Voilà une question qui me préoccupe, fit Boris, puisque justement, depuis que je suis arrivé, cette réalité massive m'assomme.

— Je suis passé par là lorsque je suis revenu d'Europe. Mes tableaux de cette époque n'étaient que des cris de désespoir. Ça finit par passer. Par contre, le manque de culture et la bêtise sont infiniment plus durables et ils ne cessent de m'agacer. Cette prétention de tout connaître propre aux colonisés lorsqu'ils deviennent riches... voilà le plus difficile. À cela, il n'y a pas d'accoutumance possible.

La conversation continua ainsi, à bâtons rompus. Lorsqu'ils se quittèrent, le peintre l'invita à passer la période du carnaval dans sa propriété de Cabo Frio, au bord de la mer, en compagnie de quelques amis et de filles sympathiques choisies pour l'occasion.

Gilberto vint le chercher trois jours avant la période du carnaval et ils partirent, contents de quitter la ville dont l'effervescence et la tension ne cessaient de grandir.


Boris avait par ailleurs un motif de plus de se réjouir de cette escapade. La veille, le vieux Machado avait reçu une convocation venant du ministère des Armées adressée conjointement à l'hôtel et au lieutenant Boris Nikto. C'était un ordre de comparution aux audiences préliminaires d'un procès en cour martiale, dans la circonscription militaire de Rio de Janeiro, qui aurait lieu le mois suivant. Le dénommé lieutenant était requis pour fournir des éclaircissements. On le priait de rentrer en contact avec un certain major au siège du tribunal militaire, car celui-ci lui servirait de procureur.

C'était une convocation en apparence bien innocente, certes, mais qui se compliquait du fait qu'elle portait son véritable nom, même s'il était enregistré à l'hôtel sous l'identité de ses nouveaux papiers. Boris alla aussitôt rencontrer l'éditeur Veigas et reçut l'assurance qu'il s'agissait d'une simple formalité, rien d'autre, puisque le procès était décidé d'avance. Luciano avait tout réglé ; il ne restait qu'un petit moment pénible à passer, rien qu'une courbette conventionnelle à la hiérarchie. Voilà.

Boris lui demanda malgré tout une faveur supplémentaire : les mêmes sources qui lui avaient procuré la fausse carte d'identité seraient sûrement en mesure de fournir un passeport au même nom d'emprunt, Martin Niemand, avec visa de sortie et tout le reste…

— Voici les photos et la fausse carte. Dites-leur de signer avec la même écriture. On ne sait jamais, lui dit Boris en souriant. De toute façon, je n'aurai pas besoin d'utiliser ce passeport. Ce n'est qu'un fétiche pour apaiser mes angoisses. Lorsqu'on est brésilien, il est impossible de ne pas être superstitieux, n'est-ce pas ? Mettez-y le prix qu'il faut et déduisez-le du prochain envoi d'Albrecht. Je viendrai le chercher en personne car je change enfin d'hôtel. C'était en effet un endroit peu convenable pour commencer ma vie civile. Monica me trouvera ce qu'il faut. Salut, et bon carnaval !

Avant de partir avec le peintre, Boris prit la peine de libérer sa chambre et de laisser ses avoirs sous la garde du vieux Machado.

— Il n'y a rien de compromettant, lui dit-il. Ni aucune identification. Si jamais ils reviennent, tu diras que tu as donné la convocation au gringo qui occupait ma chambre, et que celui-ci est aussitôt reparti aux États-Unis. C'était bien moi. Tu m'inscris dans ton livre comme si j'étais arrivé il y a un mois. Quant au Martin Niemand du début, il serait parti bien avant l'arrivée du lieutenant Nikto, d'accord ? Pas la peine de le mentionner. Allez, Machado, et merci encore une fois. Je te donne de mes nouvelles à mon retour. Voici le numéro de téléphone de ma sœur, Monica ; mais en cas d'urgence seulement. Salut !


La propriété de Gilberto Dias était au nord de Cabo Frio, loin des endroits touristiques et suffisamment isolée pour préserver son intimité. C'était une grande maison moderne, décorée de boiseries, de tuiles et de cuirs avec un cachet colonial. En sortant du salon, on débouchait directement sur une petite plage non entretenue, au milieu des rochers. Dans l'immense atelier, les motifs géométriques des toiles contrastaient agréablement avec les plantes du jardin et les feuilles des palmiers. Un couple de vieux domestiques s'occupait des lieux comme si l'on était à l'hôtel ; à l'extérieur, un jardinier très costaud faisait discrètement office de garde du corps.

— Tu verras, Boris, nous serons bien ici pour attendre la fin du carnaval, lui dit le peintre. Comme tant d'autres, je m'isole de plus en plus. On vit dans un pays tropical, les étrangers le savent bien. Je cherche à les imiter en vivant à l'année longue comme si j'étais en vacances sous les tropiques. De cette façon, les choses m'agacent moins.

« Isolé ainsi du monde, ce serait peut-être faisable », pensa Boris en regardant la plage. L'endroit était magnifique, autosuffisant, comme ces clubs de vacances qu'on annonçait dans la presse allemande. « Mais, si l'on y était confiné, se dit-il, ça risquerait de devenir plutôt une prison de luxe. »

— Il faut s'entourer d'amis, créer une ambiance ici et au village, continua Gilberto comme s'il devinait les pensées de son invité. Cela peut paraître cynique, mais j'ai appris à vivre comme ces fermiers latifundiaires du sertão, qui gardent leurs distances non pas pour être respectés, mais pour avoir la paix. Autrefois, ce genre de rapports paternalistes m'irritait; mais je me suis rendu compte que ce sont les seuls rapports que les gens comprennent. Je joue le jeu et ça marche... Il te faudra apprendre à jouer de la sorte pour t'adapter à nouveau ici, sinon ta vie deviendra impossible.

Les autos des autres invités arrivèrent à ce moment-là : deux hommes et quatre jeunes femmes, joyeux, chargés de bouteilles et de provisions. Le premier d'entre eux, un homme très sociable, se présenta :

— Sarego, économiste. Content de te connaître, Boris. Gilberto m'a dit que tu arrivais d'Europe. Moi aussi, j'ai vécu à Paris, au début de la dictature.

Le deuxième, plus petit et timide, mais l'air plus réfléchi, s'appelait Oswaldo et était cadre supérieur dans une grande chaîne de télévision. C'était lui qui amenait les femmes. Celles-ci, particulièrement bien choisies, furent présentées comme des agents de presse et de relations publiques, sans d'autres précisions. Leur contentement, leurs manières juvéniles et avenantes montraient bien qu'elles feraient de leur mieux pour plaire. Boris ne retint pas leurs noms, ce qui n'avait d'ailleurs aucune importance. Il ne put cependant s'empêcher de leur trouver une certaine similitude avec Monica, comme si elles étaient de jeunes cousines. Sûrement que les formes abondantes, la peau bronzée et les sourires mouillés y étaient pour quelque chose.

Ce furent des vacances bien reposantes. Boris, qui n'avait jamais été dans un de ces clubs tropicaux, s'efforça au début d'accompagner le groupe aux bains de mer, aux jeux de volley-ball et de frisbee sur la plage, puis aux repas succulents suivis de longues siestes, chacun dans sa chambre en compagnie d'une fille. Le soir, ils bavardaient, jouaient aux cartes et regardaient religieusement les émissions de la chaîne de télévision où travaillait Oswaldo; il fallait que celui-ci contrôlât certains détails fondamentaux de la programmation, sans quoi le monde ne tournerait pas comme il faut.

Sarego, l'économiste, se souvenait avec enthousiasme de ses années à Paris, où il étudiait à l'Institut d'études sur le développement social et, selon ses propres mots, s'évertuait à comprendre le marxisme à la sauce gauloise tout en baisant le plus possible de filles étrangères.

— Quelle période féconde en réflexion, s'exclamat-il. Le tiers monde était la grande nouveauté et l'Institut ne vivait que pour nous. Les petites Françaises étaient folles des sous-développés. Même les Noirs d'Afrique arrivaient à se caser. Le marxisme, pourtant déjà mort partout, arrivait là-bas à paraître vivant par les soins d'un embaumement verbal, à l'aide de la psychanalyse et de la linguistique. Il suffisait de citer les grands théoriciens à la mode, dont personne ne comprenait le charabia, et le tour était joué. Les Français venaient de découvrir, chez nous, des tropiques plus beaux que leur malheureuse Afrique ; et ils y jouaient allègrement les sauveurs puisque la faute revenait entièrement aux Américains. Après la performance ridicule d'un écrivain français qui avait voulu accompagner Guevara en Bolivie, nous, des tristes tropiques, nous étions très à la mode. Vous voyez le genre ? Il était bon d'être latino-américain...

— Est-ce que ça vous a servi, ces bavardages, une fois de retour ici ? demanda Boris pour détourner la conversation de Paris.

— Bien sûr, et comment ! répondit Sarego. On était réclamés par toutes les universités, les centres de recherche et même des bureaux du gouvernement. Les modes de l'Europe prennent quelques années à arriver chez nous ; dans les cinq à dix ans. À notre retour, on a recyclé tous les bonzes de Paris à la sauce tropicale, et la plupart d'entre nous se sont casés. Ces auteurs faisaient fureur et on commençait à peine à les traduire. D'ailleurs, avez-vous déjà imaginé comment on peut traduire ces trucs-là dans une langue riche comme la nôtre ? Seulement avec des électrochocs. Mais nous avions côtoyé les maîtres, personnellement; nos exégèses étaient donc parole sacrée de ce côté-ci de l'océan. Nos propres querelles étaient devenues aussi ridicules que celles des Français; cela nous donnait du cachet. Et puis, ce n'était pas trop le moment de remuer de la merde, car les militaires veillaient au grain. Quoique plusieurs d'entre eux sentaient déjà que leurs idées de développement à l'américaine ne marcheraient pas, et ils cherchaient à se mettre au courant des nouveautés structuralistes. Par pur désespoir... Ça n'avait aucune importance de toute façon, puisque ces théories absurdes ne servent qu'à briller dans les salons. Le plus emmerdant au début, c'étaient ceux qui n'avaient pas voyagé et qui prêchaient la lutte armée d'inspiration castriste. Ça cadrait mal avec nos études. Mais ici on s'adapte toujours. J'ai connu des structuralistes maoïstes et des psychanalystes de tendance albanaise, je ne vous mens pas! Les partis clandestins étaient tous infiltrés par la police, et lorsque celle-ci a serré la vis, les gens se sont dénoncés les uns les autres sous le couvert de la pureté idéologique!

— Et le peuple, pendant ce temps-là? demanda Boris.

— Rien. Il ne faisait rien et ne comprenait rien. Les gens cherchaient tout bonnement à survivre, en maudissant les terroristes qui empoisonnaient la vie de tout le monde. Seules l'inflation et la misère comptaient.

— Le football aussi, ajouta Oswaldo avec un hoquet parce que son agent de presse l'avait chatouillé sous la chemise.

— Il paraît que maintenant la gauche a refait ses alliances, se risqua encore Boris.

— Plus ou moins, reprit Oswaldo. C'est le même bordel avec d'autres tenanciers. Une chose est certaine, tout le monde a peur des mouvements populistes à saveur messianique qui surgissent partout. Mais c'est toujours la bagarre pour savoir qui aura la chance d'empocher ce qui reste des prêts étrangers. Le pays est au bord de la faillite, et les banques internationales n'ont d'autre choix que de continuer à prêter. T'as déjà vu un pays faire faillite ? Il y en a même qui suggèrent de déclarer la guerre aux États-Unis pour qu'ils viennent nous envahir et nous tirer du trou. Mais les gringos ne sont plus cons... Je vais vous raconter, mais que ça reste entre nous...

Ils passaient ainsi de la politique aux faits divers et aux scandales, rien que pour tuer le temps. Oswaldo était particulièrement bien informé et pouvait raconter des histoires incroyables tant sur les politiciens que sur les journalistes. Les filles paraissaient se divertir énormément lorsqu'elles en connaissaient de près les acteurs.

Après trois jours, Boris en avait assez de ce régime. Heureusement que le carnaval avait enfin débuté et que les autres partaient chaque soir à Cabo Frio pour danser dans les clubs privés. Ils dormaient ensuite toute la journée, laissant la maison tranquille et libre d'activités organisées.

Boris pouvait alors se consacrer à de longues promenades matinales et aux bains de mer solitaires. Il s'installait ensuite sur les rochers ; son regard se perdait à l'horizon, vers l'Afrique et le reste du monde, bien loin d'où il était. Lorsqu'il rentrait à la maison, ses yeux paraissaient plus brillants et absents à la fois.

Gilberto, qui n'aimait pas le carnaval, en profitait pour travailler dans son atelier. Son activité était cependant aussi imaginaire que celle de Boris, sans peinture ni pinceaux. Les toiles contre les murs étaient d'ailleurs sèches depuis longtemps et rien en elles ne témoignait d'un travail de création. Le peintre passait ses journées assis sur un fauteuil confortable, à simplement regarder les toiles et le jardin. Il paraissait aussi se réjouir lorsque Boris était de retour à la maison et soulagé de cette interruption.

Ils s'asseyaient avec des boissons et pouvaient ensuite passer le reste de la journée à bavarder. C'était surtout le peintre qui parlait, secouant ses cheveux blancs et accompagnant ses propos de mimiques éloquentes qui accentuaient les rides de son visage. Boris avait l'impression que ce vieil homme débordait d'envie de parler à cause d'un besoin intime difficile à saisir. Il était enthousiaste dans ses propos, passionné même, mais, curieusement, la présence de son interlocuteur n'était qu'une excuse pour monologuer. Son cynisme pouvait prendre les mêmes accents méprisants et dérisoires que ceux de Sarego, mais quelque chose de plus profond se dessinait derrière ces paroles apparemment lancées en l'air. Cela prenait parfois l'allure d'une confession.

Boris se rendait compte que Gilberto vivait comme un exilé de l'intérieur; sa quête ressemblait même d'une certaine manière à celle du professeur Mansour. Sauf qu'il ne visait aucun projet de création ni de fabulation. Il y avait là quelque chose relevant du registre de l'auto-destruction malgré ses propos désinvoltes. Cette sorte de confession pouvait aussi paraître celle d'un malade en sursis, qui attend une mort prochaine et qui cherche à faire un dernier bilan pour se donner l'impression d'avoir rassemblé les divers morceaux de sa vie. Par ailleurs, il ne manifestait aucun signe de désespoir, et sa générosité envers ses hôtes était naturelle; il ne dédaignait pas non plus la compagnie des jeunes femmes. Sauf qu'il paraissait toujours ne participer que pour la forme, détaché des choses, comme s'il voulait uniquement montrer qu'il était encore vivant.

Dans ses longues tirades, il lui arrivait de poser la même question à Boris, la formulant de diverses manières parfois voilées, comme s'il se la posait à lui-même: «Qu'est-ce que tu vas faire maintenant?» En fait, il paraissait surtout se demander pourquoi, en fin de compte, entreprendre quoi que ce fût. Si son discours affirmait que tout était voué d'avance à l'échec, l'insistance de ses propos paraissait cependant demander à son interlocuteur une réponse ou un appui. Il n'était peut-être pas convaincu de son nihilisme puisqu'il revenait à la charge selon une formulation nouvelle et parmi d'autres sujets. Il était par ailleurs évident qu'il ne cherchait pas à convaincre Boris de la vanité des choses. Au contraire, son attente d'une aide quelconque paraissait réelle, pressante, et elle laissait l'interlocuteur mal à l'aise de ne pas savoir que dire pour le satisfaire.

Parce que, en fait, Boris ne savait pas quoi lui répondre. Lui-même n'avait aucune réponse pour justifier ses actes. Seule une sensation corporelle l'assurait qu'il se battrait encore pour survivre, quitte à se forger des excuses confortables. «Ceci, hélas! ne se transmet pas par le langage», pensa-t-il à diverses reprises dans ses promenades solitaires. «C'est convenable d'avoir des raisons, des motifs, se disait-il, mais ces explications, pour merveilleuses qu'elles soient, ne fourniront jamais l'énergie nécessaire pour rompre l'inertie, la volonté qui vient de l'intuition première, corporelle, et qui nous pousse à bouger pour le simple plaisir de bouger. Voilà peut-être ce que le peintre ne possède plus. »

— Tu vois, Boris, disait Gilberto, j'ai prétendu l'autre jour que je travaillais comme un simple décorateur. C'était pour éluder la question que tu avais posée trop directement. Non, je sais qu'il n'y avait pas d'intention de blesser; c'est évident que tu te bats avec le même problème que moi. En fait, je déteste cette comparaison, que d'ailleurs je me répète à moi-même à chaque nouveau jour. Tu vois ces toiles? Elles sont là depuis l'an dernier. C'étaient des esquisses pour un projet de décoration de la ville de Rio, pour le carnaval. Elles ressemblent tout à fait aux décorations de cette année, et aussi à celles des années précédentes. C'était une tentative de ma part pour retrouver le réel. Un nouvel échec. Un de plus, même si j'en ai beaucoup à mon actif. Que veux-tu, je ne sais pas m'occuper autrement. Cette question ne se poserait pas si j'étais médecin. Ou ingénieur, ou je ne sais quoi d'autre. Pour un artiste, toutefois, elle est la seule question qui compte: pourquoi je fais ce que je fais? Il faut se la poser simplement parce que, faire de l'art, c'est absurde. La peinture, même la poésie, tout ce qu'on appelle l'art ne sert à rien, n'est pas nécessaire. Les gens vivent très bien sans nous. Regarde Sarego, Oswaldo et les filles. Ils sont contents du soleil, des vacances. Les pauvres eux-mêmes seraient contents s'ils étaient moins pauvres. Ils resteraient jaloux de leurs voisins, envieux, désireux d'avoir une femme plus sensuelle ou la renommée d'un tiers. Ils ne penseraient pas à créer ou à récréer du nouveau. Quelques-uns d'entre eux si, puisqu'ils sont comme nous ; mais, heureusement pour eux, ils n'ont pas l'instruction nécessaire pour connaître l'angoisse à cause de l'art. Tous les autres seraient satisfaits. Curieux, n'est-ce pas ? J'ai lu quelque part que le mot d'origine germanique «rune» a comme signification ancestrale, dans sa racine, le concept de «secret». Comme beaucoup d'autres peuples, les Germains reliaient la connaissance de l'écriture au pouvoir magique, incantatoire, qui visait la nature et le destin. Cela apparaît clairement dans les sagas islandaises où l'on parle des conséquences néfastes sur la réalité matérielle d'une simple erreur d'écriture...

— C'est bien vrai, interrompit Boris. Je me souviens d'autres mots de la même étymologie qui vont aussi dans ce sens, comme «murmure», «chuchotement», «secret», «soupçon»... Tiens, même la mandragore se retrouve, en langues germaniques, dans le champ sémantique de rune.

— Tu vois ? Voilà une piste essentielle pour la compréhension du pouvoir de l'art, de l'enchantement dégagé par l'artiste. Lorsqu'on perd ce mystère, cette pulsion incantatoire, on se débat avec de pures formes comme je le fais. On peut émerveiller tout le monde, mais on ne s'émerveille plus.

— Tu avais mis la faute, si je me souviens bien, sur la réalité trop luxuriante.

— C'est en effet l'explication que je me plais à me donner, une simple excuse... Ma seule certitude, c'est d'avoir perdu le pouvoir de m'émouvoir en gravant mes runes. Je suis devenu un simple scribe, celui qui possède le langage à merveille pour impressionner les analphabètes. Mais qui n'est plus lui-même impressionnable par son art. Tout comme un prêtre qui a perdu la foi, ni plus ni moins, défroqué, sans angoisse et riche de surcroît. Très respecté, puisque désormais je trace mes runes sans crainte devant les maléfices, tant qu'on voudra, de toutes les formes et de toutes les couleurs, irrespectueux... Et alors, alors seulement, que rien d'autre ne vient remplacer la vieille angoisse, je me rends compte qu'elle seule m'était précieuse... Serait-ce la même chose pour la poésie?

— Sûrement..., répondit Boris en se souvenant du marxisme sans foi dont lui avait parlé le professeur Mansour.

— Lorsque les runes deviennent une pure écriture, lisible plutôt qu'envoûtante, dépourvue de sortilèges, la réalité elle-même s'appauvrit et nous apparaît alors, paradoxalement, comme une multitude luxuriante. Voilà l'effet antinomique du rapport mouvant entre la pensée et le réel. Tu vois, Boris, de prime abord, l'art a l'air de n'être qu'un simulacre du réel, une représentation. Il n'en est rien. Un vrai tableau — et sûrement un vrai poème — est une nouvelle réalité en soi. Celle-ci s'impose à son tour au réel lui-même par la voie de la pensée, pour l'organiser autrement. C'est alors le réel qui devient simulacre du tableau, qui cherche à l'imiter pour s'améliorer. Bizarre, n'est-ce pas? Tu peux dire que c'est idéaliste ou tout ce que tu voudras. Mais dans ce paradoxe se trouve la vérité de l'artiste. Je ne parle pas de l'art ni du réel, sinon on s'embourbe dans la métaphysique. Je parle uniquement de l'activité de l'homme seul devant son tableau, de cette entreprise manuelle, artisanale, qu'on recommence sans en comprendre tout à fait le sens. Donc, lorsque j'ai dit que ce monde-ci était trop riche, j'avouais tout bonnement que je ne me sentais plus capable de créer les simulacres convenables pour le rendre à son tour simple et cristallin. Je me sens incapable de créer les formes pour le mettre en forme, les classes pour le classifier, les images pour le rendre pensable... Je suis embourbé dans le monde, voilà. Et je me débats avec une collection interminable de formes empruntées aux autres artistes, aux livres, à mes anciens tableaux, géométriques, végétales, féminines ou minérales... Que je répète et que je mélange les unes aux autres, avec beaucoup de ruse, de dextérité... mais sans passion. Je rumine de la sorte non pas à la recherche du réel, mais pour tenter de retrouver le sentiment magique d'autrefois, lorsque je traçais péniblement des runes ensorcelantes... Si je blâme le réel, c'est parce qu'il m'assomme depuis que je n'arrive plus à l'exorciser par mon art. Par pur dépit... Est-ce que cela te dit quelque chose ?

— Oui, beaucoup de choses... Il y a cependant une différence dans ma façon d'être, et c'est pourquoi ma réponse ne peut t'être d'aucune utilité. Je crois que tu décris avec justesse l'acte de la création, et cela s'applique à merveille à la poésie. Sauf que je réagis différemment lorsque je me sens coincé. C'est irréfléchi et impulsif, je me débats malgré moi pour m'en sortir, je passe à l'action, je me défends et je m'arrache à ce qui m'emprisonne. Toi, Gilberto, tu as l'air de tenir à tes formes, à ta dextérité, à tout ça ici, fit-il en indiquant la maison.

— Tu fuis, donc ? C'est comme ça qu'on doit dire les choses...

— En quelque sorte, mais pas tout à fait. Ce n'est pas la fuite d'un danger comme telle ; c'est plutôt l'arrachement à un espace étroit, pour mieux respirer. Même un ennemi, s'il est une contrainte, je vais l'abattre pour m'en libérer. Ce n'est donc pas une fuite spatiale mais une fuite pour me préserver, quitte à devoir combattre. Je crois que je vise avant tout le repos et la liberté de mouvements. Tout ce que tu as ici est très beau, et j'avoue m'être demandé s'il ne me plairait pas d'avoir un endroit ainsi isolé, sur une plage déserte, où je pourrais me cacher pour mieux rêver. Cet endroit risque cependant de devenir une prison, comme tes formes et ta renommée… Je crains d'y laisser ma peau.

— Il est vrai, reprit Gilberto avec un soupir, que tu as là un avantage sur moi, qui n'est pas du tout négligeable pour un artiste. Tu peux fuir… Ne ressens-tu jamais le sentiment de perte, je veux dire d'attachement ?

— Ce n'est pas que je peux fuir mais bien que je sais fuir, répliqua Boris. Pour ce qui est de l'attachement, non, je ne le ressens pas de la même façon que les autres. Je peux même le ressentir comme un étouffement. Regarde ce pays, par exemple. Je me suis attaché à lui pendant toutes les années d'exil et, pourtant, je me rends compte que je ne l'aime pas. Il m'écœure ; je m'y sens prisonnier de quelque chose, je le sens visqueux comme s'il pouvait m'embourber. Il m'a fallu revenir, puis me débattre contre toutes les excuses que j'inventais avant de m'avouer la vérité. Je blâmais les gens, la misère, la bêtise, n'importe quoi… Ce ne sont là que des consé-quences, des épiphénomènes de ce qui m'écœure ici et qui me pousse à m'en aller.

— Et pourquoi donc ? demanda Gilberto, intéressé.

— Je n'en sais rien, fichtrement rien ! Cette plage, ce soleil, cette paresse de vacancier, mais surtout les rap-ports affectifs trop intensément familiers sont étrangers à ma personne, voilà tout. Il me faut me battre contre quelque chose. Je ne suis simplement pas fait pour vivre en vacances… Et, ici, ceux qui ne sont pas en vacances vivent une existence de chiens. Ça non plus, ce n'est pas dans ma nature.

— Un psychanalyste se réjouirait sans doute de t'avoir comme patient, Boris.

— Les pauvres types… Ce ne sont que des curés trop dépendants de leur propre religion. De toute manière, je vis très bien sans en savoir davantage. L'important, c'est que je ressens cette impulsion, ce besoin de m'en aller. Je suis jaloux de cette chose qui me pousse à bouger, je la chéris comme un trésor parce qu'elle me maintient en vie. C'est mon démon à moi! D'ailleurs, si je pouvais vendre une parcelle de l'énergie qui vient de ce démon, les psychanalystes et autres curés perdraient la plupart de leurs disciples. Ce ne serait pas là, justement, ce dont tu ressens la carence? Tu vois, Gilberto, lorsque tu parles de runes et d'envoûtement, il faut aussi faire de la place pour le mystère et la noirceur en dehors des runes; les runes ne suffisent pas pour qu'il y ait magie. Elles ne sont qu'un moyen, un outil. Il faut aussi qu'il y ait secret, fatalité aveugle, irrationalité dans le monde pour qu'on ait besoin des runes. Sinon, tout reste clair et limpide, mais on retombe dans la prose comme le scribe ou le bureaucrate. Il y a quelques jours, un vieux professeur de mathématiques m'a appris une chose formidable: seuls les bureaucrates croient à la valeur des algorithmes.

Ces discussions finissaient toujours par les faire rire et, tard dans la nuit, tous deux étaient ivres et contents.

Boris resta encore quelques jours en compagnie du peintre, après le départ des autres. Ils profitèrent de la solitude pour affiner leurs idées en discutant davantage sur l'art et sur la vie.

Gilberto essaya de faire son portrait et, au lieu de le fâcher, les échecs paraissaient au contraire détendre le vieux.

— T'es trop compliqué, Boris. Mes simulacres ne suffisent pas. Je vais plutôt te faire cubiste.

— Si tu me fais cubiste, ce sera par pure lâcheté. Autant prendre une vraie photo et dessiner dessus. Tes vieux simulacres, tu l'as dit toi-même, c'est de la grosse paresse. Ce ne sont pas eux qui vont refaire chanter les runes. Prends des risques...

— Ah, sale gringo, sale boche! Est-ce que tu es venu ici pour me hanter, ou quoi?

— C'est tes runes qui me hantent, Gilberto. Depuis que tu m'en as parlé, elles ne cessent de me fouetter, et je crois que je commence à revivre. Ne t'attends pas à ce que je fasse, comme tes amis snobs, des louanges pour t'endormir. Allez, le peintre, tu fais mon portrait sans cubes ; et si c'est trop moche, tu recommences… Est-ce que faire un portrait est plus difficile que sauter les agents de presse ? À propos, quand nous serons à Rio, je vais te faire connaître Berenice ; c'est une mulâtresse satanique… Après une nuit avec elle, tu verras que faire des tableaux est quand même de tout repos.

— Bouge pas, le modèle, répondit Gilberto en prenant une nouvelle feuille de papier. Et ne me parle pas de cul… Ces filles venues avec Oswaldo avaient tellement envie d'avoir des jobs à la télé qu'elles ont failli me faire faire une crise cardiaque… Là, comme ça, ne bouge plus et pose, bon Dieu ! C'est déjà difficile, si tu compliques encore en fumant…

— Ce qu'il te faudrait, Gilberto, dit Boris d'un air pensif, ce serait une vieille du genre encore assez douce, encore bonne au lit, maternelle…

— Ne m'en parle pas, jeune homme. Je viens à peine de me sortir d'un troisième mariage.

— Oh, là, là !… t'as donc le sens de la famille, toi ! Trois femmes. Il faut le faire ! Ça frôle la compulsion ; comme les patrons géométriques que tu répètes et qui deviennent de plus en plus ensorcelants… En mathématiques, on appelle cela une itération. C'est lorsqu'on ne peut pas résoudre le problème d'un coup ; on l'approche successivement par diverses voies, pour le ramollir en quelque sorte.

— Ce sont plutôt mes femmes qui m'ont ramolli, tu peux en être sûr.

— Mais, trois…

— Peut-être qu'en effet j'ai le sens de la famille, ou que je ne sais pas dire non. Cela fait quatre femmes qui m'ont malaxé, ma mère étant la première. C'était une femme adorable, ma mère, et j'étais le seul fils, escorté par deux sœurs.

— Ça fait six!

— En effet, le chiffre maléfique de la bête. Chacune d'elles a laissé sa marque. Chaque fois, je me disais que c'était fini; mais tout recommençait avec une autre... sans parler de mes filles.

— Ah! parce que monsieur fécondait aussi! s'exclama Boris, bouche bée.

— Eh oui!... Les premières fois, sans m'en rendre compte. Ensuite, parce qu'elles en voulaient tellement... La dernière, eh bien, pour lui montrer que j'étais encore jeune. Peut-être aussi dans l'espoir de la garder à la maison, de l'occuper pour qu'elle ait quelque chose à faire, je l'avoue. J'étais jaloux, tu vois.

— Ça fait toute une tribu d'amazones...

— Toute une tribu... Heureusement qu'elles étaient riches, sinon je serais clochard en ce moment.

— Tu as quand même un certain sens des ruptures, des fuites.

— Oui et non. Ce n'étaient pas de véritables ruptures. C'était plutôt de l'ordre de l'agrandissement de la famille, comme dans les villages africains. Une habitude sûrement acquise auprès de ma mère et de mes sœurs. Toute cette tribu est restée unie; elles sont toutes devenues amies, elles se rendent visite comme les anciens combattants, pour se vanter d'avoir survécu à la guerre, pour comparer leurs exploits. De la même façon, elles sont cruellement gentilles avec moi puisque je suis leur pôle d'attraction... Et toi, Boris, t'as pas goûté aux joies du mariage?

— Non, répondit-il, moqueur. La fatalité aveugle m'a épargné cette chance. J'espère d'ailleurs que c'est trop tard... J'en ai eu, des copines, mais ça n'a pas duré. La nature, malheureusement, n'a pas été aussi généreuse avec ma semence qu'avec la tienne.

— Et ta mère? Tout le malheur commence avec la mère.

— Elle est morte avant d'avoir pu me serrer entre ses griffes. Mon père ne semblait pas s'en plaindre... À vrai dire, je ne sais pas. J'ai grandi en contact avec des voisines, des amies de toutes sortes, des putes aussi...

— Une chance pour toi, je t'assure. Les garçons ne le savent pas, mais c'est trop corrosif, une mère ; surtout les bonnes mères, celles qui se dévouent et qui t'étreignent, qui s'occupent sans cesse de leurs petits garçons pour leur faire du bien. Tu y prends goût, et te voilà ensuite livré comme une proie facile aux amours mielleuses, la vie durant.

— Il doit y avoir de bons côtés, sinon...

— Justement, c'est ça l'attrape. C'est délicieux, onctueux, comme une sorte d'ivresse. Mieux encore, comme une sorte de friandise chocolatée, crémeuse et lourde, visqueuse... Plus tu deviens obèse, plus t'en as envie. Tu peux plus t'en passer même lorsque la graisse te suinte par les oreilles, même si tu es empâté par le lard et que tu ne peux plus bouger... Voilà le problème. C'est délicieux comme un bain chaud, et tout aussi narcotique. Tu ne te rends plus compte que tu es écœuré puisque tu y perds la capacité même de te rendre compte de quoi que ce soit... Jusqu'au prochain coup de foudre.

— Est-ce que... par hasard ?

— Non, ma troisième rupture n'a pas été motivée par un coup de foudre. Heureusement, sinon j'aurais déjà convolé... Les mamans adorables te font aussi perdre le sens du ridicule. Non, cette fois, ce sont les runes qui m'ont lâché. Ça va faire deux ans... Je ne sais pas ce qui s'est passé, mais la peinture ne répondait plus. À bien y penser, c'est vrai qu'elle se tarissait depuis longtemps, mais pas assez pour tuer l'illusion. J'arrivais encore à vivre de petits moments de passion. Puis, comme ces moments ne venaient plus, je me donnais des vacances et des vacances successives, jusqu'à me rendre compte que je ne savais plus peindre depuis déjà une bonne dizaine d'années.

— Est-ce que c'est comme lorsqu'on ne bande plus, une sorte d'impuissance?

— Pire encore que de ne plus bander. Mon désir sexuel est resté intact. Il est trop lié aux femmes. La partie véritablement virile, celle de la créativité, s'est perdue... Je ne sais pas où. Tarie à jamais... Tiens, voilà ton portrait. C'est le mieux que je puisse faire sans utiliser des cubes.

Le portrait était ressemblant, sans aucun doute. C'était Boris un peu stylisé mais reconnaissable. Il manquait de la force dans les traits cependant, cette force et cette vitalité qui débordaient des tableaux géométriques. C'était tout de même une tentative, peut-être la première d'une série, et Boris sentit que Gilberto était content comme un enfant qui vient de faire un mauvais coup. Sa propre critique était pertinente et honnête, mais il paraissait ravi d'avoir osé. Cela le mit d'excellente humeur.

Il dessina encore les jours suivants, se concentrant sur les plantes du jardin, les objets de l'atelier et sa propre imagination. Boris sortait se promener la journée durant et méditait à son tour sur sa propre poésie. Olga revenait souvent à sa conscience, entourée d'étendues givrées et d'un soleil diagonal malgré la mer bleue et les journées de canicule.

De retour à Rio, lorsque Gilberto déposa Boris près de son hôtel, il paraissait très heureux, satisfait des vacances et d'avoir retrouvé un peu de son ancienne passion pour la peinture. Même qu'il remercia son invité chaleureusement:

— Merci, Boris, tu m'as été d'un grand secours. J'espère que tu en as aussi profité pour clarifier tes idées. C'était vraiment un carnaval réussi. Il est très rare qu'on puisse discuter de ces choses ici... Tu m'as fait du bien. T'es certain que tu n'as pas besoin de rien? Je peux te donner un coup de main, et l'argent n'est pas un problème... Non? D'accord. S'il te faut quelque chose, n'hésite pas à appeler Sarego ou Oswaldo. Ce sont des types bien placés. Appelle-moi un de ces jours... Salut donc, et merci une fois de plus d'être venu.

# 23

En entrant dans le salon du barbier avec sa valise, Boris s'aperçut que quelque chose n'allait pas. Sirigaito lui fit signe d'attendre dans le réduit arrière, le temps qu'il finisse son client.

— Laisse ta valise ici, dit-il ensuite, et va-t'en chez Berenice. Juarez te rejoindra là-bas. Ils te cherchent pour te liquider. Il t'expliquera tout. Tiens, prends ton revolver avec toi, fit-il en lui tendant l'arme.

Boris garda un calme apparent malgré le battement accéléré de son cœur et ses idées confuses, et s'en alla de son pas habituel.

Berenice l'accueillit sans faire de commentaire et continua à coudre en souriant. Plus tard, en lui offrant du café, elle se borna à dire :

— T'as fait des bêtises, Boris... je me demande lesquelles. J'espère seulement que ce n'est pas une affaire de femmes... Ces gringos...

Juarez arriva au milieu de l'après-midi, l'air détendu, visiblement content de trouver Boris sain et sauf.

— Une chance que tu n'es pas allé à l'hôtel, commença-t-il. On te trouvera une planque plus tard. Un ami de Sirigaito va t'amener loin d'ici… Voilà : ils sont venus te chercher le lendemain de ton départ, la nuit. Quatre hommes en civil dans deux voitures, en plus des chauffeurs ; très calmes, armés, visiblement des militaires. Au moins deux d'entre eux étaient des gradés. Ils ne venaient pas pour parler, j'en suis certain. Je prenais une bière avec Machado lorsqu'ils sont entrés, comme des commandos. Ils ont tout fouillé, même ton ancienne chambre, et ils avaient l'air bien déçus de ne pas te trouver là. Pas bavards. Le plus vieux te connaissait, ou il avait vu ta photo ; de toute façon, ils ont laissé les gens en paix. C'était toi qu'ils visaient. Je ne suis pas certain qu'ils ont gobé l'histoire de ton départ pour l'Amérique.

— Je ne comprends rien, fit Boris. Tous ces gens amnistiés, le Parti communiste dans la légalité, tous ceux qui étaient impliqués dans les insurrections libérés… Luciano m'avait pourtant assuré que le procès était gagné d'avance.

— Tu dois être important à leurs yeux, bien important. Les vieilles rancunes, tu vois. Et puis, ces histoires d'amnistie, c'est pour la façade. Les militaires continuent à tuer. Je le sais très bien puisque justement je travaille dans le milieu. Il arrive que la police et les bandes de trafiquants soient étonnés de certains *jambons* qu'on retrouve, parfois par groupes, avec une balle dans la nuque. Les gens du milieu me racontent ces choses, étonnés et enragés de se faire accuser à tort ; ils savent que ce sont des vengeances des militaires. Souvent, les poches des *jambons* ne sont même pas vidées, les papiers sont là, et ils ne sont pas criblés de balles comme c'est l'usage. Une seule, dans la nuque… Pourquoi voudrais-tu qu'ils arrêtent de tuer seulement à cause d'une amnistie décrétée en l'air ? Tu sais, ces centaines de prisonniers qu'ils ont jetés dans l'océan, du haut de leurs avions, et qu'on désigne toujours par «disparus»… Comment veux-tu qu'ils n'y aient pas pris goût ? Pouvoir tuer et massacrer les gens a toujours fait partie des avantages sociaux des soldats de l'armée. N'empêche que tu dois les avoir drôlement fait chier pour qu'ils se souviennent encore... Si tu avais au moins été général. À leurs yeux, lorsqu'un lieutenant se révolte, c'est un crime impardonnable. Il y a eu plusieurs lieutenants et capitaines tués durant la dictature, mais pas un seul major ni un seul colonel. La hiérarchie, Boris, c'est tout ce qu'ils ont dans le crâne.

— Je vois... Là, je suis dans la merde. Si c'était officiel, je pourrais me défendre. Il y a des gens bien placés qui me l'ont assuré. Mais, si c'est des commandos clandestins, tôt ou tard ils m'abattront dans la rue. Ce n'est qu'une question de temps...

Pindoca vint le chercher dans la soirée pour l'emmener à la cachette trouvée par Sirigaito, dans une banlieue.

— Merde, Boris, commença le chauffeur durant leur voyage nocturne, si j'avais su le risque que je courais ! Tu es donc un type dangereux. C'est donc pour ça que le porc avait si bon goût. Dommage que tu n'aies pas été des nôtres pour le manger puisque c'était le porc choisi par ton père. Délicieux !

— Moi non plus, je ne savais pas que j'étais si important. Des histoires anciennes... Enfin, il faut croire que non. Je me demande toujours pourquoi.

— Tu as peut-être sauté la fiancée d'un gradé, ou sa fille ?

— Non.

— C'est la seule cause de dette d'honneur que je connaisse dans ce pays ; à part les querelles des trafiquants... Serais-tu mêlé au trafic de la cocaïne ? Excuse-moi, Boris, je blague pour te détendre, c'est tout. Pense encore et tu finiras par trouver. Ce n'est pas possible que ce soit uniquement politique, depuis toutes ces années. Il aurait fallu qu'en plus tu aies enculé un général, ou sa femme… Réfléchis, mon vieux. Parfois on fait ces choses si vite, en passant, qu'on ne se souvient presque plus.

Boris réfléchissait, en effet; il ne faisait que ça. Mais toutes ses hypothèses lui paraissaient improbables. Seule restait la vengeance, la rancune contre l'atteinte à la hiérarchie. Chaque jeune officier qui avait pris les armes contre la dictature avait été exécuté, où qu'il soit. Boris était peut-être le dernier sur la liste. Les bureaucrates sont bornés, mais leurs archives sont fiables. Avec la demande de procès, qui sait, son dossier avait fait du chemin… Qui avait été tué dans la caserne lors du soulèvement? Le fils d'un type important, un coopérant américain? Comment se souvenir au juste: tout avait été si confus?

Boris prit d'abord contact avec l'éditeur Veigas. Celui-ci parut soulagé de sa décision de partir et promit de faire des démarches pour obtenir un billet le plus tôt possible, en toute discrétion. Le nouveau passeport serait prêt aussi. Boris lui dit seulement qu'il n'avait pas l'intention de se présenter au procès, mais omit de parler de la visite nocturne à l'hôtel pour ne pas l'effrayer. Veigas promit également de se taire sur toute cette histoire jusqu'à ce qu'il soit loin.

Veigas tint parole. Une semaine après, Juarez apporta à Boris le passeport et le billet, avec la nouvelle que l'éditeur venait de partir en voyage.

Boris appela enfin Monica. Celle-ci était contente de le savoir de retour et très curieuse de connaître les détails de son escapade durant le carnaval, au sujet de laquelle il avait été très discret.

— Je te raconte tout, personnellement, veux-tu? J'aimerais beaucoup te voir, ma petite sœur chérie; aujourd'hui, si possible.

— Non, Boris, pas aujourd'hui. Demain. D'ailleurs, j'ai une surprise à te faire, quelqu'un à te présenter. Demain. Aujourd'hui je suis pressée, chéri. Je dois aller aux funérailles d'un ami… Il est mort subitement, c'est terrible. Un peintre si connu, si adorable…

— Un peintre? demanda Boris.

— Oui, Gilberto Dias. Le plus grand nom de l'art brésilien. C'était un grand ami, nous étions très proches... Je suis toute bouleversée. Ça s'est passé si vite... Boris, allô, tu es là?

— Je suis là... Il est mort?

— Oui, le pauvre. Tu le connaissais? Il était à la réception de Luciano, le mois dernier, tu l'as certainement vu là-bas.

— Il est mort comment?

— Ah, c'est terrible, Boris, tu peux pas savoir! Il s'est tué, imagine-toi. Un homme si joyeux. Je l'avais justement vu la semaine dernière, tout bronzé, plein de vie. Dans une fête à sa galerie... Il s'est tiré une balle dans la tête le même soir, devant sa... son étudiante, une jeune étudiante qui était dans son atelier. La pauvre! Elle était dans un état tel qu'il a fallu l'hospitaliser, la pauvre fille... Allô! Je ne t'entends pas, Boris.

— Si, je suis là... Donc, pas aujourd'hui, je comprends.

— C'est ça. Demain, d'accord? Dans le bar de notre hôtel, à la même heure. Ça te va? J'ai une belle surprise et je t'attends... Je t'embrasse, mon chéri, à demain. Il faut que je me dépêche: le cortège funèbre part du Musée d'Art moderne. Une grosse affaire. Ciao!

Boris resta dans la cabine téléphonique, le combiné dans la main comme s'il poursuivait une conversation, isolé de la rue agitée, du trafic agressif et de la foule compacte des passants. Seul, au milieu du bruit et de la fureur, pour mieux revenir à l'atelier de Gilberto Dias. Il laissa les bribes les plus significatives de leurs conversations résonner dans son esprit, à la recherche d'indices. Le sourire moqueur du vieux peintre revenait sans cesse, au delà de la mort, opiniâtre; sans cynisme cependant. Boris fit des efforts pour le voir réagir autrement, qui sait, avec dépit ou avec rancune, ou même avec tristesse devant les choses qu'il lui avait dites. En vain. Dans sa mémoire, cet homme à la chevelure toute blanche et négligée, aux yeux rieurs et aux gestes éloquents, n'arrivait à exprimer aucune mélancolie. Au contraire, il se déplaçait dans l'atelier en commentant ses toiles avec le même sarcasme amusé qu'il l'avait fait de son vivant, avec le même dédain envers les amateurs d'art qui le portaient aux nues. Boris se souvint en particulier de ses remarques cinglantes concernant les efforts des administrateurs et des politiciens pour reconstituer une collection quelconque après l'incendie qui avait détruit les dépôts du Musée d'Art moderne :

— Depuis qu'il n'y a plus de tableaux, les cons se contentent d'y donner des réceptions et des concerts ; le musée a enfin atteint sa véritable vocation de salon de fêtes pour la haute société. Il y en a qui sont même contents de l'incendie. Ça leur permet de dire que c'est le plus avant-gardiste des musées. Désormais, ils pourront acheter des œuvres comme le font les riches, en ne tenant compte que de leurs meubles et des rideaux.

Il pensa aussi à ce que Gilberto lui avait dit concernant la liberté :

— La liberté, Boris, ce n'est pas le droit de faire ce qu'on veut. C'est l'exigence de ne pas s'arrêter en chemin, le plus confortable soit-il. Elle nous pousse à la découverte, à l'aventure intellectuelle. S'il n'y a plus de mystère, finie la liberté.

Boris s'imagina le cercueil sur un catafalque aux décorations géométriques, comme un palanquin de carnaval, entouré de femmes maquillées aux poitrines opulentes, de messieurs cravatés s'épongeant la sueur et d'une multitude de jeunes agents de presse et d'étudiantes en art éplorées. Tous ces gens tournoyaient comme dans une danse, avec des gestes affectés, cherchant à imiter les trois veuves, les sœurs, la mère et la légion de filles du maître en robes noires. Le cliquetis des flûtes de champagne, les olives farcies de piments se suivant en serpentins, des fleurs en abondance comme un formidable bouquet cubiste dont les cernes et les plans étaient découpés par les smokings des garçons se déplaçant en diagonale. Tache rouge ondoyante, le cardinal en personne avançait sur le mauve des évêques et la fumée des encensoirs, au rythme de l'hymne national. Rouge sur le vert, le jaune et le bleu du drapeau, tout à fait comme un défilé d'école de samba. Dans un coin discret, Fermat, Gödel, Mansour et un squelette se riaient des algorithmes en sirotant du bordeaux millésimé. Sous l'ombre du couvercle en palissandre aux moulures bronze patiné, le vaste sourire du vieux peintre qui s'excusait en disant: je n'ai jamais su leur dire non...

Boris se rappela que « rune » signifie « écriture secrète », dont le secret est plus dans l'intention d'écrire que dans le geste du tracé. L'image des funérailles lui fit alors penser que l'art n'a rien du larbin qui répond au claquement des doigts. La balle traversant le crâne aux cheveux blancs voulait certainement crier que savoir dire non aux sirènes est, certes une question de survie, mais avant tout une question d'honneur.

Il déambula le reste de la journée dans les rues, la tête pleine d'images. Il put alors rediscuter avec Gilberto et lui poser de nombreuses questions laissées en suspens, tout en parlant de lui-même, de ses propres difficultés avec les runes, avec les sirènes et avec les larbins.

Lorsque Boris se rendit compte que ses jambes étaient fatiguées, la canaille qui le cherchait était devenue sans importance. Le bagage encore allégé par la compagnie d'un autre suicidé, en caressant l'arme dans sa poche, il se sentit agréablement envahi de sonorités et de césures qui fracassaient le brouhaha de la ville. Il s'acheta une bouteille et revint à sa cachette pour accueillir la nuit.


Monica l'attendait au bar de l'hôtel avec son sourire délicieux, moins déshabillée cependant que la fois précédente. Quelque chose de triomphal drapait sa personne d'une certaine majesté.

— Boris, mon chéri, tu avais hâte de me parler... Excuse-moi. Ces funérailles ont été un vrai supplice. Tu sais comment sont ces choses. C'est si triste et émouvant à la fois, si fatigant. Mais je pensais tout le temps à toi. Dommage que tu ne sois pas venu. Tu aurais pu rencontrer tout le monde.

Elle lui fit alors un récit détaillé des décorations du hall principal du musée. Des grands panneaux du maître, peut-être les mêmes qu'il avait vus à Cabo Frio, tenaient lieu de toile de fond. La nombreuse famille, très triste mais si élégante ; les veuves, qu'elle qualifia de « hiératiques » ; et les invités, qui comptaient parmi la crème du monde des arts, de la politique et de la diplomatie. Ensuite le cortège vers le cénotaphe des anciens combattants, où avait lieu la messe en plein air.

— Ah, Gilberto était un homme si remarquable, si adoré de tous...

Monica mit un accent tellement corporel dans cette dernière phrase que Boris se demanda si c'était pour le séduire ou si elle n'avait pas couché avec le peintre. Peut-être les deux choses à la fois.

— C'était surtout extrêmement élégant, tu vois, comme son art. Sa jeune étudiante, la pauvre, elle était tellement abattue qu'il a fallu lui donner des médicaments pour qu'elle puisse se tenir debout. Elle avait le visage d'un ange...

— À cause des sédatifs ?

— Non, Boris ! Un petit sédatif ne fait pas ça... Elle était traumatisée. Mais elle lui avait pardonné ; on le voyait dans ses yeux pensifs.

— Est-ce qu'il la sautait ?

— Boris, tu deviens obscène ! C'était une étudiante, voyons, toute jeune encore. Il aurait pu être son grand-père. Gilberto était un homme... presque chaste. Mais dis, chéri, pourquoi voulais-tu me voir ?

— C'est que j'ai enfin décidé de changer d'hôtel. Tu avais raison. Ce n'était pas un endroit convenable pour recommencer ma vie civile. Je veux m'installer comme il faut. Pour le moment, je suis chez des amis de mon père, à Caxias. Oui, c'est loin... Mais seulement pour quelques jours. Je me demande si tu ne pourrais m'aider à trouver quelque chose de mieux, ici à Ipanema, par exemple. Je serais près de l'université catholique... Je compte y accepter un poste. Il n'y a rien de précis encore, mais ça va marcher.

— C'est merveilleux, Boris ; c'est si merveilleux, mon chéri. Bien sûr que je vais t'installer. On pourra se voir tous les jours.

— J'y compte bien, Monica...

— Mais, Boris, c'est si subit. Tu a pris cette décision comme ça ?

— Après le procès en cour martiale, je vais être enfin dégagé. Il faudra penser à une source de revenus... Il faut que je m'installe. Je t'appelle bientôt pour te donner mon adresse.

— Je suis tout à fait d'accord, mon chéri. Il te faut plus d'espace, une meilleure compagnie, un endroit pour recevoir, quelque chose à la hauteur pour que tu te remettes à écrire. Enfin une décision sage de mon grand délinquant ! Tu verras, ça va marcher. Le passé, il faut l'oublier une fois pour toutes, sinon on arrête de vivre.

— Justement, ma petite sœur chérie, je me suis décidé à oublier complètement le passé...

Ils burent en silence, regardant la mer, chacun plongé dans ses propres projets, le sourire aux lèvres. Ensuite elle s'approcha de lui, en pressant contre lui ses cuisses chaudes. Elle caressa ses joues non rasées et, avec une moue de désapprobation, elle lui dit :

— Tchut, tchut... On ne s'occupe pas comme il faut de toi. Justement aujourd'hui, où je t'amène un cadeau, il fallait bien que tu viennes comme si tu venais de sortir du lit. Qu'est-ce qu'on va penser ?

— Qui ?

— La surprise, voyons ! Mon cadeau pour toi.

— Ton cadeau ? demanda-t-il avec appréhension en se souvenant qu'il n'était pas armé.

— Mais si, chéri. Je te l'avais promis et je tiens parole. Tu te souviens de Clarissa, mon amie Clarissa Campos, redevenue entre-temps Clarissa Robles ? Bon, elle va venir nous rejoindre dans une minute.

— Ah..., fit-il. Clarissa ? Pourquoi ?

— Mais, Boris... C'est mon amie ! Je pensais que tu voulais la rencontrer. Tu veux pas ? Allons, il faut que tu la rencontres. C'est une femme exceptionnelle, très engagée dans les arts, dans la société. Hier, à l'enterrement, elle était si contente à l'idée de te rencontrer. Après tout, chéri, c'était ta copine ; c'est normal qu'elle ait envie de te voir. D'ailleurs, elle vit si seule depuis son divorce ; j'ai pensé que ça lui ferait du bien de bavarder avec nous. Ça va être bon, ne fais pas cette tête.

Boris attendit sans rien dire, avec une sensation confuse d'expectative et d'appréhension qui faisait tendre ses muscles. Il ne saisissait pas du tout le jeu de Monica, et cette rencontre ne lui paraissait pas très innocente. Il pensait encore à son revolver lorsqu'une femme s'approcha de leur table pour saluer Monica. Boris détourna automatiquement son visage en attendant qu'elle s'en allât.

— Salut, Clarissa mon amour !

Boris regarda l'inconnue avec étonnement et chercha des yeux l'entrée du salon.

— Bonjour Boris, fit la femme avec un large sourire, en lui tendant une main potelée aux ongles couleur carmin. Mais Monica, il ne me reconnaît pas... Voyons, Boris, c'est moi, Clarissa !

— Ah, oui, si... Clarissa ! Bonjour, répondit-il en se levant pour lui serrer la main. Naturellement... C'est bien Clarissa. Je ne m'attendais pas à te voir apparaître ici... Comment ça va ?

Elle le fixait toujours avec un énorme sourire, de la même couleur que ses ongles, sur un visage épais d'où sortait un minuscule nez trop poudré. Les poils d'une légère moustache blanchie au peroxyde avaient été saupoudrés de maquillage et se tenaient raides. La vaste chevelure arrangée de façon fantaisiste s'équilibrait dans une sorte de coiffure à étages, laquée et massive, faisant paraître plus mobiles encore les lourdes boucles d'oreilles en bois poli. Les yeux... Derrière les cernes noirs comme ceux d'une musulmane et les cils chargés de mascara, oui, les yeux étaient bien ceux de Clarissa. Il n'osa pas faire descendre son regard vers ce corps qu'il devinait trop robuste sous la large robe rouge.

— Tu as vraiment l'air surpris, Boris, de me voir ici. Monica ne t'avait pas dit ?

— Mais non, Clarissa, répliqua Monica de sa voix mélodieuse et juvénile, comme si elle faisait exprès de relever ainsi la sonorité trop cassée, presque criarde de celle de son amie. Il est simplement ému. Je le connais. Chaque fois qu'il est ému, il reste ainsi, avec ces yeux timides. Boris, tu es un chou !

— Eh bien, fit-il enfin, voilà tant d'années, je ne sais pas que dire... Ça me fait plaisir de te voir, Clarissa.

— Parle-moi plutôt de toi, répondit-elle en s'asseyant. Quand Monica m'a dit que tu étais revenu au pays, j'ai ressenti une telle émotion... J'avais cru que je ne te reverrais jamais plus. Enfin, te voilà, comme autrefois. T'as toujours l'air d'un grand garçon.

— Tu n'aimes pas lorsque je t'appelle mon grand ourson, et tu vois ? interrompit Monica en lui serrant la main.

Boris ne put s'empêcher de rire avec plaisir de cette situation grotesque. Il comprenait enfin le sens du manège de cette peste de Monica : elle était sûre de ses charmes et voulait simplement écraser l'autre qui avait, en effet, très mal vieilli. Son corps massif et la rigidité qu'elle cherchait maladroitement à cacher suggéraient en outre que Clarissa était amère et tendue, complètement à l'opposé de la gaieté affichée par Monica. À la vue du sourire triomphal et de l'attitude condescendante de cette dernière, une seule phrase lui vint à l'esprit : elles se haïssent comme des serpents.

Il commanda d'autres gin tonics pour se donner le temps de reprendre son souffle. Clarissa était assise sur le fauteuil d'en face, de l'autre côté de la table basse. Monica se tenait toujours serrée contre lui.

Un malaise certain pesait entre eux et il leur était impossible de se parler sérieusement. La conversation se poursuivit de manière saccadée, sautant du coq à l'âne, avec l'évocation de l'enterrement du peintre, du divorce de Clarissa, des lettres de Boris que Monica se plaisait à citer dans le texte, des livres qu'il avait écrits... Rien de personnel cependant, comme si chacun des trois venait à peine de faire connaissance avec les autres. Monica ne lâchait pas prise, mais elle le faisait de façon plus discrète à mesure qu'augmentait le malaise.

— Bon, Boris chéri, il faut que je vous laisse, finit-elle par dire avec une moue de petite fille lorsqu'elle parut certaine de son effet. Il faut que j'aille à la clinique. Appelle-moi sans faute pour qu'on aille visiter des appartements. Demain, si tu veux ; j'ai tout l'après-midi pour toi.

— Pas demain, Monica, répondit-il avec le sourire. Après-demain, ou le jour d'après... Sans faute, chérie.

— Mon gros nounours, fit-elle en l'embrassant sur les lèvres de sa façon peu fraternelle. Ciao, Clarissa mon amour...

Boris riait de ce jeu pervers sans chercher à se cacher et incapable de ne pas trouver adorable la petite peste. « Combien a-t-elle pu souffrir de jalousie devant la jolie Clarissa d'autrefois, pour se venger de cette façon ? pensa-t-il. Mais quel monstre ! Elle mériterait une fessée », conclut-il en la regardant longer le couloir avec un délicieux balancement de ses hanches charnues.

Seul avec Clarissa, il se sentit plus détendu. Il pouvait enfin la regarder sans ressentir de malaise, sans être gêné par les yeux rieurs qui l'avaient scruté pour mieux savourer leur triomphe. Mais, que dire maintenant à cette étrangère assise devant lui, au visage tendu, qui avait ravi l'âme de la Clarissa de ses rêves ? Et elle, que venait-elle faire ici ? L'idée que cette femme ne savait rien de ses pensées le soulagea du sentiment de honte et de ridicule qui l'avait envahi précédemment.

Ils regardèrent la mer en silence, chacun attendant de l'autre un début de conversation. Boris commanda encore des boissons et alluma une cigarette tout en laissant son regard l'examiner discrètement. Elle le regarda à son tour.

— Ça fait plus de vingt ans, dit-il.

— Vingt-deux, le mois prochain, répondit-elle. Tu te souviens encore de notre dernière rencontre ?

— Bien sûr, Clarissa…

— Tu es donc revenu, après tant d'années.

— Oui…

— Est-ce que c'est difficile, de revenir comme ça ? Je veux dire, de s'adapter au pays lorsqu'on… Ça te fait comme une deuxième vie. D'ailleurs, tu as l'air de rajeunir.

— Ah… non, ce n'est pas très facile. Le pays a trop changé, et j'ai moi-même mes habitudes.

— Tu es venu seul ?

— Oui.

— Tu ne changeras jamais, Boris. Toujours aussi détaché de tout, comme si les choses ne te concernaient pas, l'air rêveur… On m'a dit que tu écris.

— C'est vrai, de la poésie. Tu vois, toujours aussi rêveur. Et toi, que fais-tu ?

— Je m'occupe de plusieurs choses, surtout d'art, de communications. Je m'active beaucoup depuis que je vis seule…

— Monica m'a dit que tu n'étais plus mariée.

473

— Ah, Monica… Elle a l'air de t'aimer beaucoup. En tout cas, elle est fière de toi.

— Comme une sœur, Clarissa. Elle s'est beaucoup occupée de mon père toutes ces années, avec son mari. Cela rapproche, naturellement. Elle et Ricardo sont très gentils, ils cherchent à faciliter mon intégration par toutes sortes d'attentions.

— Ah bon. As-tu des projets ?

— Non, pas encore.

— Tu ne vis pas en écrivant de la poésie, tout de même. Es-tu toujours dans le domaine des mathématiques ?

— Non, plus de mathématiques depuis déjà longtemps. Je voyage… Mon boulot en Allemagne me permettait de vivre. Ici, je ne sais pas encore. Peut-être quelque chose dans le domaine de la traduction… J'ai des projets, mais rien de précis.

— Je me disais que je pourrais sûrement t'aider, Boris. J'ai des contacts dans le domaine de l'édition, du journalisme.

— Non, ce n'est pas la peine, Clarissa, merci. Je suis en vacances pour le moment. Je ne sais pas encore ce qu'il me plairait de faire.

— Tu ne vieilliras jamais, Boris… Tu sais, je suis vraiment contente de te revoir. Nous nous sommes quittés… si abruptement. Soudain, tu es là, je peux te toucher ; j'ai un tas de choses à dire. Pas toi ?

— Il faudrait que je te raconte pour pouvoir me souvenir… Comme ça, je ne sais pas. La vie a continué, c'est tout. Le temps passe, de petites choses arrivent et s'accumulent, on continue à s'adapter, voilà. Rien de très remarquable.

— Lorsque c'est Monica qui raconte, ta vie a l'air d'être toute une aventure…

— Lorsqu'on raconte les choses, elles prennent toujours une allure plus intéressante que dans la vraie vie. Ce n'est qu'une déformation des récits… Toi aussi : on m'a dit que tu as vécu aux États-Unis.

— Oui, mon ex-mari était diplomate à New York, et je vivais la plupart du temps là-bas. C'est un pays formidable... Tu le connais, Luciano, n'est-ce pas ?

— Oui, je me souviens de lui.

— Voilà. J'ai étudié et j'ai travaillé. J'ai un fils, Thomas, et une fille, Priscilla ; il a dix-huit ans et elle en a quinze. Je suis certaine que tu aimerais les connaître.

— Ah, sûrement...

— Thomas est un grand garçon ; il ira bientôt à l'université catholique, en journalisme.

— Pas en diplomatie ?

— Pas tout de suite. Le journalisme est très à la mode puisqu'il devient plutôt le domaine des communications, tu sais. Il ira ensuite aux États-Unis, et on verra après. Luciano peut lui ouvrir des portes, la politique ou la diplomatie... Priscilla, je ne sais pas. Elle a quinze ans et elle est restée très américaine. Tu n'as pas d'enfants ?

— Non.

— Ce ne sont pas les occasions qui ont manqué...

— Non plus, mais je n'ai pas pensé à ça.

— Je suis certaine que tu aimerais rencontrer Thomas. Il est un peu rêveur comme toi. Depuis que nous sommes rentrés au pays, il s'améliore, il rencontre plus de gens et devient sociable. Peut-être qu'il t'arrivera la même chose.

— Hum, je ne sais pas... Mais je suis sociable, Clarissa. J'adore les rencontres et j'ai un très grand cercle d'amis, partout où je vais.

— Tu as pourtant l'air réservé aujourd'hui. Est-ce à cause de moi ?

— Excuse-moi... Ça fait si longtemps qu'on s'est quittés, n'est-ce pas, et c'est difficile de savoir comment commencer... Et puis, je suis encore un peu sous le choc du retour, comme un décalage horaire culturel. Mais ça va passer. Toi non plus, tu n'as pas l'air à l'aise. Tu sembles m'examiner comme si tu cherchais quelqu'un d'autre...

— Mais non, Boris, je suis contente de te retrouver, très contente. J'ai tellement pensé à toi toutes ces années, avec tant de tendresse. Soudain, tu es là, et je te regarde. C'est comme si tout ce temps n'avait pas existé, comme si notre dernière rencontre avait été hier, tu ne trouves pas ?

— Si... On garde les souvenirs intacts, le temps ne les touche pas, tu as raison. Ça fait étrange tout de même, de comparer nos souvenirs à la réalité... Tu as raison... Mais d'habitude je ne suis pas si réservé que ça.

— C'est bon de se retrouver. On a nos vies à se raconter. Je sens qu'on retrouvera très vite notre ancienne intimité, que nous serons de bons amis. Tu ne crois pas ?

— Si, Clarissa. Il faut peut-être nous donner un peu de temps pour nous habituer. Ensuite, on oubliera complètement le passé, et ce sera comme s'il n'avait jamais existé. Tu as raison.

— Le plus difficile, ce sera de te libérer de l'emprise de Monica. Je sens qu'elle va être très jalouse.

— Jalouse, Monica ? Non, tu te trompes. C'est elle-même qui a insisté pour qu'on se rencontre aujourd'hui... Elle parlait tellement de toi.

— C'est vrai ? demanda-t-elle, étonnée. Ah, Monica est une vraie gamine...

— Parfois je pense qu'elle et Ricardo n'ont qu'une seule idée en tête, me caser le plus vite possible. C'est un couple admirable.

— En effet, ils sont admirables. Mais, cela ne te dérange pas qu'on s'occupe ainsi de toi, tu ne te sens pas accaparé, envahi ?

— Pas du tout ; je trouve même très chaleureuse cette ambiance de famille. C'est très brésilien, très tropical. Ça me fait me sentir vraiment de retour...

— Ah, que je suis contente de t'entendre, Boris ! Je sens que nous allons nous voir très souvent. Tu verras, je saurai te défendre si Monica devient trop accaparante.

Clarissa, rassurée par ses paroles, oublia alors un peu sa propre personne pour raconter, de manière décontractée, des choses sur sa vie aux États-Unis, la diplomatie, son travail… Son récit était une sorte de rapport détaillé sur tout ce qu'elle trouvait de plus important dans l'existence. Se bornant à sourire, Boris pouvait alors l'examiner sans être assommé par cette masse de trivialités.

Il tenta d'abord d'arracher en pensée le masque sous lequel cette étrangère cachait la jeune fille d'autrefois. Mais il se lassa vite de ce jeu. La femme devant lui était bel et bien une inconnue ; d'ailleurs, les lambeaux de vie qu'il captait dans ses paroles allaient parfaitement avec ses manières, son corps et son visage. Même les yeux qu'il avait cru reconnaître percevaient le monde comme le reste de cette personne. Boris pensa alors que l'image idéale de sa Clarissa n'était qu'une image figée, dévitalisée ; il lui était en effet impossible d'imaginer les détails d'une existence plausible pour lui faire avoir ne fût-ce qu'un semblant d'animation. Clarissa était morte depuis plus de vingt ans ; le Boris qui existait dans l'esprit de cette inconnue était lui aussi mort et dévitalisé, sauf qu'elle ne le savait pas. Et il n'avait aucune envie de lui annoncer ce double décès.

Il la laissa donc parler, il se montra gentil et courtois comme on doit l'être devant quelqu'un qui fabule, et ils se quittèrent en se promettant de se rencontrer souvent pour parler de leurs spectres.

## 24

Le lendemain, Boris se leva au milieu de la matinée, particulièrement bien reposé et de bonne humeur. Après le rasage et la longue douche, il rangea rapidement ses choses et alla rendre visite à Berenice.

La mulâtresse l'attendait, déjà remise des ardeurs du carnaval. Elle apprêta des sardines frites, avec un riz blanc à peine poivré qu'elle arrosa d'huile d'olive et servit accompagné de tomates au sel. Un repas léger, que la bière froide aida à faire descendre facilement. Berenice chercha ensuite des tangos et des boléros à la radio en prétendant qu'elle était mélancolique, et qu'elle voulait danser collée comme une amoureuse. Ils se contentèrent cependant des sambas stridentes car, à part les postes où l'on prêchait la Bible et la fin du monde, tous les autres ne paraissaient pas s'accommoder des joies fades du carême.

Leur danse fut d'ailleurs de courte durée. On aurait dit que la mulâtresse, trop irritée par son *fil dentaire*, avait dû se mettre au régime sec pendant la fête et qu'elle était avide de se rattraper.

Ce fut une après-midi torride. Berenice s'évertua une fois de plus à apprendre à ce gringo comment l'on monte une jument, pour la calmer, pour la dompter, pour la faire rire et ruer de nouveau. L'élève, habitué à la maîtresse exigeante, rigoureuse, se donna à son tour avec l'enthousiasme d'un premier de classe. Ce fut donc aussi une belle fête baignée de sueurs abondantes et de parfums exotiques, jusqu'au début de la nuit.

Pindoca et Sirigaito vinrent alors le chercher avec le taxi, et tous trois partirent en promenade dans la ville.

— Rien qu'à voir les yeux de la mulâtresse, Boris, s'exclama le chauffeur, c'est évident que tu viens de rendre hommage à tes couilles. Il est temps maintenant de penser à la tête, pour te bénir. Ensuite, on s'occupera du ventre, qui est le principal morceau de l'homme.

Sirigaito ajouta, sentencieusement :

— Comme le dit si bien mon compère Philippe d'Édimbourg lorsqu'il sort, la nuit, des appartements de Sa Majesté pour aller visiter les cuisines, à Buckingham : lorsqu'on a vidé ses parties nobles, on a un creux.

Pindoca était bavard comme toujours. Profitant de la compagnie, il racontait des histoires plus drôles les unes que les autres, et qui ne finissaient pas puisqu'elles s'accrochaient aux suivantes par des associations sémantiques extrêmement cocasses.

Le taxi avançait ainsi, illuminant la nuit d'hilarité.

Leur premier arrêt fut, comme promis, à l'arrière-boutique d'un marchand d'articles pour la macumba dans le quartier Mangueira. Une prêtresse pas très vieille mais d'une maigreur morbide les attendait au milieu d'une étonnante variété de fétiches, d'animaux empaillés, de masques et d'images du démon. La pièce minuscule, encombrée d'objets de culte et éclairée par de simples chandelles, était très enfumée et exhalait une étrange odeur d'herbes et de musc.

Boris ne put refuser sa collaboration, car cette cérémonie était essentielle aux yeux de ses deux amis.

— Vas-y, Boris, insista Sirigaito d'un ton sérieux. Fais-le pour moi. Je regrette encore de ne pas avoir fait fermer le corps de mon neveu. T'as bien vu son triste sort ?... Alors ne te raidis pas et laisse mère Isaltina te bénir. Ce sera vite fait. Elle te fermera le corps contre les attaques de tes ennemis, garanti. Ce n'est qu'une précaution de plus... On ne sait jamais.

Boris s'assit au centre de l'aire de sacrifice. La vieille commença ses incantations avec une sorte de chuchotement aigu, en dansant autour des images ; de ses mains, elle faisait des gestes en direction de Boris comme si elle cherchait à déplacer la fumée vers lui. Ses propos étaient incompréhensibles et inquiétants à la fois. Une fois satisfaite des résultats, elle empoigna une longue épée en laiton et fit mine d'agresser Boris à diverses reprises, un peu partout sur son corps. Puis elle versa un liquide rouge sur ses bras et lui ordonna de se coucher, les yeux fermés. Au bout de quelques instants, la voix de la prêtresse se changea en éclats de rire et Boris put enfin se relever.

Voilà, il était ensorcelé à jamais, disait la femme en lui faisant faire le tour des images et des masques démoniaques pour qu'il s'incline et remercie. Elle lava ses mains et ses bras avec de la cachaça, chacun but un verre en hommage aux esprits, et les trois hommes repartirent.

— Dis-moi, Sirigaito, demanda Boris, tu crois à cette sorcellerie ?

— Je ne sais pas... Dans le fond, je ne pense pas que j'y croie. Ça n'a pas beaucoup d'importance. Mais c'est tout ce dont nous disposons pour te protéger. C'est bien peu, j'en conviens. Au moins, nous aurons fait tout ce qui est en notre pouvoir. C'est évident que Dieu n'existe pas... Mais le démon, qui sait ?

Ils continuèrent le voyage en silence, à travers les banlieues pauvres, jusqu'au quartier Meyer. Pindoca gara le taxi dans une cour arrière et ils entrèrent dans un restaurant.

— Maintenant, Boris, nous allons te faire vivre une expérience unique. Ce Portugais-ci fait la meilleure feijoada du monde. Il la prépare le soir, pour qu'elle soit bien savoureuse le lendemain. Nous serons les premiers à la goûter. Une *feijoada completa* comme on n'en fait plus, tu verras.

Ils furent reçus par Manuel, le patron, un Portugais gros et jovial, qui paraissait se réjouir de leur présence et qui assurait qu'il avait réussi sa feijoada comme jamais. Il les invita à la cuisine pour leur montrer les énormes casseroles fumantes d'où se dégageaient en effet une multitude d'odeurs alléchantes. Le cuisinier lui-même, un vieux Noir très sérieux, loua aussi son œuvre d'un air quasi craintif, comme s'il avait plutôt commis un sacrilège.

Les trois amis s'attablèrent confortablement au fond du restaurant presque désert pour déguster d'abord des apéritifs à la cachaça accompagnés de petites tranches de pieuvre grillée, de moules et de croquettes à la morue. Puisque Boris avait l'air d'apprécier la cachaça pure, le patron lui fit goûter plusieurs bouteilles différentes et apporta des tranches de cajou saupoudrées de sel pour les mettre en valeur.

Pindoca, excité par la visite à la cuisine, reprit ses histoires drôles avec un enthousiasme accru. Sirigaito se mit aussi de la partie pour, dit-il, ajouter un brin de sagesse à la folie verbale du chauffeur. Les récits devinrent alors d'une lubricité singulière et, lorsqu'ils s'engageaient dans le train de pensée de Pindoca, ils atteignaient le sublime.

Vers onze heures, le Portugais expulsa les derniers clients qui traînaient et baissa les stores du restaurant. La sainte paix : entièrement isolés du monde pour se consacrer uniquement à la feijoada.

Les terrines fumantes de ragoût de haricots bouillis dans une sauce dense, bitumineuse, arrivèrent les premières. Les couennes à la panne épaisse, grises de sauce, flottaient sur la surface onctueuse de saindoux parmi les bouts de chorizo et de lard, les saucisses, les boudins, les épais cervelas, les molles crépinettes et d'autres cochonnailles indéfinissables. Les terrines suivantes contenaient les gros morceaux, grillés à part avant la cuisson et destinés à être mangés avec les doigts : les jambonneaux, les andouilles, les museaux, les pieds de porc, les oreilles dégoulinantes et les petits salés. Quel fumet ! Tout cela était accompagné de larges bassines de riz, de quartiers d'oranges, de tranches de piment fort, de farine de manioc grillée et d'huiles piquantes à profusion.

Naturellement, la cachaça céda la place à la bière glacée sans toutefois disparaître de la table puisqu'on sait que l'alcool fort, doucereux, apaise la nervosité du ventre devant une telle exubérance de graisses épicées.

Boris et ses amis mangèrent durant de longues heures en compagnie du patron et du cuisiner, dans un silence religieux, en ne s'échangeant que des sourires aux lèvres sales et des haussements de sourcils emphatiques.

Le journaliste Juarez, accompagné de son photographe, s'annonça au milieu de la nuit par des sifflements saccadés de l'hymne national en rythme de samba. Leur arrivée fut saluée par d'autres toasts de cachaça accompagnés de nouvelles bouteilles de bière. Le photographe prit des clichés du groupe pendant que le vieux cuisinier allait et venait pour surveiller les casseroles.

Le repas se poursuivit alors au son des histoires d'horreur racontée par le journaliste, à qui les viandes du ragoût rappelaient irrémédiablement les *jambons* criblés de balles flottant dans le marais. Tout en mangeant de bon appétit, il examinait les divers morceaux avant de les engloutir, et déployait en leur honneur une féerie de viols, de lynchages, de bagarres incroyables, de razzias de la police contre les putes et les travestis, d'enfants empalés et de clochards incendiés.

Juarez, s'il avait le sens du réalisme et du détail, du suspense aussi, n'était pas moins porté sur le comique et savait mettre à profit les aspects les plus sordides des choses. Ce renfort de fabulation avait un effet stimulant sur l'imaginaire de Pindoca qui, ne voulant pas se faire éclipser, engendrait à son tour de nouvelles perles pour défier le journaliste. C'était une sorte de duel : d'un côté l'inspiration mythique sous la forme d'épopées hilarantes ; de l'autre, le réel le plus obscène, insupportable de précision. La surenchère des deux narrateurs se multiplia ainsi comme une germination mutuelle, pour le grand plaisir des spectateurs. Ces derniers, lorsqu'ils demandaient des précisions, attisaient involontairement les deux bavards et ouvraient d'autres sources de fictions, d'autres flots d'anecdotes.

Le Portugais s'étouffait de rire entre chaque fourchette débordante qu'il enfonçait dans sa bouche colossale. Le photographe, lui, ne riait que des yeux ; il les clignait diaboliquement pendant que son corps se trémoussait en spasmes sans qu'il lâchât la feijoada.

Boris et Sirigaito, repus, étaient revenus depuis longtemps à la cachaça ; ils se contentaient, par pure gourmandise, de plonger leurs doigts dans la grosse terrine de haricots à la recherche d'un bout de chorizo, d'une couenne mieux grillée, ou encore pour y tremper des cajous. Tous deux avaient atteint cet état aérien où les choses du monde ont bien moins d'importance et où même le comique n'a plus d'effet.

« Étrange réalité, pensa Boris comme dans une transe, qui prend des allures si variées lorsqu'elle emprunte le langage pour devenir récit. Et combien à leur tour ces récits s'imprègnent dans notre esprit pour émousser notre tolérance à l'intolérable... Si je me souviens bien, le peintre avait parlé de renversement des simulacres... »

Son regard allait des visages rougis qui se figeaient étrangement en l'air aux cochonnailles flottant dans le ragoût. « Des cadavres, pensa-t-il encore, ou de simples masques à la dérive cherchant des corps noyés où s'accrocher de nouveau pour survivre encore comme des personnages d'un théâtre d'horreur; et pourtant, si humains, si drôles et attendrissants à la fois.»

La satiété libérant les bouches pour la parole, les récits fusaient désormais les uns contre les autres. Le Portugais lui-même, avec son accent chargé, évoquait à son tour des trucs bizarres qu'il avait autrefois entendus dans son village perdu, mettant en jeu des hommes et des brebis, des boucs et des filles, des vieilles et des porcs, n'importe quoi. Pindoca, ramolli par la cachaça, devenait romantique et passait directement aux vers pour dire des scènes d'amour, incapable cependant de ne pas les clore par des fins désopilantes. Juarez évoquait des passions cruelles, des vendettas sanglantes, des trahisons invraisemblables, des souillures, d'infâmes humiliations. Toute la gamme enfin des trames les plus propices pour boucler une feijoada étourdissante.

Ils s'en allèrent tous un peu avant quatre heures du matin. La camionnette du journal suivait le taxi, dansant au même rythme, le long des rues mouillées par une forte pluie.

Même Pindoca se taisait. Chacun cherchait à rassembler ses idées, à effacer les conversations du restaurant pour être fin prêt au cas où les choses tourneraient mal.

Il n'en fut rien. Le voyage se passa en toute tranquillité jusqu'au port. Boris tâta ses passeports, sa carte d'identité et le billet pour le voyage que l'éditeur lui avait procurés. Pindoca avait apporté sa valise dans le coffre de l'auto.

Flanqué des quatre compagnons, il se dirigea vers le bureau des douanes et de la police maritime qui était vide à cette heure matinale.

Il les embrassa un à un en silence et en profita pour glisser discrètement le revolver dans la poche de Juarez. Il remit son dernier rouleau de cruzeiros et une lettre à Sirigaito.

— Tiens, mon oncle. Tu posteras cette lettre dans deux jours. C'est pour rassurer ma petite sœur, pour qu'elle ne se mette pas à me chercher en pensant que vous m'avez laissé tomber.

— Adieu, Mateus... adieu, Boris.

— Pas ça, Sirigaito, répondit-il en serrant le corps fragile du vieux barbier. Maintenant, je suis Martin Niemand, citoyen du monde... Il faudra que je t'écrive pour te raconter des histoires. Je te parlerai de Sa Majesté ta reine, promis.

Les quatre hommes le suivirent jusqu'au guichet. Les mains dans les poches, ils restèrent attentifs tout le temps qu'il fallut au policier pour examiner le passeport, chercher dans l'ordinateur et dans des cahiers crasseux, regarder Boris avec méfiance et enfin tamponner le livret d'un air de mépris. Le billet d'embarquement fut contrôlé comme s'il était une saleté dégoûtante.

Boris regarda les amis une dernière fois, puis il passa de l'autre côté de la barrière, déjà sur le quai. Il marcha sous la pluie une centaine de mètres jusqu'à la petite rampe illuminée, sur le flanc de la coque noire du cargo polonais qui l'emmènerait vers d'autres voyages. Juste avant de monter, il sourit en lisant le nom du bateau sous le drapeau blanc et rouge : *Konrad Korzeniowski*.

La sirène qui annonçait le départ imminent paraissait une plainte, comme le gémissement des phares sur la côte sablonneuse de la Baltique.

.

**DANGER**

**LE PHOTOCOPILLAGE TUE LE LIVRE**

Cet ouvrage composé en Palatino corps 12 sur 14
a été achevé d'imprimer
en octobre mil neuf cent quatre-vingt-seize
sur les presses de l'Imprimerie L'Éclaireur,
Beauceville (Québec).